Ex Libris

Professor Steve Murdoch

ÉTUDES ET ESSAIS SUR LA RENAISSANCE
dirigés par Claude Blum
XXVII

MAÎTRES ET ÉTUDIANTS ÉCOSSAIS
À LA FACULTÉ DE DROIT DE L'UNIVERSITÉ DE BOURGES
(1480-1703)

Dans la même collection

1. DAUVOIS, Nathalie. *Mnémosyne – Ronsard, une poétique de la mémoire.* 1992. In-8 de 250 pp., br. et rel.
2. GRAY, Floyd. *Rabelais et le comique du discontinu.* 1994. In-8 de 208 pp., br. et rel.
3. PINTO, Raffaele. *Dante e le origini della cultura letteraria moderna.* 1994. In-8 de 200 pp., br. et rel.
4. SCHRENCK, Gilbert. *La Réception d'Agrippa d'Aubigné, (XVIe-XXe siècles).* 1995, In-8 de 88 pp., br. et rel.
5. FORSYTH, Eliott. *La Tragédie française de Jodelle à Corneille (1553-1640). Le thème de la vengeance.* Édition revue et augmentée. 1994. In-8 de 528 pp., br. et rel.
6. BAILBÉ, Jacques. *Agrippa d'Aubigné. Etudes.* 1995. In-8 de 260 pp., br. et rel.
7. BAILBÉ, Jacques. *Saint-Amant et la Normandie littéraire.* 1995. In-8 de 432 pp., br. et rel.
8. BIZER, Marc. *La Poésie au miroir: imitation et conscience de soi dans la poésie latine de la Pléiade.* 1995. In-8 de 240 pp., br. et rel.
9. LA GARANDERIE, Marie-Madeleine de. *Christianisme et lettres profanes. Essai sur l'Humanisme français (1515-1535) et sur la pensée de Guillaume Budé.* 1995. In-8 de 448 pp., rel.
10. COTTRELL, Robert D. *La Grammaire du silence. Une lecture de la poésie de Marguerite de Navarre.* 1995. In-8 de 320 pp., rel.
11. TOURNON, André. *«En sens agile». Les acrobaties de l'esprit selon Rabelais.* 1995. In-8 de 196 pp., rel.
12. CAMPANGNE, Hervé. *Mythologie et rhétorique aux XVe et XVIe siècles.* 1996. In-8 de 304 pp., rel.
13. WEBER, Henri. *Histoire des idées et des combats d'idées aux XIVe et XVe siècles: de Ramon Lull à Thomas More.* 1997. In-8 de 952 pp., rel.
14. RENAUD, Michel. *Pour une Lecture du Moyen de parvenir de Béroalde de Verville.* 2e édition revue. 1997. In-8 de 336 pp., rel.
15. RIGOLOT, François. *Louise Labé Lyonnaise ou la Renaissance au féminin.* 1997. In-8 de 352 pp., rel.
16. PERIFANO, Alfredo. *L'Alchimie à la Cour de Côme Ier de Médicis: savoirs, culture et politique.* 1997. In-8 de 256 pp., rel.
17. PERNIS, Maria Grazia. *Le Platonisme de Marsile Ficin et la Cour d'Urbin.*, traduit par François Roudaut. 1997. In-8 de 264 pp., rel.
18. ROSENTHAL, Olivia. *Donner à voir: écritures de l'image dans l'art de poésie au XVIe siècle.* 1998. In-8 de 504 pp., rel.
19. LARDON, Sabine. *L'Ecriture de la méditation chez Jean de Sponde.* 1998. In-8 de 320 pp., rel.
20. TRIPET, Arnaud. *Entre humanisme et rêverie.* Etudes sur les littératures française et italienne de la Renaissance au Romantisme, réunies par Anne Milliet et Jean-Marie Roulin. 1998. In-8 de 528 pp., rel.
21. *La Naissance du monde et l'invention du poème.* Mélanges de poétique et d'histoire littéraire du XVIe siècle offerts à Yvonne Bellenger. Textes réunis et édités par Jean-Claude Ternaux. 1998. In-8 de 504 pp., rel.
22. DAUVOIS, Nathalie. *De la* Satura *à la Bergerie. Le prosimètre pastoral en France à la Renaissance et ses modèles.* 1998. In-8 de 320 pp., rel.
23. ZHIRI, Oumelbanine. *L'extase et ses paradoxes. Essai sur la structure narrative du* Tiers Livre. 1999. In-8 de 280 pp., rel.
24. JOMPHE, Claudine. *Les théories de la* dispositio *et le Grand Œuvre de Ronsard.* 1999, rel.
25. MARTIN, Daniel. *Signe(s) d'Amante. L'agencement des Evvres de Louïze Labé Lionnoize.* 1999, rel.
26. SCHRENCK, Gilbert. *Nicolas de Harlay, sieur de Sancy. L'antagoniste d'Agrippa d'Aubigné. Etude biographique et contexte pamphlétaire.* 2000, rel.
27. TUCKER, Marie-Claude. *Maîtres et étudiants écossais à la Faculté de droit de l'Université de Bourges (1480-1703).* 2001, rel.

Marie-Claude TUCKER

MAÎTRES ET ÉTUDIANTS ÉCOSSAIS

à la Faculté de droit de l'Université de Bourges (1480-1703)

PARIS
HONORÉ CHAMPION ÉDITEUR
7, QUAI MALAQUAIS (VIe)
2001

www.honorechampion.com

Diffusion hors France : Editions Slatkine, Genève
www.slatkine.com

ISBN : 2-7453-0522-0 ISSN : 1164-6152

« Men's purpose is often brought to another end than they look for »

Henry Scrimgeour au Régent Mar in
Buchanan, Opera Omnia, 1725, ii, 731

La forme originelle de cet ouvrage est ma thèse de doctorat soutenue en 1997 à l'Université Blaise Pascal de Clermont-Ferrand.

J'ai la tâche très agréable de remercier vivement tous ceux qui m'ont aidée en m'apportant leur coopération, leur soutien et leurs connaissances.

Que mes premiers remerciements aillent, d'une façon générale, au personnel de tous les établissements concernés, bibliothèques et services d'archives, à Bourges, à Clermont-Ferrand, à Paris, en Angleterre et surtout en Écosse. J'ai reçu partout le meilleur accueil, associé à une aide remarquablement efficace.

J'adresse aux archivistes écossais mes plus vifs remerciements, en particulier : Tristram Clarke et Martin Tyson, *Scottish Record Office* ; Alastair Cherry, Ian Cunningham et Brian Hillyard, *National Library of Scotland*. Je voudrais particulièrement remercier Jean-Yves Ribault, Directeur des Archives départementales du Cher pour ses conseils et son aide, tout au début puis au long de ma recherche. Qu'il me soit permis d'exprimer mes remerciements aux professeurs qui m'ont apporté une aide très substantielle par leurs courriers et envois de notes précieuses : Campbell F. Lloyd, *Department of Scottish History, University of Glasgow*; W. M. Gordon, *School of Law, University of Glasgow* ; Willem Frijhoff, *Erasmusuniversiteit* Rotterdam ; Robert Feenstra, Leyde ; W. Klose, Stuttgart ; Hilde de Ridder-Symoens, Université de Ghent ; Richard Sotty, de la Faculté de droit de Clermont-Ferrand.

Cependant, c'est envers John Durkan, *Department of History, University of Glasgow* et John W. Cairns, *Department of Private Law, University of Edinburgh* que j'ai les plus grandes obligations.

J'eus le privilège de rencontrer John Durkan, à l'Université de Glasgow, au tout début de ma recherche. Il me fit profiter des conclusions de ses récents travaux en matière d'éducation à la Renaissance et orienta mon étude. Plus tard, John W. Cairns donna une réorientation complète à ma thèse en me fournissant de façon abondante notes, essais, fruits de ses recherches personnelles, bibliographies et informations très précieuses. Qu'ils soient très sincèrement remerciés de m'avoir transmis des connaissances et de l'avoir fait avec gentillesse.

Je tiens également à exprimer ma vive reconnaissance à Antony MacKenna qui m'a apporté un long soutien discret et efficace et qui a proposé que mon étude devienne livre.

Qu'il me soit permis enfin de réserver une place spéciale à Pierre Janton car il accepta de diriger mes travaux, améliora mon texte et fut mon guide ainsi qu'un appui infiniment précieux pendant sept années d'écoute inlassable. J'ai une vive reconnaissance pour tout ce qu'il m'a appris et tout ce que je lui ai pris.

Enfin, je veux dire un grand merci à mon mari Nicholas qui m'a soutenue, encouragée et a réalisé matériellement la forme de ce livre que je lui dédie.

PRÉFACE

Dans la deuxième moitié du XVIe siècle, la Faculté de droit de l'Université de Bourges fut renommée dans toute l'Europe pour la qualité et la modernité de son enseignement, et à ce double titre attira en son sein de très nombreux étrangers qui s'y pressaient encore au cours des premières décennies du siècle suivant. Parmi ces étrangers, les étudiants du Saint-Empire Romain Germanique furent les plus nombreux et de loin. Les registres de la Nation Germanique de l'Université dévoilent également la présence de Danois, Hollandais, Autrichiens et Belges. Cette Nation fut l'objet de plusieurs études qui, bien que de qualité inégale, fournissent cependant d'importantes indications sur le nombre et l'origine de ces étrangers.

Les étudiants écossais, quant à eux, ne firent pas l'objet d'études approfondies. Nous avons trois sources en la matière :

1) En 1862, Francisque Michel publia son ouvrage : *Les Écossais en France, les Français en Écosse*, Trübner & Cie, Londres 1862, 2 vols. Les deux tomes sont le résultat d'une recherche collective de vingt-cinq années et composent un ouvrage complet traitant tous les types de relations franco-écossaises de l'époque de Charlemagne à c. 1850 : liens historiques, militaires, commerciaux et intellectuels. Dans le deuxième volume, quatre pages sont consacrées aux Écossais à l'Université de Bourges (2e partie, pp. 261-65). Ces pages nous renseignent brièvement sur Alexander Scot, Henry Scrimgeour, William Barclay, Edward Henryson, et William Drummond of Hawthornden. Mention est faite également de l'*Album du Maître d'Armes Guy Fait tot* sur lequel figurent les noms de quinze Écossais.

2) Dans les années 1970, Jean-Yves Ribault, Directeur des Services d'Archives départementales du Cher, publia plusieurs articles sur les Écossais en Berry, dans le *Bulletin d'Information du Département du Cher*[1]. En 1990, à l'occasion du *Colloque Des Chardons et Des Lys, Souvenir et présence en Berry de la Vieille*

1 Nos. 101 à 106, (1973-1974). Les articles sont les suivants : « La rencontre Berry-Écosse », « Les Stuarts à Aubigny », « Les Écossais à l'Université de Bourges », « Les Réfugiés écossais à Sancerre », « Une légende qui a la vie dure : les Écossais à St-Martin d'Auxigny ».

Alliance Franco-Écossaise[1], ces articles firent l'objet d'une publication originale intitulée *Souvenirs écossais en Berry* (n. p, n. d). Deux pages sont consacrées aux Écossais à l'Université de Bourges. A cette même date, M. Ribault nous montrait la lettre du Professeur McNeill, de l'Université de Glasgow qui, en 1962, avait commencé à diriger ses recherches en ce sens ; mais ce dernier nous quitta avant d'avoir rédigé ses observations ; ceci nous fut confirmé par le professeur Durkan.

3) En 1986, le Professeur John Durkan de l'Université de Glasgow, en appendice de son essai, intitulé « The French Connection in the Sixteenth and Early Seventeenth centuries »[2] dresse la liste des Écossais qu'il a lui-même recensés dans les établissements pédagogiques français (universités et académies protestantes) de 1500 à 1625, sans toutefois ni distinguer les maîtres des étudiants, ni préciser la nature des études (droit, médecine, théologie, ou arts). Pour Bourges, il compte quatorze Écossais, y ajoute les quinze de l'*Album* de Guy Fait tot, tout en exprimant des réserves : ces quinze-là furent-ils vraiment étudiants ? Nous apporterons dans notre essai la preuve qu'ils le furent.

Ainsi donc, les Écossais à l'Université de Bourges restent méconnus en l'absence d'une étude complète. Vide assez surprenant somme toute, car les liens qui existent depuis toujours entre l'Écosse et la France d'une part et l'Écosse et le Berry d'autre part, auraient bien dû provoquer une étude plus importante avant ce jour. Notre désir de recherche nous a donc semblé non seulement séduisant, mais également justifié. Sans avoir la prétention de combler cette lacune, nous avons éprouvé le vif désir de la signaler, et nous avons à cet effet procédé à un travail de recherche dont les fruits nous permettent de brosser un tableau d'ensemble d'une part, et d'essayer de tirer quelques conclusions d'autre part. Les références précitées furent notre point de départ.

---

1 Ce colloque, présenté par le Conseil Général du Cher et Jean-François Deniau se tint à Bourges, du 24 au 29 septembre 1990.

2 J. Durkan, « The French Connection in the Sixteenth and Early Seventeenth Centuries », in *Scotland and Europe 1200-1850*, T. C Smout, Edinburgh, 1986, pp. 19-44.

Cependant, nous n'avions pas pour seule intention de nous livrer à un recensement nominatif des Écossais qui fréquentèrent l'Université de Bourges. Il nous fallait également essayer de comprendre leur démarche, rechercher leurs motivations, les circonstances de leurs études à Bourges, et tenter de montrer les possibles incidences de ces études.

Soulignons ici deux aspects caractéristiques de notre recherche : tous les étudiants écossais recensés ne fréquentèrent que la Faculté de droit. Nous n'avons relevé aucun lien d'aucune sorte entre les Écossais et les autres facultés qui restèrent d'ailleurs obscures – à l'exception de la Faculté des Arts qui connut un éclat momentané dans les années 1530. En deuxième lieu, précisons que si notre recherche porte sur les XVIe et XVIIe siècles, en réalité, elle se concentre sur la période 1530 – 1630, car c'est au cours de ces années que la présence écossaise s'est révélée la plus forte, seules quelques inscriptions débordent cette période. Ainsi les siècles mentionnés sont-ils des repères, plutôt que des frontières rigides.

L'objet de notre étude s'articule selon plusieurs axes d'interrogations.

Partant du constat que les Écossais furent présents dans les facultés de droit des universités continentales bien avant notre période, il convenait d'exposer les caractéristiques de cette présence écossaise afin de donner une perspective, puis présenter l'importance du droit comme choix d'étude. Comment le système légal évolua-t-il en Écosse au cours de notre période ? Présenter l'état de l'enseignement du droit en Écosse aux XVIe et XVIIe siècles, et ses faiblesses : montrer la nécessité d'une formation à l'étranger. Essayer de définir les raisons et les circonstances de la présence des Écossais à la Faculté de droit de Bourges. La question à laquelle nous tentons d'apporter une réponse est la suivante : pourquoi, à un moment donné, les Écossais ont-ils choisi la Faculté de droit de Bourges pour y poursuivre leurs études ? La réponse à cette question nécessite une double présentation : contexte socio-historique par l'exposé des caractéristiques de la ville, puis contexte académique par l'exposé de l'évolution de la Faculté de droit. Afin d'éviter d'imposer une interprétation stricte des faits, nous devons également appréhender les événements historiques en Écosse et en France, et essayer de définir s'il existe des liens, des rapports de cause à effet entre la présence, et puis la disparition des étudiants et certains événements précis. Nous avons cherché à observer les variations de fréquentation selon les périodes.

A la suite de cette double présentation socio-historique et académique, il convient de faire une présentation prosopographique des Écossais. Identifier et présenter les Écossais individuellement afin de reconstituer un tableau aussi complet que possible de leurs particularités, leurs antécédents – connaître leur niveau de savoir à leur arrivée à Bourges-, leurs origines, les circonstances de leurs séjours et des professorats des maîtres, ainsi que de rendre compte de certains témoignages originaux, recueillis au cours de notre recherche.

Enfin, l'exposé des carrières des étudiants recensés après leurs études à Bourges sera autant d'éléments d'analyse ; pour ce faire, nous traitons les données biographiques reconstituées, au départ de Bourges, car notre objectif est de déterminer les incidences : les aboutissements de ces études furent-ils ceux escomptés, considérant que les études juridiques ouvraient traditionnellement de multiples possibilités de carrière dans diverses sphères ? Quelles furent les incidences de ces études sur les carrières professionnelles embrassées ? Nous distinguons deux groupes d'Écossais : ceux qui sont restés en France ou sur le continent et ceux qui sont rentrés en Écosse. Nous tentons d'expliciter ces démarches : emplois sur place, raisons confessionnelles, destins individuels. Quelles furent les répercussions en Écosse, en particulier dans le domaine de l'enseignement du droit, et du développement de l'humanisme en général. Y eut-il transfert et diffusion de connaissances de Bourges vers l'Écosse ?

Le recensement des Écossais à l'Université de Bourges a nécessité un travail de recherches systématiques. La dispersion des sources et l'indigence des documents manuscrits ont signifié des problèmes de méthodologie. L'exposé des démarches spécifiques imaginées pour fournir des éléments d'approche et d'interprétation constitue notre introduction, qui nous conduit à la présentation de la liste des Écossais, et de leur nombre que nous commentons à l'aide d'un tableau comparatif.

Les points de réflexion que nous venons d'énoncer sont la trame de notre étude qui comporte les sept parties suivantes :

I. Les sources documentaires
II. Les Écossais et le Droit
III. Contexte historique
IV. Contexte académique
V. Etude prosopographique
VI. Témoignages originaux
VII. Les carrières après Bourges.

PREMIÈRE PARTIE

LES SOURCES DOCUMENTAIRES

INTRODUCTION

Les importants travaux effectués par L. Stone[1] dans les années soixante-dix ont signifié et également entraîné le renouveau de l'intérêt porté à l'histoire des universités, en particulier, celles de l'époque moderne. Parmi les ouvrages publiés au cours des deux décennies passées, nous mentionnerons ceux de W. Frijhoff[2], de H. de Ridder-Symoens[3] ainsi que les études rassemblées par D. Julia et J. Revel : *Histoire sociale des populations étudiantes*[4].

Cet intérêt fait ressortir de façon éclatante le bénéfice résultant de l'analyse prosopographique[5] des populations étudiantes, analyse qui constitue précisément un élément crucial de l'histoire des universités.

Se référant aux travaux des historiens précités, Jacques Verger remarque que ces études :

> (...) ont montré que le recours systématique aux méthodes quantitatives, la multiplication et l'entrecroisement des comptages individuels réalisés à partir des matricules subsistantes, pouvaient être le moyen privilégié, voire unique, d'écrire ce qu'on appelle parfois, d'un terme assez malheureux, « l'histoire externe » des anciennes universités, c'est-à-dire, en fait, tout un pan de la sociologie culturelle des pays et des époques concernés[6].

---

1 L. Stone, ed. *The University in Society*, vol. I : *Oxford and Cambridge from the 14th to the Early 19th Century*, Princeton University Press, 1974.

2 Wilhem Frijhoff, *La société néerlandaise et ses gradués, 1575-1814,* Holland University Press, Amsterdam, 1981.

3 H. de Ridder-Symoens, *Le premier livre des procurateurs de la nation germanique de l'ancienne Université d'Orléans*, 3 vol. Leiden, 1978-1985.

4 *Les universités européennes du XVIe au XVIIIe siècle. Histoire sociale des populations étudiantes,* éditions de l'Ecole des Hautes Etudes en Sciences Sociales, études rassemblées par D. Julia & J. Revel, Paris, Tome 1 : 1986, Tome 2 : 1989.

5 Le mot « prosopographie » remonte à la Renaissance, mais il fut employé par les érudits en 1743. C'est un terme concis et précis couramment employé par les historiens modernes, et qui s'applique à une méthode historique de plus en plus commune. La prosopographie se définit ainsi : c'est l'investigation des caractéristiques communes d'un groupe d'individus dans l'histoire, au moyen d'une étude collective de leurs vies. La méthode consiste à établir un milieu de réflexion, puis de poser une série de questions, âge, origines, etc. Les différentes informations recueillies sont alors juxtaposées, reliées et examinées en vue d'établir des corrélations internes et externes ; in L. Stone, *The past and the present revisited,* London & New-York, 1981-1987, p. 45, & p. 414, note. 1.

6 J. Verger, « Les universités médiévales : intérêt et limites d'une histoire quantitative. Notes à propos d'une enquête sur les universités du Midi de la France à

Si le recours aux « *méthodes quantitatives* » s'impose, les résultats sont néanmoins liés « *à l'état et à la nature de la documentation* »[1]. Les Universités d'Oxford et de Cambridge ainsi que celles des Provinces-Unies offrent des sources complètes, car :

> elles associent les avantages d'une extraordinaire richesse documentaire dans la longue durée à ceux d'une remarquable concentration des sites[2].

Les universités françaises quant à elles, n'ont pas cette fortune, et entreprendre une recherche sur un aspect de l'histoire des populations étudiantes aux XVIe et XVIIe siècles signifie se heurter d'emblée à des difficultés de sources documentaires.

---

la fin du Moyen-Age » in *Histoire sociale des populations étudiantes, Op. cit., Cf. Supra*. note. 4, t. 2, p. 9.

1 J. Verger, *Ibidem.*

2 D. Julia & J. Revel, « Présentation » in *Histoire Sociale des populations étudiantes, Op. cit., Cf. Supra*. note. 4, t. 1, p. 7.

CHAPITRE 1

LES REGISTRES-MATRICULES DES UNIVERSITÉS FRANÇAISES AUX XVIe ET XVIIe SIÈCLES

1.1 Remarques : indigence des registres-matricules.

Alors qu'il semblerait aisé de quérir les informations souhaitées dans les registres-matricules, les listes de grades ou les positions de thèses des universités, force nous est de constater sans délai- et de regretter- la pauvreté radicale de ces sources de base. Les archives universitaires présentent, pour notre période, des lacunes considérables. Cet état n'est pas non plus le seul fait de la France mais également d'autres universités européennes, italiennes par exemple. Ainsi, Richard L. Kagan, dans son article « Universities in Italy, 1500-1700 » remarque qu'il est pratiquement impossible de retracer le schéma des inscriptions des étudiants, pour la période 1560-1620, faute de registres-matricules :

> (...) les registres-matricules de cette période sont si irréguliers qu'il est presque impossible de suivre les étudiants qui se sont inscrits et ont obtenu leurs grades dans les universités de la péninsule[1].

Afin de mieux prendre la mesure du phénomène, nous mentionnerons, à titre d'exemples, les statistiques établies par D. Julia et J. Revel[2] pour les seules facultés de droit françaises, rivales de Bourges à l'époque.

1.2 Angers.

La Faculté de droit d'Angers ne conserve pas de matricule.

1.3 Orléans.

Les documents relatifs aux étudiants de l'ancienne Université d'Orléans (conservés jadis sous la cote A. D. L. D93-200) ont disparu

---

1 *Ibidem.*, p. 155 : « *(...) the matriculation registers of this period are so spotty that it is almost impossible to keep track of the students who registered and then graduated from the peninsula's universities* ».

2 *Histoire Sociale des populations étudiantes, Op. cit., Cf. Supra.* note. 4, t. 2, pp. 397-432

dans l'incendie qui anéantit en 1940 les huit-dixièmes des collections[1]. En ce qui concerne la faculté de droit, seule la matricule des années 1668-1793 nous est conservée (A. D. Loiret, 1 Mi12 à 1 Mi42 ; 1 Mi129 à 1 Mi135 ; anciennes cotes : D93 à D130).

1.4 Paris.

Les registres d'inscriptions de la Faculté de droit de Paris sont conservés à partir de 1663. Cependant, les registres d'admission aux grades sont conservés pour les années 1632-1634 (Archives Nationales, A. N. MM1112, puis en série continue de 1651 à 1679 (A. N. 1113 et 1115-1119).

1.5 Poitiers.

La matricule de la Faculté de droit de Poitiers est conservée à partir de 1658, cependant deux séries de grades sont conservées pour les périodes 1575-1595 et 1662-1791 (A. C Poitiers, cartons 78 à 90), et pour les années 1605-1653 à la Bibliothèque municipale de Niort, G9 (MSS 34, 35 et 36 du catalogue imprimé).

1.6 Toulouse.

La Faculté de droit de Toulouse a conservé ses registres d'inscriptions à partir de 1679, et ses registres de grades concernent le baccalauréat pour les années 1624-1793. Ils concernent la licence et le doctorat pour les années 1638-1673. (Bibliothèque inter-universitaire de Toulouse, section centrale, droit, respectivement MSS33-65, 137, 138, puis MSS28, 30, 121 ; MSS 56, 57, 132 ; MSS8-10).

1.7 Edit de Colbert.

A la lecture de ces données, nous observons que les séries longues d'inscriptions n'apparaissent qu'à partir de la fin du dix-septième siècle. Ceci nécessite une explication. En effet, jusqu'en 1679, il n'y avait pas obligation de s'inscrire dans les registres. Ce n'est qu'en avril 1679 précisément- pour les études de droit, et 1707 pour les études de médecine- que la législation louis-quatorzienne exige des

---

1 Nous devons ces précisions à M. Ph-G Richard, Directeur des Archives départementales du Loiret, et nous l'en remercions.

inscriptions trimestrielles. L'édit de Colbert, « *portant règlement pour l'étude du droit canonique et civil* » stipule, par son article 15, que

> ceux qui étudieront dans toutes les universités de notre royaume » seront « tenus de s'inscrire de leur main quatre fois par an dans un registre qui sera pour cet effet tenu dans chaque université, et d'écrire aussi de leur main la première fois, le jour qu'ils auront commencé d'étudier, et les autres fois qu'ils ont continué leurs études[1].

1.8 Bourges.

La Faculté de droit de l'Université de Bourges quant à elle, n'échappe pas à ce triste constat ; les documents conservés sont peu nombreux, les sources extrêmement sporadiques. Nous disposons de matricules d'inscriptions, de registres de réception des gradés et de livres matricules des écoliers pour des périodes courtes et non suivies.

1.8.1. Matricules des inscriptions.

Plus précisément, la matricule des inscriptions encore existante, couvre les années 1656-1665, puis 1680-1690, enfin 1695-1705.

(Archives Départementales du Cher, A. D. D9-D14). Les premières inscriptions de la main des étudiants sont précisées, *prima inscriptione, primo anno*.

1.8.2. Registres de réceptions des gradés.

Les registres de réceptions des gradés sont conservés pour les années 1583-1585 (A. D. du Cher, A. D. D27 et D28), puis pour les années 1680-1700 (A. D. du Cher, A. D. D29 et D30). La matricule A. D du Cher D31 conserve les nominations des bacheliers en droit canon pour les années 1577-1606.

1.8.3. Livres-matricules des écoliers gradés.

Enfin, les livres matricules des écoliers gradés sont conservés pour les années 1665-1715 (A. D. du Cher, A. D. D17, D. 18, D19) ; ainsi que les livres d'inscriptions pour examens de 1680 à 1693 (A. D du Cher, D21 et D22).

---

1 *Histoire Sociale des populations étudiantes, Op. cit., Cf. Supra.* note. 4, t. 2, p. 397.

En ce qui concerne les périodes allant de la création de l'Université en 1463 à l'année 1583 d'une part, puis de l'année 1606 à l'année 1650 d'autre part, nous avons un grand vide : tous les documents universitaires ont disparu.

1.8.4. Disparition des archives universitaires de Bourges.

Pourtant jusqu'à la fin du XVIIe siècle, les documents d'origine étaient encore disponibles. Nicolas Catherinot confirme qu'il eut accès aux registres des délibérations de l'Université et que les archives étaient soigneusement gardées[1].

Par ailleurs, Paul Rhodier remarque que la *« presque totalité des pièces vues par M. Berriat pour rédiger son* Histoire de Cujas *sont aujourd'hui perdues, elles ont été détruites dans l'incendie des archives départementales en avril 1859 »*[2].

La disparition des archives s'explique également par le fait que les documents universitaires n'étaient pas consignés en un lieu définitif, mais suivaient les recteurs tous les trois mois, en leur domicile. Eparpillement latent, jusqu'en 1793, date de la fermeture de l'Université où le dernier recteur élu transporta en son domicile toutes les archives dont il avait la garde. Finalement, après bien des vicissitudes, le fonds sauvegardé trouva le chemin des Archives départementales du Cher.

Cependant, il faut savoir que même les documents disponibles aujourd'hui et dépouillés de façon systématique, ne sont pas totalement fiables et doivent être traités avec rigueur, ceci pour plusieurs raisons.

---

1 N. Catherinot, *Inauguratio Academie Bituricensis, ex-libro rectoris*, s. l, n. d, n. p.

2 P. Rhodier, « Notice Historique sur l'Hôtel Cujas à Bourges », in *Mémoires de la Société Historique du Cher*, 4ème série, 1er vol. Bourges, 1884, p. 249.

CHAPITRE 2

FIABILITÉ DES REGISTRES UNIVERSITAIRES.

2.1 Inscriptions des étudiants dans les registres-matricules.

2.1.1. Modalités d'inscription.

En premier lieu, il faut se poser la question suivante : tous les étudiants étaient-ils inscrits ? Comment s'inscrivaient-ils ?

La manière dont on effectuait les inscriptions dans les matricules était la suivante : l'inscription était souvent faite par le recteur même, ou son adjoint, ou un scribe. Au XVIIe siècle, les étudiants inscrivaient leurs noms eux-mêmes.

2.1.2. Omissions par négligence.

La négligence des officiers chargés de l'inscription peut expliquer l'omission de certains étudiants au moment de compiler les feuilles volantes du registre-matricule.

En ce qui concerne les Écossais à Bourges, peu s'inscrivirent. En effet, l'analyse et le traitement de toutes les matricules et de tous les registres dont nous disposons ont livré seulement deux noms d'étudiants écossais : George Mackenzie[1] inscrit en 1656 d'une part et Malcolm MacGregore[2] inscrit en 1703 d'autre part.

2.2 Non-inscriptions des étudiants dans les registres-matricules.

En outre, les étudiants pouvaient être amenés à ne pas s'inscrire, voire à refuser de s'inscrire pour des raisons bien spécifiques : raisons financières d'une part, raisons confessionnelles d'autre part.

2.2.1. Non-inscriptions pour raisons financières.

La non-inscription dans les registres de la faculté permettait de surseoir au paiement des droits inhérents à cette inscription. A Bourges, les droits étaient sans doute moins élevés qu'ailleurs[3], mais

1 Archives Départementales du Cher. *Série D9, fo. 5, vo.*

2 Archives Départementales du Cher. *Série D19.*

3 L. Raynal, *Histoire du Berry depuis les temps les plus anciens jusqu'en 1789*, Vermeil, Bourges, 1847, t. 3, livre neuvième, chapitre premier, p. 358.

cela valait-il la peine de régler ses droits lorsqu'on savait que le séjour serait bref, en route vers une autre université ?

La majorité des étudiants, Écossais compris, ne se contentaient pas d'étudier en une seule université, comme nous le verrons plus loin. Valait-il la peine de s'inscrire à chaque séjour, si l'on ne faisait que passer ?

2.2.2. Non-inscriptions pour raisons confessionnelles.

En ces temps de bouleversement idéologique, les étudiants pouvaient refuser de s'inscrire pour raisons confessionnelles.

> De nombreux étudiants, aussi bien suisses qu'étrangers, ont suivi de 1559 à 1584 les cours publics de l'Académie de Genève sans pour autant s'inscrire dans le Livre du Recteur parce qu'ils refusaient simplement de souscrire à tous les articles de l'orthodoxie calvinienne[1].

À Oxford également, L. Stone a constaté un sous-enregistrement important de la matricule de l'université, car remarque-t-il :

> Il semble que bon nombre d'étudiants (catholiques ou dissidents) n'aient pas voulu signer la Déclaration des 39 articles, formulation de la foi anglicane exigée par l'université depuis 1539[2].

À Bourges, nous n'avons pas de telles preuves, et les étudiants n'avaient pas à signer de telles déclarations. Cependant, au coeur des troubles que la cité connut, la question reste entière : était-il à certains moments souhaitable de laisser ses nom et origine sur les pages d'un registre ?

2.3 Registres de gradés.

Si par bonheur, nous étions en possession de registres de gradés complets sur des périodes longues, il faudrait encore s'interroger. En effet, l'obtention d'un grade dans une université ne signifie pas que l'étudiant ait suivi systématiquement sa formation dans cette même université. D. Julia et J. Revel remarquent qu' :

---

1 D. Julia, J. Revel, « Présentation », *Op. cit., Cf. Supra*. t. I, p. 11.

2 *Ibidem.*, p. 12.

> en Europe continentale(...), une dissociation s'est opérée très tôt dans l'époque moderne entre universités où l'on suit le cours de ses études et universités où l'on prend ses grades[1].

Que dire ainsi de la formation de l'Écossais Malcolm MacGregore qui, inscrit à Bourges le 19 juillet 1703 obtint son baccalauréat le 9 août de la même année[2]. Etudes filantes, donc peu sérieuses ; ou bien études sérieuses étayées par un séjour au préalable auprès d'une autre université ? Là encore, la question est posée.

Le sous-enregistrement d'une part, et tout simplement l'absence de registres d'autre part, nous ont conduite à nous tourner vers d'autres documents manuscrits disponibles, dans l'espoir d'y recueillir d'éventuelles informations complémentaires.

---

1 *Ibidem.*, p. 7.

2 Archives départementales du Cher, *Série D. 19.*

CHAPITRE 3

SOURCE UNIVERSITAIRE DE SUBSTITUTION : LE LIVRE DE LA NATION (*Liber Nationis*).

3.1 Le Livre de la Nation : définition.

Les seuls documents disponibles autres que les registres universitaires sont les *Liber* des Nations universitaires, car ils sont des témoignages précieux de la vie étudiante, allant du compte-rendu administratif à la chronique, mais comportant également des recensements importants d'étudiants. Ainsi, à défaut de matricule de la faculté de droit de l'Université d'Orléans pour la période 1444-1602, H. de Ridder-Symoens a-t-elle utilisé le registre tenu par les procurateurs de la Nation germanique[1].

Selon Aleksander Gieysztor, les divers registres d'une Nation sont :

> (...) quelques unes des sources les plus importantes de notre connaissance de la vie universitaire(...) Ils nous renseignent sur les origines géographiques et sociales et la vie quotidienne des membres de la nation, et sur ses finances[2].

3.2 La Nation : définition.

Les Nations étaient des associations d'étudiants reconnues par l'université et par l'autorité publique. Cette pratique était courante et fort ancienne. « *Selon un historien du XVIIIe siècle, les universités de Rome et d'Athènes comportaient déjà des nations gouvernées par des procureurs* »[3].

---

1 *Le Livre des Procurateurs de la Nation Germanique de l'ancienne Université d'Orléans 1444-1602*, Ed Cornelia Ridderikhoft, H. de Ridder-Symoens et Detlef Illmer ; Tome I, 1444-1546 : 1 Vol ; texte ; 2 vol ; biographies. Leyde, 1971-1980.

2 « Management and ressources » in *A History of the University in Europe*, H. de Ridder-Symoens ed., Cambridge University Press, 1992, Vol. 1, p. 115-116 :

«... some of the most important sources of our knowledge of university life... They give information on the geographical and social origin and everyday life of members of the nation, and on its finances ».

3 M-M Mouflard, *Liber nationis Provinciae Provinciarum, Journal des étudiants provençaux à l'Université de Toulouse (1558-1630)*, Toulouse, 1965 A) Commentaire, p. 17.

Groupés, les étudiants pouvaient mieux s'accommoder d'un séjour loin de leur pays, ils pouvaient loger ensemble, bénéficier de bibliothèques, recréer une vie sociale à l'église ou à l'auberge. Le service des messagers assurant le cheminement du courrier entre la ville universitaire et les familles représentait un aspect important de l'entraide nationnaire. La constitution d'une Nation répondait initialement à des critères très stricts d'appartenance géographique et obéissait à cette définition donnée par M-M Mouflard dans son étude du *Liber Nationis Provinciae Provinciarum* de l'Université de Toulouse :

> Une nation universitaire se définit d'abord comme la réunion de tous les étudiants d'une même université nés sur le territoire attribué à la nation dont ils font partie. Celle-ci se trouve délimitée, soit religieusement d'après l'étendue des diocèses, soit politiquement d'après les frontières des provinces[1].

Cependant, de tous temps, certaines universités prescrivirent des limites arbitraires, par commodité.

3.2.1. Les Nations dans les universités écossaises.

Les Écossais furent eux-mêmes très attachés à la tradition des Nations. Les trois premières universités créées en Écosse eurent leurs Nations malgré l'absence d'étudiants étrangers. Ces Nations portaient le nom des régions d'origine des étudiants[2].

3.2.2. Les Écossais et la *Natio Alemania* de l'Université de Paris.

A l'Université de Paris, les Écossais faisaient partie de la *Natio Alemania*[3]. Entre 1466 et 1500, environ 350 candidats écossais apparaissent inscrits aux examens de la faculté des arts dans les registres de la Nation anglo-allemande.

---

1 *Ibidem.*, p. 15.

2 H. de Ridder-Symoens, *A History of the University in Europe*, *Op. cit.*, Vol. 1, p. 284.

3 J-B Coissac, *Les Universités d'Écosse depuis la fondation de l'Université de St-Andrews jusqu'au triomphe de la Réforme (1410-1560)*, Librairie Larousse, Paris, 1915 ?, p. 51-52.

3.2.3. La Nation écossaise à l'Université d'Orléans.

A sa création, l'Université d'Orléans avait dix Nations : France, Lorraine, Allemagne, Bourgogne, Champagne, Normandie, Picardie, Touraine, Aquitaine et Berry. Alors que les quelques Anglais présents étaient membres de la Nation allemande, les Écossais quant à eux, de par leur grand nombre, avaient leur propre Nation. Fondée en 1336, présidée par un procurateur, elle devait durer jusqu'en 1538[1].

3.2.4. Les Nations de l'Université de Bourges.

A sa création en 1463, l'Université de Bourges comptait seulement quatre Nations : France, Berry, Aquitaine et Touraine. Alors qu'

> à Paris les nations dépendaient de la Faculté des Arts, à Bourges, elles relevaient de la Faculté de droit, différence de situation qui trouve évidemment son explication dans la prééminence de cette dernière Faculté[2].

3.2.5. La Nation allemande de l'Université de Bourges.

En 1621, se constitua officiellement et légalement à Bourges une nouvelle Nation : la Nation Germanique, composée d'Allemands, et d'étudiants d'Europe Centrale et de Scandinavie.

Par bonheur, deux livres de cette Nation nous sont restés : le premier couvre les années 1622-1641, et le deuxième couvre les années 1642-1671[3]. Ce dernier était autrefois en la possession du chanoine Renagou de Bourges[1].

---

1 Cf. C. Duveau, « Les Suites de la « Vieille Alliance » : Orléans et l'Écosse » in *Bulletin de la Société Archéologique et Historique de l'Orléanais*, 49 (1978-79), p. 153 ; J. Kirkpatrick, « The Scottish Nation in the University of Orléans 1336-1538 », in *Miscellany of the Scottish History Society*, t. II, Edimbourg, 1904, pp. 48-103.

N. B : « *Les statuts de la nation d'Écosse sont dans un manuscrit de la Bibliothèque Vaticane, MSS de la reine Christine n° 405* » in M. Fournier, « la Nation allemande à l'Université d'Orléans au XIVe siècle » in *Nouvelle Revue Historique de Droit Français*, Paris, L. Larose et Forcel, 1888, t. 12, p. 389, note 1.

2 R. Gandilhon, *La Nation germanique de l'Université de Bourges et le « Liber Amicorum » de Yves Dugué*, Bourges, 1936, p. 3.

3 Les deux documents sont conservés à la Bibliothèque Nationale. « *Le premier registre, MSS Lat. 9088 est la Matricule originale sur parchemin des années 1622 à 1641 ; le second est une copie, faite au début de ce siècle sur l'original qui fut vendu à un particulier en Allemagne après la première guerre mondiale et qui couvrait les années 1642 à 1671. Nouv. acq. Lat. 88* » in P. Dibon, « Le Voyage en France des

Les deux volumes sont in-folio en vélin, reliés en maroquin rouge, de 42 cm de hauteur et 27, 5 cm de largeur. Le dos est à six nerfs et un petit encadré renferme l'aigle germanique à deux têtes, surmontée de la couronne impériale. Des attaches de soie noire permettent de tenir les livres fermés.

3.2.6. Les Écossais et la Nation allemande de l'Université de Bourges.

Les exemples de l'Université de Paris montrent que les Écossais pouvaient se mêler aux étudiants d'autres origines, et s'inscrire sur les livres de Nations autres qu'écossaises.

Allions-nous relever des noms d'étudiants écossais sur les pages des livres de la Nation germanique de Bourges ? La lecture de ces livres originaux et le comptage effectué par nos soins à partir de l'ouvrage de W. Dotzauer[2] nous ont fourni les chiffres suivants :

Liber 1622-1641 : total de 1011 noms inscrits, dont 31 noms d'étudiants non allemands : soit 3 Polonais, 5 Hollandais, 22 Danois, et 1 Belge.

Liber 1642-1671 : total de 503 noms inscrits, dont 25 noms d'étudiants non allemands : soit 5 Polonais, 6 Hollandais, 13 Danois, et 1 Belge.

Le premier volume compte 95 folios, dont les folios 3, 4, 48, 50 sont manquants. Le deuxième volume compte 93 folios dont les folios 1 et 2 ont disparu. De nombreux noms sont indéchiffrables.

Dans le premier volume, folio 19, cinq noms ont été grattés et deux à la suite sont rayés. Il est impossible de déchiffrer les noms grattés mais les deux noms rayés sont ceux d'un Anglais et d'un Écossais. La date est 1623. La page porte cette mention :

> *Horum nomina, ipsis reddita pecunia, jussu principis, deleta sunt :* (Les noms de ceux-ci ont été effacés sur l'ordre du chef, leur argent leur ayant été rendu).

étudiants néerlandais au XVIIe siècle » in P. Dibon, éd. *Regards sur la Hollande du Siècle d'or,* Biblioteca Europea, Vivarium Napoli, 1990, p. 139.

1 R. Gandilhon, *Op. cit.*, p. 6.

2 W. Dotzauer, *Deutsche Studenten an der Universität Bourges Album et liber amicorum*, Verlag Anton Hain, Meisenheim am Glan, 1971.

Cette phrase est particulièrement éclairante, car elle peut expliquer la raison pour laquelle nous n'avons relevé aucun autre nom écossais sur aucun des deux livres. L'incident se passa au tout début de la création de la Nation qui n'avait que deux ans. Ce retrait pourrait expliquer alors l'absence d'autres Écossais dans la suite des registres de la Nation. Pourquoi cet Écossais qui avait acquitté ses frais fut-il radié ? Nous l'ignorons ; peut-être à la suite d'une conduite indisciplinée ? Quoi qu'il en soit, les étudiants écossais de Bourges ne firent donc pas partie de la Nation allemande.

Avant de prendre le chemin d'une université française et plus précisément d'une faculté supérieure enseignant les deux droits comme à Bourges, il était courant pour les étudiants écossais de fréquenter d'abord une université en Écosse, d'y faire des études préparatoires dans une faculté des arts, d'obtenir ainsi un premier niveau de connaissances.

En complément d'une documentation sur place bien décevante, la deuxième étape de notre recherche consista donc à aller en terre écossaise compléter nos informations en amont, en premier lieu auprès des archives des universités écossaises. Les trois premières universités furent créées au cours du XVe siècle : St-Andrews en 1412, Glasgow en 1451, Aberdeen en 1495. L'Université d'Edimbourg, quant à elle, vit le jour en 1583.

CHAPITRE 4

SOURCES UNIVERSITAIRES ÉCOSSAISES

4.1 Présentation.

Pour la période qui nous concerne, les noms des étudiants dans les universités écossaises sont enregistrés en listes de classe, listes de gradés, et listes de boursiers (*class lists*, *graduation lists*, *bursary lists*). Les archives des quatre universités écossaises sont très lacunaires, en particulier celles de St-Andrews et d'Aberdeen. Les listes ne sont pas pleines pour cette période. Les noms des *alumni* des universités écossaises firent cependant l'objet de publications. Tous les documents que nous signalons sont consultables dans les archives des universités concernées.

4.2 Archives de l'Université de Glasgow.

Pour l'Université de Glasgow, il s'agit de *Munimenta alme universitatis Glasguensis : Records of the University of Glasgow from its foundation till 1727*, ed. Cosmo Innes, Maitland Club, 4 vols, (Glasgow : published for the Club, 1854)[1].

4.3 Archives de l'Université d'Aberdeen.

Pour l'Université d'Aberdeen, il s'agit de *Officers and graduates of University and King's College*, Aberdeen, MVD-MDCCCLX, ed. Peter J. Anderson, New Spalding Club (Aberdeen : printed for the Club, 1893)[2], ainsi que *Fasti Academiae Mariscallanae Aberdonesis. Selections from the Records of the Marischal College and University*, MDXCIII-MDCCCLX, ed. Peter J. Anderson, 3 vols., New Spalding Club (Aberdeen : printed for the Club, 1889, 1898)[3].

---

1 Voici le détail des listes conservées : *GUA26614 1451-1555 Annales facultatis Artium GUA26619 1578-1695 Jura Lages Instituta*

2 Registres-matricules des inscriptions et gradés conservés pour les périodes suivantes : *Cote K9 : 1600-86 Album A ; Cote K12 1668-87, Album B ; Cote K13 1500-1622 Album C ; Cote K15 1601-1858 Album E ;* listes de noms d'étudiants : *Cote K10 1603-07 ; Cote K11 1679-81.*

3 Registres-matricules des inscriptions et gradés conservés pour les périodes suivantes : *Cote M2 1605-81 ; 1605-18 ; 1620-91 ; 1616-19 ; Cote M3 1698-1831 ; 1698-1827.*

4.4 Archives de l'Université de St-Andrews.

Quant à l'Université de St-Andrews, deux publications sont disponibles : *Early Records of the University of St-Andrews, 1413-1579*, ed. James Maitland Anderson, Scottish History Society, Third Series (Edinburgh : printed for the Society, 1926) et *Acta facultatis Artium Universitatis S. Andree, 1413-1588*, ed. Annie I. Dunlop, 2 vols. Scottish History Society, Third Series (Edinburgh : printed for the Society, 1964).

4.5 Archives de l'Université d'Edimbourg.

En ce qui concerne l'Université d'Edimbourg, la première matricule disponible date de 1623. Ou bien les étudiants n'avaient pas à consigner leurs signatures entre 1583 et 1623, ou bien, s'ils l'ont fait, le livre témoin a disparu. Aucun registre matricule n'a survécu ou n'a existé.

Cependant, il existe un *Laureation Album* qui est la source du *Catalogue of the Graduates*[1] ; les premiers diplômés y apparaissent à partir de 1587, quatre ans après leur première inscription (1583).

Ce dernier nous a livré quelques noms d'étudiants écossais, certainement[2] étudiants à Bourges quelques années plus tard.

4.6 Remarques.

Nous retrouvons en Écosse les caractéristiques des inscriptions aux universités continentales que nous avons déjà évoquées. D'une part, les noms n'étaient enregistrés que contre paiement, d'autre part des étudiants fréquentaient l'université sans intention ferme de passer un examen, animés de la seule – mais néanmoins louable – intention d'enrichir leurs connaissances et parfaire leur éducation. Comme le voulait la tradition continentale, des étudiants fréquentaient une université puis une autre en Écosse puis partaient à l'étranger sans vraiment laisser de traces. En outre, l'obtention de la licence n'était pas indispensable non plus pour commencer une carrière. Par

---

1 *Catalogue of the Graduates in the faculties of arts, divinity & law of the University of Edinburgh since its foundation in the year 1583*, D. Laing ed., 1858.

2 *Cf. Infra.*, notre cinquième chapitre.

conséquent, il s'avère que nous n'avons pas de listes complètes d'étudiants et que les étudiants qui quittaient une université pour une autre n'étaient pas dans l'obligation de faire savoir leur lieu de destination[1].

L'un de nos objectifs était non seulement de compiler une liste mais également de l'assortir d'un fichier biographique aussi complet que possible pour chaque étudiant recensé.

En l'absence de sources d'archives universitaires continues tant à Bourges qu'en Écosse, le recours à des informations dites *indirectes*, s'imposait.

---

1 Nous remercions Dr. Campbell F. Lloyd (Department of Scottish History, Glasgow University) de nous avoir apporté ces précisions.

CHAPITRE 5

SOURCES D'ARCHIVES ÉCOSSAISES NON UNIVERSITAIRES.

5.1 Organismes consultés.

Sources manuscrites quêtées auprès des archives écossaises : nous nommerons la *National Library of Scotland*, le *Scottish Record Office*, les *National Archives of Scotland*, les *Scottish Catholic Archives.*

5.2 Types de documents recherchés.

Sources manuscrites en amont, en aval, quête de papiers de famille, lettres, pièces relatives à l'attribution de bourses d'étude, demande de passeport, fruits d'une recherche patiente mais néanmoins aléatoire, qui ne permet jamais d'atteindre qu'une minorité des maîtres ou des étudiants.

En effet, une constatation s'impose : si la tâche s'avéra relativement aisée pour ces étudiants qui connurent notoriété et figurent à ce titre dans les dictionnaires biographiques, la tâche le fut beaucoup moins lorsqu'il s'est agi d'étudiants moins connus, voire totalement inconnus.

En cette instance, il nous faut bien voir que plus on remonte le temps, plus les archives familiales à caractère personnel, les lettres écrites vers l'Écosse ou reçues d'Écosse par exemple se font rares. Nous ne pouvons que nous rallier à cette appréciation générale, même si elle n'est que supposition d'Elisabeth Bourcier, lorsqu'elle avance l'idée suivante :

> Une des raisons de cet état de choses (disparition d'archives personnelles) pourrait être l'encombrement des chambres fortes dans les grandes demeures seigneuriales au bout de quelques siècles et la priorité accordée de ce fait, aux documents à caractère officiel ou semi-officiel. Il est aussi possible que lorsque, dans une grande famille, s'éteignait l'héritier de la branche mâle, les écrits privés aient été détruits ou dispersés, et que seuls les titres de propriété aient été préservés[1].

1 E. Bourcier, *Les Journaux privés en Angleterre de 1600 à 1660*, Thèse Paris IV, 1971, p. 47.

Au *Scottish Record Office*, le dépouillement systématique que nous avons effectué des documents d'archives des familles dont les noms suivent, confirme les suggestions ci-dessus : Earls of Morton(SRO GD150), Lord Polwarth(SRO GD157), Polwarth papers (SRO GD157), George Heriot's Trust(SRO GD421), Drummond of Hawthornden (SRO GD230), Maxwell-Stuart of Traquair (NRA(S)1362), Home of the Hirsel (NRA(S)859). Tous ces documents ne sont pour la grande majorité, que titres et actes à caractère juridique.

5.3 Difficultés de l'identification nominale.

L'identification nominale elle-même reste un problème de taille, et revêt plusieurs facettes.

En premier lieu, s'il est aisé de voir en Douglassius un Douglas et en Murravius un Murray, il devient plus délicat d'attribuer les orthographes de Scringer, Scrimgen et Screnzer à une seule et unique personne : Henry Scrimgeour. Edward Henryson et Henry Edward sont-ils une même et unique personne ? Si par ailleurs Lennox s'écrit également Levenax, comment savoir que Patrick Adamson se faisait également appeler Patricius Constyne puis Patrick Consteane, ou bien Conston, Constant, Constean et Constantine ![1]

La difficulté devient insurmontable lorsque le seul indice à notre disposition est le patronyme ; en effet, de nombreux patronymes écossais sont si courants qu'il est absolument impossible de retrouver des données propres à chaque cas. Ainsi le fichier des *National Archives of Scotland* ne compte pas moins de 344 entrées pour le seul nom de « Hay », pour la période concernée.

« Heriot » qui signa « Heriotus » sur l'*Album Amicorum* de son ami Johannes Christophorus Stollius of Ravensburg à Bourges le 7 mai de l'année 1621[2] est-il David Heriot qui se qualifia *jurisconsultus*

---

1 *Dictionary of National Biography*, Vol. 1, pp. 111-112. Nous remercions M. R. Smart, Keeper of the Muniments, University Library of St-Andrews, de nous avoir signalé ces détails.

2 British Museum, British Library, Département des Manuscrits, *Add 24, 279.*

à l'Université d'Edimbourg en 1616 ?[1] Comment le savoir, en l'absence de son prénom ou de son diocèse d'origine ?

Il est par ailleurs essentiel et également déterminant de connaître le titre qui accompagne le nom. Ainsi William Douglas était 7th Earl of Morton, mais un autre William Douglas était baron of Spot. George Mackenzie était George Mackenzie of Rosehaugh[2]. La collection Scott of Harden (GD157) (NRA 32440) Hepburn-Scott ne contient aucun document concernant Sir Patrick Hume de Polwarth, par contre la collection Hume of Marchmont en contient deux (GD158/2808 et 2811).

5.4 Constat.

Disséminations, déménagements, incendies, négligences de toutes sortes expliquent la perte au sens large du terme de documents aujourd'hui soustraits à notre analyse. Documents non répertoriés dont l'existence se révèle de façon hasardeuse, ainsi cette lettre envoyée à George Mackenzie par ses professeurs à Bourges en 1684. Nous en devons le signalement à la diligence de l'archiviste qui nous en envoya une copie[3].

Cependant, au fil d'enquêtes aussi minutieuses que possible menées dans les deux pays, des pièces justificatives d'intérêt ont été trouvées, autant de documents-témoins de la vie et du séjour de ces maîtres et étudiants à Bourges, que nous évoquerons dans le chapitre approprié.

A défaut de sources originales amples, et de sources de substitution, nous avons voulu avoir recours aux sources indirectes, suivant en cela l'exemple de W. Frijhoff qui, à défaut de matricule de la Faculté de droit de l'Université d'Angers, a utilisé la liste des élèves étrangers de l'Académie d'équitation[4].

---

1 *Catalogue of Graduates, Op. cit., Cf. Supra*, note. 36.

2 Nous remercions l'archiviste A. Cherry de la National Library of Scotland de nous avoir précisé ce titre, alors que douze « George Mackenzie » sont répertoriés sur la même période. Cette précision apportée tout au début de notre recherche nous fut d'un grand secours.

3 Scottish Record Office, *RH9/2/20*, nous remercions l'archiviste Dr. Tristam Clarke.

4 W. Frijhoff, « Etudiants étrangers à l'Académie d'équitation d'Angers au XVIIe siècle », in *Lias*, IV, 1977, pp. 13-84.

Parmi les sources indirectes, une catégorie de documents privés s'avère instructive : il s'agit des *Albums Amicorum*[1] qui ne sont pas sans comporter des similitudes avec les *Liber* des Nations.

---

1 *Album Amicorum*, *Liber Amicorum*, en français nous disons quelquefois *Livre d'amis*, ou *Livre d'autographes* ; en anglais, nous disons *Autograph Album*, et en allemand *Stammbuch*, au pluriel *Stammbücher*. Tous les spécialistes qui se sont consacrés à leur étude préfèrent le nom latin *Album Amicorum*, plus international, plus pure expression de son époque. Même au pluriel, le terme *Albums* est employé. Nous n'avons rencontré qu'une seule fois *Alba Amicorum*. Ainsi, nous nous conformerons à la pratique commune qui consiste à employer *Albums* au pluriel.

CHAPITRE 6

SOURCE INDIRECTE : LES *ALBUMS AMICORUM*.

6.1 Définition.

L'*Album Amicorum* est un document-témoin encore peu étudié, si ce n'est à l'étranger.

A l'origine, l'*Album Amicorum* se présente sous la forme d'une collection de feuillets libres (100-200 feuillets) reliés par la suite en un petit livre format de poche, dans lequel les étudiants qui fréquentaient plus d'une université au cours de leurs études, demandaient à leurs amis mais aussi professeurs et personnages éminents d'apposer leur signature, en souvenir.

Le contenu de ces *Albums* varie considérablement. Nous en distinguerons trois groupes :

a) *Albums* qui ne comportent qu'une signature, accompagnée des mentions du lieu et de la date.

b) *Albums* dont les pages sont couvertes de devises, citations classiques ou bibliques, dédicaces, conseils amicaux, parfois non dénués d'humour ou d'un semblant de moralité, compositions originales, quelquefois coquines.

c) *Albums* dont les signatures s'accompagnent du blason du signataire, et d'une illustration (personnages costumés, paysages, représentations symboliques, emblématiques).

6.2 Fonctions de l'*Album Amicorum*.

C'est Mélanchton lui-même qui décrivit les avantages de ces livres. D'après lui, ces petits livres ont certainement leurs fonctions : les signatures d'éminents professeurs rappellent aux étudiants ces modèles de courage et de vertu dont ils peuvent s'inspirer leur vie entière. En même temps, l'inscription annotée nous renseigne sur la personnalité de son auteur, et nous donne des détails significatifs sur des personnes qui ne nous seraient pas ou peu connues par ailleurs.

Finalement, ils enregistrent des détails biographiques qui seraient autrement oubliés[1].

Ces renseignements sont précieux, et se complètent bien, peut-être même mieux qu'une inscription de matricule universitaire qui ne donne, outre le nom, que le diocèse d'origine du candidat. L'analyse des blasons, en particulier, peut représenter un indice de première classe, lorsqu'il s'agit d'identifier un étudiant. L'importance universitaire des *albums* ne saurait être mésestimée et peut même remplacer un registre-matricule. Ainsi, par exemple, à l'Académie de Genève, les jeunes aristocrates étrangers avaient leur propre album, et l'inscription dans cet *album* équivalait à l'immatriculation, qu'on n'osait réclamer des jeunes gens titrés[2].

Nous avons donc cherché traces d'Écossais dans l*es albums* de compatriotes, d'étrangers : il convenait de chercher, fouiller, relever, déchiffrer.

6.3 Collections d'*Albums Amicorum.*

6.3.1. Les *Albums Amicorum* du British Museum.

La collection du British Museum, Département des Manuscrits, comprend 500 articles dans son intégralité, dont 319 pour les seuls 16ème et 17ème siècles. Le dépouillement systématique de tous ces documents a permis de relever deux signatures d'Écossais datées à Bourges, toutes les deux dans un *album* ayant appartenu à un Allemand[3] : Heriotus et Douglassius.

6.3.2. Les *Albums Amicorum* écossais.

Nous avons répertorié quatre *Albums Amicorum* dont les propriétaires étaient écossais : George Strachan 1599-1606, Michael

---

1 M. A. E. Nickson, *Early Autograph Albums in the British Museum*, published by The Trustees of the British Museum, London, 1970, pp. 9-10 ; R. & R. Keil, *Die deutschen Stammbücher des sechzehnten bis neunzehnten Jahrhunderts*, Berlin, 1893, pp. 9-10.

2 C. Borgeaud, *Histoire de l'Université de Genève 1559-1798*, Genève, 1900, pp. 441-442.

3 Johannes Christophorus Stollius of Ravensburg, British Museum, Add. 24. 279.

Balfour 1596-1610, George Craig 1602-1605 et Sir Thomas Cuming 1611-1619[1]. Bourges ne figure sur aucun feuillet de ces *albums*, néanmoins nous avons relevé les signatures d'Alexander Scot et de William Barclay, sur lesquelles nous reviendrons dans notre chapitre consacré aux biographies.

Cependant, les étudiants n'étaient pas les seuls à avoir un *album*.

6.4 Diversité des possesseurs d'*Albums*.

La pratique d'avoir un *album amicorum* était très répandue chez les princes, les nobles, les ecclésiastiques, les soldats, les hommes de loi, les professeurs, les musiciens, les peintres, les artisans, les marchands ou les maîtres d'armes.

1 *Album Amicorum* de George Strachan, National library of Scotland, NLS Dep 221 ; *Album Amicorum* de Sir Michael Balfour, National Library of Scotland, NLS MS 16000 ; Album Amicorum de George Craig, Edinburgh University Library, E. U. L. La III-525 ; *Album Amicorum* de Sir Thomas Cuming, British Museum, B. M. Add. MS 17083.

CHAPITRE 7

L'*ALBUM AMICORUM* DE GUY FAIT TOT, DIT LA GUICHE

7.1 Description de l'*Album*.

A Bourges, il y avait un maître d'armes, du nom de *Guy Fait tot*, dit *la Guiche*. Ce maître d'armes eut son *album amicorum*, dont les pages étaient couvertes d'armoiries, d'inscriptions, et de signatures ; signatures de nobles allemands mais également de nobles écossais. Francisque-Michel, dans son ouvrage, *Les Écossais en France, les Français en Écosse*[1], mentionne cet *album* pour la première fois et précise qu'au moment où il l'a consulté (son ouvrage ayant été publié en 1862 et compte tenu qu'il fallut à Francisque-Michel vingt-cinq années de recherches, il dut le consulter approximativement entre 1837 et 1862 au plus tard), l'*album* appartenait au Rév. Docteur Wellesley, principal de New Inn Hall, à Oxford. Il décrit l'*Album* en ces termes :

> Cet album, qui appartenait à un maître d'armes nommé Guy Fait tot, dit la Guiche, établi à Bourges, puis à Metz, forme un volume in-8° oblong, dont les feuillets, presque tous de papier, sont, pour la plus grande partie, couverts d'armoiries et d'inscriptions[2].

7.2 Contenu connu de l'*Album*.

A la suite de cette description, en Note 4 des pages 263/264, il donne également les noms des Écossais recueillis, 15 au total, de Robert Douglas à John Hope au cours des années 1619-1626.

Cette liste la voici :

> Robert Douglasius, Scotus, anno Domini 1619, 20 a(u)gusti. – Archimbaldus Douglasius baro de Spott », Scotus. – Guillielmus Douglasius, Mortoniae comes. – Henricus Erskinus. – Alexander Erskine. – Brechin of Mar. – J. Stevart of Traquare. – Robert Burnet, his serviteure. – M. A Gibsone Younge. – J. Lyndesey,

---

1 Francisque-Michel, *Les Écossais en France, les Français en Écosse,* Trübner & Cie, Paternoster Row, n° 60, 2 Vols., Londres 1862.

2 *Ibidem.*, deuxième volume, 2e partie, p. 263, note 3.

> Scotobritanus, anno Dom, 1623. – R. Graeme. – Gulielmus Murravius, Scotus, anno 1624. – Patricius Hoome de Polwart, Scotus, 1624. – Ar. Sterling, 1624. – Johne Hope, Scotus, 1624

Francisque-Michel ajoute que

> le second de ces noms est accompagné des armoiries des Douglas peintes au milieu de la page, et cette inscription au sommet : *Speculum utriusque fortunae* (Le miroir de l'une et l'autre fortune).

A la page 264, Note 1, Francisque-Michel apporte la précision suivante :

> *Les noms de Henry et d'Alexander Erskine, avec les quatre suivants et celui de William Douglas, que nous ne répondons pas d'avoir tous bien lus, sont réunis sur un feuillet de vélin dont la partie supérieure est occupée par l'inscription suivante* :
>
> « Ane Counscell for therre contrie gentilmen quha shall sojourne at Burges. -Gentilmen, ve valde counsaile zov out of our love tovards zov and out of the experience ve have hade of M. de la Guiche his fidelite tovards the natione to bestove zour money upon him rather then anie uyer if ze vald not losse both zour tyme and zour money » (Conseils aux gentilshommes campagnards qui séjourneront à Bourges. – Messieurs, nous vous conseillerions, par amour pour vous et par l'expérience que nous avons eue de la fidélité de M. de la Guiche envers la nation, de lui donner votre argent plutôt qu'à tout autre, si vous ne voulez pas perdre à la fois votre temps et votre argent). Datum penultimo septembris, anno Redemptionis humanae 1617. » Au-dessus de la onzième signature, dont nous sommes loin d'être sûr, on lit : »Il faut tousioures preferer vne mort honorable a vne vie honteuse. – En tegmoniage de lamitie et bonne affection que je porte a Monsieur de la giche et porteray toute ma vie jai mis ici mon nome 9 novembre l'an de grace 1626 ».
>
> *Enfin le nom de William Murray est accompagné de ses armoiries en couleurs.*

7.3 Remarques.

Francisque-Michel avait-il recopié tous les noms écossais ? Il nous fallait en avoir la preuve, et pour ce faire, consulter les feuillets dans les moindres détails. Il nous fallait également vérifier les signatures et les comparer entre elles, pour certaines du moins. Ainsi, Robert Douglas qui signa l'*Album* de Fait tot en 1619 était-il le même Douglas qui signa l'*Album* de Stollius en 1621 à Bourges précisément ? Seule une comparaison des signatures pourrait nous le confirmer ou infirmer. Cet *album*, il était essentiel de le retrouver, nous avons voulu le retrouver. Où était-il ? Une longue enquête commençait.

7.4 Recherche de l'*Album*.

7.4.1. Recherche à la Bodleian Library, Oxford.

Notre première démarche consista à enquêter auprès de la Bodleian Library. En effet, New Inn Hall n'existe plus ; acquis en 1379 par le fondateur de New College, il fut absorbé en 1882 par Balliol College qui vendit la plupart des bâtiments, dont certains furent détruits[1]. L'actuel St-Peter's College est situé sur le site de New Inn Hall[2].

Henry Wellesley était également conservateur de la Bodleian Library et de l'Ashmolean Museum ; il décéda en janvier 1866 laissant derrière lui une très importante collection d'ouvrages, tableaux, livres anciens extrêmement variés. Cette collection fut disséminée au cours de ventes aux enchères. Aucun manuscrit ayant appartenu à Wellesley n'est conservé à Oxford, ce qui est bien surprenant[3].

7.4.2. Catalogue de la vente du 12 juin 1865.

Au terme d'une première enquête minutieuse, nous avons retrouvé le catalogue d'une vente annoncée par l'Hôtel des Ventes Sotheby's de Londres, pour le 12 juin 1865. Le catalogue portant la référence bodléienne : *S. C 987/B. M* est intitulé ainsi :

CATALOGUE

---

1 C. E. Mallet, *A History of the University of Oxford*, Vol. III, Modern Oxford, Methuen & Co Ltd, London, 1927, 1968, p. 436, notes. 2 & 3.

2 Nous remercions l'archiviste G. Barber, Taylor Institution Library, Oxford, de cette précision, dans sa lettre du 17 février 1994.

3 Nous remercions J. J. L. Whiteley, archiviste, Ashmolean Museum, de ces informations dans sa lettre du 7 décembre 1995. J. J. L. Whiteley révise en ce moment la notice de Wellesley pour le *New Dictionary of Biography*.

OF

A VERY CHOICE AND PRECIOUS COLLECTION

OF

HERALDIC, GENEALOGICAL, & HISTORICAL

BOOKS and MANUSCRIPTS

collected by

a distinguished amateur

La description de l'article 15, étalée sur les pages 4 et 5, reprend point par point la liste recopiée par Francisque-Michel, en ajoutant toutefois un autre Écossais : *Henry Hay Escossois 1621.*

Par ailleurs, la liste ne donne qu'un échantillon et est suivie par trois fois de la mention *etc*, signifiant bien qu'elle n'est pas exhaustive.

Voici la description de l'*Album*, telle qu'elle apparaît dans le catalogue Sotheby's :

Article 15, pp. 14-15 :

ALBUM AMICORUM. M. de la Guiche, Artis Armorum Magistri, filled with the Autograph Signatures and Coats of Arms (beautifully drawn and emblazoned in gold, silver and colours) of the Pupils of M. de la Guiche, who seems to have taught fencing at the Nobility of his time (1609-28)

Calf gilt oblong SVO 1609-28

Amongst the autographs is a very curious document in Scotch, « Ane Counscell for therre contrie gentilmen quha shall sojourne at Burges » signed « Guilielmus Douglasius Morteniae Comes, Henricus Erskine, Alexander Erskine, Br and Heir of Mar, I Stewart of Traquare, Sir Ro. Burnet his Serviteure and M. A. Gibsone Zounger ».

This volume is very rich in the signatures of eminent men, of which the following may serve as a sample :

Wilhem Ludewig Graf zu Nassau Sarbrücken 15 Martii 1610 (plus 8 names, namely Barons, and Counts)

plus Henry Hay Escossois 1621

Robertus Douglasius Scotus AD 1619

Archibaldus Douglasius baro de Spott Scotus
J. Lyndese (Lyndesey) Scotobritanus 1623
R. Graeme (Grahame)
William Murray 1624
Patricius Hoome (Sir Patrick Hume) 1624
Ar. Sterling
Jhone Hope Scotus 1624... etc, etc, etc...

Le catalogue consulté à la Bodleian Library n'est pas annoté.

7.4.2.1. *Recherche des preuves de la vente à l'Hôtel des Ventes Sotheby's de Londres.*

Afin de consulter un catalogue annoté, nous nous renseignâmes auprès de l'archiviste de l'Hôtel des Ventes Sotheby's de Londres pour savoir si un exemplaire annoté du catalogue était conservé. En réponse à notre demande, le Dr. Christopher de Hamel, Directeur du *Western & Oriental Illuminated Manuscripts and Miniatures Department*, nous informe dans sa lettre en date du 5 mai 1992 que le catalogue en question est « *le seul catalogue de tout le XIXe siècle qui ne porte pas le nom des acheteurs rajouté à la main* ». A titre d'explication, il émet la possibilité que la vente ait pu être annulée.

7.4.2.2. *Recherche des preuves de l'annulation de la vente dans le* Times.

La consultation de tous les numéros du quotidien *The Times* parus au mois de juin 1865, pour vérifier que la vente aurait pu être annulée, ne nous apporta aucun renseignement en ce sens.

7.4.2.3. *Recherche du catalogue de la vente à la bibliothèque de l'Université de Cambridge.*

La bibliothèque de l'Université de Cambridge possède un exemplaire du catalogue de la vente du 12 Juin 1865, mais ce catalogue est également vierge de toute annotation manuscrite ; aucun prix, aucun nom éventuel d'acheteur ne sont mentionnés[1].

---

1 Nous remercions l'archiviste N. Smith, Cambridge University Library, de cette information, dans sa lettre du 9 décembre 1993.

7.4.2.4. *Recherches autres du catalogue.*

7.4.2.4.1. Bibliothèques d'Oxford.

A partir de ce moment-là, commença une longue quête, en premier lieu auprès des autres bibliothèques d'Oxford. Enquête fut menée par nos soins auprès des bibliothèques suivantes : *Balliol College Library, Brasenose College Library, Codrington Library, All Souls College Library, Corpus Christi College Library, Hertford College Library, Keble College Library, Magdalen College Library, New College Library, St-Peter's College Library, Ashmolean Museum*, mais sans succès.

7.4.2.4.2. Répertoire des Catalogues de Ventes Publiques Lugt.

La consultation du *Répertoire des Catalogues de Ventes Publiques 1861-1900*[1]nous fournit les renseignements suivants :

a) page 72, No 29221, vente du 25 juin au 10 juillet 1866, à Londres de 2. 454 articles de la collection de Rev. Dr. Henry Wellesley, Principal of New Inn Hall, Oxford.

b) page 73, No 29254, vente du 3 août 1866 de 233 articles de la collection du Rev. Dr. Henry Wellesley.

Dans les deux cas, les articles de la vente sont décrits ainsi : tableaux, dessins, estampes, enluminures, livres. Notre album faisait-il partie des enluminures ou livres ? L'Hôtel des Ventes Sotheby's nous ayant confirmé ne pas avoir d'archives pour le XIXe siècle, nous décidâmes de nous adresser aux bibliothèques mentionnées par le *Répertoire Lugt*, censées être en possession d'un exemplaire des catalogues des ventes.

7.4.2.4.3. Bibliothèque d'Art et d'Archéologie de Paris.

La Bibliothèque d'Art et d'Archéologie possède le catalogue de la vente 25 juin-10 juillet 1866 (BAA1866-179) ; malheureusement l'*Album* convoité ne figure pas parmi les articles décrits sur 161 pages.

---

1 Publié sous la direction de Frits Lugt, troisième période, 1861-1900, la Haye, Martinus Nijhoff, 1964, pp. VIII-763

7.4.2.4.4. Bibliothèque Nationale, Cabinet des Estampes.

A la Bibliothèque Nationale (Cabinet des Estampes), il y a par ailleurs les catalogues de trois autres ventes des biens du Rev. Dr. Henry Wellesley, aux dates suivantes :

13-15 février 1865 (estampes)

18 février 1865 (dessins)

18 décembre 1858 (catalogue non annoté).

L'*Album* de Fait Tot n'y figure pas.

7.4.2.4.5. Bibliothèques allemandes.

Le *Répertoire Lugt* donne également les noms des bibliothèques et musées allemands intéressés par cette vente. Souvenons-nous qu'à côté des noms écossais, les noms de nobles allemands figuraient également en bonne place sur les feuillets de l'*Album*. Il n'était pas impossible que le document fût en Allemagne. Il faut savoir en effet que les bibliothèques allemandes regorgent de collections d'*Albums*, car c'est précisément en Allemagne que la tradition de garder ces petits livres sur soi vit le jour au milieu du XVIe siècle. Les collections allemandes les plus importantes sont à Weimar, Francfort, Nüremberg et Munich. Tous les établissements contactés nous répondirent par la négative[1].

A notre connaissance, il existe deux spécialistes des *Albums Amicorum* en Europe : Wolfgang Klose en Allemagne et Vello Helk au Danemark.

7.4.2.4.6. Les travaux du Dr. Klose.

Le Dr. Klose a répertorié des milliers d'*Albums* du XVIe siècle afin de rédiger son impressionnant ouvrage : *Corpus Alborum Amicorum CAAC*[2]. Pour ce faire, il a également consulté des *Albums* d'autres

1 Enquête fut menée par nos soins auprès des bibliothèques suivantes : *Städelsches Kunstinstitut und Städtische Galerie, Stadtarchiv, Historisches Museum,* Frankfurt am Main ; *Museum für Ur-und Frühgeschichte* Thüringens in Weimar ; *Stadtbibliothek* Nürnberg ; *Lutherhalle* Wittenberg, *Reformations Geschitliches Museum* Wittenberg.

2 W. Klose, *Corpus Alborum Amicorum CAAC Beschreibendes verzeichnis der Stammbücher des 16. Jahrhunderts*, A. Hiersemann, Stuttgart, 1988, pp. VI-723.

époques. Dans sa lettre datée du 28 mai 1994, il nous confirma ne pas connaître cet *Album*.

7.4.2.4.7. Les travaux du Dr. Helk.

Au cours d'une longue carrière de chercheur, le Dr. Helk a lui aussi répertorié beaucoup d'*albums* ; la *Royal Library de Copenhague* en compte 400, égalant presque la collection du British Museum. Dans sa lettre datée du 10 octobre 1994, il nous confirma avoir vu des milliers d'*Albums* mais ne pas connaître celui de Fait tot.

7.4.2.4.8. Le *Legs Huth.*

L'*Album* ne faisait pas partie non plus du *Legs Huth* au British Museum en 1912. Les milliers et milliers d'articles de la bibliothèque *Huth* furent vendus au cours de très nombreuses ventes entre 1911 et 1922[1].

7.4.2.4.9. Le répertoire de *Ricci.*

Se pouvait-il que l'*Album* reposât dans quelque bibliothèque américaine ? La consultation du répertoire *de Ricci*[2] ne fut également que déception.

7.4.2.4.10. Recherches en Grande-Bretagne.

Préalablement à ces enquêtes, il va sans dire que les premières instances consultées furent d'abord en Écosse la *National Library of Scotland*, puis le *Scottish Record Office/National Archives of Scotland* ; en Angleterre, le *British Museum/British Library*, le *Victoria & Albert Museum*, ainsi que *The College of Arms* et *The National Register of Archives*. Toutes ces recherches sont restées vaines.

---

1 Nous remercions le Dr. C. de Hammel de cette information, dans sa lettre du 5 mai 1992.

2 S. de Ricci & W. J. Wilson, *Census of Medieval and Renaissance Manuscripts in the United States and Canada*, 3 Vols. + index, Kraus Reprint Corp. New York, 1961, pp. VI-2. 343.

N. B : La *Library of the Peabody Institute of the City of Baltimore* fut également consultée, car cette collection conserve cinq exemplaires d'*Albums Amicorum* du 17e siècle.

A ce point de notre recherche, il nous fallait commencer à accepter l'idée que si l'*Album* n'avait pas été tout simplement perdu ou détruit, il y avait de fortes chances pour qu'il soit dans une collection privée.

Parce que les *Albums* comportent de magnifiques illustrations de personnages costumés, de paysages, de représentations symboliques, emblématiques, et héraldiques, il devint à la mode, au début de ce siècle, de détacher les belles pages enluminées et de les vendre une à une, détruisant par là l'*album* tout entier.

7.4.2.4.11. La Collection *Rosenheim.*

Riches évocations de milieux intellectuels et sociaux, les *Albums* sont également très convoités par les collectionneurs. Ainsi, la *Collection Rosenheim*[1] ne contenait pas moins de 40 albums et quelque 500 feuillets détachés. Ces *albums* refont surface fréquemment lors de ventes aux enchères. Les 1er et 2 décembre 1994, fut mis en vente l'*Album* ayant appartenu précisément à Marcus Antonius Welser, qui de passage à Bourges en 1616 enregistra la signature d'un Anglais : Arthurus Lake[2].

7.4.2.5. *Bilan.*

Au jour d'aujourd'hui, nos recherches sont donc restées infructueuses et notre cheminement est allé jusqu'à l'inabouti. Il ne nous reste plus qu'à espérer que l'*Album* tant recherché, s'il n'a pas été détruit, refera surface un jour, tel cet *album* hollandais d'Angers publié il y a peu, par le professeur Frijhoff.

Les deux descriptions de l'*Album* de Fait tot faites et par Francisque-Michel et par l'Hôtel des Ventes Sotheby's sont presque

---

1 M. Rosenheim, « *The Album Amicorum* », *read 9th December 1909,* in *Archaeologia or Miscellaneous tracts relating to Antiquity*, published by the Society of Antiquaries of London, Vol. LXII, Oxford, MCMX. pp. 251-308.

2 Vente organisée par l'Hôtel Sotheby's.

identiques. Si nous ne pouvons par conséquent douter de l'existence du document, nous ne savons toujours pas si les listes des noms recopiées comportent tous les noms écossais qui figuraient sur l'*Album*. Aussi longtemps que le manuscrit restera soustrait à notre regard, le doute subsistera.

CHAPITRE 8

NOMBRE DES ÉTUDIANTS ÉCOSSAIS À BOURGES.

8.1 Remarques.

Le dépouillement systématique de toutes les sources manuscrites évoquées fut mené parallèlement à la consultation des sources imprimées disponibles, dont la liste apparaît dans notre bibliographie. Ces dépouillements et consultations ont permis de dresser une liste de 45 Écossais à la Faculté de droit de Bourges entre 1538 et 1658, avec deux inscriptions débordant cette période : l'une en 1480, et l'autre en 1703. Cette liste, nous la livrons à la fin de ce chapitre.

A la page 261 du deuxième volume (2e partie) de son ouvrage[1], Francisque-Michel écrivit que l'Université « *de Bourges attirait encore au XVIIe siècle nombre d'Écossais* ». Cet « *encore* » nous suggère que déjà au XVIe siècle, les Écossais étaient présents en nombre à Bourges. Mais quel poids devons-nous donner à ce « *nombre* » ?

Nous avons deux témoignages contemporains de la présence massive des Écossais à Bourges en tout cas en 1617, ce sont ceux d'Alexander Erskine et de John Schau qui écrivirent tous les deux de Saumur, au Comte de Mar, le 22 décembre :

> (...) si nous étions demeurés plus longtemps à Bourges, nous n'aurions pu apprendre le français, à cause du grand nombre d'Écossais présents pour l'heure, car nous nous rencontrions chaque jour au cours de nos exercices, tant et si bien qu'il nous était impossible de ne pas parler écossais[2].

Que signifiait ce « nombreux » ? : une poignée, une vingtaine, une centaine ? Notre interrogation nous mène à une constatation : la pauvreté de nos archives nous a permis de retrouver 45 Écossais, mais

---

1 Francisque-Michel, *Op. cit.*

2 Scottish Record Office, GD124/15/34/5 ; GD124/15/32/8. « *(...)If we had stayed still in Bourges, we could not have lernit the Franke, in respeck of the great number of Scotsmen that is there for the present ; for we met every day together at our exercise, so that it was impossible to us not to speake Scotis (...)* ».

à l'évidence il y en eut davantage. Les témoignages de première main cités ci-dessus montrent que notre liste n'est pas exhaustive. Comment pourrions-nous restituer un inventaire définitif quand les sources sont si dispersées, quand les documents sont si rares ?

Toutefois, il est un autre élément qu'il nous faut mettre en relief : que représente ce nombre de 45, comparativement ?

8.2 Un nombre : 45

8.2.1. Comparaison avec le nombre d'étudiants de la Nation germanique.

45 Écossais répertoriés : que représente ce chiffre ?

Il semble bien petit, presque dérisoire, si nous le juxtaposons aux mille trois cents noms étrangers relevés sur les deux livres de la Nation germanique. Inscriptions étalées rappelons-le, des années 1622 à 1679 : soit 914 inscrits pour la période 1622-1641, représentant une cinquantaine d'inscrits par an, puis de 1642 à 1671 : 439 inscrits, représentant une quinzaine d'inscrits par an.

8.2.2. Comparaison avec l'ensemble des étudiants de la Faculté de Droit de Bourges.

Il semble également bien petit si nous le juxtaposons au nombre total d'étudiants à l'Université de Bourges, sur une année. Comparaison délicate, car faute de sources régulières pour la période qui nous concerne, nous sommes réduite à quelques indications, ainsi ce témoignage d'un étudiant allemand, Elie Brackenhoffer, qui cinquante ans plus tard, raconte que Jacques Cujas avait souvent de trois cents à quatre cents élèves qui l'accompagnaient à la maison quand il sortait de son cours[1]. Ce chiffre semble assez proche de la réalité : entre 1583 et 1585, 383 étudiants prirent un degré à la Faculté de droit[2].

1 Elie Brackenhoffer, *Voyage en France 1643-44*, traduit par Henry Lehr, Berger-Levrault éd., 1925.

2 Archives départementales du Cher, D28.

8.2.3. Comparaison avec le nombre d'étudiants écossais en Écosse.

Toutefois, pour établir un rapprochement qui repose sur une base acceptable, il nous faut confronter entre eux des ordres de grandeurs qui soient comparables. Ainsi, que représente ce nombre comparé au nombre d'étudiants écossais dans les universités d'Écosse, c'est-à-dire quel était le contingent universitaire en amont ? Que représente ce nombre comparé au nombre d'étudiants écossais dans les autres facultés de droit françaises, à des périodes parallèles ? Exprimée en ces termes, la comparaison devient beaucoup plus significative.

Tout d'abord, et d'une façon générale, il faut préciser que les étudiants pérégrinants, comparés à la population d'un pays, n'ont jamais représenté dans leur ensemble, qu'un très faible pourcentage, *« une mince frange, une élite de la culture et de la fortune »*[1], l'Écosse n'échappant pas à ce constat.

A titre d'exemples, pour les XIIIe et XIVe siècles, une moyenne de cinq à dix étudiants quittaient chaque année l'Écosse pour les universités continentales[2]. Pour tout le seul XIVe siècle, il est estimé que cinq cent cinquante étudiants écossais quittèrent leur pays, représentant une moyenne de cinq ou six étudiants par an. Dans la première décade du XVe siècle, nous relevons quatre-vingts étudiants expatriés de la sorte, ce qui représente huit étudiants par an[3]. C'est d'ailleurs ce chiffre qui encouragea l'évêque Henry Wardlaw à fonder la première université en Écosse, celle de St-Andrews en 1412.

Nous n'avons pas de chiffres pour la première partie du XVIe siècle, mais à la veille de la Réforme les universités écossaises n'étaient pas dans un état florissant. L'Université d'Aberdeen comptait entre 1546 et 1548 seulement douze étudiants[4], et dix ans plus tard,

---

1 D. Julia, J. Revel, *Histoire Sociale des populations étudiantes, Op. cit.*, t 2, p. 54.

2 D. E. R. Watt, « Scottish University Men of the thirteenth and fourteenth centuries », in *The French Connection in the Sixteenth and Early Seventeenth Centuries in Scotland and Europe 1200-1850, Op. Cit.*, p. 1.

3 D. E. R. Watt, « Scottish student life abroad in the fourteenth century », in *Scottish Historical Review*, 1980, n° 59, p. 3.

4 G. Donaldson, « Aberdeen University and the Reformation », *in Northern Scotland*, Vol. 1, n°2, 1973, p. 135.

> L'Université de St-Andrews était en pleine décadence. En 1558, les Actes relatent qu'à cause des troubles religieux et civils, il est venu très peu d'étudiants, et en effet la liste d'immatriculation ne comprend en tout que trois noms[1].

8.2.4. Comparaison avec le nombre d'étudiants écossais dans les autres facultés de droit françaises.

Beaucoup plus significative et instructive est la comparaison avec les Écossais inscrits dans les autres facultés de droit françaises à des périodes parallèles : Angers, Poitiers, Toulouse. Pour ce faire, nous avons recours aux recensements effectués par John Durkan[2].

8.2.4.1. *Paris et Orléans échappent à la comparaison.*

Les universités de Paris et d'Orléans échappent à cette comparaison pour les motifs suivants : la comparaison avec Paris ne serait pas équitable, ceci pour deux raisons : John Durkan a établi un recensement par collège, toutes disciplines confondues : arts, théologie, droit. Les deux premières disciplines étaient beaucoup plus prisées à Paris que l'étude du droit. Par ailleurs, et nous le verrons dans notre prochain chapitre, la formation juridique en la capitale n'était assurée que de façon incomplète. Si Paris était réputé pour ses facultés des arts et de théologie, il n'en allait pas de même pour sa faculté de droit et il était un fait que pour obtenir leurs grades, les étudiants parisiens se rendaient à Orléans, dont la faculté de droit servait de faculté de droit civil à l'Université de Paris.

L'Ecole de droit d'Orléans qui fonctionnait depuis le XIIIe siècle fut particulièrement brillante dès ses débuts, jusqu'aux premières décennies du XVIe siècle. Elle connut bientôt un essoufflement, voire une décadence, et il faudra attendre le dix-huitième siècle pour que l'arrivée de Pothier renouvelle la vigueur de l'établissement.

C'est justement à partir des années 1530 que l'Université de Bourges commença son expansion se trouvant en quelque sorte l'héritière d'Orléans. Cette dernière avait connu une fréquentation

1 J. B. Coissac, *Les Universités d'Écosse, Op. cit.*, p. 289.

2 The French Connection in the Sixteenth and Early Seventeenth Centuries », in *Scotland and Europe 1200-1850*, T. C Smout, Edinburgh, 1986, pp. 36-44.

écossaise très importante au Moyen-Age, mais en 1538 la Nation écossaise fut dissoute, et c'est cette même année symboliquement que Henry Scrimgeour arriva à Bourges. De 1538 à 1588, seulement six Écossais fréquentèrent l'Université d'Orléans. Nous voyons bien là la marque de son déclin et comment le transfert se fit d'Orléans à Bourges. Nous n'avons pas de témoignage concernant la présence écossaise à Orléans après 1588.

8.2.4.2. *Comparaison avec Toulouse, Angers, et Poitiers.*

Qu'en est-il de la comparaison avec l'effectif écossais des trois autres facultés de droit : Toulouse (1229), Angers (1364) et Poitiers (1431)[1] ?

Nous avons déjà dit que le nombre d'étudiants recensés est sans doute incomplet et que par conséquent la statistique est limitée. Néanmoins, compte-tenu que toutes les archives des facultés françaises présentent les mêmes lacunes, il semble qu'une comparaison ne soit pas injustifiée. Il nous faut préciser toutefois que nous ne savons pas si les Écossais recensés dans les trois autres universités étudiaient le droit ou une autre discipline ; John Durkan ne le précise pas. Bien que nous n'en ayons pas la certitude, nous pensons qu'ils étudièrent le droit, car si ces universités comptaient toutes les facultés, la faculté de droit, comme à Bourges était prépondérante.

Nous établissons la comparaison sur trois périodes : 1538-1588, 1589-1628 et puis sur la période globale 1538-1628 qui, somme toute, représente le point culminant de la fréquentation écossaise à Bourges. Le comptage ainsi effectué par nos soins donne les résultats suivants, présentés sous forme de graphique : (Graphique 1).

1 Les dates entre parenthèses sont celles des fondations des universités.

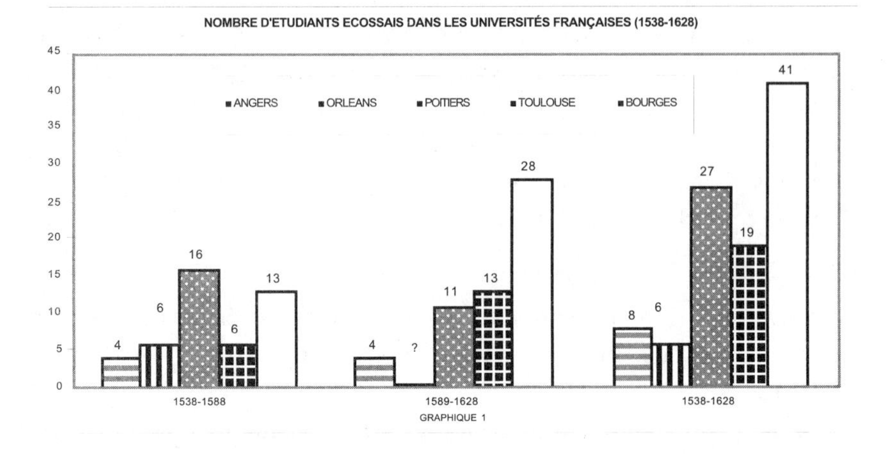

GRAPHIQUE 1

La lecture de ces chiffres, appelle les remarques suivantes :

8.2.5. Remarques.

Bourges ne fut pas la seule université fréquentée par les étudiants écossais, elle partagea leur accueil avec ses soeurs. Les quatre facultés connurent le même engouement de la part des Écossais, dans des proportions semblables, au fil de la période. La fréquentation s'accélère avec le siècle, ceci correspondant bien à l'évolution générale, qui montre que le droit fut la discipline préférée des étudiants – toutes nationalités confondues – dans la deuxième moitié du XVIe siècle et au début du siècle suivant.

Soulignons que si Bourges se place en deuxième position, tout juste derrière Poitiers dans les années 1538-88, elle prend la première place à partir de 1589 et arrive en première position sur l'ensemble de la fréquentation.

8.2.6. Comparaison avec le nombre d'étudiants écossais à l'Académie protestante de Saumur.

Relativement aux deux premières décennies du XVIIe siècle, il est un autre chiffre que nous retiendrons comme élément de comparaison : c'est le nombre d'Écossais dans l'Académie protestante de Saumur. Faute de documentation, nous ne pourrons établir le parallèle avec les autres académies[1] – Sedan, Montauban, Nîmes, Die, Montpellier, Orthez, Orange – qui, à l'exception de Sedan et Nîmes, n'avaient pas de chaire de jurisprudence. Saumur n'en avait pas non plus, mais nous retenons l'exemple de cette académie à titre comparatif car elle était géographiquement la plus proche de Bourges, et nous verrons que des étudiants écossais la fréquentèrent après avoir étudié à Bourges. Dans son essai intitulé « Les Protestants de Saumur au XVIIe siècle, religion et société »[2], Philippe Chareyre a relevé la présence de douze Écossais à l'Académie entre les années 1595 et 1621. Sur cette période exacte, l'Université de Bourges en comptait vingt.

8.2.7. Conclusion.

Ainsi, le nombre[3] de ces étudiants écossais présents à Bourges, qui nous semblait bien petit au premier regard, non seulement s'insère tout à fait dans la fréquentation générale, mais en outre prend une dimension de force, lorsque nous l'accolons aux autres nombres.

Rappelons toutefois que ces statistiques ne sont qu'un élément d'approche, car basées sur des sources parvenues jusqu'à nous aujourd'hui, et non sur la réalité de plus de quatre siècles passés.

---

1 P. -D Bourchenin, *Etude sur les Académies Protestantes en France au XVIe et au XVIIe siècles*, Grassart, Paris, 1882, pp. 2-480. Les académies enseignaient principalement la théologie et la philosophie.

2 *Saumur, Capitale européenne du protestantisme au XVIIe siècle*, 3ème cahier de Fontevraud, 26-28 avril 1991, pp. 27-71.

3 La différence entre 41 et 45 s'explique de la façon suivante : 4 inscriptions débordent la période retenue(1538-1628) : il s'agit des inscriptions de Levenox, Mackenzie, Kerr et MacGregore.

CONCLUSION

BILAN DE LA RECHERCHE DOCUMENTAIRE

Si l'exposé de notre méthode de recherche met à nu les limites des résultats obtenus, la critique de la documentation est néanmoins un préalable indispensable à la compréhension de notre analyse, car cette dernière nous est précisément imposée par nos constatations.

La médiocrité des sources incomplètes, si mal réparties risquait de nous entraîner à exprimer des remarques partiales, car l'approche statistique est hasardeuse :

> Le danger est bien évidemment de retenir comme exemplaires des cas qui ne sont d'abord remarquables que parce que la trace nous en a été conservée[1].

Afin de faire jaillir quelques réalités, voire débouter une légende, l'étude de la composition de notre groupe et de ses caractéristiques nécessite de replacer les données dans un cadre plus large, sous forme d'études comparatives. Dans cette perspective, il apparaîtra qu'au-delà d'une présence originale, les étudiants écossais à l'Université de Bourges s'inscrivaient dans un double schéma : schéma de choix de discipline, et schéma temporel.

A la lumière de ces éléments, le constat ne saurait être pessimiste, car il ressort que l'information recueillie est suffisante pour dégager une situation en homogénéisant d'une part un ensemble de sources très hétérogènes, et d'autre part en regroupant un ensemble d'individus très disparates, au premier regard.

Cependant, tout au long de notre recherche, nous ne perdîmes jamais de vue ce fait criant : l'indigence des renseignements collectés nous invitait à une certaine prudence dans nos interprétations souvent délicates, mais ne nous permettait pas cependant de nous laisser aller à douter de la valeur scientifique de notre travail.

Avant même d'aborder l'étude sociologique de ces étudiants, et pour bien comprendre et apprécier leur cheminement, nous devons tenter de répondre à ces questions qui font l'objet du chapitre suivant : pourquoi étudier le droit, pourquoi ne pas étudier le droit en Écosse ?

---

1 *Histoire Sociale des populations étudiantes, Op. cit.*, t. 2, p. 88.

LISTE DES ÉTUDIANTS ÉCOSSAIS A LA FACULTÉ DE DROIT DE BOURGES.

1) Liste chronologique

Abréviations :

A : date attestée par la documentation

E : date estimée (reconstituée à partir d'éléments identifiés)

1-	Alan	LEVENAX	1480 A
2-	Henry	SCRIMGEOUR	1538 E
3-	Edward	HENRYSON/Henry EDOUARD	1547 E
4-	William	SKENE	1552 E
5-	James	BOYD	1555 E
6-	Alexander	ARBUTHNOT	1561 E
7-	John	LOGIE	1563 A
8-	Patrick	ADAMSON	1567 E
9-	James	McGILL	1567 E
10-	William	BARCLAY	1575 A
11-	Nicol	DALGLEISH	1578 E
12-	David	MacGILL	1579 A
13-	Alexander	SCOT	1580 E
14-	Mark Al.	BOYD	1583 E
15-	William	DRUMMOND OF HAWTHORNDEN	1607 A
16-	John	SCHAU	1616 A
17-	Henry	ERSKINE	1616 A
18-	Alexander	ERSKINE	1616 A
19-	Comte	d'ANGUS	1617 A
20-	Lord	PITCUR	1617 A
21-	Lord	PITMILLIE	1617 A
22-	Comte de	ROXBURGH	1617 A
23-	Fils du Connétable de Dundee		1617 A
24-	Archibald	DOUGLAS baron de SPOTT	1617 A
25-	William	DOUGLAS comte MORTON	1617 A
26-	James	PRINGLE	1618 A
27-	Brechin de MAR		1619-1624 A*

28- Robert	DOUGLAS	1619 A
29- J.	STEWART OF TRAQUARE	1619-1624 A*
30- Robert	BURNET	1619-1624 A*
31-	GIBSONE le Jeune	1619-1624 A*
32- Henry	HAY	1621 A
33-	HERIOTUS	1621 A
34-	DOUGLASSIUS	1621 A
35- J.	LYNDESE	1623 A
36- Inconnu		1623 A
37- William	MURRAY	1624 A
38- Patrick	HUME DE POLWART	1624 A
39- Archibald	STERLING	1624 A
40- John	HOPE	1624 A
41- Arthur	STUART	1625 A
42- R.	GRAEME	1626 A
43- Andrew	KERR	1656 E
44- George	MACKENZIE OF ROSEHAUGH	1656 A
45- Malcolm	MacGREGORE	1703 A

N. B : A* : les dates suivies de ce sigle ne représentent pas la durée du séjour, mais la signature se situe entre ces deux dates.

2) Références individuelles des sources.

Abréviations employées.

A. A. : *Album Amicorum.*

AD Cher : Archives départementales du Cher.

BL : British Library, British Museum.

BM Bourges : Bibliothèque municipale de Bourges.

BN : Bibliothèque Nationale.

Catherinot : Sr. Catherinot, *Annales Académiques de Bourges*, 13 septembre 1684.

Catherinot 1 : Sr. Catherinot, *Le Calvinisme en Berry*, Bourges, 15 novembre 1684.

de L'Estoile : *Mémoires-Journaux de P. de L'Estoile, Journal de Henri IV 1607-1609*, tome neuvième, Paris, 1881.

Durkan 1 : *Edinburgh Bibliographical Society Transactions*, Vol. 5, Part 1, 1978.

Durkan 2 : « The French Connection in the sixteenth and early seventeenth centuries », in *Scotland and Europe, 1200-1850,* T C Smout ed., Edinburgh, 1986.

FM : Francisque Michel, *Les Écossais en France, les Français en Écosse*, London, 1862.

Mackenzie : George Mackenzie of Rosehaugh, « Characters quorundam apud Scotos advocatorum », in *Works*, Edinburgh, 1716.

Melvill : *The Autobiography and Diary of Mr. James Melvill*, ed. R. Pitcairn, Wodrow Society, 1842.

NLS : National Library of Scotland.

SCR : *Records of the Scots Colleges Abroad*, Vol. 1, New Spalding Club, 1906.

SOTHEBYS : Sothebys Catalogue, Bodleian Library.

SRO : Scottish Record Office.

Wodrow : *Biographical Collections on the Lives of the Reformers and the most Eminent Ministers of the Church of Scotland*, by R. Wodrow, Maitland Club, 1834-48.

Alan LEVENAX : Catherinot, p. 3.

Henry SCRIMGEOUR : Durkan 1, p. 2.

Edward HENRYSON/Henry EDOUARD : Catherinot 1, p. 4 ; Durkan 1, p. 2.

William SKENE : Durkan 2, p. 25.

James BOYD OF TROCHRIG : Wodrow, i, p. 206.

Alexander ARBUTHNOT : de L'Estoile, pp. 28-29.

John LOGIE : SRO CS1/2/1, f°79.

Patrick ADAMSON : Durkan 2, p. 37.

James McGILL : FM, i, 3[e] partie, p. 512 ; Durkan 2, p. 37.

William BARCLAY : BM Bourges, BB8, f°128.

Nicol DAGLEISH : Melvill, 76n.

David MacGILL : SRO GD135/2717.
Alexander SCOT : FM ii, p. 261.
Mark Alexander BOYD : NLS, Adv MS 15. 11. 7, f°192.
William DRUMMOND of HAWTHORNDEN : University Library Dundee, Br MS 2/2/4
Alexander ERSKINE : SRO GD15/32/1.
Henry ERSKINE : SRO GD15/32/1.
John SCHAU : SRO GD15/32/1.
Comte d'ANGUS : SRO GD15/32/5.
Lord PITCUR : SRO GD15/32/6.
Lord PITMILLIE : SRO GD15/34/4.
Comte de ROXBURGH : SRO GD15/32/2.
Fils du Connétable de Dundee (pas de nom) : SRO GD15/32/6.
Archibald DOUGLAS, baron de SPOTT : SRO GD15/34/4.
William DOUGLAS, comte MORTON : SRO GD15/34/1.
James PRINGLE : AD E. 2329 f°. 87.
Brechin of MAR : FM ii, p. 263.
Robert DOUGLAS : FM ii, p. 263.
J. STEWART of TRAQUARE : FM ii, p. 263.
Robert BURNET : FM ii, p. 263.
GIBSONE le Jeune : FM ii, p. 263.
Henry HAY : S. C987, Bodleian Library.
HERIOTUS : BL, A. A. Johannes Christophorus Stollius of Ravensburg, Add. MS. 24279, f°44, 8 July 1621.
DOUGLASSIUS : *Ibid.,* f°16, 12 July 1621.
J. LINDSAY : FM ii, p. 263.
Nom inconnu : *Liber Amicorum* Nation germanique de Bourges, BN, MSS Lat. 9088.
William MURRAY : FM ii, p. 263.
Patrick HUME de POLWART : FM ii, p. 263.
Archibald STERLING : FM ii, p. 264.
John HOPE : FM ii, p. 264.
Arthur STUART : SCR, p. 20.

R. GRAEME : FM ii, p. 265.
Andrew KERR : Mackenzie, i, p. 7.
George MACKENZIE of ROSEHAUGH : AD Cher, D9, f°5 v.
Malcolm MacGREGORE : AD Cher, D19.

DEUXIÈME PARTIE

LES ÉCOSSAIS ET LE DROIT

INTRODUCTION

La *Vieille Alliance* : rappel.

1) Les traités.

La France et l'Écosse : jamais deux pays aussi éloignés l'un de l'autre n'ont eu des relations si proches.

Dès l'époque du règne de Charlemagne, le piquant chardon couleur de brume et le doux lys couleur d'ivoire étirèrent leurs racines afin de se retrouver et unir leurs destinées dans leur désir d'être ensemble en temps de paix ou de guerre contre le roi d'Angleterre. Cependant, il faudra attendre le XIIe siècle pour trouver une suite non interrompue de rapports entre les deux pays, car en ces temps-là, il fut signé au moins quatre traités entre les deux couronnes ; il s'agit des alliances entre Philippe Ier et Malcolm III, puis entre Louis VII et Malcolm IV, entre le même Louis VII et William, enfin entre Philippe-Auguste et Alexander II[1].

Le traité signé le 23 octobre 1295 par John Balliol et Philippe Le Bel, reste le traité à l'origine de ce qui devint la célèbre « *Auld Alliance* »[2]. Ce traité de confédération et d'amitié passé au nom du roi d'Écosse par William, évêque de St-Andrews, Matthew, évêque de Dunkeld, Jean de Soule et Ingelram d'Umfranville, prévoyait aussi le mariage du roi d'Écosse avec Isabelle, fille aînée de Charles de Valois.

Puis, et ceci jusqu'au milieu du XVIe siècle, à chaque fois que l'Écosse était attaquée par sa proche voisine, elle se tournait vers son alliée continentale. De la même façon, à chaque fois que la France était en difficulté, elle essayait de faire diversion au nord de l'Angleterre.

Ainsi, des traités furent-ils signés de façon régulière, entre la France et l'Écosse, en 1326 (traité de Corbeil), 1371, 1385, 1390 et 1391, et le gouvernement d'Écosse fut très lié au gouvernement de la

---

1 Francisque-Michel, *Les Écossais en France, Les Français en Écosse,* Trübner & Cie, Londres 1862, Premier volume, 1e partie, pp. 27-31.

2 Archives Nationales, J677, n°1.

France. En effet, que peut rapprocher deux nations, davantage qu'un ennemi commun ?

2) Les échanges.

Cette étroite communauté entre les deux pays entraîna d'incessants échanges d'envoyés diplomatiques, de soldats, et aussi de prêtres. Parallèlement à ces liens historiques, des liens commerciaux n'avaient pas tardé à se créer sous l'impulsion des marchands écossais et les voyageurs attachés aux affaires de toutes sortes étaient nombreux : ainsi, nous pouvons remonter jusqu'au XIIIe siècle pour retrouver trace d'importantes exportations de vin au départ de Bordeaux et de La Rochelle, vers l'Écosse. Les vaisseaux écossais s'en retournaient de France, chargés de soieries, sucre, épices, et articles de luxe, après avoir déchargé à Dieppe, des produits écossais tels saumons, harengs, laine, cuir et peaux.

La langue et la culture françaises étaient connues en Écosse dès cette période : les fondations cisterciennes, les monastères bénédictins d'origine française l'attestent. Les relations entre les cours furent développées très tôt, et des familles franco-normandes s'installèrent dans les Lowlands. En 1291, les négociations entre Edouard Ier et les nobles d'Écosse furent conduites en français ; le traité qui mit fin à la captivité du roi David fut également rédigé en français[1].

Au-delà de ces liens culturels, l'influence intellectuelle de la France sur l'Écosse par l'intermédiaire des étudiants revêt une importance capitale. En effet, les Écossais étaient, il est vrai, déjà accoutumés à voyager hors de leurs frontières, vers la France, pour une autre raison, plus spécifique celle-là : ils avaient accès à l'enseignement supérieur des universités françaises, et en premier lieu celle de Paris. Cette tradition prévalut, même après la création des trois premières universités écossaises.

---

1 *in* J-B Coissac, *Les Universités d'Écosse depuis la fondation de l'Université de St-Andrews jusqu'au triomphe de la Réforme (1410-1560)*, Paris, 1914, pp. 9-10.

CHAPITRE 1

LES ÉCOSSAIS À L'UNIVERSITÉ DE PARIS

1.1 1218-1428.

Très tôt dans son histoire, l'Université de Paris fut fréquentée par les Écossais ; ceux-ci revendiquent même l'honneur d'avoir participé à la fondation de la Sorbonne[1].

Le 16 novembre 1218, Mathieu d'Écosse obtint du pape Honorius II la licence d'enseigner dans la faculté de théologie, bien que le nombre de docteurs fût atteint, puis Michel le Scot étudia à Paris la philosophie et les arts mathématiques. A la fin du XIIIe siècle et au début du siècle suivant, la gloire de Duns Scot retentit sur toute l'Europe, ainsi que celle de son disciple William Ockham. Au XIVe siècle, l'affluence des Écossais à Paris fut très grande, nous ne retenons ici que quelques noms : Gilbert Flemyng, doyen de l'église d'Aberdeen, Guillaume Grinlow, recteur de l'université en 1345, archidiacre de St-Andrews en 1353, Richard de Fagollez du diocèse de St-Andrews, licencié ès arts en 1347, chanoine de Glasgow vers 1350[2]. Cependant celui qui illustra le plus son pays fut Gautier Wardlaw qui obtint la maîtrise-ès-arts en 1349, et étudia la théologie. Il fut docteur de cette dernière faculté en 1359, après avoir été régent de la faculté des arts. Chanoine de l'église de Glasgow, puis archevêque en 1367, il fut nommé cardinal en 1383, mais entraîna surtout à l'Université de Paris son neveu, l'évêque Henry Wardlaw, le futur fondateur de l'Université de St-Andrews.

L'exode ne ralentit pas au XVe siècle, et très nombreux furent les jeunes Écossais de familles nobles à s'associer à la culture intellectuelle de Paris et de France. John Gray fut procureur de sa Nation en 1408, et après sa maîtrise-ès-arts, il étudia la médecine avant d'être nommé conseiller et médecin du roi Jacques Ier. En 1425, attaché au service de Charles VII, il était chargé par lui de missions

---

1 *Ibidem*, p. 8.

2 *Ibidem*, p. 13.

auprès du pape Martin V. David Hamilton, bachelier-ès-décrets en 1422, étudiant en théologie, était parent du duc d'Albany et du comte Jean Buchan, connétable de France. Rentré en Écosse, il devint doyen de l'église de Glasgow en 1429. Edouard de Lawder, licencié-ès-arts en 1412, diplômé de théologie, fut le 17 juillet 1428, l'un des trois délégués de Jacques Ier aux négociations du mariage de sa fille Marguerite avec Louis, Dauphin de France[1].

Tous ces étudiants appartenaient aux diocèses de Brechin, Dunkeld, Aberdeen, en petite part de Glasgow, mais surtout de St-Andrews. Paris était donc bien réputée pour ses facultés des arts et de théologie. Qu'en était-il de la faculté de droit ?

1.2 La Faculté de Droit de Paris.

Il n'en allait pas de même pour sa Faculté de droit, ceci pour une raison précise. La formation juridique à Paris n'était assurée que de façon incomplète ; en effet l'étude du droit civil était interdit à l'Université de Paris depuis novembre 1219, sur une décision du pape Honorius III, et avec l'appui du roi de France[2]. A partir de cette date-là, le seul droit canon devait être enseigné officiellement à Paris, et il faudra attendre les réformes louis-quatorziennes pour que le droit civil réapparaisse au cursus universitaire dans la capitale, précisément en 1679[3].

Cependant, nous pouvons préciser que si l'interdiction était officielle, officieusement elle n'était pas complètement respectée. François Le Douaren débutera dans l'enseignement par un cours libre sur les *Pandectes*, à Paris en 1536[4]. Le Parlement fermera les yeux comme il le fera pour François Bauduin, François Hotman et Jacques Cujas qui, entre deux professorats à Bourges enseignera bien le droit civil à Paris.

---

1 *Ibidem*, p. 15.

2 D. B Smith, *An Introductory Survey of the Sources and Literature of Scots Law by various authors*, Edinburgh, Stair Society, 1936, p. 185.

3 J. Verger, *Histoire des Universités en France*, Toulouse, Privat, 1986, p. 164.

4 E. Jobbé-Duval, « François Le Douaren (*Duarenus*), 1509-1559 », *in Mélanges P. F. Girard*, Paris, 1912, Tome Premier, p. 579.

Dans son étude, D. E. R. Watt[1] a rassemblé des informations autour de quatre cents Écossais répertoriés, diplômés des universités, sur soixante-dix ans, entre 1340 et 1410. Pour l'université de Paris, il en a recensé deux cent trente, dont cent dix inscrits en arts et cent vingt en droit. Certains de ceux qui initialement s'étaient qualifiés en arts, ajoutèrent une deuxième qualification : quatre-vingts étudièrent le droit et vingt-cinq la théologie. Au total, deux cents étudiants étaient titulaires d'une licence en droit, le chiffre est remarquable. Mais l'essentiel de leurs qualifications concernait le droit canon.

Il était un fait que pour obtenir leurs grades, les étudiants parisiens se rendaient à Orléans, dont la popularité était déjà grande, et dont la faculté de droit servait de faculté de droit civil à l'Université de Paris.

1 *Scotsmen at Universities between 1340 and 1410 : a study of the contribution of graduates to the public life of their country,* thèse, Oxford, 1957.

CHAPITRE 2

LES ÉCOSSAIS À L'ECOLE DE DROIT D'ORLÉANS

2.1 L'Ecole de Droit d'Orléans.

L'Ecole de droit d'Orléans qui fonctionnait depuis le XIIIe siècle, avant même que l'Université ne fût créée en la ville, en 1306, avait fait l'objet de la même interdiction à l'encontre du droit civil, mais en 1235 Grégoire IX avait levé la sanction[1]. C'était reconnaître la situation prédominante d'Orléans comme centre d'études juridiques, et de ce fait l'Ecole de droit fut particulièrement brillante dès ses débuts.

2.2 La présence écossaise.

Les Écossais y vinrent en grand nombre, suffisant pour fonder leur propre Nation en 1336. J. Kirkpatrick[2] a fait une étude approfondie de ces Écossais qui étudièrent et enseignèrent à Orléans : le plus célèbre d'entre eux reste William Elphinstone, futur évêque d'Aberdeen et fondateur de l'université de la ville. S'appuyant sur le livre de la Nation, Kirkpatrick avance le chiffre d'une centaine de procureurs écossais environ et présume que les étudiants furent peut-être quatre ou cinq fois plus nombreux[3]. Ainsi, de 1501 à 1538, nous trouvons une série continue de trente-trois procureurs écossais[4].

Les Écossais avaient élu Orléans comme faculté de droit après avoir fréquenté initialement l'Université de Bologne qui demeurait sa rivale, mais trop éloignée pour rester longtemps en faveur.

---

1 D. B Smith, *Op. cit.*, p. 185.

2 « The Scottish Nation in the University of Orléans (1336-1538) », *in Miscellany of the Scottish History Society*, Vol. 44, 1904, pp. 47-102.

3 J. Kirkpatrick, « La nation écossaise à l'Université d'Orléans (1336-1538) », in *Revue Internationale de l'Enseignement*, n° 47, 1904, p. 9.

4 *Ibidem*, p. 10.

CHAPITRE 3

RENAISSANCE DES ÉTUDES JURIDIQUES EN ITALIE

3.1 Bologne et Padoue.

C'est à partir de la fin du XIe siècle que l'on remarque une renaissance de l'enseignement du droit romain qui prendra son essor au XIIe siècle avec l'école des glossateurs. Ce mouvement parti d'Italie, de Bologne précisément, puis de Padoue est lié à la redécouverte des textes du *Corpus Juris* et à l'étude qui en fut faite dans l'école même de rhétorique de l'*Ars Dictandi*, et c'est à partir de là que l'enseignement juridique prit son essor[1].

Un processus identique se développa en France, d'abord à Paris, mais il fut stoppé net en 1219, comme nous venons de le voir. Quelque temps plus tard, vers 1230, Orléans deviendra le grand centre d'enseignement du droit romain pour tout le nord de la France, et même de l'Europe du Nord. D'autres centres se créèrent ainsi en France : Angers, Toulouse et Montpellier. A ces centres s'ajouteront bientôt Poitiers et Bourges.

Cet enseignement du droit romain ne se restreint pas à un seul pays, mais concerne au contraire tous les pays, car il signifie la création d'une nouvelle discipline scientifique. Le droit canon se développera un peu plus tard à la suite de l'enseignement du droit romain ; les deux systèmes de droit étant indissolublement liés[2].

3.2 La présence écossaise.

L'internationalisation du corps estudiantin se remarque dès le début, et c'est ainsi que nous notons la présence d'étudiants écossais en Italie : à Padoue à peine née, en 1222 il existe dès 1228 une Nation anglaise la *Natio Anglica* qui regroupe tous les habitants bretons : Anglais, Écossais et Irlandais[3].

---

1 R. Coing, « Développement de la réception du droit romain », *in Pédagogues et Juristes, Congrès du Centre d'Études Supérieures de la Renaissance de Tours, été 1960*, Paris, 1963, p. 50.

2 *Ibidem*, p. 51.

3 H. Stewart, « The Scottish *Nation* at the University of Padoua » *in Scottish Historical Review*, III, 1906, p. 53.

Parallèlement à ce développement du droit romain en milieu universitaire, naquit un nouveau corps social : celui des juristes qui appliquèrent leur enseignement et leurs connaissances à la pratique. Ces hommes étaient des conseillers en politique, des administrateurs de l'Église. Le droit allié à la politique permettait aux juristes d'avoir accès aux grandes affaires de l'État, et à la juridiction de l'Église[1]. C'est donc une longue évolution qui a commencé et qui finira à l'époque qui nous concerne.

Avant de présenter l'état du droit en Écosse et d'aborder la question de savoir pourquoi les jeunes Écossais ne poursuivaient pas leurs études juridiques en Écosse, il semble souhaitable d'essayer de répondre à cette question : pourquoi étudier le droit, comment expliquer ce choix d'étude ?

1 R. Coing, « Développement de la réception du droit romain », *Op. cit.*, p. 51

CHAPITRE 4

LE DROIT COMME CHOIX D'ÉTUDE

4.1 Le droit civil.

La liste des disciplines enseignées dans les universités s'est fixée au XIIIe siècle. Remarquons qu'en réalité de nombreuses universités étaient spécialisées, ainsi Orléans n'enseignait que le droit, et la théologie sera longtemps cantonnée à Paris et même, lorsqu'à la fin du XIVe siècle, il apparut que toute université devait avoir les quatre facultés (traditionnellement les arts, la médecine, le droit et la théologie), certaines ne verront pas vraiment le jour ou seront vite éclipsées par une discipline dominante, tel fut précisément le cas de Bourges.

La liste des disciplines universitaires voulait refléter les classifications du savoir élaborées dans l'Antiquité, reprise par les Pères de l'Église puis par les auteurs du XIIe siècle[1]. Toutefois, le droit et la médecine, presque inconnues des anciennes classifications du savoir, s'imposèrent dès le XIIIe siècle dans la plupart des universités. Au-delà de leur utilité sociale et des belles carrières qu'elles offraient, et sans contester le primat de la théologie, elles surent mettre en avant leur dignité intellectuelle et leur dimension éthique, venant ainsi à bout des suspicions de l'Église contre leur côté profane et lucratif[2], même si le droit civil fut encore longtemps interdit à Paris, comme nous l'avons déjà remarqué.

L'enseignement du droit était d'abord celui du droit civil, c'est-à-dire du *Corpus juris civilis*. L'étude du droit romain même sans application immédiate, restait très utile car il s'en dégageait les grands principes juridiques qui permettaient de distinguer le juste de l'injuste, et réguler toute la vie sociale de façon harmonieuse. C'était pour tout juriste un modèle, un système de droit cohérent et entier. Par ailleurs, l'on pouvait y recourir en cas de défaillance de la coutume au caractère fragmentaire et souvent contradictoire. En pays de coutume,

1 J. Verger, *Histoire des Universités*, Collection, Que sais-je ?, 1994, p. 25.

2 *Ibidem*, p. 27.

le droit romain avait le statut d'un droit commun complémentaire[1], et c'était le cas en Écosse.

4.2 Le droit canon.

Au cours du XIIe siècle, s'adjoignit au droit civil le droit canon, reposant sur le *Décret* de Gratien et les *Décrétales* qui furent promulguées jusqu'au début du XIVe siècle. Il était admis que la maîtrise du droit canon passait par une connaissance du droit civil : *« les règles de procédure, le système de preuve, le vocabulaire même du droit canon, tout cela venait du droit romain »*[2]. Le droit canon était l'instrument de l'institution ecclésiale et l'affirmation de la suprématie papale ; ses docteurs furent bientôt célébrés par les papes[3].

4.3 Évolution de la discipline.

Ainsi le droit, en tant que discipline universitaire ne tarda pas à s'imposer de manière assez autonome ; beaucoup de juristes se dispensaient de passer au préalable par la faculté des arts. Les études juridiques répondaient à un besoin dans une société où le droit prenait une place importante. En outre, même si les universités restaient officiellement des institutions de l'Église, elles allaient passer irréversiblement sous le contrôle des municipalités et des états. Il s'agissait non plus de former des hommes à une carrière de gouvernement ecclésiastique mais de former des juristes compétents pour les administrations qui se développaient au sein de l'État moderne. Il en résultait des promesses de belles carrières pour les futures élites locales qui allaient contribuer à l'ordre social et politique établi[4].

Pourtant, et cela se confirmera à l'établissement des biographies des Écossais, les facultés de droit au XVIe siècle, puis au XVIIe siècle, commencèrent à attirer de jeunes étudiants nobles qui n'avaient pas l'intention de poursuivre une carrière juridique, mais qui

1 J. Verger, *Histoire des universités en France, Op. cit.*, p. 232.
2 *Ibidem*, p. 233.
3 J. Verger, *Op. cit., Histoire des universités*, p. 28.
4 *Ibidem*, p. 19

recherchaient plutôt une éducation. Le droit avait un aspect utilitaire direct, car il représentait une introduction aux complexités des dots, tenures, prêts, testaments et à une variété d'autres problèmes juridiques que les jeunes connaîtraient sans doute plus tard dans la vie. Le droit était populaire aussi car de nouveaux courants liés à l'humanisme juridique offraient aux étudiants l'occasion d'apprendre les données de l'histoire, de la diplomatie, de l'économie et de la politique. Le droit était une science complète, universelle, et son étude de ce point de vue représentait une continuation de l'éducation humaniste reçue au préalable. Ceci explique la présence sur les bancs des facultés de droit de jeunes qui ne cherchaient pas vraiment à faire du droit leur vocation.

Qu'en était-il de la situation de ces premiers Écossais qui fréquentèrent, nous venons de le voir, les universités de pointe, en Italie et en France, pour étudier le droit civil et le droit canon ? Quelles carrières attendaient ces diplômés universitaires une fois retournés en Écosse ? Les carrières des étudiants à Bourges aux XVIe et XVIIe siècles que nous présenterons plus loin seront-elles en rupture ou bien en continuité avec les carrières de leurs devanciers ?

CHAPITRE 5

CARRIÈRES DES UNIVERSITAIRES ÉCOSSAIS AUX XIIIe & XIVe SIÈCLES

5.1 Carrières sur le continent.

Précisons que certains préférèrent rester sur le continent, là où ils savaient que leurs talents et connaissances seraient appréciés[1]. Nous les retrouvons soit comme professeurs, John Mair en étant l'exemple le plus brillant, soit comme membres de l'administration papale : itinérants en Italie et puis à Avignon[2].

Pour ceux qui retournèrent en Écosse, et c'était la majorité, quelles carrières pouvaient-ils envisager ?

5.2 Carrières laïques.

Il n'y avait pas à cette époque dans leur pays de postes pour lesquels une qualification universitaire fût essentielle. Paradoxalement, l'Écossais qualifié en droit avait devant lui une variété de carrières professionnelles dans un pays où la formation des juristes séculiers n'existait pas en tant qu'organisation, si ce n'est que par l'apprentissage sur le terrain, c'est-à-dire dans les cours.

Dans quelles sphères d'activités ces hommes pouvaient-ils exercer leur influence ?

Tout d'abord, il y avait ceux qui servaient le roi. Le service du roi attirait et embrassait une grande variété de talents, et les universitaires y furent employés régulièrement depuis le XIIe siècle, dans des emplois très divers : secrétaire du roi (*king's clerk*,) chancelier royal (*royal chancellor*,) échiquier (*clerk of the rolls*,) chambellan (*wardrobe clerk*,) Le roi avait également besoin de conseillers, et il apparaît que les universitaires faisaient toujours partie du petit groupe de personnes associées de près aux décisions quotidiennes royales.

---

1 P. Stein, *The character and influence of the Roman civil law*, London, 1988, p. 308.

2 D. E. R. Watt, « Scottish university men of the thirteenth and fourteenth centuries », *in Scotland and Europe 1200-1850*, T C Smout ed., Edinburgh, 1986, pp. 5-6.

Ces universitaires, étaient titulaires de licence ou de doctorat à égalité en théologie et en droit[1].

Plus largement, il apparaît qu'un grand nombre d'hommes qualifiés étaient au service du gouvernement tout entier, en tant qu'envoyés officiels de l'Écosse vers les ambassades papales et les gouvernants séculiers étrangers. Il ressort de l'analyse des qualifications de quelque cinquante envoyés du début du XIVe siècle, que quatre étaient diplômés en théologie et trente-trois diplômés en droit[2].

Un autre domaine de recrutement important pour les Écossais qualifiés était le service auprès des puissants (*magnates*) de leur pays, aussi bien laïcs qu'ecclésiastiques. Les lords avaient des maisons aussi importantes que celles du roi et il était courant, et ceci dès le début du XIIIe siècle, pour des universitaires d'y être employés. Les grands comtes Douglas sont bien connus pour avoir eu à leur service des universitaires sur de longues périodes. D'une façon générale, les universitaires tenaient les postes de conseillers, clercs, secrétaires, ou agents conduisant les affaires à la place de leurs employeurs.

5.3 Carrières ecclésiastiques.

Bien davantage que les maisons laïques, les maisons épiscopales, les évêques offraient de nombreuses possibilités de carrières, spécialement pour des diplômés en droit. La plupart des diocèses dès le début du XIIIe siècle, avaient un représentant chargé d'une cour, agissant au nom de l'évêque. Ce poste était souvent détenu par un docteur ou licencié en droit. L'existence des cours de l'Église à divers niveaux (doyenné, archidiaconé diocèse, concile provincial) étaient autant d'occasions pour les hommes qualifiés en droit d'exercer leur profession d'hommes de loi. En effet, la plupart des disputes civiles se réglaient dans les cours ecclésiastiques dont les juges étaient bien formés en droit canon et civil[3]. Outre les membres du clergé normalement employés en tant qu'hommes de loi dans les cours

1 *Ibidem*, pp. 7-8.

2 *Ibidem*, p. 7.

3 Stein, *Op. cit.*, p. 320.

ecclésiastiques, il y avait de nombreux autres ecclésiastiques bien qualifiés en droit, car les études juridiques étaient centrales dans la formation des hommes d'Église et tenaient une place prépondérante dans la préparation d'une carrière ecclésiastique : « *Le droit, non la théologie, était la voie d'avancement dans l'Église* »[1].

Ceci nous amène à poser la question suivante : comment la justice était-elle rendue en Écosse ?

---

1 « *Law, not theology, was the path to promotion in the church* » in G. Donaldson, « The legal profession in Scottish society in the sixteenth and seventeenth centuries », *in Juridical Review*, 1976, p. 4

CHAPITRE 6

LA JUSTICE EN ÉCOSSE

6.1 Les cours.

Outre les cours ecclésiastiques, il existait une pléthore d'autres cours, peuplées de gens non qualifiés, et la justice qu'ils administraient était grossière. En théorie, il y avait trois juridictions locales : le *sheriffdom*, le *barony*, et le *burgh*, toutes représentant le roi. Mais les *sheriffs* et les juges des cours de *barony* détenaient leurs postes par hérédité, et aucun n'avait de qualification professionnelle[1].

En ce qui concernait les cours centrales, la justice civile dépendait d'un comité parlementaire issu du tiers-état ou d'un corps varié de *lords of the council*. Il n'y avait pas place pour le professionnalisme[2].

6.2 Les avocats.

En ce qui concernait les avocats, la profession n'était pas vraiment définie : à la cour les parties apparaissaient seules, ou avec des avocats ou bien les avocats seuls les représentaient. Mais à ce moment-là, les « *avocats* » n'étaient pas qualifiés professionnellement, ils étaient simplement des « *parleurs* »[3].

Cependant, les changements apparurent dès les premières décennies du XVe siècle.

---

1 *Ibidem*, pp. 2-3.

2 *Ibidem*, p. 2.

3 « *forespeakers* » *Ibidem*, p. 2.

CHAPITRE 7

LE SYSTÈME LÉGAL ÉCOSSAIS : ÉVOLUTION

7.1 Dates-clés : 1424, 1455, 1496, 1507.

Jacques Ier, à peine libéré et couronné à Scone en 1424, était rentré en Écosse, bien déterminé à faire régner la loi et l'ordre dans son pays. Plusieurs tentatives de réforme n'aboutirent pas, mais il réussit à établir l'idée de justice pour son peuple. L'Acte de 1424[1] selon lequel un avocat pour les pauvres était instauré représente sans doute le premier pas, car il était établi que les services de cet avocat seraient pris en charge et ses frais « *costis and travales* »[2] remboursés ; cela présupposait la présence d'avocats rémunérés qui n'étaient pas de simples amis des parties. L'année suivante fut nommée une commission qui avait pour objectif d'examiner les livres de droit, le *Regiam Majestatem* et *Quoniam Attachiamenta*, et de procéder aux nécessaires amendements. Le *Regiam Majestatem* -qui tire son titre de ses premiers mots- était le premier ouvrage de droit, compilé de façon non officielle et probablement privée vers 1225, sur le modèle anglais de Glanvill[3]. Le *Quoniam Attachiamenta* appartenait au XIVe siècle et était essentiellement écossais. Ce projet de révision ne fut cependant pas mené à terme[4].

En 1455, des règlements furent édités au parlement afin que ceux qui apparaissaient à la cour fussent vêtus d'un habit distinct, d'un vêtement vert[5]. Détail vestimentaire d'importance car caractéristique d'une profession naissante qui se singularisait. Cependant, la décision la plus importante intervint à la fin du siècle : c'est l'*Education Act 1496*[6], attribué à l'évêque Elphinstone. Il s'agissait de faire en sorte que tous ceux qui administraient la loi acquièrent de bonnes connaissances en droit. A cet effet, l'acte prévoyait pour les fils aînés

1 Acts of the Parliament of Scotland : A. P. S II. 8, c. 24.

2 « *coûts et déplacements* ».

3 D. M. Walker, *The Scottish Legal System*, Edinburgh, 1959, p. 78.

4 *Ibidem*, p. 87

5 Acts of the Parliament of Scotland : A. P. S., ii, 8c. 24.

6 Acts of the Parliament of Scotland : A. P. S., ii, 238 c. 3.

des barons et libres tenanciers d'importance le programme suivant : que les jeunes fils soient envoyés à l'école dès l'âge de huit ou neuf ans ; qu'ils y restent jusqu'à ce qu'ils possèdent de bonnes bases en latin ; puis qu'ils se consacrent à l'étude des lettres et du droit « *art and jure* » pendant trois années supplémentaires, de façon à acquérir la « *connaissance et l'intelligence des lois* »[1]. Tout baron ou libre tenancier qui ne maintenait pas son fils aîné aux écoles, sans avoir avancé une raison valable, devait s'acquitter auprès du roi d'une amende de vingt livres.

L'objectif de cet acte tout entier résidait dans cette affirmation pleine d'espoir, que « *la justice puisse régner uniformément dans tout le royaume* »[2], que les juges, héritiers de leurs fonctions, dans les *baronies* et *sheriffdoms* « *aient les connaissances pour administrer la justice* »[3].

Cet acte avait un double but : assurer une meilleure administration de la loi dans les localités ; et libérer les cours centrales des procès apportés par des plaignants qui estimaient que leurs propres cours locales n'étaient pas en mesure de rendre correctement la justice. Pourtant, nous n'avons pas la preuve que cet acte fut mis en application.

C'est à la même époque que l'imprimerie fut introduite en Écosse (1507). Walter Chepman et Andrew Myllar furent autorisés par charte royale à introduire en Écosse le matériel nécessaire à l'établissement d'une imprimerie « *ane prent* »[4]. Les premiers livres qu'ils devaient imprimer -mentionnés en tête de leur licence- étaient des livres de droit et les actes du parlement. Il ne semble pas que cela ait été le cas, sans doute était-ce un travail trop complexe, les premiers actes du parlement en version imprimée datent de 1535 et 1540[5]. Parmi les premiers ouvrages imprimés par Chepman et Myllar, nous notons le

---

1 « *knowledge and understanding of the laws* », *in* W. C. Dickinson, *Scotland from the earliest times to 1603*, Vol. I, Edinburgh, 1961, p. 278.

2 « *Justice may reign universally through all the realm* », *in Ibidem.*

3 « *may have knowledge to do justice* », *in Ibidem.*

4 *in Ibidem.*

5 *in Ibidem*, p. 278, note. 3.

Bréviaire d'Aberdeen, en deux volumes, sortis des presses en 1509-1510, et dont l'auteur était l'évêque Elphinstone[1].

7.2 1532 : le *College of Justice* / la *Faculty of Advocates*.

La décision la plus spectaculaire et la plus constructive en matière juridique et qui fut sans doute l'événement le plus important du règne de Jacques V, intervint plus tard, en 1532, lorsque le roi obtint du pape Clément VII une bulle autorisant à lever des subsides des revenus ecclésiastiques pour la dotation de la *Court of Session* en *College of Justice*, dont initialement huit membres allaient être à l'origine de la *Faculty of Advocates*. Pour la première fois, l'Écosse avait une cour suprême permanente, primordiale pour le développement du droit et l'administration de la justice[2]. Il ne fait aucun doute que nous avons, en cette première moitié du XVIe siècle, le début de l'émergence d'une vraie profession juridique, avec des juges salariés[3]. Le premier président et huit *sénateurs*[4] du *College* étaient des ecclésiastiques, mais sept étaient des laïcs. Cette composition d'origine montre que la laïcité pénétrait déjà le domaine juridique, et après la Réforme, les laïcs remplacèrent en ce domaine le clergé[5]. Le *College of Justice* représentait certainement une étape dans la création d'un État moderne et centralisé.

7.3 Le concept du juriste écossais.

Parallèlement à se souci constant qu'avaient les rois écossais de faire régner la justice dans le royaume en voulant le doter d'un système juridique efficace, la propagation des lettres en Écosse et la réception plus accentuée du droit romain firent que le pouvoir judiciaire était en train de passer des mains de personnes qui n'avaient pour elles que leur rang et leur position, vers les mains de juristes

1 J-B Coissac, *Les université d'Ecosse*, *Op. cit.*, p. 98.

2 D. M. Walker, *Op. cit.*, pp. 89-90.

3 G. Donaldson, « The legal profession… », *Op. cit.*, p. 3.

4 Les juges étaient également appelés « *Lords of Council and Session* » et « *Senators* » est le titre donné aux juges de la *Court of Session* en 1535.

5 J. Wormald, *Court, kirk and community, 1470-1625*, Edinburgh, 1981, p. 25.

qualifiés et formés[1]. Cette poussée de la profession laïque mena au concept nouveau de la profession de juriste, auquel D. M. Walker attribue les fonctions suivantes :

> (...) collectionner et éditer les textes des statuts ou d'autres documents législatifs, collectionner, classer, et éditer des comptes-rendus de décisions, synthétiser les éléments de la loi (...) présenter et expliquer les principes et les règlements d'un sujet particulier, explorer les origines historiques (...) ou examiner l'idée de droit ou de problèmes particuliers au droit d'un point de vue philosophique[2].

Par conséquent, quelle définition pouvons-nous donner du juriste écossais dès le milieu de XVIe siècle, définition applicable aux juristes du XVIIe siècle ? De nouveau, D. M Walker nous fournit la réponse :

> Un juriste écossais se peut décrire comme un homme qui a donné son énergie, son talent et sa compréhension du droit et sujets associés principalement, ou du moins de façon substantielle, à la collection et l'organisation des sources documentaires, la mise en forme de la loi, sa rationalisation, son interprétation, la systématisation des principes, l'exploration de leurs implications, les applications et difficultés, ou bien a examiné les problèmes philosophiques ou historiques du droit en relation avec l'Écosse, et qui a par conséquent contribué de façon substantielle à la littérature juridique écossaise. Un juriste peut être, et l'a aussi souvent été, un praticien du droit, ou un juge ou un professeur de droit, ou impliqué de quelque autre façon dans l'établissement du système légal[3].

1 W. J. Dove, « The reception of the Roman law in Scotland », in *Juridical Review*, 9, 1897, p. 364.

2 « (...) *collecting and editing the textes of statutes or other legislative materials, collecting, classifying and editing reports of decisions, synthesising the materials of the law (...) expounding and explaining the principles and rules on a particular subject-matter, exploring the historical origins (...) or examining the idea of law or particular problems of law from a philosophic standpoint* », *in* D. M. Walker, *The Scottish Jurists*, Edinburgh, 1985, pp. 4-5.

3 « (...) *a Scottish jurist can be described as a man who has devoted his energies, skill and understanding of the law and related subjects mainly, or at least substantially, to the collection and organisation of source-materials, the shaping of the law, its rationalisation, its interpretation, the systematisation of the principles, exploration of their implications, applications and difficulties, or has examined the historical or philosophic problems of the law in relation to Scotland, and who has thereby made a substantial contribution to Scottish legal literature. A jurist maybe, and frequently has been also, a legal practitioner or a judge or maw teacher or otherwiseprofessionallyinvolvedin the working of the legal system* » ; *in Ibidem*, p. 5.

Dans quelle mesure les étudiants écossais à Bourges correspondent-ils à ce portrait ? Ont-ils laissé des travaux d'intérêt, de valeur ou d'importance ? Dans quelle mesure la Faculté de droit de Bourges a-t-elle contribué à l'évolution du concept du juriste écossais ? Nous le verrons à l'établissement des carrières.

Cependant les hommes de loi laïcs étaient en petit nombre par rapport aux ecclésiastiques qualifiés en droit. Quelle formation juridique était disponible en Écosse à l'époque qui nous concerne ? Le *College of Justice* et la *Faculty of Advocates* n'avaient pas – en dépit de leurs appellations – de fonctions pédagogiques, et c'est vers les universités écossaises que nous devons porter notre regard.

CHAPITRE 8

L'ENSEIGNEMENT DU DROIT EN ÉCOSSE

8.1 Remarques.

L'Écosse était-elle dotée d'écoles de droit compétentes ? Quel était l'état de l'enseignement du droit dans les universités écossaises de l'époque ? Les universités écossaises établies avant la Réforme, furent fondées avec entre autres pour objectif d'enseigner le droit civil et le droit canon. Qu'en fut-il en réalité ? Il est à souligner que les trois premiers établissements d'enseignement supérieur en Écosse furent l'œuvre d' ecclésiastiques, tous les trois diplômés en droit canon et civil. Il s'agit de l'évêque Wardlaw qui fonda l'Université de St-Andrews, l'évêque Turnbull qui fonda l'Université de Glasgow et l'évêque Elphinstone qui fonda l'Université d'Aberdeen.

8.2 Le droit à l'Université de St-Andrews.

La bulle de fondation de l'Université de St-Andrews prévoyait l'établissement des facultés de droit civil et canon, et parmi les premiers professeurs nommés, il y avait quatre juristes, cependant tous canonistes. L'enseignement du droit canon fut dispensé de façon régulière, et nous avons la preuve que la Faculté de droit canon continua son activité jusqu'à la Réforme[1]. Il en alla différemment de la Faculté de droit civil, et nous n'avons pas la preuve d'un enseignement continu. En 1432, l'Université envoya une pétition au pape Eugenius IV déplorant que peu de clercs, sinon aucun, entreprennent l'étude du droit civil, et que par conséquent la justice ne pouvait être administrée dans les affaires civiles[2]. Le pape accéda à la demande de l'Université et les clercs qui détenaient des bénéfices obtinrent une dispense pour étudier et se qualifier dans les deux droits,

---

1 P. Stein, *The character and influence…, Op. cit.*, p. 309

2 « *few, if any, betake themselves to the study of Civil Law, on account of which there are few experts in civil law by whom justice can be duly administered in civil business* » in *Register of Supplications*, 254, fols ; 236, 251v, & 274 fol. 269, in A. I. Dunlop ed, « Acta Facultatis Artium Universitatis S. Andree, 1413-1588", *The Scottish Historical Society*, 1964, note. CLIII.

si bien que le royaume put bénéficier « *d'une abondance d'experts en droit* »[1] pour la bonne administration de l'État.

Cependant cette résolution n'aboutit pas à une amélioration de l'enseignement du droit civil à St-Andrews, bien que nous ayons quelques preuves que des licences dans les deux droits aient été accordées au début du XVIe siècle[2].

En 1552, Hamilton, le nouvel archevêque, obtint une bulle du pape Julius III, sanctionnant la *Nova Fundatio et Erectio* du *St-Mary's College* et l'autorisant à quelque réaménagement. Le premier changement introduit par l'archevêque fut de mettre un terme à l'enseignement du droit civil et de la médecine dans le collège[3]. Il ne restait plus qu'un canoniste qui devait enseigner le droit canon cinq jours par semaine[4]. Il est tentant de conclure à la suite d'Annie Dunlop qu'une faculté de droit civil ne fut jamais vraiment établie à St-Andrews, bien que cette discipline fût enseignée et donna lieu à des examens[5].

8.3 Le droit à l'Université de Glasgow.

L'archevêque Turnbull avait eu dès le début l'intention de favoriser à l'Université de Glasgow les études juridiques, droit civil et droit canon ; le modèle des statuts de l'Université de Bologne avait été invoqué. Cependant les conditions étaient bien différentes, et Glasgow représentait une bien petite création comparée à son aînée italienne[6].

---

1 *« abound in legal experts », in Ibidem.*

2 P. Stein, *Op. cit.*, p. 309.

3 A. Grant, *The story of the University of Edinburgh during its first three hundred years*, London, 1884, Vol. I, p. 17.

4 J. W. Cairns, « Academic Feud, Bloodfeud, and William Welwood : the end of Roman law in the University of St-Andrews », (à paraître) p. 11 ; *Evidence, Oral and Documentary, taken and received by the Commissioners appointed by His Majesty George IV., july 23rd 1826 ; and re-appointed by His Majesty William IV., october 12th. 1830; for visiting the Universities of Scotland. Volume III. University of St-Andrews*,1837 Parliamentary Papers XXXVII, p. 366.

5 A. I. Dunlop, ed., « Acta Facultatis Artium Universitatis Sanctiandree 1413-1588 », *in The Scottish Historical Society*, Edinburgh, 1964, i, p. cliv. ; in J. W. Cairns, « The Law, the Advocates and the Universities in late sixteenth-century Scotland », *in The Scottish Historical Review*, Vol. LXXIII, 2 : n°. 196, October 1994, p. 148.

6 J-B Coissac, *Op. cit.*, p. 79.

La Faculté de droit canon fournit à l'Université son premier recteur, David Cadyow, et en 1460 Guillaume de Levenox enseignait le droit civil dans la maison des frères prêcheurs, empruntée à cet effet[1]. Les cours étaient toutefois faits par intermittence[2]. L'enthousiasme initial tomba peu à peu, sans doute par manque de soutien financier aux professeurs[3].

8.4 Le droit à l'Université d'Aberdeen.

L'évêque Elphinstone, fondateur de l'Université d'Aberdeen, avait été l'un des premiers titulaires d'une licence à l'Université de Glasgow avant de se rendre à Paris pour y poursuivre pendant trois ans des études en droit canon, avant d'enseigner cette même discipline, pendant trois ans en la capitale française. Puis, il alla à Orléans, s'y perfectionna en droit civil pendant encore trois ans et y enseigna également. Dans les statuts de King's College (1505), Elphinstone précisa que le *Canoniste* enseignerait à la manière des maîtres de Paris et le *Légiste* à la manière des maîtres d'Orléans[4]. L'évêque était soucieux de promouvoir l'enseignement du droit civil et déplorait qu'il fût fait interdiction par les chanoines, aux prêtres de paroisse et aux recteurs d'étudier le sujet[5]. En conséquence, il obtint du pape Alexander VI, une indulgence donnant permission à tous les ecclésiastiques, de quelque rang ou ordre que ce soit, y compris les Cisterciens – mais à l'exception des Mendiants- d'étudier ou d'enseigner le droit profane et de prendre leurs grades à l'Université d'Aberdeen. L'indulgence fut publiée par l'évêque Elphinstone en octobre 1501[6].

8.5 Le droit dans les universités après la Réforme.

Inévitablement, la Réforme allait avoir un effet de rupture sur ces universités qui étaient des corporations ecclésiastiques. Nous avons

---

1 *Ibidem*, pp. 63-64.
2 A. Grant, *Op. cit.*, p. 23.
3 P. Stein, *Op. cit.*, p. 309.
4 A. Grant, *Op. cit.*, p. 26, note. 2.
5 *Ibidem*, p. 35.
6 *Ibidem*.

déjà remarqué que les trois universités écossaises étaient dans un état d'abandon à la veille de la Réforme.

Les réformateurs firent mention de l'enseignement juridique. Le droit canon devait être toutefois remplacé par le *droit municipal*[1]. Le *Premier Livre de Discipline* de 1561 fait état de l'instruction en droit civil et droit municipal. Pour St-Andrews : « *dans la seconde classe il y aura deux lecteurs en droit romain et municipal, qui compléteront leurs cours en quatre années, après quoi, sur examen, ils seront licenciés en droit* »[2]. Quant à l'Université de Glasgow, la deuxième classe du deuxième collège sera la classe de droit municipal et romain[3]. « *La troisième Université d'Aberdeen sera conforme à l'Université de Glasgow, en tous points* »[4].

Le *Livre de Discipline* ne fut pas adopté par le parlement, ses propositions cependant ne furent pas sans influence.

Une visite d'inspection fut autorisée par l'Acte de 1563, à l'Université de St-Andrews, avec l'objectif de rétablir les finances et surtout de réformer le *curriculum.* Le projet proposait trois collèges, dont l'un, comprendrait divinité et droit, dont un lecteur professerait chaque jour, pendant une heure, excepté le jeudi[5]. Ce plan bien plus modeste que celui élaboré dans le *Livre de Discipline*, resta néanmoins sans suite. Sous la régence du comte de Morton, le 16 avril 1574, une deuxième visite d'inspection eut lieu, bientôt suivie, deux années plus tard, par une visite de commissaires de l'Assemblée Générale. Leurs recommandations furent ratifiées par le parlement, et mises à exécution sur décision du roi et de son conseil privé, en janvier 1579[6]. Il en découlait que pour être admis avocat devant la

---

1 autre terme pour *droit écossais* : (*municipal law = Scots law*)

2 « *In the second class, shall be two Readers in the Municipal and Roman Laws, who shall complete their courses in four years ; after the which time, being by examination found sufficient, they shall be graduate in the Laws* », *in* J. Knox, *History of the Reformation in Scotland*, ed. W. Croft Dickinson, Edinburgh, 1949, Vol. II, p. 298.

3 *Ibidem*, p. 299.

4 « *The Third University of Aberdeen shall be conform to this University of Glasgow, in all sorts* ». ; *in Ibidem*., p. 299.

5 J. W. Cairns, *Op. cit.*, p. 150.

6 *Ibidem*, pp. 150-152.

Session, il fallait faire la démonstration de sa capacité à enseigner et produire un certificat de l'université, attestant du niveau de connaissances acquis en matière juridique, et confirmant une présence régulière aux cours. Cet Acte de 1579, qui annonçait clairement préférer l'exercice académique à l'acquisition des connaissances à la cour, ne pouvait que favoriser et encourager les études juridiques dans les universités continentales, supérieurement équipées.

Néanmoins, il semble juste d'affirmer que si St-Andrews ne pouvait espérer devenir une grande école de droit sur le modèle continental, par faute de ressources appropriées et par manque d'une base d'étudiants importante, il s'avère toutefois que St-Andrews aurait pu, si les circonstances avaient été favorables, offrir un niveau au moins élémentaire de formation en droit. Mais une visite d'inspection en 1588 montra de nouveau que l'enseignement du droit n'était sans doute pas efficace[1]. En 1619, il n'existait plus à St-Andrews d'instruction en droit.

Quant aux deux autres universités, l'enseignement du droit à Aberdeen était lettre morte en 1589 et en ce qui concerne l'Université de Glasgow, la *Nova Erectio* de 1577, n'avait prévu aucune disposition pour l'enseignement du droit[2].

8.6 Le droit à l'Université d'Edimbourg.

L'Université d'Edimbourg fut fondée en 1583. En 1558 l'évêque Reid laissa par testament en date du 6 février une somme de 8.000 *merks* afin de construire un collège universitaire à Edimbourg, avec trois classes : une classe de grammaire, une autre en poésie, et une troisième pour le droit civil et canon. Le civiliste retenu pour ces cours était Edward Henryson. La mort subite de l'évêque la même année et le tumulte de la Réforme firent que ce projet ne vit le jour que bien plus tard[3].

---

1 *Ibidem*. pp. 159-160.

2 J. Durkan and J. Kirk, *The University of Glasgow, 1451-1577*, Glasgow, 1977, pp. 330-331, 430-438.

3 J. Durkan, « The beginnings of humanism in Scotland », in *The Innes Review*, 4, pp. 16-17.

En février 1590, après de grandes discussions entre les *Lords of Session* et le Conseil de la ville, un accord fut conclu selon lequel les *Lords of Session*, les avocats et *Writers to the Signet*[1], et le Conseil, en tant que trois parties, fourniraient chacune la somme de mille livres, en vue d'établir un « *Professeur des Lois* »[2]. Nous voyons bien là l'intérêt que le *College of Justice* nourrissait à l'égard du nouveau collège en apportant une contribution généreuse pour que l'enseignement du droit soit dispensé en plus des enseignements de la philosophie et de la théologie. Toutefois, le premier avocat à détenir le poste de professeur de droit, Adam Newton, puis son successeur Sir Adrian Damman, ne professèrent que le grec et le latin dans le collège, sans qu'aucune référence au droit ne fût jamais faite[3]. Il semble que la création d'une chaire de droit à Edimbourg ait rencontré l'opposition des avocats[4]. Il faudra attendre l'année 1707, c'est-à-dire le dix-huitième siècle pour qu'une chaire de droit soit fondée à l'Université d'Edimbourg[5].

---

1 autre nom pour « *solicitor* » : avoué.

2 « *Professor of the Laws* », *in* Grant, *Op. cit.*, pp. 184-5.

3 *Ibidem*, p. 185.

4 J. W Cairns, *Op. cit.*, pp. 145-164.

5 A. Grant, *Op. cit.*, pp. 232-233.

CONCLUSION

Mais même une chaire de droit dans l'une des trois universités n'aurait pas empêché les hommes de se rendre à l'étranger, car l'enseignement d'un seul maître ne pouvait espérer fournir le type d'expérience obtenue à Toulouse, Poitiers ou Bourges.

Ainsi, nous le voyons bien, l'enseignement du droit dans les facultés de droit écossaises fut bien en-deçà des espérances initiales, à l'image même de leurs universités dont le développement ne connut pas un élan de vie suffisant pour prospérer. Le choix se confirmait donc pour les étudiants en droit : se rendre à l'étranger pour y étudier. Mais les pôles de diffusion des connaissances se déplaçaient, et d'un site à l'autre, l'on repère une certaine chronologie : partis de l'Italie, vers Paris et Orléans, les étudiants écossais se détourneront de la France au moment de la guerre de Cent ans et du Grand Schisme. C'est à Louvain et Cologne qu'ils porteront leurs pas en ces moments troublés. Dans son étude, R. Lyall[1] a recensé quelque cinq cents Écossais présents à ces deux universités au cours du XVe siècle. Pourtant, les Écossais retrouveront le chemin de la France au XVIe siècle, mais d'autres universités de création plus récente les attiraient désormais : Poitiers et surtout Bourges.

Il importe à ce moment de notre étude, afin de compléter la présentation, d'aborder la constitution et les caractéristiques de l'Université, de la Faculté de droit, et de la ville de Bourges même. C'est l'objet de notre prochain chapitre.

---

1 *« Scottish students and masters at the universities of Cologne and Louvain in the fifteenth century », in The Innes Review, Vol. XXXVI, 1985, pp. 55-73.*

TROISIÈME PARTIE

LES ÉCOSSAIS À LA FACULTÉ DE DROIT DE BOURGES
CONTEXTE HISTORIQUE

CHAPITRE 1

PRÉSENTATION DE LA VILLE DE BOURGES EN BERRY, DES ORIGINES À 1463, DATE DE FONDATION DE L'UNIVERSITÉ[1].

Introduction

Dans cette partie, il convient d'examiner le contexte historique de la ville de Bourges et du Berry. S'il n'entre pas dans le cadre de notre étude de faire l'historique de la capitale berruyère, il s'agit cependant d'évoquer, certes rapidement les événements politiques, économiques, militaires et religieux. En effet, au-delà des raisons purement académiques que nous présenterons ensuite, l'exposé des circonstances historiques et sociales tentera d'apporter réponse à la question suivante : le terrain était-il favorable à une présence étudiante écossaise, et notamment l'on s'interrogera sur le bien-fondé de la thèse qui rapproche l'intervention militaire écossaise en Berry et la venue des Écossais à la Faculté de droit ?

L'amalgame repose-t-il sur une réalité, ou bien n'est-il que le fruit d'une légende ? Notre analyse s'efforcera de répondre à cette question.

En un deuxième temps, il conviendra de présenter le contexte historique France-Écosse, et les rapprochements entre les deux pays, en particulier tout au long du XVIe siècle. L'on s'interrogera sur les possibles incidences de certains événements sur la présence des étudiants écossais à Bourges.

1.1 Des Celtes aux Romains.

Bourges devint ville universitaire en 1463, sur une décision de Louis XI qui, dit-on, voulait prouver ce faisant, son attachement à sa ville natale. Celle-ci, chargée d'un riche passé, méritait bien cependant le privilège d'accueillir un établissement d'enseignement

1 Pour rédiger ce chapitre sur l'histoire de Bourges, nous avons consulté essentiellement les ouvrages suivants : E. Meslé, *Histoire de Bourges*, ed. Horvarth, Roanne/Le Coteau, 1988 ; L. Raynal, *Histoire du Berry, depuis les temps les plus anciens jusqu'en 1789*, Bourges, t. 1, 1845 ; t. 2, 1844 ; J-Y Ribault, « Les Souvenirs écossais en Berry », *Op. cit.* ; G. Devailly, *Le Diocèse de Bourges*, Paris, 1973.

supérieur. En effet, à plusieurs reprises au cours de son histoire, elle occupa la première place, sur l'échiquier politique et ecclésiastique.

Il faut souligner l'importance de son emplacement géographique qui n'est pas le fait du hasard. A défaut d'être un promontoire qui en aurait fait une place sûre, *Avarich la Biturige*, fondée par les Celtes au VIIème siècle avant J-C., est située au milieu d'une région de marécages[1], de plaines traversées par les bassins de trois cours d'eau : le Cher, l'Arnon et l'Auron. Libre de toute enceinte montagneuse, la cité semble accessible, et le sera en effet pour César : la ville bientôt appelée *Avaricum* et le pays des *Bituriges* tout entier tomberont sous le joug des Romains.

Cependant, le triomphe de Rome fut un bienfait, car la paix régna et les Bituriges furent déclarés libres, continuant à gérer leur propre administration, même si un gouverneur romain leur rappelait leur dépendance. *Avaricum* fut une des grandes villes de la Gaule. Au fur et à mesure de la romanisation, les affaires publiques devinrent affaires des notables riches et influents, organisés en *sénat local :* ils élisaient les magistrats suprêmes et secondaires. La *cité des Bituriges* était l'une des soixante cités gauloises- groupées en nations – qui se réunissaient chaque année à Lyon, dans le but d'y célébrer le culte des empereurs.

1.2 Christianisation du Berry : Bourges capitale de l'Aquitaine Première.

Comme le reste de la Gaule, le Berry devint chrétien pendant qu'il faisait partie de l'empire romain. Le christianisme y aurait été apporté au IIIe siècle par saint Ursin, envoyé par le pape. Les chefs de l'Église étaient les évêques, la circonscription administrée par leurs soins, le diocèse, correspondait à l'ancienne cité des Bituriges. C'est aux premiers évêques de Bourges qu'il faut attribuer la création de nombreuses circonscriptions qui, dirigées par des curés, devaient prendre le nom de paroisses.

---

1 A ce sujet, nous verrons ce qu'en dirent les Universités de Paris et d'Orléans au moment justement de l'établissement de l'Université, *Cf, Infra*, notre quatrième. partie.

Pourvu de routes et d'aqueducs, Avaricum était par ailleurs un centre de transit actif, soutenue par des habitants entreprenants dont les descendants surent sauvegarder une tradition d'initiative collective ; en effet, les clercs et les notables, et plus tard les bourgeois, prirent part aux décisions concernant les affaires courantes de la capitale berruyère.

Faisant partie à l'origine de la nation d'Aquitaine, la cité des Bituriges appartint, dès le IVe siècle, à l'Aquitaine Première - l'Aquitaine étant divisée en deux provinces – qui s'étendait sur toute la région du Massif Central. En tant que capitale de l'Aquitaine Première, Avaricum fut ainsi placé au-dessus de Clermont, Le Puy, Albi, Cahors et Limoges. Le nom d'*Avaricum* fut remplacé par celui de *Biturigae*, qui devint finalement Bourges. Pour développer le commerce, davantage de belles routes droites furent tracées pour relier la capitale Avaricum aux autres cités voisines telles Orléans, Tours, Poitiers, Limoges, Autun, Clermont, établissant de la sorte une position de carrefour pour la principale ville des Bituriges. Envahie par les Wisigoths en 463 la ville se trouva rattachée au royaume Franc en 507 ; cent ans plus tard des établissements monastiques sous la règle de Saint Colomban furent fondés à Bourges.

Au moment où la féodalité s'installait en Berry, les seigneurs les plus anciens, les comtes de Bourges, puis les vicomtes exerçaient leur autorité faisant leurs les droits régaliens. Ainsi, l'un d'eux Eudes Arpin, voulant partir pour la Terre Sainte, vendit son vicomté au roi capétien Philippe Ier en 1100, afin de couvrir ses frais de participation à la croisade.

1.3 Débuts de la carrière politique de Bourges.

A cette époque, le vicomté était le seul domaine royal situé au sud de la Loire, et Bourges la troisième ville du royaume après Paris et Orléans[1].

Le petit-fils de Philippe Ier, Louis VII devenu roi, viendra se faire couronner à Bourges en 1137. Il y reviendra en 1168, trois ans avant une rencontre exceptionnelle, en cette même ville entre maître

1 E. Meslé, *Op. cit.*, p. 58.

Humbert[1], le pape Alexandre III et Thomas à Becket, évêque de Cantorbury.

Le souverain organisa, à partir de Bourges, des expéditions à caractère judiciaire, montrant là son désir d'affirmer la suprématie de la magistrature royale[2]. C'est de Bourges également que son fils, Philippe Auguste organisa ses forces pour poursuivre la lutte contre les Plantagenêts, la construction de la Grosse Tour, forteresse militaire édifiée sur ses ordres en 1188, et qui devait tant impressionner le poète étudiant Jean Second lorsqu'il entra dans la ville, le 19 mars 1532 à deux heures du matin, arrivant de Malines. De la ville où il va entreprendre ses études de droit, il donnera la description suivante :

> Cette ville est située de telle sorte qu'elle échappe aux voyageurs, jusqu'au moment où l'on se trouve à proximité. Mais alors, quel panorama splendide ! Elle se dresse de tous côtés comme une montagne aplatie, dont le sommet, occupée par une grande église et une tour, présente la forme d'une pyramide[3].

De cette époque par ailleurs, date la première école, fondée par les moines de la collégiale Saint-Ursin.

1.4 L'archevêque de Bourges, primat d'Aquitaine.

Dans un monde féodal en mouvance, l'organisation ecclésiastique fille de l'organisation romaine, se maintenait fixe. A Bourges, l'autorité de l'Église était renforcée par le rang important des archevêques présents[4]. L'archevêque de Bourges était devenu au XIe siècle *primat d'Aquitaine* et de ce fait, l'archevêque de Bordeaux

---

1 « *Maître Humbert était le futur pape Urbain III, du temps qu'il était archidiacre à Bourges, maître Humbert était tout dévoué à Thomas Becket, qu'il appelait son maître spirituel* » *in* J-Y Ribault, « Les Ecolâtres de Bourges au XIIe siècle », *in Actes du 95e Congrès National des Sociétés Savantes Reims 1970*, Bibliothèque Nationale, Paris, 1975, p. 98.

2 E. Meslé, *Op. cit.*, pp. 58-59

3 J. Jenny, « Voyage et séjour à Bourges d'un étudiant en droit au XVIe siècle : le poète Jean Second 1532-33 », in *Bulletin du Cher*, avril 1972, La forteresse de 33 mètres de haut fut détruite pendant La Fronde.

4 C'est sous le règne de Charlemagne que l'évêque de Bourges reçut le titre d'archevêque, dont la province s'étendait jusqu'à Albi, *in* A. Gandhilon & G. Doby, *Histoire du Berry pour les enfants*, Bourges, 1942, p. 32.

et les évêques de ce dernier lui étaient subordonnés. Il jouait donc, et dans l'Église de France, et dans le royaume, un rôle important, dominant les seigneurs féodaux.

Siège de l'administration religieuse sous l'autorité de l'archevêque, Bourges était également siège de l'administration civile sous celle du comte. C'est en 1195 que fut décidée et entreprise la construction de la cathédrale Saint-Etienne, par l'archevêque Henry de Sully qui la voulait de la même importance que celle de Paris[1]. Cependant la primauté des archevêques de Bourges sur ceux de Bordeaux cessa à la fin du XIIIe siècle, lorsque Bertrand de Goth, archevêque de Bordeaux fut élu premier pape d'Avignon sous le nom de Clément V. Un de ses premiers actes fut de révoquer tous les règlements qui subordonnaient l'archevêque de Bordeaux à l'archevêque de Bourges.

En matière d'éducation, c'est au XIIe siècle qu'apparaît l'écolâtre qui « *dirige l'école de la cathédrale et les autres écoles du diocèse, nomme les maîtres, garde les maîtres et les livres du chapitre, rédige les actes* »[2].

Au moment de la création de l'Université de Bourges, le pape Paul II perpétua cette double fonction de l'écolâtre moyenâgeux et, par sa bulle du 30 novembre 1464, attribua l'office de la chancellerie de l'université au chancelier du chapitre de la cathédrale.

1.5 Le duc Jean de Berry

Pendant la Guerre de Cent Ans, à la suite de la désastreuse bataille de Poitiers (1356), il avait fallu céder aux Anglais par le traité de Brétigny un grand nombre de provinces parmi lesquelles les comtés de Poitou et de Macôn, possessions de Jean de France, fils du roi Jean le Bon. Pour dédommager son fils, le roi lui donna en échange le Berry et l'Auvergne, qui à cette occasion, furent érigés en duchés ; c'est ainsi que le Berry fut de nouveau séparé du royaume et gouverné par un duc qui prit le nom de Jean de Berry. Ce dernier, en exécution des clauses du traité de Brétigny resta plusieurs années otage en

---

1 A l'instar de son frère Eudes qui avait entrepris la construction d'une grande cathédrale à Paris, *in* E. Meslé, *Op. cit.*, p. 87. La cathédrale de Bourges fut consacrée le 13 mai 1324.

2 J-Y Ribault, « Les Ecolâtres de Bourges au XIIe siècle », *Op. cit*, p. 92

Angleterre et ne revint qu'en 1367. Le duc Jean fut l'un des oncles de Charles VI qui participèrent au gouvernement de la France pendant la minorité du roi.

Amateur d'art[1], amoureux des belles choses rares, il collectionnait, entre autres, des manuscrits qu'il fit magnifiquement relier et orner de splendides miniatures, dont le plus célèbre est le livre de prières *Les Très Riches Heures du Duc de Berry.* Son goût pour les monuments avait attiré à Bourges maints artistes de toutes sortes, bientôt suivis par de riches marchands ; ces nouveaux venus ajoutés aux nombreux officiers de l'entourage du duc participèrent au développement du commerce de la ville, et lui assurèrent prospérité, pour un temps.

Les reliques de la cathédrale[2], celles de Saint-Guillaume, provoquaient également un afflux de pèlerins, d'abord venus des environs puis de contrées plus lointaines, attirés à Bourges par des manifestations d'un autre ordre : les grandes foires. Le calendrier des foires berruyères avait été élaboré selon des fêtes votives qui entraînaient déjà un grand rassemblement de population : Noël, saint-Ambroix (18 octobre), fête des saints Pierre et Paul (29 juin), saint-Ursin (9 novembre). A ces manifestations, s'ajoutaient de nombreuses foires secondaires et marchés souvent hebdomadaires[3].

En 1484, Charles VIII transféra à Bourges les célèbres foires qui s'étaient tenues à Lyon, jusqu'à alors. Ce fut là une nouvelle source de profits pour Bourges. Au-delà des bénéfices inhérents à ce genre d'activités, s'ajoutait l'apport humain représenté par une foule de marchands français et étrangers, dont certains firent souche. Mais cet élan fut brisé net par l'incendie de 1487 qui détruisit la moitié des maisons de la ville[4] ; les foires furent supprimées, la prospérité de Bourges freinée.

---

1 C'est lui qui en 1390, fera exécuter le grand housteau de la cathédrale qui occupe la partie centrale de la façade.

2 « *La relique la plus sublime, la couronne d'épines du Christ pour laquelle Saint-Louis avait construit la Sainte-Chapelle fut apportée à Bourges* » *in* E. Meslé, *Op. cit.*, p. 120.

3 E. Meslé, *Ibidem*, pp. 93-94.

4 P.Goldman (dossier réalisé par): *1487, La Vieille Ville en flammes*, Bourges, 1987.

Le constructeur de la Sainte-Chapelle[1] étant mort sans laisser d'enfants vivants, le roi Charles VI attribua le Berry à son troisième fils Charles, qui en 1422 devint roi de France sous le nom de Charles VII. La province se trouva alors de nouveau réunie au royaume.

1.6 Le dauphin Charles, futur Charles VII, et la rencontre Berry-Écosse.

La période qui s'ouvre maintenant est remarquable pour notre étude, en raison de deux faits importants : d'abord la naissance à Bourges en 1423 du premier fils de Charles VII, le futur Louis XI qui allait fonder l'université berruyère, et puis un événement dramatique au cours duquel eut lieu la première rencontre entre l'Écosse et le Berry : cela se passait en 1419. Revenons à cette année-là.

Henri V, roi d'Angleterre, allié à la Bourgogne, qui retenait prisonnier depuis quinze ans Jacques Ier, roi d'Écosse, avait conquis la France au nord de la Loire. Que restait-il de la France ? Trois provinces : le Berry, le Poitou avec un accès par La Rochelle, et le Dauphiné. Le roi de France, Charles VI, était sur le point de signer le traité de Troyes : sa fille Marguerite épouserait Henri V et le royaume appartiendrait à leur descendance. Le dauphin Charles, obligé de quitter Paris qui ne le reconnaissait pas, gagna Bourges, capitale de son apanage en 1419, et de là organisa sa résistance.

> Presque toute la Gaule avait reculé devant l'Anglais victorieux. Bourges restait l'unique espoir de vivre. C'est de Bourges qu'au royaume souffrant devait venir le salut qu'il attendait[2].

Un grand nombre de seigneurs du Berry se rangèrent aux côtés du dauphin, mais il fallut faire appel aux alliés de Castille, de Milan et

1 A l'imitation de la Sainte-Chapelle de Paris, le duc Jean avait fait édifier cette chapelle pour y mettre son tombeau. De dimensions assez restreintes, elle comprenait une seule nef, éclairée par treize fenêtres énormes, garnis de vitraux superbes. L'oeuvre de pur style gothique flamboyant avait été dotée d'un trésor d'une richesse inouïe et le culte était assuré par un chapitre formé de 13 chanoines, 13 chapelains, 13 vicaires et 6 clercs de choeur. in A. Gandhilon, *Op. cit*, *Cf. Supra* note. 7, p. 73. Cette chapelle, en partie incendiée en 1693, sera détruite en 1756 par l'archevêque, cardinal de La Rochefoucault. Les reliques furent transportées à la cathédrale et le mausolée fut réédifié dans la crypte, où nous pouvons toujours le voir.

2 In A. Gandhilon, G. Doby, *Op. cit.*, p. 76

surtout d'Écosse, en vertu des traités d'alliance et de soutien dont nous avons déjà parlé.

C'est entre le 24 et le 28 octobre 1419 que le « Roi de Bourges »[1] attendit dans le fastueux palais que son grand oncle le duc Jean de Berry avait élevé, quelques trente années plus tôt, l'arrivée d'une première armée d'Écosse, forte de 6.000 hommes, tout juste débarquée à La Rochelle, et menée par Jean Stuart, comte de Buchan, second fils du duc d'Albany, le régent d'Écosse, Archibald Douglas, comte de Wigton, et Jean Stuart de Darnley[2]. Cette première armée serait confortée d'une deuxième armée de 4 à 5.000 hommes, formée sous les ordres de l'amiral d'Écosse, le comte de Mar, et qui débarqua également à La Rochelle en janvier 1421. L'arrivée de cette seconde armée d'Écosse redonna espoir au dauphin et surtout l'aida à remporter la première grande victoire au cours de laquelle le duc de Clarence, frère d'Henri V, fut tué : c'était à Baugé, le 22 mars 1421. Pour témoigner sa reconnaissance aux vaillants chefs écossais, le dauphin confia l'épée de connétable de France au comte Douglas de Buchan et fit don au connétable d'Écosse, Jean Stuart de Darnley, de la terre de Concressault en Berry[3].

Le retour en France d'Henri V en juin 1421, mit fin aux succès du dauphin. En juin 1422, Jean Stuart organisa une expédition contre les Anglo-Bourguignons : il traversa la Loire, prit Cosne, Saint-Amand, Saint-Sauveur et Bléneau, avant d'être poussé à se replier. Charles VI mourut le 21 octobre et le dauphin prit le titre de roi le 30 octobre : Charles VII. Afin de récompenser plus amplement Jean Stuart, le nouveau roi lui fit don de la seigneurie d'Aubigny, située à trente kilomètres au nord de Bourges. Par lettres-patentes datées du 26 mars 1423, Charles VII écrit :

> Nostre chier et amé cousin Jean Stuart, seigneur de Darnellé et de Concressault, connestable de l'armée d'Écosse, à nostre prière et requeste est venu dudit pays d'Écosse et a amené avec lui grande compagnie de gendarmes et de trait, en intention et mettant à effet

---

1 Au moment où Charles VII monta sur le trône, ses possessions étaient si restreintes que ses ennemis l'appelaient par dérision le *Roi de Bourges.*

2 J-Y Ribault, « Souvenirs écossais », *Op. cit.*

3 Francisque-Michel, *Les Écossais en France, Les Français en Écosse,* Trübner & Cie, Londres 1862, Premier volume, 1ère partie, pp. 114-165.

> les anciennes alliances des royaumes de France et d'Écosse et à nostre très grand besoin, affaire et nécessité[1].

Pendant les mois désastreux qui suivirent, l'armée franco-écossaise fut décimée à la bataille de Cravant où Jean Stuart perdit un oeil et fut fait prisonnier. Bientôt échangé contre Jean de Toulongeon, il partit pour la Terre-Sainte.

De nouveau Charles VII fit appel au nom de la *Auld Alliance* à ses amis écossais et à leur roi, Jacques Ier, rentré dans son pays après la mort de Henri V. Au printemps de l'année 1424, de nouveaux secours écossais débarquèrent à La Rochelle : 2.500 hommes d'armes et 4.000 archers, sous le commandement d'Archibald Douglas de Buchan père du connétable de France. Cette armée se fit massacrer quelques semaines plus tard, avec les autres troupes de Charles VII, à la bataille de Verneuil. Les Buchan et l'élite de la chevalerie écossaise périrent avec sept mille hommes pour le royaume de France. Charles VII désespéré, songea à s'exiler soit en Castille, soit en Écosse.

De retour de Terre-Sainte, Jean Stuart de Darnley rejoignit en Bretagne le nouveau connétable, le duc de Richemont et gagna avec lui la bataille du Mont-Saint-Michel en 1426. En janvier de l'année suivante, par lettres datées de Montluçon, Charles VII concéda à l'Écossais le comté d'Evreux et une année plus tard l'autorisa à placer les lys de France dans ses armes. Le blason des Stuarts sera :

> Écartelé aux 1 et 4 d'azur à trois fleurs de lys d'or aux 2 et 3 d'or à la fasce échiquetée d'argent et d'azur de trois tires, à la bordure de gueules, chargée de huit fermaillets d'or[2].

Le 10 février 1429, Jean Stuart accompagné de 1.000 hommes entrait dans Orléans assiégé, mais deux jours plus tard, une sortie imprudente le conduisit au massacre : la *Journée des Harengs* fut la dernière bataille pour le valeureux Écossais qui périt avec son frère Guillaume. Son corps sera inhumé en la chapelle Notre-Dame de la cathédrale d'Orléans.

En juillet 1425, Charles VII, en témoignage d'estime et de reconnaissance, avait confirmé auprès de sa personne une garde

---

1 A. N. Séries K168 N°. 91.

2 J-Y Ribault, *Op. cit.*

écossaise qui existait déjà en 1418. Composée de cent hommes d'armes, elle fut placée à l'origine sous le commandement de Jean Stuart de Darnley fils, et conservée par les successeurs de Charles VII jusqu'à la Révolution.

Il nous appartenait de relater cet épisode en détail pour une bonne compréhension des faits, et aussi parce qu'il entraîna l'installation d'Écossais en Berry. Nous y reviendrons, après avoir retrouvé le « roi de Bourges », devenu vraiment le roi de France.

Après avoir chassé les Anglais, grâce en partie aux libéralités de Jacques Cœur, le roi procéda à la réorganisation militaire, judiciaire, financière et religieuse du pays. Jean de Berry, en créant à Bourges la Cour Ducale, les Grands Jours et la Chambre des Comptes avait déjà préfiguré la capitale administrative du royaume. De grandes ordonnances furent rendues à Bourges, dont *La Pragmatique Sanction*[1] publiée en 1438, dans la Sainte-Chapelle en présence d'une grande assemblée de gens d'État, gens d'Église et docteurs des universités. Cependant, après le départ définitif du roi en 1450 pour Paris, à qui il avait ainsi rendu son rôle de capitale, Bourges perdit sa prépondérance dans le royaume.

1.7 Jacques Cœur.

A son roi, la ville de Bourges avait été redevable de sa sécurité, à l'Argentier du roi, elle devait le renouveau de son commerce et de son industrie, ainsi que le rétablissement de l'ordre dans les finances de l'État et la justice. En effet, Jacques Cœur fut investi des plus hautes fonctions dès 1441 : chargé de présider les États du Languedoc[2], envoyé dans cette même province pour réprimer les excès des administrateurs, mandaté pour installer un Parlement à Toulouse, délégué à Rome en 1448. Profitant de ses déplacements pour organiser son commerce extraordinaire[3], il noua à travers le monde

1 *La Pragmatique Sanction* avait pour objet de règler entre le roi et le pape, toutes les questions concernant le clergé, et entre autres la nomination des évêques, *in* A. Gandhilon, G. Doby, *Op. cit.*, p. 78.

2 Assemblées qui se réunissaient à différentes époques pour administrer le pays.

3 Jacques Cœur possédait une des flottes les plus puissantes du monde : de l'Orient et d'une partie de l'Asie il transportait en France, importait, exportait, des

des relations avec les plus grands personnages de l'époque. Puissant et riche, son palais reste après la cathédrale, le plus bel édifice de la ville de Bourges. Banquier, il prêtait de l'argent à tous, et ce qui conduisit à sa perte fut sans doute d'en avoir prêté au dauphin, futur Louis XI, qui ne cessait de comploter contre son père Charles VII. Ce dernier mourut le 22 juillet 1461, Louis XI fonda l'Université de Bourges en 1463, deux années donc après son avènement au trône.

1.8 Conclusion.

Ce survol rapide de l'histoire de la ville de Bourges, jusqu'à la création de l'Université délimite le cadre temporel et précise en même temps une certaine perspective. Siège d'un archevêché, d'institutions judiciaires et d'administrations, résidence royale, centre de résistance à la conquête anglaise, Bourges jouissait d' une légitime célébrité et ne pouvait que devenir un centre de vie intellectuelle, d'audience nationale et internationale, propice à la vie étudiante, attirante pour des universitaires, en général, écossais en particulier. En tant que siège de nombreuses juridictions civiles et religieuses, Bourges devait attirer spécialement les étudiants en droit :

> Magistrats et avocats, ceux qui disaient le droit et ceux qui l'interprétaient, entretenaient un climat favorable aux études non seulement par leur compétence professionnelle et par leur influence sociale, mais aussi par la multiplicité des causes, la complexité des questions traitées qui obligeaient les juristes, du moins les meilleurs d'entre eux, à une perpétuelle mise à jour de leurs connaissances, à une documentation étendue, à des recherches incessantes[1].

Avant d'aborder la présentation de l'Université et de sa Faculté de droit, il convient de revenir sur trois points précis en rapport avec la présence des étudiants écossais à l'Université de Bourges : il s'agit de la situation géographique de Bourges, de la rencontre militaire Écosse-Berry, et du pouvoir ecclésiastique en place.

---

denrées rares voire inconnues, des matières premières, et autres marchandises qu'il entassait dans des entrepôts créés à Paris, Lyon, Marseille, Montpellier, Barcelone, Bruges, Bourges et ailleurs.

1 J-Y Ribault, « Un Historien Provincial au XVIIème siècle, Gaspard Thaumas de La Thaumassière », in *Bulletin d'Histoire Moderne et Contemporaine*, n° 14, p. 12.

CHAPITRE 2

SITUATION GÉOGRAPHIQUE DE BOURGES.

2.1 Sur le chemin de pèlerinage.

Nous avons mentionné la situation de carrefour de Bourges au temps des Romains, et « *nous avons perçu l'existence d'itinéraires pré-romains à longue distance ayant une logique propre, de Bourges à Bordeaux* » remarque C. Higounet[1]. Cet itinéraire est « *le grand axe Bourges-Bordeaux devenu grand chemin de Compostelle* »[2].

Pour aller se recueillir sur la tombe de Jacques le Majeur, la plupart des pèlerins passaient par la France où s'étaient formés au fil des pas, quatre grands itinéraires, partant chacun d'un lieu de pèlerinage : Tours, Vézelay, Le Puy et Saint-Gilles-du-Gard. La deuxième étape de l'itinéraire de Vézelay avant Limoges, était Bourges.

Il se déplaçait en Europe une quantité de gens, surprenante par leur grande diversité, et les motifs variés de leurs déplacements : commerce, foi, recherche d'un travail et études[3]. Ainsi, les chemins de pèlerinage n'étaient pas réservés uniquement à de pieux voyageurs, et « *ils ne constituent en aucune manière une catégorie juridique* »[4] ; en réalité, ils correspondaient au trajet le plus court, le plus commode, le plus sûr à la fois par un tracé moins difficile, et présentant moins de risques de rencontrer de mauvaises fréquentations ou des péages abusifs.

2.2 Guides et cartes du voyageur.

L'étudiant du XVIe siècle, comme le commerçant ou le messager de l'université, connaissait ces chemins : ils étaient déjà répertoriés

---

1 « Avant-propos » in *L'Homme et la Route en Europe Occidentale au Moyen-Age et aux Temps Modernes, Deuxièmes Journées Internationales d'Histoire*, Centre Culturel de l'Abbaye de Flaran, 20-22 septembre 1980, Auch, p. 9.

2 B. Barrière et J-M Desbordes, « Vieux itinéraires entre Limousin et Périgord » in *L'Homme et le route, Ibid.*, p. 236.

3 L. Camusso, *Guide du voyageur dans l'Europe de 1492*, Milano, 1990, Liava Levi pour l'édition française, 1991, p. 15.

4 Gérard Jugnot, « Les chemins de pélerinage dans la France médiévale », in *L'Homme et la route, Op. cit.*, p. 59.

sous forme de minces livres-guides mais aussi de cartes. Ces livres de pèlerins seront consultés lors de la rédaction de guides dont nous citerons les deux plus célèbres : *les Itinéraires de Bruges*[1], et *La Guide des chemins de France* de Charles Estienne[2]. Quant aux cartes, nous signalons la *Charte Gallicane* d'Oronce Fine publiée en 1525[3] et les cartes de Jean Jolivet[4], dont celle du *Berry* datée de 1545[5]. Pour notre propos, nous noterons que les *Itinéraires de Bruges* comportent trois routes permettant de se rendre à Bourges : *de Brugis usque Bourges en Berry per Parisiis directe, per Rotomagum*[6], *et per Bloys*[7]. Le petit livre de deux cent sept pages de Charles Estienne n'imposait pas aux voyageurs un chemin, il soumettait à leur appréciation les étapes à partir de centres importants d'où se répandaient les chemins :

> C'est ainsi que (...) Orléans, Bourges, Poitiers, Lyon, Bordeaux etc, devinrent les points de départ et d'arrivée d'où partaient et où aboutissaient, de relais en relais, les chemins qui s'éparpillaient à travers les provinces[8].

En outre, il est à noter que *La Guide des Chemins de France* comportait dans ses marges des commentaires à l'usage des voyageurs

1 Ouvrage de la fin du XIVe siècle, in *Recueil de Voyages et de Documents*, publié par E. T. Hamy t. XXII, Paris, 1908.

2 Publié en 1552, éditée par J. Bonnerot, 1935. L'auteur apporte cette précision : « *La* Guide et non le guide : le mot est féminin dans Rabelais. Il est devenu masculin plus tard lorsqu'il a désigné un homme », p. 8.

3 *« L'édition la plus anciennement connue de cette carte (1538) est conservée à la bibliothèque de l'Université de Bâle, sous le titre de* Totius Galliae Descriptio. *La France ne possède au* Département des Cartes et Plans *de la Bibliothèque Nationale qu'un tirage encore plus tardif de 1553* », *in* N. Broc, « Les cartes de France au XVIe siècle » in J-C Margolin et J. Ceard, « Voyager à la Renaissance », *Actes du Colloque de Tours 30 juin-13 juillet 1983*, éd. Maisonneuve & Larose, Paris, p. 222. Il est admis que la carte de ce mathématicien, devenu professeur au Collège de France, est *« la plus ancienne carte de France, conçue et imprimée dans notre pays »*.

4 Ce prêtre et géographe officiel de François Ier et d'Henri II, berrichon d'origine, reprendra pour l'essentiel les tracés d'Oronce Fine, mais délaissera le latin et utilisera exclusivement la langue française, *in* N. Broc, *Ibidem*. p. 229.

5 Cf. A. Vacher, « La Carte du Berry par Jean Jolivet », *in Bulletin de géographie et d'histoire descriptive*, 1907, pp. 258-268.

6 Reims.

7 *in* G. Jugnot, *Op. cit.*, p. 70.

8 *in* J. Bonnerot, *Op. cit.*, p. 7.

cultivés. Ainsi, les étudiants s'instruisaient-ils par cette lecture, tout en marchant vers leur université[1].

Estienne fait figurer Bourges sur la grand route de Paris à Lyon : après Orléans, avant Roanne. Les cartographes ont consulté l'ouvrage de Charles Estienne ; en témoigne ce détail de la carte de Jolivet qui est un arbre planté à égale distance de Bourges et de Limoges, et de sa notice : « Cet orme divise ces quatre provinces : Berry, Bourbonnais, Auvergne et Limousin »[2]. Ainsi, nous voyons bien que Bourges apparaît en bonne place sur la documentation géographique de l'époque. Les séjours des étudiants ne se déroulaient pas toujours selon les projets initiaux. Perturbés par la guerre, la peste, certains étaient amenés à se replier dans d'autres villes selon les circonstances. Située sur un axe de grande circulation, Bourges ne pouvait que bénéficier de sa situation. L'analyse des déplacements des étudiants écossais montrera qu'ils arrivaient en majorité après Orléans et Paris[3]. Ce qui semble indiquer la nécessité de prendre en compte la situation centrale de la capitale berruyère, même si cette situation n'est pas la principale raison. Le « grand chemin de Bourges »[4] sera celui retenu en priorité par Iodoci Singeri, mieux connu sous le nom de Zinzerling, lorsqu'il rédigera ses cinq itinéraires, à l'intention de ses compatriotes allemands voyageant en France :

> « Le premier (itinéraire) commence à l'arrivée d'Allemagne en France, et finit à Orléans ou à Bourges (...) »[5].
> Voici comment j'ai fixé la durée de chacun de ces voyages : supposons que tu as terminé le premier pendant l'année de ton départ, en été ou en automne, et que tu passes à Orléans, à Bourges et à Moulins tout le temps qui reste jusqu'à la fin de mai de l'année suivante[6].

1 *in* J. Bonnerot, *Op. cit.*, p. 13.

2 *in* N. Broc, *Op. cit.*, p. 230.

3 La route de Paris à Orléans fut la première route pavée en France, in *A History of the University in Europe*, H. De Ridder-Symoens ed., Cambridge University Press, 1992, 1994, Vol. 1, p. 300.

4 Cf. Rabelais, livre V. p. 26, in J. Soyer, « Topographie Rabelaisienne, Berry et Orléanais », in *Revue des Et. Rabelais.,* T. VII, 1909, p. 73.

5 *Itinerarium Galliae*, Lyon, 1616.

6 Extraits de l'ouvrage de Zinzerling, *in* E. Bonnaffee, *Voyages et Voyageurs à la Renaissance*, Paris, 1895, p. 164.

Prends le chemin de Bourges et séjournes-y quelques mois : voilà le conseil de Zinzerling ! Ce conseil-là, les frères Erskine et quelques autres l'ont bien écouté !

Le deuxième point sur lequel nous voulons revenir est l'épisode militaire de la rencontre Écosse-Berry que nous avons relaté, car il entraîna l'installation d'Écossais en Berry. Y a-t-il un lien entre ces Écossais et leurs compatriotes étudiants ?

CHAPITRE 3

INSTALLATION D'ÉCOSSAIS SUITE À L'INTERVENTION MILITAIRE DE 1419.

3.1 Archives.

Les archives départementales conservent des traces d'Écossais dans le terrier de la Sainte-Chapelle[1], qui mentionne pour le XVe siècle les loyers des maisons où ils vivaient. Au XVe siècle, onze familles d'Écossais possédaient des hôtels à Bourges. Nous retrouvons les noms suivants :

> La veuve feu Guillaume Henrysson, escossoys (...) ; noble homme Gillebert Conigant, seigneur du Sollier, escossoys, à cause de sa femme, fille de Jehan Stud et de Marie Touchere ; (...) Jehan Dodes, archer du corps du roy (...), Jehan Stut, escossoys, archer du corps du roy nostre sire (...) ; les héritiers de feu Jehan Chambre, natif du païs d'Escosse(...)[2].

Ces personnes habitaient dans les paroisses Saint-Fulgent et Saint-Pierre-le-Guillard, près du palais royal. Certains de ces Écossais se lièrent à des familles locales : ainsi Thomas Stutt (Stuart, à l'origine Esthouart, Estouard, ou Estuard) épousa au XVe siècle Agnès Le Roy ; la mère de l'archevêque de Bourges Guillaume de Cambray était une Elisabeth Estuard. Jusqu'à la fin du XVIIe siècle, les traces sont restées et nous retrouvons des Coqueborne, Aliberton, Attinson, Douglas, Genston (Jansson, Janneton ou Genton) et Menypeny.

3.2 Commentaire.

Dans le cadre de notre étude, nous devions relater les circonstances de la présence de ces Écossais et nous nous posons la question de savoir si un lien, comme certains le croient, pouvait exister entre ces personnes et les étudiants écossais à Bourges ? Il est difficile de répondre de façon catégorique, et pourtant il semble bien qu'il n'y ait pas de lien direct, ceci pour plusieurs raisons.

---

1 AD 8G1566/8G1797.

2 Le Terrier de la Sainte-Chapelle est très difficile à déchiffrer, nous reprenons ici la lecture qu'en a faite J-Y Ribault, in « Les souvenirs écossais en Berry », *Op. cit.*

En premier lieu, les événements relatés se passaient dans les années 1420, et l'Université de Bourges ne fut ouverte qu'en 1467, soit cinquante années plus tard. Nous avons vu dans notre partie consacrée aux sources et à l'établissement de notre liste que – mise à part la présence en 1480 d'Alan Levenax sur laquelle nous reviendrons – les premiers Écossais recensés à l'Université de Bourges arrivèrent autour de 1538, soit presque cent-vingt ans plus tard, au cours desquels quatre générations se sont succédé. Il ne peut donc s'agir des mêmes personnes.

En deuxième lieu, les Écossais venus se battre pour Charles VII étaient des soldats qui – pour ceux d'entre eux qui purent le faire – retournèrent dans leur pays, une fois la guerre terminée. Les cas d'Écossais restés en Berry sont peu nombreux et se sont fondus par mariage, dans la population locale.

En outre, nous verrons dans notre chapitre consacré aux origines des étudiants que ces derniers étaient presque tous de famille noble ; il n'en allait pas de même pour les membres de l'armée écossaise, mis à part les chefs. Quant à leurs origines géographiques, tous les étudiants dont nous avons pu retracer le cheminement, venaient d'Écosse ; nous n'en avons trouvé aucun de souche écossaise, descendant d'un Écossais implanté en France.

Enfin, nous ne remarquons pas de similarités à la lecture des patronymes exceptés Lennox, Mar et Henryson. Le terrier de la Sainte-Chapelle mentionne la veuve de Guillaume Henryson : était-ce un ancêtre éloigné de notre étudiant ? Faute d'éléments, nous n'avons pu retracer la généalogie d'Henryson, mais cela nous semble peu probable. En ce qui concerne Alan Levenax, nous préciserons dans notre partie biographique[1] que nous n'avons pu trouver aucun renseignement sur ses origines, ni en France ni en Écosse. Etait-il apparenté à Jean Stuart de Darnley ? Il n'était pas de ses descendants, le seul Alan de la famille que nous ayons répertorié, fils aîné du connétable, qui devint seigneur d'Aubigny, retourna en Écosse où il fut assassiné en 1439. Il ne peut en aucun cas s'agir de la même personne.

---

1 *Cf, Infra*, notre cinquième partie.

Nous avons remarqué que la première armée écossaise arrivée à la rescousse du dauphin Charles en octobre 1419 était sous les ordres du comte de Mar, amiral d'Écosse. Les frères Alexander et Henry Erskine étaient les fils du comte de Mar, septième du nom. Nous n'avons pas la preuve que l'amiral fut un lointain aïeul des frères Erskine. Cela n'est pas exclu, mais faute de preuves décisives en la matière, la prudence impose de conclure que l'existence d'un rapport entre les écossais soldats et les écossais étudiants est peu vraisemblable ; le mythe s'effrite.

Cependant, une interrogation demeure : Jean Stuart de Darnley reçut les terres d'Aubigny par donation, et s'y installa. Qu'advint-il à ses descendants, à cette lignée de Stuarts français qui restèrent en terre berrichonne ? Existerait-il des liens entre ces Stuarts et les étudiants écossais ? Nous y reviendrons lors de notre exposé du contexte historique France-Écosse.

Un autre épisode, qui illustre les rapports entre Bourges et l'Écosse est d'ordre politico-ecclésiastique : c'est la nomination en 1513 à la tête de l'archevêché de Bourges d'un Écossais : Andrew Foreman. De nouveau, il nous faut chercher à savoir si cet événement eut des conséquences en milieu universitaire. Quelles furent les circonstances de cette nomination ? Andrew Foreman entraîna-t-il des étudiants écossais dans son sillage ?

CHAPITRE 4

ANDREW FOREMAN ARCHEVÊQUE DE BOURGES.

4.1 Circonstances de sa nomination.

Les Menypeny étaient seigneurs de Concressault, et l'un d'eux, Guillaume, abbé de Saint-Satur, remporta les suffrages des chanoines à l'archevêché de Bourges devenu vacant. Nous étions en 1513, mais Louis XII s'opposa à ce choix, et après quelques difficultés, que Francisque Michel qualifie d' *»affaire d'état »*[1], ce fut l'écossais Andrew Foreman, évêque de Moray, ambassadeur de Jacques IV, qui fut choisi[2]. Louis XII avait obtenu du nouveau pape, Léon X les bulles qui conféraient à Andrew Foreman le titre d'archevêque de Bourges, contre l'avis du chapitre[3]. Il faut dire que devenir archevêque de Bourges, signifiait devenir un des grands du royaume, dont l'influence pouvait être immense : à la tête de huit cents paroisses, couvrant trente-cinq collégiales, quarante-six monastères, une douzaine de couvents, de nombreux établissements hospitaliers et une multitude de châtellenies[4]. Le roi avait voulu récompenser Foreman, ambassadeur diligent. Le nouveau prélat prêta serment de fidélité au roi de France, et c'est le chancelier Etienne Poncher, évêque de Paris, qui lui remit le *pallium*[5]. Foreman fit son entrée solennelle à Bourges le 13 novembre, et fut, semble-t-il, bien

---

1 in *Les Écossais en France*, *Op. cit.*, premier volume, 2ème partie, p. 319.

2 « *De nombreux Écossais étaient répandus en France, en qualité de prieurs, de chanoines, de curés et de bénéficiers* » *in* Francisque-Michel, *Ibid.*, p. 324, note. 1. ;

J-F Dubost, *Les Etrangers en France XVIe siècle-1789, Guide des Recherches aux Archives nationales*, Paris, Archives nationales, 1993, en particulier le chapitre 5, « Les Etrangers dans le clergé », pp. 102-130.

3 Le chapitre refusa cette nomination, car Foreman avait été l'un des conseillers qui poussa Jacques IV à déclarer la guerre à Henry VIII, le 16 juin 1513. Le roi franchit la frontière le 22 août, et fut tué à Flodden le 9 septembre. Le chapitre berruyer s'abstint de soutenir l'instigateur d'un si funeste événement. Ce n'est que pressés par les volontés royale et papale, que les dignitaires – moins trois chanoines- consentirent finalement à la postulation d'Andrew Foreman ; *in* Francisque-Michel, *Les Écossais en France*, *Op. cit.*, premier volume, 2ème partie, pp. 321-323.

4 E. Meslé, *Op. cit.*, p. 128

5 *in* Francisque-Michel, *Op. cit.*, p. 322

accueilli[1]. Cependant, il ne garda pas cette dignité très longtemps, car l'année suivante, Léon X le nomma à l'archevêché de Saint-Andrews, devenu vacant à la suite du décès d'Alexander Stewart, propre fils de Jacques IV, tué à la bataille de Flodden[2]. Foreman, déjà ambassadeur auprès du roi de France, réussit à obtenir du pape sa nomination à l'archevêché de St-Andrews avec le double appui du roi de France et du duc d'Albany[3].

4.2 L'homme et son œuvre.

Le prélat, qui signait « *arcevesque de Bourges et évesque de Murray»* car il entendait bien conserver les deux titres et en cumuler les profits, ne fut que de passage à Bourges. A Saint-Andrews, Foreman disposa de ses richesses pour la prospérité de l'université qui lui importait[4]. Soucieux de résister aux hérétiques, il porta une ordonnance exigeant que des moines de son diocèse fussent envoyés à l'Université de St-Andrews[5]. Selon Dempster, Foreman est l'auteur de trois ouvrages : *Contra Lutherum*, *De Stoica Philosophia*, *Collectanea Decretalium*[6]. Par ailleurs, il était resté en rapport étroit avec les universitaires écossais demeurés dans la capitale française ; l'un d'entre eux, Gulielmus Manderston, maître-ès-arts et recteur[7] de l'Université de Paris, lui dédia un ouvrage publié en 1518[8].

Force nous est de reconnaître que nous n'avons aucune preuve que le passage de Foreman à Bourges ait encouragé les Écossais à venir étudier à Bourges en 1513 et même au cours des années qui suivirent, jusqu'à la mort de l'archevêque en 1522. Ce fut même le contraire qui se produisit puisque un Français, John Carpenter (Jean Charpentier),

---

1 *in* Francisque-Michel, *Ibidem*. p. 324

2 in *Dictionary of National Biography*, Leslie Stephen ed., London, 1885, vol VII, p. 437.

3 *in* J-B Coissac, *Les Universités d'Écosse, depuis la Fondation de l'Université de St-Andrews jusqu'au Triomphe de la Réforme (1410-1560)*, Paris, 1915 ? , p. 150.

4 *in* J-B Coissac, *Ibidem*, p. 163.

5 *in* J-B Coissac, *Ibidem*, p. 163, note. 1

6 in *Dictionary of National Biography*, *Op. cit.*, *Cf. Supra*, note. 52, p. 437.

7 *in* W. Forbes Leith, *Pre-Reformation Scholars in Scotland in the 16th century*, 1915, p. 18.

8 W. Forbes Leith, *Bibliographie des Écossais en France*, p. 14 ; *in* Coissac, *Op. cit.*, p. 163

se rendit à St-Andrews donner des leçons publiques, sous le patronage de Foreman[1].

4.3 Lettres de naturalité de 1513.

Pourtant, en septembre de cette même année 1513, quelques mois après la conclusion des trêves entre l'empereur Maximilien, Henri VIII, les représentants d'Aragon et d'Espagne d'une part, et les rois de France et d'Écosse d'autre part, Louis XII avait rendu une ordonnance d'importance. Par lettres datées d'Amiens :

> Louis XII, sur les représentations de l'Archevêque de Bourges, Evêque de Murra, ambassadeur de Jacques IV. Roi d'Écosse, et de Robert Stuart, seigneur d'Aubigny, capitaine de la garde écossaise, considérant les grands services rendus à la France par l'Écosse, principalement contre l'Angleterre, exempte à l'avenir les Écossais résidans en France de l'obligation où ils étaient de demander particulièrement des lettres de naturalité leur accordant en masse le droit de tester, de succéder ab intestat et de tenir des bénéfices comme s'ils étaient Français.
> Donné à Amiens en moys de Septembre l'an de grâce mil cinq cens et treize et de notre regne le seizième[2].

Bien que cette déclaration fût adressée à toutes les cours du royaume et en particulier aux parlements, le Parlement de Paris ne l'enregistra pas. Fut-elle réellement appliquée ? L'on peut en douter. Cette déclaration s'inscrit dans la politique générale des deux royaumes de France et d'Écosse. Rappelons les faits essentiels couvrant notre période, et considérons si les événements relatés influèrent sur la venue des Écossais à l'Université de Bourges.

---

1 J. Durkan, « The cultural background in sixteenth-century Scotland », *in Essays on the Scottish Reformation 1513-1685*, D. McRoberts Burns ed., Edinburgh, 1962, p. 285.

2 Archives Nationales, *J. 678, No. 33 ; Inventaire Chronologique des Documents Relatifs à l'Histoire d'Écosse conservés aux Archives du Royaume à paris,* Edimbourg, imprimé par la société d'Abbotsford, 1839. Il est à noter ici que précédemment à cette ordonnance, des lettres de naturalité avaient été établies à l'intention des archers de la garde du corps du Roi, entre les années 1462 et 1511 (entre 1460 et 1488, sous Jacques III, puis entre 1488 et 1513, sous Jacques IV).

CHAPITRE 5

CONTEXTE HISTORIQUE : LIENS FRANCE-ÉCOSSE[1].

5.1 Jacques IV et la régence du duc d'Albany.

L'année 1513, nous venons de le rappeler, fut l'année fatale de la bataille de Flodden, au cours de laquelle Jacques IV perdit la vie. Sa veuve, Margaret, devint régente du royaume – son fils Jacques V n'avait qu'un an – avec les comtes d'Angus, Arran et Huntly. Lorsqu'elle se remaria en 1514 avec Archibald Douglas VIe comte d'Angus, les nobles écossais envoyèrent en France des lettres en secret à Jean, duc d'Albany et celui-ci vint assurer la régence en 1515. Il était le fils d'Alexandre, duc d'Albany, deuxième fils de Jacques II. Il était pratiquement français, ne parlait que le français : les chroniques écossaises furent traduites en français à son intention, afin qu'il pût apprendre les faits du pays dont il était devenu le régent[2]. L'année même où Marguerite d'Angoulême recevait de son frère, le roi François Ier, le Berry en apanage : 1517, Albany revenait en France. Il y resta quatre ans, s'employant à renforcer la *Vieille Alliance* par le traité de Rouen. Ce dernier, tout en réaffirmant les dispositions d'aide mutuelle contre toute agression anglaise, fut enrichi de la clause suivante : il fut convenu que Jacques V épouserait une fille de François Ier.

5.2 Jacques V.

Epouser une fille de François Ier, cela fut fait vingt ans plus tard, lorsque le roi écossais unit sa destinée à celle de Madeleine de Valois fille aînée du roi de France, le 1er janvier 1537, en l'église Notre-Dame de Paris. Marguerite d'Angoulême, assistait certainement à ce

---

1 Pour rédiger ce chapitre, nous avons consulté les ouvrages suivants : W. C. Dickinson, *A New History of Scotland,* vol. 1, *Scotland from the Earliest Times to 1603*, Nelson, 1961 ; G. Donaldson, *Scottish Kings*, London, 1967 ; R. Mitchinson, *A History of Scotland*, Methuen & Co, London, 1970 ; J. Wormald, *Mary Queen of Scots. A Study in Failure*, G. Philip, London, 1988.

2 W. C. Dickinson, *A New History of Scotland, Scotland from the earliest times to 1603*, Vol. 1, *Ibid.*, p. 301, note. 2.

mariage, puisque c'était sa nièce que Jacques V épousait, ce dernier devenant par alliance neveu de la duchesse de Berry. De santé fragile, Madeleine décéda huit mois plus tard, n'ayant passé que sept semaines sur le sol écossais. Le souverain écossais ne resta pas veuf longtemps car, en 1538, il épousa une deuxième princesse française. Ainsi, au moment où Henry Scrimgeour terminait sa maîtrise-ès-arts à Paris et s'apprêtait à prendre le chemin de Bourges, Jacques V épousait Marie de Guise-Lorraine, fille aînée du Duc de Guise. En exécution du deuxième contrat de mariage franco-écossais, le roi de France abandonna le comté de Gien au roi d'Écosse[1].

Par ses mariages, Jacques V le francophile déclarait fermement son intention de maintenir l'Église romaine et son adhésion à la *Vieille Alliance,* une double attitude qui n'était pas sans irriter Henri VIII. La nouvelle reine fut vite adoptée par les Écossais, si bien qu'à la mort prématurée du roi après la bataille de Solway Moss le 24 novembre 1542, elle devint régente du royaume au nom de sa fille.

5.3 La régence de Marie de Guise-Lorraine.

Cette période de la régence de Marie de Lorraine représente le sommet de l'influence française en Écosse, car la mère de Marie Stuart s'entoura de Français à la tête des affaires du royaume. Cependant, en Angleterre, la Réforme avait déjà eu pour résultat la scission complète avec Rome et la main mise sur certaines richesses de l'Église. Tous les Écossais n'étaient pas indifférents et nombreux étaient ceux qui approuvaient la façon de faire d'Henri VIII. Il en résultait l'émergence d'un parti favorable à une nouvelle foi, à une nouvelle alliance. Les affaires ecclésiastiques et étrangères étaient dominées par les progrès de la Réforme. Dans la lutte de l'Angleterre protestante et de la France papiste amorcée depuis longtemps, la cause des Français avait bien toujours ses « supporters », et la France envoyait des munitions et de l'argent pour encourager la résistance écossaise à l'Angleterre. L'Écosse se trouvait divisée ; James Hamilton, 2e comte d'Arran, petit-fils de Mary, fille de Jacques II,

---

1 A. Teulet, *Relations politiques de la France et de l'Espagne avec l'Écosse au XVIe siècle*, Paris, 1862, p. 112.

s'auto-proclama régent d'Écosse en 1543. Il sera fait duc de Châtelhérault par Henri II en 1548. Après l'assassinat en 1546 du Cardinal Beaton dans la forteresse de St-Andrews, orchestrée par le monarque anglais, et la défaite écossaise à Pinkie en 1547, l'incapacité d'Arran se révéla entière, affaiblissant les Écossais en même temps que la politique anglaise favorisait l'établissement de la Réforme. Pour chasser les Anglais d'Écosse, il fallait l'aide des Français. Celle-ci fut accordée à une double condition : que la jeune reine Marie fût envoyée en France et épousât le moment venu le futur héritier du trône de France. En juillet 1548, Marie Stuart, âgée de cinq ans, s'embarqua donc à Dumbarton, pour la France. Un mois avant son départ, le 18 juin 1548, l'armée française débarquait en Écosse. C'était la deuxième condition à l'aide des Français. Ainsi l'Écosse échappait à peine à une occupation anglaise pour devenir victime d'une occupation française.

Les choses allèrent s'intensifiant et il apparut bientôt que l'objectif de la régente était de servir les intérêts de la politique française sur le sol écossais : les Français étaient nommés aux postes d'État et les forteresses écossaises étaient gardées par des garnisons de soldats français, à tel point que le pays du beau chardon bleu *« était en danger de devenir une province française »*[1]. Etait sur place une armée forte de 4. 000 hommes sous le commandement du duc de Châtelhérault revenu en Écosse rejoindre la régente. L'ingérence française si spectaculaire pesait sur la vie de tous les jours et le vent commençait à tourner dans l'opinion. C'est dans une ambiance de suspicion, voire de méfiance, que le mariage de Marie et du dauphin François fut célébré en la cathédrale de Notre-Dame de Paris le 24 avril 1558 ; climat de suspicion et méfiance car les actions de la couronne ne reflétaient pas fidèlement les vues de la nation dans son ensemble. Ainsi en 1559, les *Lords de la Congregation* se soulevèrent contre le gouvernement de la reine-régente et envoyèrent William Maitland of Lethington quérir de l'aide auprès d'Elisabeth, à la suite de quoi ils accueillirent en 1560 l'arrivée d'un escadron naval anglais

---

1 J. D. Mackie, « Henry VIII and Scotland », in *Transactions of the Royal Historical Society*, XXIX, 1947, p. 112.

à Leith. Sous le commandement de l'amiral Strozzi[1], la marine française fut défaite et dut se retirer.

En parallèle, et inextricablement liée, l'avancée des réformateurs, en particulier depuis l'autorisation en 1543 de lire la Bible en langue vernaculaire, jusqu'au retour en Écosse de John Knox en mai 1559, poussa Marie de Guise – à l'instar de la politique anti-protestante en France- à œuvrer dans le même sens, et s'unir en un seul front contre ceux qui désertaient les rangs catholiques. Le traité de Berwick signé le 17 février 1560 entre Châtelhérault et Norfolk, maréchal d'Angleterre, signifia l'expulsion des Français de l'Écosse. Puis une armée anglo-écossaise se rassembla à Leith, la reine mère se réfugia dans le château d'Edimbourg. Après sa mort, le 10 juin Leith capitula et le 6 juillet le traité de Leith (ou traité d'Edimbourg) fut signé et signifia la fin de la domination française en terre écossaise.

Bien que la *Vieille Alliance* ne fût pas expressément dénoncée à cet instant, elle venait de succomber et les lettres de naturalité à peine formulées restèrent plus ou moins lettre morte, car formulées à un mauvais moment.

5.4 Lettres de naturalité de 1558.

En effet, l'édit de juin 1558, rendu par le roi Henri II à l'occasion du mariage du futur François II, son fils, avec Marie Stuart assimilait les Écossais aux Français, les déclarait capables de tenir des charges, de faire des acquisitions, de disposer de leurs biens et de recevoir des successions. Toutefois, en enregistrant l'édit le 11 juillet 1558[2], le Parlement de Paris le modifia en précisant que les Écossais ne jouiraient de ce privilège que tant qu'ils resteraient dans la domination, l'alliance et l'amitié des rois de France et à condition que la réciproque fût accordée aux Français en Écosse. Selon C. Danjou[3],

---

1 C'est le géographe bourbonnais Nicolas de Nicolay, qui appelé par Lord Dudley en Angleterre, profita de son séjour pour aller visiter les côtes écossaises en 1546-47 et en dessina les contours. Ce travail servit à Strozzi pour son plan de débarquement.

2 Archives nationales, X 1a 8622, fol. 15.

3 *La condition sociale de l'étranger dans les trois derniers siècles de la Monarchie*, Paris, 1939, p. 135.

le privilège de 1558 (renouvelé en 1599 et 1612) fut appliqué jusqu'à la réunion de l'Écosse à l'Angleterre en 1707 : à partir de cette date, l'Écosse suivit le même régime que l'Angleterre. Ces mesures favorisèrent-elles la venue des Écossais à Bourges ? Cela ne semble pas avoir été le cas, nous ne constatons pas de répercussions retentissantes sur l'effectif écossais à Bourges à cette date-là, ni à court terme ni à moyen terme et d'autres événements en préparation allèrent précipiter le cours de l'histoire. Si les marques de fidélité et de loyauté forgées sur quatre siècles n'allaient pas s'effacer en un jour, et si la présence française allait demeurer sur le sol écossais en la personne de la jeune reine, Marie, qui arriva de France le 19 août 1561, il est clair cependant que cette présence ne signifia pas la renaissance de la *Vieille Alliance ;* les événements récents ayant quelque peu rafraîchi les relations franco-écossaises à tel point que :

> tous les Écossais qui se trouvaient alors en France devinrent l'objet de la haine générale, et plusieurs, soupçonnés d'entretenir des intelligences avec les confédérés, furent arrêtés et mis en prison[1].

5.5 Marie Stuart.

Marie Stuart, souveraine écossaise, femme du dauphin, était également devenue reine de France à la mort de son beau-père[2] en juillet 1559. Remarquons que par son mariage avec le dauphin François, Marie Stuart était aussi devenue, par alliance, la nièce de Marguerite de Savoie, autre duchesse de Berry. Les pièces de monnaie et actes portaient les noms de « *François et Marie, roi et reine de France et d'Écosse* », seule époque de l'histoire où les deux couronnes furent effectivement unies sur les mêmes têtes. Marie la catholique rejoignait son royaume d'Écosse devenu protestant :

---

1 Francisque-Michel, *Les Écossais en France*, *Op. cit.*, deuxième volume, 1ère partie, p. 18.

2 Rappelons que c'est le capitaine Gabriel de Lorges, comte de Montgomery, capitaine de la Garde écossaise, familier du roi Henri II qui causa involontairement la mort du roi dans le fatal tournoi de 1559. Montgomery fut dessaisi du commandement de la Garde écossaise. Protestant, il s'empara de Bourges au nom de son parti en 1562. C'est son père, le comte Jacques de Montgomery qui fut chargé de la défense militaire du port de Leith en 1560, in H. Fenwick, *The Auld Alliance*, 1971, pp. 53-54.

l'année précédant son arrivée, le Parlement avait voté une Confession de Foi, la suppression de la messe, la suppression de la juridiction du pape. Parce que la reine n'avait pas embrassé la foi réformée, les protestants connaissaient les dangers qui menaçaient. Les guerres de religion venaient de commencer, en Europe de l'Ouest, en France, à Bourges. En réalité, la nouvelle reine semblait être otage plutôt que souveraine. Bien qu'elle refusât de ratifier le traité d'Edimbourg, il fut entendu qu'elle ne s'entourerait pas de conseillers français, et qui plus est n'inviterait pas de troupes françaises sur le territoire. L' » *Écosse française* » de Marie de Guise-Lorraine ne reverrait pas le jour sous le règne de Marie Stuart. Par ailleurs, la France de Catherine de Médicis, n'avait que peu d'intérêt dorénavant pour l'Écosse où l'élément anglais dominait Edimbourg.

La suite de l'histoire est bien connue : les remariages de Marie, la guerre civile, la captivité de la reine, sa fuite, sa longue captivité, son exécution le 4 février 1587. Rappelons ici que ce fut l'archevêque de Bourges, Renaud de Beaune, qui prononça l'oraison funèbre à Notre-Dame, en présence des membres du parlement et de l'Université de la Sorbonne[1]. Le rôle de la France dans ces événements fut de peu de poids. La guerre avec l'Angleterre n'était plus source de soucis pour l'un ou l'autre pays, le fondement de la *Vieille Alliance* n'existait plus. Marie Stuart éliminée, l'Écosse allait suivre le sillage de l'Angleterre.

6.6 Jacques VI.

Lorsque la reine Marie Stuart fut déposée en décembre 1567, son fils n'avait qu'un an. Lors de son couronnement le 29 juillet 1567 à Stirling, ce fut son tuteur et protecteur, John Erskine, comte de Mar qui tint la couronne au-dessus de la tête de l'enfant. Serment au nom du nouveau roi fut prêté par James Douglas comte de Morton, qui représentait le chef du parti royaliste, en place jusqu'au retour de France du comte de Moray, régent désigné. Le comte de Moray fut assassiné en janvier 1570 et le comte de Lennox tué en septembre de l'année suivante. Dans un pays secoué par la guerre civile

---

1 Francisque-Michel, *Op. cit.*, deuxième volume, 1ère partie, pp. 105-106.

intermittente entre les partisans du roi d'une part et ceux de sa mère d'autre part, le troisième régent, le comte de Mar, de tempérament plus serein ne survécut pas une année à son office. Puis James Douglas, comte de Morton, réussit à gouverner pendant plusieurs années un pays tranquille, jusqu'à sa chute en 1580. C'est à ce moment-là que le scénario bien connu commença à se répéter : lutte du pouvoir entre deux factions. L'une penchait pour une alliance avec la France ou l'Espagne, l'autre protestante cherchait à se liguer définitivement avec l'Angleterre.

Ce fut au milieu de ces circonstances qu'Edmé Stuart seigneur d'Aubigny arriva en Écosse en 1579. Qui était cet Edmé Stuart ? Pour le savoir, il nous faut retourner en France, en terre berrichonne, à Aubigny plus précisément, afin de présenter les Stuarts établis à la suite de Jean Stuart de Darnley.

5.7 Les Stuarts d'Aubigny.

A la mort du connétable Jean Stuart de Darnley, son fils aîné Alain Stuart, devint seigneur d'Aubigny. Mais celui-ci, nous l'avons vu, trouva la mort en Écosse en 1439. Son frère Jean II Stuart obtint la succession, et servit également Charles VII, en tant que capitaine de la garde écossaise, et plus tard Louis XI. Le fils de Jean II Stuart était Bérault Stuart dont la carrière militaire fut florissante. Gouverneur de la ville de Sancerre, bailli de Berry, c'est surtout au cours de ses campagnes d'Italie (1494-1507) qu'il acquit sa réputation non usurpée de «*grand chevalier sans reproche* », qu'il partageait avec le célèbre Bayard[1]. En 1508, il fut chargé d'une ambassade auprès de Jacques IV, et fit pour la première fois connaissance avec son pays d'origine. Acclamé par tous, le poète William Dunbar lui dédia un poème, avant que le vaillant guerrier ne succombât, brusquement, sans doute accablé par une vie bien remplie[2]. Il mourut sans héritier mâle, mais sa seconde femme, Anne de Maumont, avait une fille, Anne Stuart, mariée à son cousin, Robert Stuart, capitaine des Gardes écossais et frère cadet de Matthew Stuart, comte de Lennox en Écosse, et donc

1 Ribault, « Les Stuarts à Aubigny », in *Les Souvenirs écossais en Berry, Op. cit.*
2 *Ibidem.*

descendante de Jean Ier Stuart. La seigneurie d'Aubigny revint en 1508 à ce gendre, Robert Stuart. Comme son beau-père, il avait eu une carrière militaire bien remplie et Louis XII consacra sa valeur de guerrier en le créant maréchal de France. Par ailleurs, également capitaine de la garde écossaise, il était le commensal du roi. Comme son défunt beau-père, il s'était vu confier une ambassade en Écosse, en 1520-21[1], et en homme de culture, il acheva les constructions des châteaux d'Aubigny et de la Verrerie, commencées par son beau-père, Bérault Stuart.

Robert Stuart veuf de sa première femme et cousine, Anne Stuart, épousa en deuxièmes noces Jacqueline de la Queille. Ni l'une ni l'autre n'eurent d'enfants et Robert Stuart s'éteignit en 1543 sans héritier. La seigneurie d'Aubigny revint donc à son petit-neveu, Jean III Stuart. Ce dernier mourut en 1567, et sa veuve, Anne de la Queille qui lui survécut jusqu'en 1579, le fit inhumer dans l'église d'Aubigny. Leur fils Edmé Ier Stuart, fut le dernier seigneur d'Aubigny à résider effectivement en Berry[2], mais en 1579, il quitta la France pour l'Écosse.

---

1 Cf., J-J Blanchot, « François Ier et l'Écosse en 1520 et 1521 », *in Centre de Recherches, Relations internationales de l'Université de Metz*, Metz, 1973, pp. 16-31.

2 Les héritiers d'Aubigny furent les suivants : Edmé II, fils d'Edmé Ier, puis successivement ses fils : Henri, Georges, Ludovic, Jean et Bernard. Ils firent peu de cas de leur seigneurie berrichonne, et à la mort de Bernard, Aubigny revint au neveu de Georges, Charles Stuart, qui mourut en 1672. Faute d'héritiers mâles en ligne directe, et conformément à l'acte de donation de 1423, la seigneurie d'Aubigny fit retour à la couronne. Mais en 1673, Louis XIV acquiesça à la demande du roi Charles II de faire don d'Aubigny à sa maîtresse Louise de Penhoët de Keroualle, déjà faite duchesse de Portsmouth par son royal amant. En 1684, Charles II, en accord avec le roi de France, choisit comme successeur de Louise au duché-pairie d'Aubigny, Charles Lenox, duc de Richmond, leur fils naturel. Charles II mourut en 1685, et Charles Lenox en 1723. A partir de cette date, Louise de Keroualle résidera dans son château d'Aubigny. A sa mort, le duché fut dévolu à son petit-fils, Charles II Lenox, duc de Richmond, puis au décès de ce dernier en 1750, à son fils Charles III Lenox, duc de Richmond, mort en 1806, sans enfants. Le duché revint dès lors à son neveu, Charles IV Lenox, duc de Richmond, mort en 1819. Le dernier duc d'Aubigny fut son fils Charles V Lenox. En 1840, la propriété devait être partagée entre Charles V Lenox et ses cousines et elle fut morcelée, mise en vente par la famille de Richmond. En 1841, la château de la Verrerie (c'est son nom) fut adjugé à la famille de Vogüé qui le possède encore de nos jours.

5.8 Edmé[1] Stuart.

Il naquit à la Verrerie en décembre 1542, presque le même jour où sa proche parente, Marie Stuart, vit le jour à Edimbourg. Il devint à l'âge de vingt-cinq ans sixième seigneur d'Aubigny et capitaine des gardes écossais en France. Il poursuivit sa carrière militaire avec l'appui des Guise dans la Ligue, et prit part au massacre de la Saint-Barthélémy[2]. Plus tôt, la même année, le 22 mars précisément, il avait épousé Catherine de Balsac d'Entragues[3], et de cette union naquirent cinq enfants : deux fils, Ludovic et Edmé, et trois filles, Henriette, Marie et Gabrielle[4].

En mai 1579, le jeune Jacques VI, âgé de treize ans, adressa une lettre à son cousin, l'invitant à aller en Écosse. Henri de Guise vit là l'occasion de promouvoir les intérêts catholiques en Écosse et encouragea le voyage ; pour ce faire, il donna quarante mille pièces d'or à Edmé. Ce dernier, protégé et mignon d'Henri III et de tous les Guises, d'une beauté éclatante, âgé de trente-six ans, débarqua à Leith le 8 mai :

> Esmé Stuart, connu sous le nom de M. d'Aubigny, quitta la cour de France et parut à la cour de Jacques VI, chargé d'une mission secrète du duc de Guise. Remarquable par les grâces de son esprit et de sa personne, il ne tarda pas à devenir le favori de son maître, qui le combla de dignités. (...) Secondé par un Français qui l'avait suivi(...)[5].

James Melvill, à la date de 1578, consigna dans son *Journal* :

> Cette année, M. d'Aubigny arriva de France avec des instructions de la maison de Guise et avec plusieurs modes et jouets (...) Il amena avec lui un M. Mombirneau, esprit subtil, joyeux garçon, très dispos de son corps et propre à tous égards à ensorceler la jeunesse d'un Prince[6].

---

1 *Edmé* ou *Esmé*, prononciation : *« ème »*

2 E. Cassavetti, *The Lion and the Lilies, the Stuarts in France*, Macdonald & Jane's, London, 1977, p. 59.

3 Contrat de mariage, cote XXVII, Archives de la Verrerie. Nous remercions Messieurs Antoine et Bérault de Vogüé de nous avoir facilité cette consultation.

4 *Dictionary of National Biography*, vol. XIX, pp. 77-80.

5 Francisque-Michel, *Op., Cit.*, deuxième volume, 1ère partie p. 83.

6 *The Autobiography and Diary of Mr. James Melvill,* R. Pitcairn Ed, Wodrow Society, Edinburgh, 1842, p. 76 : *« That yeir arryvit Monsieur d'Obignie from France, with instructions and devysses from the Houss of Guise, and with manie*

Ce Monsieur Montbirneau, qui secondait et avait suivi Edmé Stuart en Écosse, n'était autre que le fils de la logeuse de Nicol Dalgleish lorsque ce dernier étudiait à Bourges, la même année[1].

Cousin de Darnley, Edmé Stuart était également – à l'exception d'un grand-oncle très âgé – le plus proche parent du roi du côté de son père. N'ayant jamais connu ni son père ni sa mère, Jacques se tourna avec affection vers ce cousin qu'il nomma en 1581 régent d'Écosse, duc de Lennox, premier duc et pair d'Écosse parmi ses autres titres de seigneur d'Aubigny en France, comte de Darnley, Lord de Dalkeith et Grand Chambellan d'Écosse[2]. Il devint sans tarder le point de mire des intriguants des deux bords, jusqu'à ce que le coup d'état connu sous le nom de *The Ruthven Raid* forçât le roi à bannir Edmé, après avoir lui-même été pris en otage en 1582 par les puissants nobles protestants, jaloux de son influence sur le jeune roi. Obligé de se séparer de ce cousin bien aimé, le jeune monarque abrita son chagrin sous les mots de poèmes passionnés[3]. Edmé revint en France en 1583, subit trois attaques, et mourut à Paris la même année, le 26 mai, à l'âge de 41 ans. L'annonce de la nouvelle affligea le roi qui bientôt tint sa promesse de s'occuper des enfants de son cousin disparu. A l'automne, il fit chercher à Aubigny le fils aîné d'Edmé, Ludovic qui arriva en Écosse le 13 novembre 1583. Jacques le choya, en fit son élève et le nomma bientôt deuxième duc de Lennox, avec terres et titres. Son jeune frère Edmé II resté à Aubigny hérita des terres et du titre de seigneur d'Aubigny. Le roi écossais restait en contact constant, par ses envoyés, avec la famille de Ludovic restée à Aubigny, et en particulier la duchesse de Lennox. En 1589, l'année de son mariage, Jacques VI fit de Ludovic grand chambellan et grand amiral. A la même époque, il fit chercher à Aubigny les deux soeurs

---

Frenche fasones and toyes ; (...) He brought with him an Monsieur Mombirneau, a subtill spreit, a mirrie fellow, verie able in bodie, and maist meit in all repects for bewitching of the youthe of a Prince ».

1 Cf., Infra, cinquième partie.

2 E. Cassavetti, « Les Seigneurs d'Aubigny-sur-Nère », in *La Vieille Alliance France-Écosse*, catalogue de l'Exposition, 11 octobre-2 décembre 1989, Fondation Mona Bismarck, Paris, p. 31.

3 *in* J. Keay & J. Keay ed, *Collins Encyclopaedia of Scotland*, Harper Collins *Publishers*, London, 1994, p. 555.

de Ludovic, Henriette et Marie -Gabrielle nonne, resta en France- dont il arrangea les mariages sans tarder. Henriette épousa George, marquis de Huntly, et Marie épousa John Erskine, comte de Mar[1]. Marie Stuart d'Aubigny et John comte de Mar eurent plusieurs enfants, dont le deuxième et le troisième se prénommaient respectivement Henry et Alexander.

5.9 Les frères Erskine et leur grand-mère.

Ainsi, les fils Henry et Alexander Erskine, fils du comte de Mar, tous les deux étudiants à Bourges en 1617, sont les petits-fils d'Edmé Stuart et de sa femme Catherine. Cette dernière est la grand-mère à laquelle les deux jeunes Écossais rendront visite en France, lors de leur séjour à Bourges, visite que John Schau relatera en ces termes émouvants, dans sa lettre datée du 26 décembre 1616, à Bourges :

> Les fils de Monsieur le Comte ont passé deux jours en compagnie de leur grand-mère. Madame était si heureuse de les voir, oh ! la joie de son coeur emplit ses yeux de larmes pendant tout un jour(...) Madame se porte bien, mais elle a beaucoup changé. Si les guerres survenaient, elle emmènerait les fils de Monsieur le Comte avec elle à Glatennie, pour vivre en sécurité chez les nonnes(...)[2]

Ainsi donc, le lien entre certains étudiants écossais et Aubigny existe bel et bien, même s'il n'est pas là où nous l'attendions : le lien familial créé par la femme d'Edmé Stuart, restée à Aubigny, si heureuse de retrouver ses petits-fils, qu'elle n'a sans doute pas vus depuis longtemps, car elle-même a beaucoup changé, apprend-t-on. Sans doute ne se sont-ils pas vus depuis un lointain séjour en Écosse ? Le mari de Catherine était mort depuis trente ans, mais le lien n'est pas rompu avec la terre écossaise. Le mythe ne s'effrite pas, la réalité lui redonne vie. Il aura fallu attendre les premières décennies du XVIIe

---

1 *Dictionary of National Biography*, Vol. XIX, p. 80.

2 SRO, GD124/15/32/1 :

« Your Lordships sonnis was tua days with thair grandmother. Hir ladyship rejosit excidinglie to sie them, ye, the joy of hir hart did fill hir eis with teiris for the space ane day(...). Hir Ladyship is in good helth, bot gratlie alteritt. If wearis fall furth, sche will have your Lordsyips sonnis to go with hir to Glatennie, and to leive securly among the nunnis (...) ».

siècle, pour que la chaîne familiale refasse surface entre les deux pays, en une preuve tangible, entre les Stuarts des deux rives.

Cependant, après le départ d'Écosse d'Edmé Stuart Jacques VI, dès les années 1587, âgé de vingt et un ans, allait diriger les affaires de son pays selon l'enseignement de John Maitland of Thirslesdane qui préconisait des relations amicales avec l'Angleterre.

Il épousa Anne, fille de Frérérick II du Danemark. Protestante, elle embrassa la foi catholique vers 1600, un certain nombre de dignitaires de l'entourage du roi étaient connus pour être des catholiques romains. Cependant, même si la vieille amitié avec la France fut renouvelée en 1589-1593 et les agents de Jacques VI actifs dans les cours européennes, ce dernier n'était pas vraiment francophile. A la mort d'Elisabeth, le 24 mars 1603, Jacques VI devint Jacques Ier d'Angleterre et l'*Union des Couronnes* fut un pas décisif. L'Écosse n'existait plus en tant que royaume indépendant, même si l'union des deux pays ne prit réellement forme qu'un siècle plus tard, en 1707.

Sans doute l'amitié franco-écossaise survécut-elle d'une certaine façon ; elle connut quelques soubresauts au fil des siècles à venir ; pour notre propos, citons l'accueil que fit Louis XIV à Jacques II le 7 janvier 1689 à Saint-Germain-en-Laye. Plus qu'un refuge, le roi de France fit attribuer aux exilés royaux, Jacques VII et la reine Marie de Modène, une pension de 50.000 livres par mois[1].

5.10 Commentaire.

Existe-t-il un parallèle entre les événements historiques relatés et la fréquentation écossaise à l'Université de Bourges ? Pouvons-nous répondre à la question suivante : ces événements – les mariages royaux, les régences, les dispositions politiques successives, les allées et venues entre les deux pays, le traité d'Edimbourg- eurent-ils un retentissement immédiat, remarquable, pour notre sujet d'étude ? La réponse ne peut être vraiment affirmative, même s'il est indéniable que ce fonds politique d'échanges entre les deux pays créait des

1 J. Southorn, « La fuite de Jacques II et de la reine Marie à Saint-Germain-en-Laye de décembre 1688 à janvier 1689 », in *La Cour des Stuarts à Saint-Germain-en-Laye au temps de Louis XIV*, catalogue de l'exposition 13 février-27 avril 1992, Musée des Antiquités nationales de Saint-Germain-en-Laye, pp. 57-60.

occasions de rapports intellectuels et de liens sur le terrain, comme en témoigne l'exemple de Nicol Dalgleish hébergé à Bourges, chez un proche de la cour écossaise. Cependant, l'analyse montre qu'il y eut peu d'incidence des événements historiques, en particulier pendant la première moitié du XVIe siècle, sur la venue des Écossais à l'Université de Bourges.

Mais nous avons constaté des périodes de non fréquentation assez précises. Aurait-il existé des facteurs événementiels pour empêcher les Écossais de venir à certaines époques ? Nous voulons parler d'événements à Bourges tels l'incendie de 1487, les épidémies de peste qui frappèrent le duché en vagues successives, les guerres de religion, mais aussi la situation économique en Écosse à la fin du XVIe siècle.

CHAPITRE 6

CONTEXTE ÉVÉNEMENTIEL.

6.1 Le « Grand Feu » de 1487.

Le 22 juillet 1487, éclatait à Bourges le « Grand Feu » qui nous prive de nombreux documents des XIVe et XVe siècles, et qui détruisit un tiers de la ville. Aucune perte humaine n'est mentionnée dans aucun document ; la population à l'époque avoisinait les 12. 000 habitants. Les conséquences de cet incendie sont difficiles à évaluer, mais certains quartiers de la ville furent complètement détruits. La reconstruction se continua jusque dans les années 1520[1]. Nous n'avons pas de témoignages prouvant que les locaux de l'université furent ou ne furent pas touchés. Cependant, l'université dut suspendre ses cours pendant un temps, et la vie de la ville tout entière fut interrompue. Dix ans avant l'incendie, l'université avait déjà dû fermer ses portes pour cause d'épidémie de peste.

6.2 Les épidémies de peste.

Dix ans après la création de l'université, d'octobre 1474 à janvier 1475, une épidémie importante sévissait et l'université ferma ses portes. Il se produisit un exode considérable des citoyens de Bourges[2]. De nouvelles épidémies reparurent, de façon régulière, en 1500, 1509, 1510, 1516, 1517 puis 1524, 1526, 1531, 1532, 1552, 1562. Cette dernière dut être assez meurtrière et occasionna de fortes dépenses à la ville, car elle se continua jusqu'en 1564. Une nouvelle épidémie se répandit, beaucoup d'écoliers, surtout des Jésuites payèrent un large tribut à la maladie[3]. Une recrudescence de l'épidémie est à noter en 1584, à tel point qu'Henri III, par lettres patentes du 12 février 1587, autorisa « *la municipalité à lever une imposition de 2.000 écus, sur tous citoyens, privilégiés ou non, pour remboursement des sommes empruntées par la ville lors de l'épidémie* »[4].

---

1 P. Goldman, *1487 La Vieille Ville en flammes, Bourges,* n. l., 1987.

2 A. Leprince, *La Faculté de Médecine de Bourges (1464-1793)*, Bourges, 1903, p. 26.

3 *Ibid*, p. 27.

4 *Ibid*, p. 99.

Il y eut une nouvelle épidémie en 1596 ; elle s'étendit à plusieurs villes environnantes, et il en résulta un contrôle draconien aux portes de la ville, de tous ceux qui voulaient entrer. Les habitants, chacun à son tour, dès six heures du matin montaient la garde et interdisaient l'entrée à toute personne venant d'Orléans, Paris ou tout pays infecté. Seuls étaient admis les voyageurs porteurs d'un certificat de bonne santé[1]. Le XVIIe siècle ne fut pas davantage épargné par la maladie. En 1628 le fléau dépassa en horreur toutes les épidémies précédentes ; plus de 5.000 personnes périrent malgré les mesures interdisant le passage aux portes de la ville comme cela avait été fait lors de l'épidémie précédente. Tous ceux qui le pouvaient quittaient la ville et on ne trouvait bientôt plus de bonnes volontés pour enterrer les morts. Toutes les communications étaient rigoureusement coupées. Le commerce avait complètement cessé à Bourges pendant plus de 18 mois et ce ne fut qu'en 1630 que les habitants obtinrent le rétablissement du marché supprimé au début de la propagation du mal.

La peste devait réapparaître en 1636-37, certes de manière moins prononcée, mais les portes de la ville furent de nouveau gardées. De nouveaux cas de peste allaient être signalés jusqu'en 1647. Université fermée, portes de la ville bouclées à répétition, peur légitime de contracter la maladie et d'en périr – il est aisé de comprendre la fuite de Mark Alexander Boyd de Bourges vers Lyon en 1584, pour échapper à la calamité – suffiraient à expliquer l'absence ou l'éloignement des étudiants. Des étudiants écossais périrent-ils de peste à Bourges ? Nous n'en avons trouvé aucune preuve. Cependant l'année la plus dure devait être 1562, car la guerre et la peste frappèrent alors presque en même temps. Les guerres de religion éclatèrent au printemps 1562.

6.3 Les guerres de religion.

Comment Bourges et son université vécurent-elles les guerres de religion ?

---

1 *Ibid*, p. 102.

Les guerres de religion éclatèrent au printemps 1562. En août 1561, 2.000 catholiques et protestants menèrent dure bataille dans les faubourgs sud de la ville, à la Porte Bourbonnoux. En mai et juin suivant, la violence fit rage dans le pillage d'églises et de maisons sacerdotales, ainsi les reliques et trésors du duc Jean accumulés dans la Sainte-Chapelle furent-ils détruits et le tombeau de Jeanne d'Albret saccagé. La résistance catholique s'intensifia au cours de l'été 1562 ; cependant le siège (Guise, Montmorency, St-André) fut de courte durée. Une paix relative s'installa pour quatre ans. En été 1567 se produisit la deuxième guerre de religion ; Bourges ne connut pas d'autre assaut aussi direct que le premier, car la ville était alors bien gardée par les catholiques, et en 1568, la troisième guerre marqua la volonté de la couronne de saisir Coligny et Condé, signifia le départ de ces deux hommes pour Sancerre, lieu de refuge protestant. Il s'ensuivit un véritable exode de la population protestante vers Sancerre, puis du Berry vers la Rochelle. Jusqu'à la paix de St-Germain, en août 1570, les armées catholiques et protestantes sillonnèrent inlassablement le duché de Berry.

Après le massacre de la Saint-Barthélémy, Bourges devait connaître une autre menace : ce fut en 1576, lors de la cinquième guerre de religion. Il fut décidé par Henri III que Bourges serait une des vingt et une villes qu'il voulait donner en apanage à son jeune frère, le duc d'Alençon, suspect de sympathies protestantes. Craignant des représailles après la Saint-Barthélémy, Bourges refusa de reconnaître sa souveraineté et ferma ses portes. Le gouverneur général du Berry, Claude de la Châtre, campa avec son armée aux portes de la ville, bloquant le passage des marchandises. Finalement, le pire fut évité et Bourges rouvrit ses portes à Alençon. Au cours des dix années qui suivirent, aucune armée ne se pressa aux portes de la ville, bien que le duché ait été presque sans arrêt en état de guerre.

L'année 1588 fut l'année de la Ligue, dernier épisode des guerres de religion, et la décade à venir fut sans doute la phase la plus difficile. Après l'assassinat du Duc de Guise, le Berry ne fut pas une des provinces les moins ardentes à se prononcer contre Henri III, accusé de pactiser avec les protestants. En avril 1589, le maréchal de

La Châtre réunit à Bourges les principaux notables et leur promit d'employer toutes ses forces en vue de maintenir la religion catholique. Les bourgeois vinrent en masse jurer la *Sainte-Alliance* et dès lors, la province se partagea entre ligueurs et royalistes. La mort d'Henri III et l'avènement au trône d'Henri de Navarre, ne firent qu'aviver la surexcitation des Ligueurs, jusqu'à l'abjuration du roi en 1593. Le maréchal de La Châtre fut alors l'un des premiers à faire sa soumission, et peu à peu la paix se rétablit en Berry.

6.4 Commentaire.

Incendie, peste, famine, guerres de religion à Bourges suffiraient certainement à expliquer l'absence ou une fréquentation très perturbée des étudiants écossais sur toutes les périodes mentionnées.

Par ailleurs, qu'en était-il de la situation de l'Écosse ? Il n'est pas certain que certains événements furent sans effet sur la non-venue des Écossais, en particulier à partir des années 1580, lorsque Jacques VI se tournait vers l'Angleterre, et qu'il entraîna dès son couronnement de nombreux lords écossais dans son sillage.

6.5 Économie de l'Écosse, 1580-1610.

A la situation politique, ajoutons la situation économique de l'Écosse qui en cette fin de XVIe siècle connut une période de considérable détresse, à cause d'un taux de fiscalité élevé, et d'une dépréciation importante de la monnaie : en 1582, une livre d'argent équivalait à 640 shillings, en 1601, 960. Le taux d'échange avec l'Angleterre était de £6 écossaises pour £1 sterling en 1565 ; en 1601, le taux était descendu à £12 pour £1. L'inflation se fit impressionnante et, entre 1550 et 1600, on compte vingt quatre années de famine (locale ou nationale). Les gens mourraient de faim et aussi de maladie, car il y eut deux épidémies de peste très intenses, l'une de 1584 à 1588 (en même temps que celle de Bourges) et l'autre de 1597 à 1609[1]. Cette situation difficile ne favorisait peut-être pas de coûteux voyages d'étude à l'étranger pour les Écossais. Remarquons ici

---

1 J. Wormald, *Court, Kirk and Community, Scotland 1470-1625*, 1981, pp. 166-167.

qu'aucun nom écossais n'apparaît dans les registres de l'Université de Paris pour la période 1585-1615[1]. A Bourges, pour toute cette période : un seul Écossais, William Drummond, en 1607.

1 W. A. McNeill, « Notes and comments, Scottish entries in the *Acta Rectoria Universitatis Parisiensis 1519 to c. 1633* (Paris, Bibliothèque Nationale, MSS. Latin 9951-9958) » *in Scottish Historical Review,* Vol. 43, Edinburgh, 1963, p. 66.

CONCLUSION.

Ainsi donc, il apparaît que les circonstances liées aux rapprochements Écosse-Berry d'une part, et France-Écosse d'autre part, à caractère militaire et ecclésiastique, ne furent ni déterminantes ni décisives, et ne créèrent pas de précédent. Tout au plus furent-elles favorables, tout comme le prestige de la ville même de Bourges et sa situation, au centre du royaume. Les situations difficiles entraînées surtout par les épidémies de pestes, les guerres, les changements en Écosse purent freiner, voire arrêter la venue des étudiants à certaines périodes.

Afin d'asseoir notre opinion, nous allons exposer les périodes de fréquentation des Écossais, non plus dans un contexte historique, mais dans un contexte académique. Pour cela, il nous faut en un premier temps, présenter l'Université berruyère, les circonstances de sa fondation, l'originalité de sa Faculté de droit. En un deuxième temps, il s'agira dès lors de confronter les deux réalités, évolution de la Faculté d'une part, et temps de présence des Écossais d'autre part.

QUATRIÈME PARTIE

CONTEXTE ACADÉMIQUE
L'UNIVERSITÉ DE BOURGES ET SA FACULTÉ DE DROIT : HISTORIQUE

CHAPITRE 1

LA FONDATION ET LES DÉBUTS DE L'UNIVERSITÉ 1463-1533.

1.1 Création de l'Université de Bourges.

C'est en décembre 1463 que le roi Louis XI signa à Mareuil, près d'Abbeville, les lettres-patentes[1] par lesquelles il exprimait son désir de créer une université dans la ville même où il était né et avait été baptisé quarante ans plus tôt : Bourges. Le jeune frère du roi, Charles duc de Berry, fut sans doute le premier à y avoir pensé[2], car il souhaitait enrichir son apanage d'une université afin d'assurer sur place la formation des élites locales en sachant bien par ailleurs que la création d'une université était un enjeu de conséquence, et pouvait aussi affirmer le prestige de la ville qui atteignait en cette fin de XVe siècle l'apogée de sa prospérité.

En tant que dauphin du Valentinois, Louis avait déjà fondé l'Université de Valence (1452) et en tant que roi, celle de Nantes (1460)[3]. En 1463 Louis XI n'était roi que depuis deux ans, et selon le témoignage de Commines, il rêvait d'unité pour son royaume. Le Droit romain, promulguant « *l'uniformité administrative et la puissance impériale* » représentait un idéal favorable à ses ambitions[4]. Il était donc tout prêt à consentir pour sa ville natale à cette création d'une véritable université, nouvelle « *Grande École* » qui serait dotée des quatre facultés : faculté des Arts dont les maîtres enseigneraient la rhétorique, la philosophie, l'arithmétique, la grammaire, la musique,

---

1 L. Raynal, *Histoire du Berry depuis les temps les plus anciens jusqu'en 1789,* Bourges, Vermeil, 1845-1847, t. III, p. 351.

2 M. Fournier, *Statuts et Privilèges des Universités Françaises, depuis leur fondation jusqu'en 1789*, Paris, Larose et Forcel éd. 1890-92, 3 vol, t. III, Bourges pp. 413-439.

3 R. Pillorget, « L'Université de Bourges au XVIe siècle », *in Ethno-psychologie*, 32ème année, avril-septembre 1977, *Actes du colloque tenu au centre d'ÉTUDEs Supérieures de la Renaissance,* Université de Tours, 20-21-22 mai 1976, p. 118.

4 L. Raynal, *De l'enseignement du droit dans l'ancienne université de Bourges*, Discours prononcé pour la rentrée de la Cour Royale de la même ville le 4 novembre 1839, n. p., p. 8.

la géométrie et l'astronomie, faculté de Médecine, faculté de Théologie et faculté de Droit dont les maîtres enseigneraient le droit civil et le droit canon.

Il voulait également que tous les membres de l'université, docteurs, doyens, maîtres et étudiants puissent bénéficier des libertés et privilèges dont jouissaient leurs égaux des universités de Paris, Orléans et Poitiers, et il les assura de sa protection immédiate et constante.

1.2 Réaction hostile des autres universités.

Cette protection ne fut pas superflue, car les universités bien en place de Paris et d'Orléans se montrèrent hostiles au projet de création d'une université si proche de leurs domaines. Le roi s'imposa et c'est le pape Paul II qui confirma, dès 1464, la fondation. Cependant, les deux universités rivales soutenues par le Parlement de Paris qui en refusait l'enregistrement, s'unirent pour contester la décision, et l'affaire fut plaidée à l'audience. L'argumentation des deux universités aînées reposait sur trois points :

- il était dangereux d'avoir un trop grand nombre d'universités, car cela pouvait entraîner un grand nombre de gens avec des connaissances insuffisantes.

- le fait que le roi fût né à Bourges ne pouvait être une raison suffisante, « *car sy les roys étaient nez à Saint-Ouen, à Gentilly ou en autre lieu, y fauldrait-il faire université.* »[1]

- la situation de Bourges n'était pas non plus satisfaisante, car la terre y était pauvre, l'eau y manquait, les bois étaient trop éloignés, et l'air rendu insalubre par la présence des marécages qui entouraient la ville.

La volonté ferme du roi, le souci du duc, les efforts et l'appui de la ville de Bourges même – ce fut un échevin qui se rendit à Rome quérir les bulles pontificales nécessaires[2]– eurent raison de ces premières épreuves qui ne firent que repousser l'ouverture de l'Université à l'année 1467. Il est important de noter à quel point l'ampleur du

---

1 L. Raynal, *Histoire du Berry*, *Op. cit.*, t. III, p. 355.

2 L. Raynal, *Ibid.*, pp. 351-57.

soutien royal fut décisive et de préciser que ce soutien se prolongea bien au-delà de ces années de création.

1.3 Débuts et difficultés de l'Université.

Le premier cours fut donné le neuf mars 1467 dans le réfectoire du couvent des Jacobins dont les dépendances allaient être le siège de l'Université pour les soixante années à venir. C'était une leçon de théologie, le maître était Jean Béguin, alors procurateur de la Maison de France, à l'Université de Paris.

Pendant quelques années, l'Université prospéra. Les professeurs dispensaient leurs leçons le matin, et les leçons du soir appelées *tutelles*, étaient dispensées aux domiciles des maîtres. Ces derniers percevaient directement leurs honoraires, ou *collectes*, auprès de leurs étudiants. A cette époque-là, les sommes demandées étaient à peine le tiers de ce qu'elles étaient à l'Université d'Orléans ; c'était là une façon d'attirer les étudiants, toujours sensibles au coût des études. En 1477, dix-sept candidats se présentèrent au second examen de la licence[1].

Les étudiants étaient répartis en quatre nations : Berry, France, Touraine, et Aquitaine. Mais la situation ne tarda pas à se dégrader. Peu de temps après sa fondation, l'Université déclinait déjà et les professeurs perdaient leur enthousiasme. Désertant les cérémonies de remise de grade, confiant leurs cours à de jeunes bacheliers, augmentant les droits des études, ils provoquèrent une baisse du taux de fréquentation parmi les étudiants dont le nombre chuta de façon spectaculaire. Le maire et les échevins, soucieux de remédier à cette situation, firent procéder à des enquêtes. L'affaire fut menée au tribunal et le procès contre trois régents dura de 1504 à 1527. Finalement la municipalité gagna le procès et obtint pour l'Université, l'assurance qu'il y aurait, pour la Faculté de Droit :

- quatre docteurs en droit civil
- deux docteurs en droit canon
- un professeur chargé de lire les *Institutes*[2].

---

1 L. Raynal, *Ibid.*, p. 359.

2 *Institutes* : enseignement de base du droit civil.

Par ailleurs, il fut établi qu'il serait interdit aux professeurs de se faire remplacer – sauf en cas de nécessité, et avec l'accord de leurs collègues – et qu'ils devraient résider à Bourges. Ces mesures avaient déjà été appliquées à l'Université d'Orléans, et elles avaient fait leurs preuves.

Il est primordial d'évoquer ces premiers incidents de parcours de l'Université et de bien montrer le soutien des autorités papale, royale et municipale. Sans ces soutiens, l'Université de Bourges n'aurait pas survécu. La ville, quant à elle, n'avait pas attendu la fin du procès des régents pour essayer de redonner vie à son établissement. En effet, dès 1512, elle commença à faire venir un grand nombre de docteurs d'autres universités, telles Montpellier, Valence, Poitiers.

A partir de cette époque-là, l'Université devait connaître deux protections déterminantes pour son avenir et son devenir : celles de la duchesse Marguerite (de Valois d'Angoulême, de Navarre, soeur aînée de François Ier d'une part, et plus tard de sa nièce, Marguerite de Savoie d'autre part.

1.4 Marguerite, duchesse de Berry.

Nous avons vu que le duché de Berry cessa d'être apanage en 1493, pour revenir définitivement au domaine royal. Néanmoins, trois fois, il fut donné par un roi à une princesse. Tout d'abord en 1498, Louis XII donna le duché à Jeanne de France qui y vécut jusqu'à sa mort. Puis, le 11 octobre 1517, François Ier l'offrit à sa soeur, Marguerite, comme dot et donation, lors de son mariage avec le duc d'Alençon. Celle-ci veuve, devenue reine de Navarre par son remariage, porta son titre de duchesse de Berry jusqu'à sa mort, en 1549. Enfin, le 19 avril 1550, Henri II à son tour offrit à sa soeur Marguerite, future Marguerite de Savoie, l'usufruit du duché et le titre de duchesse de Berry[1].

---

1 R. Pillorget, « L'Université de Bourges au XVIe siècle », *Op. cit.*, p. 118 : François 1er donna le Berry à sa soeur « *pour en jouir par usufruict et à vie, avec Charles, duc d'Alençon, son mary, par lettre du 11 octobre de l'an 1517 publiées en Parlement le 4 février et en la Chambre des comptes le 6, et en la Cour des aides le 10 du mesme mois de février suivant.* ».

La princesse Jeanne de Valois femme répudiée de Louis XII, fonda le collège Saint-Marie qu'elle dota de bourses pour dix étudiants pauvres[1], comme si en matière d'éducation elle avait voulu montrer le chemin aux duchesses suivantes.

En effet, dès 1517, Marguerite d'Angoulême, elle-même femme de lettres, s'intéressa à l'Université de Bourges. Pour redonner souffle à une université sans intérêt, il fallait d'abord proposer de rétribuer les professeurs que l'on voulait attirer. Pour ce faire, en 1520, la duchesse autorisa la municipalité à lever des taxes pour faire face aux dépenses. Les professeurs de droit bénéficièrent de ces mesures car tous les efforts de la duchesse et de la ville furent en réalité uniquement réservés à la Faculté de Droit. Seuls les docteurs en droit semble-t-il, reçurent des émoluments, à l'exception d'un lecteur de grec et d'un maître en théologie[2].

G. Thaumas de la Thaumassière écrivit au sujet de Marguerite de Savoie, quatrième fille de François 1er et de Claude de France : « *Son frère lui donna l'usufruict de la duché de Berry, ce qu'il confirma d'abondant par le contract de son mariage avec Emmanuel-Philibert, duc de Savoie, le 9 de juillet 1559* » in *Histoire de Berry*, Bourges, F. Toubeau, 1689, p. 42.

1 J-Y Ribault, « L'Université de Bourges et son rayonnement aux XVIe et XVIIe siècles », *Pax Christi, Exposition à la Grange aux Dîmes*, juillet 1961, n. p.

2 Archives Communales de Bourges, *CC 320 à 350* ; *CC 320 à 325* ; *in* D. Devaux, « La Faculté de Droit de Bourges aux XVIe et XVIIe siècles », in *Cahiers d'Archéologie et d'Histoire du Berry*, n° 104, décembre 1990, p. 17.

CHAPITRE 2

LA FACULTÉ DE DROIT.

2.1 Développement de la Faculté au XVIe siècle.

Seule la Faculté de Droit allait connaître prestige et renommée. Par les faveurs et les soutiens dont elle bénéficia, elle connut un développement qui la plaça à un niveau européen, en accueillant en son sein une pléiade d'éminents professeurs. Si aucun document ne nous explique les motifs de cette détermination initiale, le choix s'explique par la prépondérance que les études de droit prenaient au cours du siècle, comme nous l'avons vu au début de notre étude[1]. Pour développer la Faculté, il fallait agir sur deux fronts : matériel et scientifique. C'est ainsi qu'il fut décidé d'aménager des salles de cours dans les anciens locaux de l'Hôtel-Dieu, au chevet de la cathédrale : une « salle de décret », réservée à l'enseignement du droit canon, et une « salle d'Institutes », réservée à l'enseignement du droit civil. Le souci de bien faire poussa même la municipalité à modifier l'environnement des locaux et les rendre ainsi plus propices à l'étude :

> Pour préserver le confort et la concentration d'esprit des professeurs et étudiants, on poussa le raffinement jusqu'à enlever les pavés de pierre des rues avoisinantes pour les remplacer par des pavés de bois, afin d'assourdir les bruits de la circulation[2].

Mais l'investissement scientifique fut beaucoup plus significatif, car il se traduisit par le recrutement de maîtres qui avaient déjà fait leurs preuves dans d'autres universités du royaume et à l'étranger. En effet, à partir de cette date, et jusqu'en 1528, se succédèrent à la Faculté de Droit[3] d'abord en 1512 le montpelliérain Nicolas Boerius (Boyer), auteur d'un commentaire sur l'ancienne Coutume de Bourges, puis un ancien docteur-régent en droit canonique à

---

1 Deuxième partie.

2 J-Y Ribault, « Le rayonnement européen de l'Université de Bourges aux XVIe et XVIIe siècles », in *L'Europe des Universités*, Colloque organisé par le Conseil Général du Cher, Bourges, 26-27-28 septembre 1991, p. 24.

3 L. Raynal, *Histoire du Berry*, *Op. cit.*, pp. 366-67 ; J-Y Ribault, *Ibid.*, p. 24.

Lisbonne, le Portugais Salvatore Ferdinant, de son vrai nom Salvador Fernandès, accompagné de ses disciples Antoine Govea et Guillaume Villareal, puis le milanais Philippe Decius (Filippo de Dexio), les poitevins Annet Vitalis et Jean de La Marche, le toulousain Arnaud Ayquart.

En 1528, arrivèrent de Poitiers deux docteurs, Bertrand de Abbatia, et Pierre de Rebuffe ou *Rebuffi*. Ce dernier avait déjà acquis renommée à Montpellier, Toulouse et Cahors avant de professer à Poitiers, suivi par une « *foule d'étudiants* ». « *C'est là que la reine de Navarre le distingua ; elle n'épargna ni les instances ni les séductions pour l'attirer à Bourges* »[1]. Dès son arrivée à Bourges, Rebuffe se trouva à la tête de l'Université. Sa présence ne fut toutefois pas déterminante, seulement préparatoire à la venue d'un autre maître de plus grand poids celui-là, milanais d'origine, alors en poste à Avignon : André Alciat[2]. Sa présence allait être cruciale et son enseignement capital dans l'histoire de l'Université. Quel fut l'apport de ce maître à la Faculté de Droit de Bourges ? Afin de répondre à cette question, il convient tout d'abord de présenter le droit civil et l'enseignement qui en était fait dans la période précédente.

2.2 Droit civil/ Droit romain et Droit Canon.

2.2.1. Définitions et enseignement.

Le droit civil fut fondé sur la codification du droit romain établie sous la direction de l'Empereur Justinien, pendant les années 533-65. L'édition de Tribonius comportait trois parties : le *Digeste*, les *Institutes*, et les *Novelles*. Si l'ensemble est maintenant connu sous le titre de *Corpus Iuris Civilis*, il est à remarquer que ce titre date de 1583 seulement[3]. L'étude du droit romain représentait pour tout juriste un modèle, un système de droit complet et cohérent, et servait

---

1 L. Raynal, *Ibid.*, p. 367.

2 La biographie complète d'Alciat est celle de P. E. Viard, *André Alciat, 1492-1550*, Paris, Sirey, 1926.

3 R. H. MacDonald ed, *The Library of Drummond of Hawthornden*, Edinburgh, University Press, 1971, p. 84.

de base à une bonne maîtrise du droit canon, car aucun jurisconsulte ne niait les liens étroits entre l'Église et la loi civile.[1]

Selon quelles règles l'enseignement était-il dispensé ?

L'organisation des cours ne changea pas vraiment au cours des deux siècles considérés, et était la suivante : au début de l'année, c'est-à-dire à partir du mois d'avril, un professeur expliquait les *Institutes*, – cet enseignement était normalement confié à un débutant – premier manuel d'enseignement de base du droit civil. Puis un autre professeur abordait le *Digeste* qui consistait en une collection encyclopédique de commentaires sur le droit romain. Le *Digeste* comportait sept parties : chaque professeur enseignait deux parties, et la dernière partie était dispensée par ce professeur qui faisait aussi le cours sur le *Code*. Le *Code* était la codification officielle du droit romain, et les additions faites par Justinien à ce travail initial étaient les *Novelles*. L'enseignement du droit civil s'enchaînait de la manière suivante : l'explication des *Institutes* terminée, un professeur

> abordait la première ou la deuxième des sept parties du Digeste ; un autre expliquait la troisième et la quatrième ; le troisième expliquait la cinquième et la sixième ; et s'il y avait un quatrième professeur, il faisait son cours sur la septième partie du Digeste et sur le Code. Celui qui avait traité ces dernières parties l'année précédente, prenait le cours d'Institutes et les deux premières parties du Digeste ; celui qui avait expliqué les Institutes prenait la troisième et la quatrième partie, et ainsi des autres[2].

La finalité de ce système permettait ainsi d'accéder au grade de bachelier en deux ans, à celui de licencié en trois ans, et à celui de docteur en quatre ans. Au XVIIe siècle, la durée des études fut ramenée à trois ans.

> Il arriverait ainsi, disait la Faculté, que les jeunes gens qui venaient à Bourges, de tous les points de l'Europe, pour y étudier, trouveraient chaque année un docteur chargé de commencer les Institutes, au mois d'avril, et qui épuiseraient tout le corps du droit dans l'espace de quatre ans fixés par Justinien pour ces études.

---

1 J. Verger, *Histoire des Universités en France*, Privat, Toulouse, 1986, p. 233.

2 M. A. P. TH. Eyssel, « Doneau, sa Vie et ses Oeuvres » mémoire couronné par l'Académie des Sciences, Arts et Belles-Lettres de Dijon, traduit du Latin de l'auteur par M. Simonnet, *in Mémoires de l'Académie Impériale des Sciences, Arts et Belles-Lettres de Dijon*, deuxième Série, Tome huitième, année 1860-1861, p. 45.

> Ceux qui voudraient suivre les autres cours auraient eu, au bout de ce même temps, quatre fois l'exposition de tout le droit civil. Enfin, si l'on ne pouvait pas ou si l'on ne désirait pas faire, dans l'Université, un si long séjour, on pourrait en une seule année suivre l'explication de toutes ces matières[1].

Un ordre analogue était adopté par les professeurs en droit canon. L'enseignement du droit canon reposait sur deux recueils de nature très différente : le *Décret* et les *Décrétales*. Le *Décret*, codification rationnelle du droit ecclésiastique réalisée par le moine Gratien au XIIe siècle, n'avait jamais été officiellement authentifié par l'Église et n'avait à ce titre pas nécessairement force de loi. Il en allait autrement des *Décrétales*, au XIIIe siècle sur ordre du pape Grégoire IX.

Notons ici que les deux facultés de droit civil et droit canon furent très liées, et qu'à partir des dernières décennies du XVIe siècle, les professeurs enseignèrent indifféremment l'un ou l'autre droit. Cet état de fait fut officialisé en 1637 par une ordonnance du prince de Condé qui avait décidé que les docteurs-régents en droit seraient réputés *in utroque*[2].

Quant à l'enseignement proprement dit, les maîtres avaient pris l'habitude de dicter des résumés de leurs cours à leurs étudiants, résumés qui étaient ensuite imprimés et publiés sous forme de manuels. En 1547, Baron estima à 1. 000 le nombre de manuels ainsi vendus, en une semaine ! Chaque année, les maîtres devaient soutenir une thèse, devant leurs élèves, sur les sujets les plus difficiles. Il est facile d'imaginer la réaction des étudiants et de se mettre à leur place : c'était l'événement de l'année, pour lequel ils se préparaient longtemps à l'avance. Le jeu consistait à essayer de défier le maître en lui posant soit des questions embarrassantes soit des questions auxquelles il était tout simplement impossible de répondre !

2.2.2. Évolution de la perception du droit romain : d'Accurse à Budé.

Au Moyen-Age, le *code Justinien* était enseigné et mis en application. Le souci des civilistes étant de présenter le droit romain

---

1 *Ibid.*, p. 45.
2 Archives départementales AD D5 ff°. 7-8.

d'une façon aussi complète que possible, en donnant toutes les interprétations possibles à tous les cas de figures posés par l'application de la loi même. Ceci avait pour résultat d'alourdir de commentaires le texte initial, qui se trouvait par là-même occulté : ainsi était né ce qu'on appelle la *glose*. A force de donner importance aux commentaires, l'autorité de la glose précédait celle de la loi[1]. A plusieurs reprises, il y eut des mouvements de réaction contre cet état de fait, mais chaque glose était bientôt remplacée par une nouvelle glose ; le glossateur le plus célèbre étant le florentin Accurse (1182-1260). Aux yeux de ces juristes, Justinien jouissait de la même considération qu'Aristote ou la Bible : texte sacré, valide, parfait, n'ayant besoin que de commentaires pour résoudre ses contradictions apparentes. Il n'était pas question de comprendre les conditions historiques dont le droit romain était issu, ni de prendre en compte le fait que la société avait bien changé depuis cette codification initiale ; et pourtant, la plupart des termes, titres, jugements n'avaient pas leur équivalent au Moyen-Age.

A partir du XIVe siècle, sous l'influence de Bartole – qui enseigna à Pise et à Pérouse- et de son école, les *post-glossateurs* allaient porter leur attention aux éléments mêmes du droit, alors que les *glossateurs* avaient expliqué et commenté. L'autorité du code Justinien reposait surtout sur la libre interprétation qui en était faite. Ainsi, le *mos docendi Italicus* ne prit plus le *Corpus Juris* à la lettre, mais s'y référait, dans son argumentation ultime, comme à l'autorité illustrant la démonstration.

A l'aube du XVIe siècle, l'étude et la pratique du droit civil avaient à peine changé. Le bartolisme était toujours en vogue, la méthode scolastique régnait dans les écoles de droit, basée sur deux principes : le premier consistait à confirmer que le droit romain était intrinsèquement parfait, et le deuxième à affirmer que son enseignement correspondait au droit tel qu'il avait été envisagé par Justinien. Cependant, ces deux principes ne tardèrent pas à tomber sous le feu humaniste, et à la fin du siècle, le discrédit était total.

---

1 R. Pillorget, *Op. cit.*, p. 216.

La première attaque fut le fait de Guillaume Budé qui publia en 1508 les *Annotationes in Pandectas*[1]. Ses connaissances en histoire romaine et en philologie lui permettaient d'exposer les erreurs de ses prédécesseurs : mauvaise connaissance du latin, manque de perspective historique, déformations du texte, complaisance envers les contradictions du *Corpus Juris*. Suivant en cela les traces de Laurent Valla, l'effort de Budé fut de montrer les insuffisances nées de la mauvaise interprétation de l'éditeur du *Corpus*, qu'il qualifiait d' *« illétré* et d'*infidèle »*[2].

La démarche de Budé fut primordiale, car elle sapa le système scolastique tout entier. Bien que n'étant pas juriste lui-même, il fut bientôt reconnu comme l'un des « *trois premiers entrepreneurs de ce nouveau mesnage* »[3], les deux autres étant Ulrich Zasius[4] et André Alciat. Des trois, Alciat s'avéra le plus responsable de l'introduction de l'humanisme juridique dans les universités, et principalement celle de Bourges.

2.3 André Alciat (1492-1550).

2.3.1. L'homme.

Il ne fallut pas moins de vingt-sept jours à l'échevin berruyer François Godard pour mettre au point le contrat d'engagement d'Alciat, contrat qui dépassait les mille livres de gages annuels et comportait de nombreux autres avantages[5]. Il semble qu'en cette affaire, la municipalité bénéficia des conseils et appui du roi et de la

---

1 Edition publiée par son beau-frère, Robert Estienne, *in* D. R. Kelley, *Foundations of Modern Historical Scholarship, Language, Law, and History in the French Renaissance*, Columbia University Press, New York and London, 1970, pp. 56-57.

2 D. R. Kelley, *Ibid.*, p. 69 : « *illiteracy and infidelity* ».

3 E. Pasquier, *Les Recherches de la France*, Paris, 1643, Livre 9, p. 901.

4 C'est par l'intermédiaire d'Ulrich Zasius (1461-1535), professeur de droit à l'Université de Freiburg, que les idées d'Alciat furent diffusées en Allemagne, *in* R. H. MacDonald ed, *The Library, Op. cit.*, p. 86. Ceci explique en partie la faveur de l'Université de Bourges auprès des étudiants allemands, tout au long de la période qui nous concerne.

5 J-Y Ribault, *Op. cit.*, p. 24. Sur les circonstances du recrutement d'Alciat, son arrivée à Bourges, et son départ moins glorieux, cf L. Raynal, *Histoire du Berry, Op. cit.*, pp. 368-383.

duchesse de Berry. Alciat donna son premier cours à Bourges le 29 avril 1529, dans le nouvel édifice de l'Université appelée *Les Grandes Écoles*, ce qui symbolisait bien la nouvelle direction que cette dernière était sur le point de prendre. Il passa cinq étés à Bourges, enseignant pendant le semestre d'été 1533. Sans vouloir présenter ici une biographie d'André Alciat, mais afin de démontrer son rôle dans l'évolution de la Faculté, il nous faut apporter quelques précisions sur le passé de ce professeur. Lorsqu'il arriva à Bourges, Alciat était âgé de trente-sept ans.

Né à Milan en 1492, il avait tout juste douze ans lorsqu'il acquit une connaissance approfondie des langues anciennes, latin et grec, auprès de son maître Giano Parrhasius, originaire de Calabre, qui lui « *apprit à utiliser avec science les sources et les manuscrits pour préciser les passages obscurs des textes latins, le préparant en cela aux nouvelles recherches futures* »[1].

Il étudia les inscriptions antiques, traduisit les épigrammes grecs, et rédigea une histoire de Milan. A l'âge de seize ans, Alciat commença ses études de droit à l'Université de Pavie, puis il continua à Bologne où il obtint le grade de docteur à vingt-deux ans, en 1514. L'année précédente, il avait déjà rédigé un commentaire de textes jusqu'alors délaissés, et avait montré une connaissance certaine de la littérature ancienne : *Annotationes in tres posteriores Codicis libros*. Son souci était de prouver « *que peuvent s'allier la connaissance des lois et celle des* studia humanitatis »[2]. Puis il devint sans tarder avocat à Milan ; la première affaire qu'il traita fut un procès de sorcellerie. En 1518, il entama sa carrière de professeur à l'Université d'Avignon où il connut un très grand succès[3] ; il y fit la connaissance de Guillaume Budé et de Boniface Amerbach. Il quitta Avignon en 1521 car l'Université ferma ses portes à cause d'une épidémie de peste. Il rentra à Milan, revint à Avignon en 1527, de là arriva à Bourges deux années plus tard.

---

1 P. E. Viard, *André Alciat, Op. cit.*, p. 32.

2 P. E. Viard, *Ibid.*, p. 40.

3 « *plus de sept cents auditeurs accourent des divers pays, vieux et jeunes, laïcs et clercs, nobles et abbés* » écrit-il à son ami Calvus en 1518, in P. E. Viard, *Ibid.*, p. 80.

Il ressort de cette notice succincte qu'Alciat fut formé à un moment clef pour l'histoire des études juridiques. L'humanisme qui s'était développé dans son pays au siècle précédent, eut sur lui une influence profonde ; en effet, il *« fut le premier juriste qui étudia le droit romain avec la mentalité d'un humaniste »*[1].

2.3.2. La méthode d'Alciat.

L'auteur des *Emblèmes*[2] n'oublia pas les leçons de son vieux maître calabrais et c'est dans un esprit nouveau qu'il aborda l'étude du droit romain, et qu'il réexamina le *Corpus Juris*. Il fit connaître cet esprit nouveau qui lui valut sa popularité à ses étudiants de Bourges : il se servait de la philologie, de la littérature ancienne, de l'histoire pour éclairer une institution juridique. Cependant ses écrits furent des commentaires sur des aspects particuliers du droit, plus qu'une étude définitive de tout le Corpus, comme en témoignent leurs titres : *Paradoxa*, *Dispunctiones*, *Annotationes*.

Si Alciat n'eut ni l'originalité de Guillaume Budé ni le savoir de Jacques Cujas, son influence fut néanmoins primordiale, car d'une part il réconcilia la philologie et la profession juridique, et d'autre part il participa à la formation d'une nouvelle génération d'hommes qui firent leurs les idéaux et les méthodes du *droit réformé*. Le passage du *mos italicus* au *mos gallicus* ne se fit pas sans remous, les premières résistances furent vives, non de la part des étudiants, mais de la part des maîtres en place. S'il ne méprisa pas systématiquement l'oeuvre des bartolistes dont il avait *« utilisé les méthodes dans la pratique comme avocat »*[3], Alciat appliqua la méthode historique dans ses commentaires.

La *modernisation* de la méthode d'Alciat[4] s'appuyait sur les principes suivants :

---

1 *Ibid.*, p. 2.

2 V. H. Green, *Andrea Alciati and his book of emblems*, Londres, 1871.

3 J. Vendrand-Voyer, « Pierre Lizet et la coutume du Berry », in *Annales de la Faculté de droit et de science politique*, Fascicule 18, année 1981, p. 343.

4 R. Abbondanza, « Vie et oeuvre d'André Alciat », in *Pédagogues et Juristes, Congrès du Centre d'Études Supérieures de la Renaissance de Tours* : Eté 1960, Paris, 1963, p. 105.

- une connaissance plus approfondie des différentes parties du *Corpus iuris civilis*, en en proposant une lecture directe aux étudiants,
- restitution philologique lorsque cela se révélait nécessaire
- indépendance du jugement
- élimination d'une surcharge de citations
- leçons en bon latin.

Cette démarche lui valut la présence massive d'étudiants accourus d'Orléans – où l'enseignement était resté *traditionnel*, en particulier sous Pierre de L'Estoile – puis de contrées étrangères. C'est ainsi qu'Alciat compta parmi ses étudiants de jeunes hommes qui allèrent se révéler des piliers de l'histoire européenne de la seconde partie du XVIe siècle : juristes, théologiens, hommes politiques, poètes et lettrés, parmi lesquels nous citerons Jean Calvin, Melchior Wolmar[1], Théodore de Bèze, François Connan[2], Joannes Secundus (Everaerts), l'auteur des *Baisers*[3]. Le roi François Ier lui-même assista à l'un des cours du maître milanais.

Au cours de l'année 1529, Jean Calvin quitta Orléans où il étudiait le droit avec Pierre de L'Estoile, pour venir à Bourges écouter le célèbre maître. La personne d'Alciat, déplut fortement à Calvin : il le jugea vain et léger et bientôt détestable au moment où Alciat écrivit – sous un pseudonyme – critiques et railleries à l'endroit de L'Estoile. Calvin qui éprouvait pour son maître orléanais grande estime et respect fut outré. Son ami, Nicolas Duchemin écrivit un plaidoyer en réfutation de ces critiques. Calvin en rédigea la préface et fit imprimer l'ouvrage à Paris en 1531[4]. Malgré tout, l'enseignement du professeur Alciat marqua le futur réformateur, par l'intérêt qu'il lui communiqua

1 M. Wolmar enseignait déjà le grec à la Faculté des Arts, mais il assistait néanmoins aux cours de droit d'Alciat.

2 Connan fut maître des requêtes et conseiller au Parlement de Paris, il fut l'un des précurseurs de la systématisation du droit *in* J-L Thireau, « L'enseignement du droit et ses méthodes au XVIe siècle, continuité ou rupture ? », in *Annales d'Histoire des Facultés de Droit*, 1985, n°2, pp. 30-31.

3 J. Jenny, « Voyage et séjour à Bourges d'un étudiant en droit au XVIe siècle : le poète Jean Second 1532-33 », in Bulletin du Cher, avril 1972.

4 F. Wendel, *Calvin, Sources et évolution de sa pensée chrétienne*, PUF, 1950, p. 10.

de la chose juridique et par le goût d'un style élégant et pénétrant qu'il lui transmit[1].

Lorsqu'Alciat quitta Bourges, il provoqua la colère des habitants de la ville et de ses disciples[2] ; nonobstant, son travail avait ouvert la voie à une nouvelle méthode. Il n'avait fallu au maître milanais qu'un séjour de quatre années à Bourges pour donner naissance à « l'*école historique de droit romain* », donnant par là de l'ambition à la Faculté de Droit, dont les professeurs allaient suivre dorénavant son enseignement : ce fut là son mérite. Suivre son enseignement certes, mais aussi le développer.

2.4 Le corps professoral, d'André Alciat à Jacques Cujas.

En effet, si Pasquier dès 1561, fut en mesure de distinguer une nouvelle école de juristes qui avait engendré « *une nouvelle estude de Loix, qui fut de faire un mariage de l'estude du Droict aveques les Lettres Humaines* »[3], ce fut grâce à une pléiade de maîtres, presque tous aussi célèbres les uns que les autres, qui se succédèrent à partir de 1533, et dont les travaux portèrent la Faculté de Droit de Bourges au premier rang, au point qu'elle devint une véritable école de droit : il s'agit chronologiquement de François Le Douaren (1538-1548/1550-1559)[4], Eguinaire Baron (1542-1550) François Bauduin (1549-1555), Antoine Leconte (1552-1575), Hugues Doneau (1561-1572), Jacques Cujas à trois reprises : (1555-1557 ; 1559-1566 ; 1575-1588), François Hotman à deux reprises (5 mois en 1566 ; 1570-1572).

La Faculté de Droit de Bourges se distingua tristement par les nombreuses disputes, querelles parfois très graves – allant jusqu'à mort d'étudiant[5]– orchestrées par les maîtres eux-mêmes. Les raisons en étaient multiples : personnalités écorchées, jalousies, convoitises

---

1 *Ibid.*, p. 11.

2 Alciat aurait quitté Bourges furtivement, attiré par l'appât de gains plus importants et sur l'injonction du duc de Milan à qui il était redevable, *in* L. Raynal, *Histoire du Berry*, *Op. cit.*, p. 380. « *Le duc de Milan menaçait Alciat de lui confisquer ses biens s'il ne venait pas* », *in* P. E. Viard, *Op. cit.*, pp. 82-83.

3 *Les Recherches de la France*, *Op. cit.*, p. 901.

4 Les dates que nous donnons après chaque nom correspondent aux temps de professorat de chaque maître.

5 L. Raynal, *Histoire du Berry*, *Op. cit.*, p. 415.

d'une chaire, d'un prestige[1]. Mais dans cette période où tout était remis en question, les querelles étaient également le fruit de dissensions, de conflits d'idées à propos d'une certaine conception du droit et reflétaient la vitalité, la force d'hommes qui dominèrent la Faculté, l'incarnant et l'imprégnant toute entière de façon si déterminante que le recrutement des étudiants, de régional à l'origine, devint vite européen.

Il nous faut maintenant exposer les caractéristiques de ces maîtres : quel enseignement fut le leur ?

2.4.1. François Le Douaren (1509-1559).

Originaire de Saint-Brieuc, Le Douaren[2] avait exercé quelques années une charge de judicature dans laquelle il avait succédé à son père avant d'enseigner à Paris, puis à Bourges.

Il succéda à Alciat, avec d'autant plus d'énergie que sa nature vive l'avait doté d'un caractère vigoureux. Formé par Guillaume Budé, il importait pour ce breton de présenter une vue systématique du droit romain, en suivant l'ordre des titres des *Pandectes* et dans chaque titre l'ordre rationnel et de dégager les règles juridiques[3]. Il fut bientôt rejoint par Eguinaire Baron et tous les deux continuèrent à battre en brèche la méthode de Bartole. Doneau qui avait fui Toulouse car Coras « *ne pouvait entrer en parallèle avec les docteurs de Bourges* » les rejoignit comme étudiant, puis comme professeur[4].

Le Douaren professa à deux reprises à Bourges ; arrivé en 1538, il en repartit en 1548 suite à une querelle avec son collègue Eguinaire Baron, puis il revint à la mort de ce dernier, en 1550. Son ouvrage, *De ratione docendi discendi juris* publié en 1544, peut être considéré,

1 Les nombreuses dissensions entre les différents maîtres sont relatées maintes fois : L. Raynal, *Histoire du Berry, Op. cit.*, pp. 390-440 ; M. A. P. TH. Eyssel, « Doneau sa Vie et ses Ouvrages », *Op. cit.*, pp. 31-71 ; R. Pillorget, « L'Université de Bourges », *Op. cit.*, pp. 212-214.

2 François Le Douaren, né près de Saint-Brieuc, vers 1509, mort à Bourges en 1559, *in* E. Jobbé-Duval, « François Le Douaren (Duarenus), 1509-1559 », in *Mélanges P. F. Girard*, Lib. A. Rousseau, Paris, 1912, t. I, pp. 573-621.

3 E. Jobbé-Duval, *Ibid.*, p. 601.

4 M. A. P. Th. Eyssell, « Doneau, Sa Vie et ses Oeuvres », *Op. cit.*, pp. 28-31.

selon Jobbé-Duval, « *comme le manifeste de la Nouvelle École* »[1]. Le Douaren confirme que, pour pénétrer le droit romain, les trois points suivants sont nécessaires : répudier les opinions des « *docteurs barbares* », adeptes du *mos italicus,* posséder une bonne connaissance du latin et appréhender l'étude du droit à partir d'une analyse historique[2]. Si Le Douaren enseigna le droit civil, il n'en procéda pas moins à des investigations dans le domaine du droit canon, à l'étude duquel il mit en application les mêmes principes. A cet effet, il travailla sur le Décret de Gratien[3], à la suite d'Aymar Du Rivail : *Historia Iuris civilis Riualii*[4], et il composa un traité de droit canonique en huit livres : *De sacris ecclesiae ministeriis ac beneficiis libri VIII*, paru en 1550, qu'il dédia à Marguerite de France, nouvelle duchesse de Berry[5].

2.4.2. Eguinaire Baron (1495-1550).

Originaire d'une famille noble de Léon, ce breton fit ses études à Paris, Orléans et Poitiers. Il enseigna à Poitiers, puis à Angers de 1537 à 1542. Il fut docteur régent en droit civil à Bourges de 1542 à 1550. En matière d'enseignement, il partageait les vues de Le Douaren et s'en tenait au texte ; au témoignage de Noël du Fail, Baron et Le Douaren enseignaient « *le droit en sa netteté et splendeur* »[6].

2.4.3. François Bauduin (1520-1573).

S'inséra également dans la ligne d'Alciat François Bauduin, originaire d'Arras. Après avoir fait ses études à l'Université de Louvain, puis fréquenté Charles Du Moulin à Paris dans les années 1540, il avait déjà rédigé ses *Commentaires sur les Institutes*[7] lorsque

---

1 *Op. cit.*, p. 599.

2 D. R. Kelley, *Op. cit.*, p. 104.

3 D. R. Kelley, *Ibid.*, p. 106.

4 Il est à noter que William Drummond possédait un exemplaire de cet ouvrage dans sa bibliothèque ; nous y reviendrons le moment venu.

5 E. Jobbé-Duval, « François Le Douaren », *Op. cit.*, p. 613.

6 *Ibid.*, p. 605.

7 *F. Balduini in suas Annotationes in libros IV Institutionum Justiniani imper. Prolegomena sive Proefata de jure civili*, Paris, 1545.

Michel de L'Hospital lui fit obtenir la chaire de droit dans l'Université de Bourges. Ce jurisconsulte à l'esprit ombrageux et querelleur dont Théodore de Bèze dira à sa mort « qu'*il avait cessé de médire* »[1], laissa un grand nombre d'ouvrages, qui tous attestent de profondes connaissances historiques et théologiques, en particulier d'amples commentaires de Justinien[2]. Son effort de reconstruction historique se révèle dans son ouvrage intitulé *Ad leges de jure civili, Voconiam, Falcidiam, Juliam Papiam Popoeam, Rhodiam, Aquiliam, Commentarius* paru en 1559 ; c'est un « *commentaire plein de recherches et d'aperçus nouveaux* »[3] qui annonce Hotman et Cujas. Bouduin fut docteur régent à Bourges de mars 1548 à avril 1555.

2.4.4. Hugues Doneau (1527-1591).

Hugues Doneau était originaire d'une famille de robe de Chalons. Il fut envoyé à Tournon où il fit ses humanités et sa philosophie, puis à Toulouse où il suivit les cours de Jean Coras, qu'il abandonna bien vite pour venir étudier à Bourges. Là, il fut pris en affection par Le Douaren qui lui donna rapidement son bonnet de docteur et l'installa aussitôt comme antécesseur. Doneau remarquera lui-même dans les préfaces de ses traités qu'il « *s'est efforcé de traiter aussi simplement que possible la matière qu'il expose (...), avec ordre et méthode* »[4]. Il enseigna à Bourges de 1551 à 1572.

2.4.5. Antoine Leconte.

Antoine Leconte, cousin de Jean Calvin, avait étudié le droit à Bourges, auprès de Baron, avant d'être lecteur des *Institutes* de juillet 1553 à 1557, puis lecteur en droit civil de 1557 à 1558, puis docteur-régent en droit canon jusqu'en 1570. En 1571, il partit à Orléans mais revint à Bourges l'année suivante enseigner le droit canon de janvier 1572 à l'été 1577. Plus tard, Jacques Cujas dira de Leconte qu'il était

---

1 G. Millot, « Francis Balduin d'Arras 1520-1573, Professeur à l'Université de Bourges 1548-1555 », *in Cahiers d'Archéologie et d'Histoire du Berry*, n° 59, Septembre 1979, p. 75.

2 E. Haag, *La France Protestante ou Vies des Protestants Français*, Paris, 10 vol., 1846, vol. 2, pp. 32-34.

3 E. Haag, *Ibid.*, p. 33.

4 M. A. P. Th Eyssel, « Doneau sa Vie et ses Ouvrages », *Op. cit.*, p. 85.

meilleur jurisconsulte que lui, mais qu'il gaspillait ses talents en se livrant à des plaisirs grossiers, en particulier, il aimait trop le vin.

2.4.6. François Hotman (1524-1590).

Aîné d'une famille de douze enfants, François Hotman naquit à Paris en 1524 d'une famille originaire de Silésie. Son père, conseiller au Parlement de Paris, le voyait succéder à sa charge. A cet effet, il l'envoya très jeune, à quinze ans, étudier le droit civil à Orléans[1] avec Pierre de L'Estoile. Après avoir exercé quelque temps comme avocat, il commença avec Bouduin en 1546 « ses *premières lectures de droict aux escholes du Décret en ceste ville de Paris* »[2].

Hotman ne rejoignit le corps professoral de Bourges qu'en 1567, sur l'invitation de Michel de L'Hospital, il remplaça Jacques Cujas. Auparavant, il avait enseigné à Strasbourg, suivi Calvin à Francfort, agi en qualité de maître des requêtes auprès du roi de Navarre, avant d'accepter la chaire que lui proposait Montluc dans l'Université de Valence en 1563[3]. A Bourges, Hotman commença à enseigner selon l'idéal scolastique de son ami Le Douaren[4]. S'il ne contestait pas le travail réalisé par ses prédécesseurs – il avisait son fils de ne jamais se départir de son exemplaire de l'ouvrage de Cujas, il reprit et intensifia lui-même le thème de l'ignorance des glossateurs dans son *Antitribonien*: il ne tarda pas à se différencier, en exprimant ses doutes quant à l'étude même du droit romain. Il voulait se libérer du droit romain, et édifier un droit national en rationalisant le droit local et traditionnel, de telle sorte que la France aurait eu un système légal sans anachronisme, basé sur une philosophie qui consistait à extraire le meilleur de la coutume et de l'expérience, et de l'adapter aux besoins du moment. Ainsi, dans son *Antitribonien*, rédigé à la requête de Michel de L'Hospital, en langue vernaculaire, Hotman exprimait une idée nouvelle, celle qui consistait à établir que le droit romain n'était pas approprié à la société française, n'ayant pas ses racines

1 E. Haag, *Op. cit.*, vol. 5, p. 525.

2 E. Haag, *Ibid.*, p. 526. Haag cite ici Pasquier, sans toutefois donner la référence exacte.

3 E. Haag, *Ibid.*, pp. 527-528.

4 D. R. Kelley, *Foundations of Modern Historical*, *Op. cit.*, p. 106.

dans le pays. Les lois d'un pays doivent être accommodées à l'état et forme du gouvernement, et non le gouvernement aux lois[1] : thèse basée sur un principe de relativité culturelle. Hotman doutait de la valeur même de l'humanisme juridique, à cause de ses liens avec la culture italienne. Il en était venu à assimiler l'étude du droit romain aux corruptions de la société italienne.

Hotman enseigna à deux reprises à Bourges : une première fois pour une durée de cinq mois en 1566, puis deux années de 1570 à 1572. Personne *« versatile et volatile »*[2], de tous les successeurs d'Alciat, Hotman fut sans doute le plus bruyant. Cependant, celui qui marqua l'Université et qui apporta sa contribution de façon définitive fut Jacques Cujas que Michel de L'Hospital alla chercher à Valence.

A plusieurs reprises, nous avons évoqué le personnage de Michel de L'Hospital, chancelier de la duchesse de Berry. Avant de nous arrêter quelque peu sur la personnalité de Cujas, il convient de présenter le rôle de ces deux personnes dans l'évolution de la Faculté berruyère.

2.5 Marguerite de Valois et Michel de L'Hospital.

La première duchesse Marguerite, soeur de François Ier, mourut au château d'Odon, dans le comté de Bigorre, le 21 novembre 1549. Quelques mois plus tard, le 29 avril 1550, Henri II, donna à sa soeur, Marguerite de Valois l'usufruit du duché de Berry[3].

Nièce de la reine de Navarre, la nouvelle duchesse de Berry était aussi avide d'apprendre et aimait autant les belles lettres que sa tante. Bien qu'elle ne résidât pas de façon permanente en Berry – pas plus que sa tante ne l'avait fait –, elle s'efforça d'exercer les droits que son nouveau titre lui conférait. Elle eut, pour ce faire, un surintendant des finances : Claude l'Aubépine, beau-fils de Guillaume Bochetel[4]. Cependant il semble bien que le principal et seul intérêt de Marguerite

---

1 D. R. Kelley, *Ibid.*, p. 111.
2 D. R. Kelley, *Ibid.*, p. 106.
3 L. Raynal, *Histoire du Berry*, *Op. cit.*, t. 4, Livre dixième, chapitre premier, p. 2.
4 Sur Guillaume Bochetel et Henry Scrimgeour, *Cf.*, *Infra*, cinquième partie.

ait été la Faculté de Droit du duché, suivant en cela les traces de sa tante, et surtout les conseils de son chancelier : Michel de L'Hospital.

Celui-ci avait enseigné à Padoue et s'intéressait à la vie universitaire : il avait déjà *« siégé à Orléans dans une commission chargée d'attribuer des chaires vacantes »*[1], et son influence fut décisive quant à l'orientation de l'enseignement : en effet, ce fut lui qui fit élire Le Douaren – par une assemblée des seuls docteurs – à la Faculté de Bourges. Ce dernier devint même doyen, avec les mêmes appointements qu'Alciat[2]. Précédemment, L'Hospital était venu à Bourges écouter une leçon de Baron. Plus qu'à la vie universitaire, L'Hospital s'intéressait au problème de l'enseignement et de la perception du droit. En effet, son grand rêve, était

> l'unification du royaume : (...) donner à la nation un ordre authentique et des institutions qui incarnent dans tous les domaines la suprématie des intérêts généraux, (...) ceci ultimement afin de créer (...) une conscience nationale, et l'organisation d'une administration véritable[3].

Il s'agissait d'unifier la loi du pays, du nord au sud, et pour cela favoriser les projets qui allaient s'y employer. Si Bartole avait adapté les prescriptions de Justinien à la société italienne du XIVe siècle, les praticiens français de leur côté cherchaient à l'adapter à leur société du XVIe siècle. C'est pour cela que L'Hospital recruta Hotman après Le Douaren et Baron, puis Cujas. Le dernier maître de cette période à avoir marqué de son empreinte la Faculté fut Jacques Cujas. De même qu'Alciat commença une nouvelle ère, Cujas la termina en quelque sorte. De même que nous nous sommes arrêtée quelque peu sur la personnalité d'Alciat, nous nous arrêtons maintenant sur celle de Jacques Cujas.

---

1 R. Pillorget, « Le rôle universitaire de Marguerite de Savoie » *in Culture et Pouvoir au temps de l'humanisme et de la Renaissance, Actes du Congrès Marguerite de Savoie*, 29/4-4/5/1974, p. 211.

2 R. Pillorget, *Ibid*, p. 212.

3 P. Mesnard, « François Hotman (1524-1590) et le complexe de Tribonien », in *Bulletin de la Société de l'Histoire du Protestantisme*, T. 101-102, années 1955-56, pp. 122-123.

2.6 Jacques Cujas (1520-1590).

2.6.1. L'homme[1].

Né à Toulouse en 1522, d'un père qui était foulon, Cujas apprit de lui-même, sans le secours d'aucun maître, le grec et le latin, et commença à donner des cours sur les *Institutes* en 1547. Il embrassa de bonne heure la carrière de juriste et « *s'étant hautement déclaré l'adversaire de la méthode presque barbare des anciens interprètes* », il échoua « *à l'université de Toulouse devant la puissance des Bartolistes et devant les ardentes intrigues de Jean Bodin, le futur auteur de la République* »[2]. C'est à l'Université de Cahors, où il s'était réfugié après cet intermède malheureux, que Michel de L'Hospital alla le chercher et lui proposa la chaire que Bauduin venait de quitter. En juillet 1555, le futur chancelier écrivait aux échevins de la ville que la duchesse Marguerite avait trouvé « *homme docte et suffisant* ».

Nous l'avons vu, Cujas professa à Bourges à trois reprises : il arriva donc pour la première fois, au dernier jour de septembre de l'année 1555[3], avec la promesse d'un salaire initial de trois cents livres. Sa nomination provoqua un tollé au sein de l'Université. Hugues Doneau, encouragé par Le Douaren, qui avait posé sa candidature pour la place laissée vacante par François Bauduin, protesta et demanda que ses émoluments fussent les mêmes que ceux de Cujas. Les étudiants manifestèrent leur désapprobation, et ni le recteur ni les docteurs ne vinrent à la réception du nouveau maître. La duchesse Marguerite dut menacer les professeurs de suspendre leurs gages s'ils continuaient à se comporter ainsi avec le nouveau venu. Bien qu'il ne tardât pas à gagner les premiers suffrages de ses étudiants, Cujas n'en quitta pas moins Bourges, fatigué et déçu, en mai 1557, deux ans après sa nomination.

---

1 E. Haag, *La France Protestante*, *Op. cit.*, vol. 4, pp ; 136-141 ; Michaud, *Biographie Universelle Ancienne et Moderne*, Paris & Leipzig, Tome Neuvième, pp. 555-559.

2 L. Raynal, *De l'enseignement du droit dans l'ancienne université de Bourges, Discours prononcé pour la rentrée de la Cour royale de la même ville, le 4 novembre 1839*, n. d, n. l, p. 13.

3 L. Raynal, *Histoire du Berry*, *Op. cit.*, t. IV, p. 417.

Lorsque Le Douaren mourut en 1559, la duchesse Marguerite fit revenir Cujas de Valence à Bourges, cette fois avec la promesse de six cents livres pour émoluments. Le maître était désormais connu et réputé. Il resta à Bourges jusqu'en 1566, date de son départ pour Turin, attiré en cette ville par la même duchesse Marguerite, devenue duchesse de Savoie. Après un séjour d'un an à Paris, en 1575, Cujas pour la troisième fois, retourna à Bourges, qu'il ne devait plus quitter. Pour ce troisième séjour, il bénéficia de mille deux cents livres de gages bientôt portés à mille six cents livres, d'une maison, du titre de doyen de l'Université, de l'exemption de toutes charges et taxes.

Grégoire XIII lui-même très versé dans le droit civil et canonique tenta d'attirer Cujas à Bologne en 1584. Le maître fut sur le point de répondre à l'invitation pressante du pontife, mais son attachement pour ses élèves le retint en France, et peut-être aussi l'approche de la retraite, qu'il prit en 1588. Jacques Cujas mourut le 4 octobre 1590, à l'âge de 68 ans. Il avait totalisé auprès de l'Université berruyère vingt-deux années d'enseignement. Son nom reste à jamais attaché à l'histoire de l'Université de Bourges, et de l'enseignement du droit civil.

2.6.2. La méthode de Cujas.

Selon l'expression de D. Kelley, Jacques Cujas ne fut pas en matière de droit un « *réformateur* », mais un « *archéologue* »[1].

Dès le début, Cujas s'était intéressé au droit pré-justinien et il travailla sur les manuscrits. A cet effet, la publication du codex florentin du *Digeste* arriva à point nommé en 1553. Sa collection personnelle comptait environ deux mille volumes dont près de quatre cents manuscrits médiévaux et classiques[2].

---

1 « *he was not a legal reformer but a legal antiquarian* » in *Foundations of Modern Historical, Op. cit., Cf. Supra* note 23, p. 112.

2 H. Omont, *Inventaire des Manuscrits de la bibliothèque de Jacques Cujas*, 1888. « *La bibliothèque de M. Cujas fut inventoriée en octobre 1590 et vendue en octobre 1593. Elle estait repandue en 6 ou 7 chambres. Elle estait fournie de quelques cin cens volumes ms. qui servirent aux libraires de Lyon à couvrir des rudimens* » in N. Catherinot, *Vie de Mademoiselle Cujas*, 1684, p. 3.

Il insistait pour que ses étudiants remontent aux sources pures, et ne s'appuient pas sur l'exégèse de quelque glossateur ou, pire, sur le jargon scolastique des Bartolistes qui n'avaient pas cru bon de vérifier le texte-même. Il voulait d'abord comprendre, passionné par l'intelligence historique du droit romain et l'analyse de ses divers éléments. Avec force détails, il ne présenta pas moins de huit modes de critique de textes, en style et en paléographie. Ses corrections allaient de simples erreurs de textes à des substitutions anachroniques. Ce travail de rectification allié à la rédaction d'un index des citations, permettaient une « interprétation » correcte des textes et finalement une « résurrection » de la jurisprudence classique[1]. C'est au cours de son premier professorat qu'il entreprit la rédaction de son ouvrage le plus important *Observationum et emendationum libri XXVIII*[2].

Par son enseignement et ses écrits, Cujas acquit une renommée extraordinaire et son influence académique s'étendit bien au-delà du milieu juridique. Ses qualités scientifiques, sa culture universelle, sa puissance de travail marquèrent des générations d'étudiants dans toute l'Europe. Connaissances dispensées de son vivant, également perpétuées dans ses écrits. Parmi les nombreuses éditions de ses ouvrages, nous signalons celle d'Alexander Scot, et les nombreux ouvrages de Cujas qui figurent en bonne place dans la bibliothèque de Drummond – léguée à l'Université d'Edimbourg-, et dans la bibliothèque de la *Faculté des Avocats* d'Edimbourg, fondée par George Mackenzie[3]. Cujas représente le modèle de la première grande génération de chercheurs qui continuèrent leurs investigations, préservant un idéal académique, montrant une grande indépendance d'esprit et un caractère tolérant, à l'écart des controverses du temps. Le départ de Cujas symbolisa la fin d'une époque pour la Faculté.

---

1 D. R. Kelley, *Foundations of Modern Historical*, *Op. cit.*, p. 114.

2 Les livres I et II furent imprimés à Paris, 1556, liv. III, 1557 ; liv. IV, Lyon, 1559 ; liv. V, 1562 ; liv. VI-VIII, 1564 ; liv. IX-XI, 1570 ; liv. XII-XIV, 1573 ; liv. XV-XVII, Paris, 1577 ; liv. XVIII-XX, 1579 ; liv. XXI-XXIV, 1585. Les quatre derniers livres furent publiés par Pithou, à qui Cujas avait confié ce soin par son testament ; in Haag, *Op. cit.*, Vol. IV, p. 141.

3 Nous reviendrons sur le contenu de ces bibliothèques et sur l'édition de Scot, *Cf.*, *Infra*, cinquième et septième parties.

Cependant, les connaissances qu'il avait dispensées de son vivant se prolongèrent dans ses écrits et ses leçons furent inlassablement répétées : sa méthode restant à l'honneur pendant deux siècles.

Soulignons ici que l'Université de Bourges se plaçait dans un double contexte de réforme : la réforme des études juridiques d'une part et la réforme religieuse d'autre part. A ce point de notre analyse, après avoir exposé les guerres de religion à Bourges et en Berry, il nous appartient de présenter les progrès de la Réforme, en ville et dans l'Université même. Pour ce faire, il nous faut retourner aux années 1510, juste avant que Marguerite, fille de Louise de Savoie, ne devienne duchesse de Berry.

CHAPITRE 3

LA RÉFORME À BOURGES.

3.1 Les débuts de la Réforme.

Siège épiscopal d'importance, « *Bourges fut un centre d'effervescence et de rayonnement des idées réformatrices, évangéliques puis luthériennes* »[1].

Dès les origines de la Réforme, le terrain à Bourges était favorable. En 1507, on signale la présence de Lefèvre d'Étaples dans la ville, quelques années avant qu'il ne publie « *à Paris un commentaire sur les Epîtres de saint Paul, où est enseignée la justification par la foi* »[2]. Lorsqu'il publiera en 1523 la première traduction en français moderne du Nouveau Testament, il précisera que son ouvrage fut imprimé grâce à la libéralité des « *deux plus hautes dames de France* » : Louise de Savoie et sa fille Marguerite[3].

En effet, Marguerite, devenu duchesse de Berry en 1517 – l'année même où Luther affichait ses thèses contre les indulgences – adopta et favorisa la diffusion des idées évangéliques. « *Elle fut une des premières personnes de France gagnée par les idées nouvelles et elle protégea dès l'origine chacun de ceux qui s'efforçaient de les répandre* » écrivit N. Weiss, qui ajouta : « *C'est grâce à son intervention personnelle que la ville de Bourges fut une des premières à entendre la prédication évangélique* »[4]. Marguerite intervint en effet personnellement lorsqu'elle envoya en 1523, son aumônier, l'augustin Michel d'Arande, collaborateur de Guillaume Briçonnet, évêque de Meaux, prêcher l'Avent et le Carême à la cathédrale. Le prédicateur était encore bien éloigné de l'idée d'une séparation d'avec

---

1 Y. Gueneau, *Le Protestantisme à Bourges aux XVIe et XVIIe siècles*, Communication faite le 16 mars 1981 à la Société des Amis des Musées de Bourges, p. 1.

2 J. Pannier, « Un berceau de la Réforme : Bourges », in *La Cause*, 1930 ?, p. 2. Pannier précise que Lefèvre, octogénaire, mourra à Nérac, dans la château de sa protectrice Marguerite.

3 *Ibid.*, note. 2, p. 2.

4 N. Weiss, « La Réforme à Bourges au XVIe siècle », in *Bulletin de la Société de l'histoire du Protestantisme*, t. 53, 1904, p. 308.

l'Église traditionnelle, mais il parla si vivement, en particulier contre le culte des saints, que l'archevêque en personne, François de Bueil, lui fit interdire la chaire, sous peine de prison perpétuelle pour lui et d'excommunication pour ceux qui iraient l'entendre.[1] Le feu allumé par le prédicateur n'allait pas s'éteindre. Les idées empreintes de luthéranisme se propageaient si fort et si vite qu'en mars 1525, le Parlement de Paris ordonna à plusieurs chapitres, dont celui de Bourges, de faire « *informer secrètement et procéder contre ceux qui tiennent, publient et enseignent les hérésies, erreurs et doctrines de Luther*[2] ».

Quelques mois plus tard, en décembre, charge fut faite aux vicaires de Bourges de « *s'enquérir des docteurs qui professent publiquement la nouvelle doctrine dans la grande salle du Palais* »[3]. Déjà, le professeur Michel Simon avait réorganisé la Faculté de Théologie en s'appuyant sur « *le pur texte de la Sainte Ecriture* »[4]. L'archevêque François de Tournon très préoccupé, réunit à Bourges en mars 1528, un concile provincial avec pour objectif d'essayer d'enrayer les progrès de l'hérésie. Entre autres mesures, nous relèverons celles qui condamnaient le « *détestable dogme de Luther* », interdisaient l'impression, la vente et même la possession dans le diocèse de ses livres et des traductions de la Bible postérieures à 1520[5]. Remarquons ici que les mêmes mesures furent prises en Écosse à la même période, puisque par l'Acte de 1525, il fut interdit d'importer les ouvrages de Luther[6]. Nous avons évoqué par ailleurs la personne d'Andrew Foreman. Rappelons également qu'il fut l'auteur d'un traité contre Luther, et que lui et ses successeurs à la tête de l'Université de Saint-Andrews, ne se montraient peut-être pas vraiment enclins à inciter leurs étudiants à venir étudier à Bourges et s'exposer à l'hérésie. Les mesures prises à Bourges s'avérèrent inopérantes face à l'influence

---

1 *Ibid.*, p. 309.
2 Y. Gueneau, *Op. cit.*, p. 1.
3 *Ibid.*
4 G. Devailly, *Le diocèse de Bourges*, Privat, Paris, 1973, p. 105.
5 L. Raynal, *Histoire du Berry, Op. cit.*, tome. 4, pp. 303-304.
6 D. H Fleming, *The Reformation in Scotland*, London, 1910, pp. 173-174.

grandissante de nombreux étudiants allemands imprégnés de luthéranisme et de certains professeurs, protégés par la duchesse. C'est ainsi que Théodore de Bèze, étudiant en la ville, s'exprimera :

> En cette saison, Dieu commença de faire entendre sa voix à Orléans, Bourges et Tholose, trois villes ayant université, et des principales de France : de sorte que ce furent trois fontaines, dont les eaux regorgèrent dans tout le royaume[1].

Nous étions en 1529, André Alciat appelé par la duchesse Marguerite commençait son professorat à la Faculté de droit.

3.2 La Réforme à l'Université.

3.2.1. Introduction : Jean Calvin à l'Université.

La présence d'Alciat et de Wolmar à l'Université attira l'élite de la jeunesse luthérienne de contrées reculées de l'Europe, des pays germaniques en particulier. Cette présence eut aussi pour résultat d'attirer à Bourges, nous l'avons vu, Jean Calvin.

Calvin resta à Bourges seulement une année, de 1529 à 1530, pourtant on attribue à ce séjour une importance considérable, aussi bien pour le développement intérieur du futur réformateur, que pour l'histoire même de la Réforme à Bourges. C'est pendant son année d'étude que, dit-on, Calvin serait devenu protestant, surtout sous l'influence de Wolmar, chez qui il logeait et dont il suivait les cours de grec. Sans entrer dans la discussion encore pendante sur cette hypothèse[2], il est très probable que Calvin passa définitivement de l'étude du droit – il obtint sa licence-ès-lois en 1530 – à celle de la théologie, et que s'accentua son orientation religieuse à cette période. Dès cette époque, il travaillait à son ouvrage *L'Institution Chrétienne* qui fut publiée en 1535.

Parmi ses condisciples, Calvin se lia d'une étroite amitié avec un jeune étudiant de Vézelay qui devait plus tard lui succéder : Théodore de Bèze. Tous les deux eurent à Bourges pour amis les Colladon et

---

1 *Histoire Ecclésiastique des Églises Réformées au Royaume de France*, 1580, republié par Vesson, Toulouse, 1885, in Y. Gueneau, *Op. cit.*, *Cf.* note. 5, p. 10.

2 A. Fliche & V. Martin, *Histoire de l'Église depuis l'origine jusqu'à nos jours*, Bloud & Gay, Paris, 1934, Tome. 16, pp. 173-177.

François Daniel. La présence du futur réformateur à Bourges produisit un grand effet sur beaucoup d'esprits favorables à la Réforme et de nombreuses traditions s'y rattachent. On dit qu'il enseignait la rhétorique au couvent des Augustins, qu'il y prêchait ainsi qu'à Asnières dans les faubourgs de Bourges[1]. Non loin de là, à Lignières, Calvin aurait, dit-on, prêché dans une grange auprès de la rivière, et Philibert de Beaujeu, seigneur de cette petite ville, resté pourtant catholique, prenait plaisir à l'entendre et disait : « *Au moins celui-là enseigne quelque chose de nouveau* »[2]. Qu'en fut-il de la propagation des idées réformées à l'intérieur de l'université, chez les professeurs mêmes ?

3.2.2. Alciat et les idées réformées.

Il apparaît qu'Alciat resta très en retrait de la Réforme luthérienne, sa correspondance avec ses amis Boniface Amerbach et Calvus en témoigne[3]. Ainsi cette lettre, en date du 9 avril 1521, à son ami Calvus :

> Chaque fois que tu m'écris, tu as l'habitude d'ajouter quelque chose sur Luther et tu voudrais savoir ce que je pense de lui. J'avoue que je n'arrive pas à dissiper cet espoir de ton coeur : tu n'obtiendras jamais, en effet, que je me prononce au-delà de mes compétences(...)[4]

Alciat reste sur la défensive, prudent, avant d'avouer quelques jours plus tard, dans une autre missive :

> Pourquoi me rabats-tu les oreilles avec Luther ? Que j'en pense du bien ou du mal, qu'importe ? Et vu que cela ne me concerne pas, cela m'est bien égal (...)[5].

---

1 N. Weiss, « La Réforme à Bourges au XVIe siècle », in *Bulletin de la société de l'histoire du protestantisme*, t. 53, 1904, p. 358.

2 L. Raynal, *Histoire du Berry*, *Op. cit.*, t. 3, p. 309.

3 P. E. Viard, *André Alciat*, *Op. cit.*, p. 133, note 1.

4 « *Solenne tibi est quoties ad me das literas, aliquid de Lutherio acribere, omnemque lapidem movere, quo in eum animos sumam. Ipse imparem me oneri agnosco, quare hanc spem ex corde tuo divelle : nec enim unquam impetrabis, ut Sutor supra crepidam escendam(...)* » *in* P. E. Viard, *Ibid*, p. 133, note 1.

5 « *Quid enim toties mihi Lutherium inculcas ? Quem ego bene vel male faciat, nihil aestimo : et quoniam id ad me non pertinet, susque, deque fero*(...) », in *Ibid*.

La Réforme luthérienne n'eut aucune influence sur Alciat ; qui plus est, il n'en accepta jamais les idées, jugeant en outre préférable de se tenir à l'écart de ces controverses religieuses et de se ranger à la prudente réserve d'Erasme ; il écrira en 1528, juste avant son arrivée à Bourges :

> En ce qui concerne les sectes (...) ; d'ailleurs en cela suivons l'exemple d'Erasme, ne nous éloignons pas du but visé par les anciens et n'ayons pas la prétention de nous croire plus savants que ces très saints pères de l'Église[1].

Si Alciat ne fut pas influencé par les idées réformées, il n'en fut pas de même des autres professeurs de la Faculté de Droit qui presque tous embrassèrent plus ou moins la nouvelle religion, et ont, à ce titre, chacun son article dans la *France protestante* des frères Haag.

3.2.3. Les autres maîtres et les idées réformées.

François Le Douaren inclinait au protestantisme. Il eut à plusieurs reprises des rapports avec Calvin, mais il n'osa jamais se séparer ouvertement de la communion romaine. Dans son ouvrage le *Traité des Bénéfices,* publié en 1551, il flagellait et raillait si vivement les ecclésiastiques qui cumulaient les bénéfices que le livre fut condamné à Rome[2]. Son élève favori puis disciple, Hugues Doneau, exerça une réelle influence sur ses idées religieuses mais ne réussit pas à ce qu'il se prononçât ouvertement pour l'Évangile. Bauduin, dans un écrit qu'il fit imprimer à Strasbourg en 1556, à une époque où lui-même avait embrassé publiquement le protestantisme, lui reprocha durement, de n'être papiste qu'en apparence et de combattre par lâcheté, les opinions religieuses qu'il approuvait au fond de son coeur[3]. Ce manque de courage moral pesa sur sa conscience, et à son lit de mort, le 25 juillet 1559, lourd de remords, il demanda pardon à Dieu de n'avoir pas davantage écouté les exhortations de son ami

---

1 « *Quod ad sectas attinet (...) ; caeterum nos praceuntem hac in re Erasmus sequamur et a scopo quo veteres intenderunt non aberremus nec tantum nobis arrogemus, ut doctiores nos sanctissimis illis ecclesiae antistitibus opinemur(...) Avenione, VII, Kal. Junias 1528* ».

2 Catherinot, *Le Calvinisme en Berry.*

3 L. Raynal, *Histoire du Berry, Op. cit.*, *Cf.*, t. 3, p. 423.

Doneau[1]. Ce dernier, converti de bonne heure à la doctrine réformée par une soeur aînée, ardente huguenote, professait ouvertement ses croyances. A la nouvelle des massacres de la Saint-Barthélémy, tandis que son collègue Nicolas Bouguier abjurait, Doneau quitta Bourges, réussissant à s'échapper grâce à un déguisement prêté par quelques étudiants de la Nation germanique[2].

Antoine Leconte, de Noyon, proche parent de Calvin, parait s'être momentanément prononcé pour la Réforme. Il figure, en 1562, avec Hugues Doneau, dans la taxe de vingt mille livres exigée des protestants, après la reprise de Bourges par Charles IX et Catherine de Médicis[3].

Bauduin montra une grande inconstance dans ses sentiments religieux. Selon certains témoignages, il n'aurait pas cessé de professer, toute sa vie, la religion romaine, mais il changea tout de même sept fois de croyance[4]. Converti à la doctrine réformée par un « *certain personnage* » qui prêchait secrètement l'Évangile à Arras, il avait été condamné par contumace au bannissement perpétuel et à la confiscation de ses biens[5].

Plus tard, à Genève, il abjura et de retour à Paris la même année, continua à fréquenter les églises catholiques, et à se conformer aux pratiques d'une religion à laquelle il ne croyait plus[6].

Quant à Cujas, sa religion est sujet à controverse, et l'un de ses historiens a dit d'elle non sans raison « *qu'elle est un problème, car il la voilait prudemment, évitant toute controverse ou question sur des sujets religieux* »[7]. Néanmoins, jusqu'à la Saint-Barthélémy, il donna des marques d'adhésion à la réformation évangélique mais après les massacres, terrifié, il se montra prudent et fit profession extérieure de

---

1 G. Bonet-Maury, « Le protestantisme français au XVIe siècle dans les universités d'Orléans, de Bourges et de Toulouse II », in *Bulletin de la société de l'histoire du protestantisme*, T. 38, 1889, pp. 324-5.

2 *Ibid.*, p. 327.

3 Raynal, *Histoire du Berry, Op. cit.*, t. 3, p. 412.

4 E. Haag, *Op. cit.*, vol. II, pp. 27-32.

5 G. Bonet-Maury, *Op. cit.*, p. 325.

6 E. Haag, *Op. cit.*, vol. II, pp. 28.

7 G. Bonet-Maury, *Op. cit.*, p. 325.

catholicisme. Toutefois, il conserva sans doute au fond de lui des sentiments protestants, dévoilés finalement dans son testament, rédigé le matin même de sa mort, le 4 octobre 1590. Un exemplaire de ce testament est conservé à la Bibliothèque municipale de Bourges, sous la cote MS417. Nous recopions ces lignes empreintes de rigueur calvinienne :

> (...) Je veux être inhumé en la paroisse, sans que l'on fasse ny qu'il y ait aucun convoi, ny autre que le curé et le porte-croix (...).

Puis ces lignes très explicites :

> (...) Que l'on ne vende nul de mes livres à Jésuites, et qu'on prenne garde à ceux à qui on les vendra, qu'ils ne s'interposent pour lesdits Jésuites (...).

Enfin ce passage qui ne peut laisser de doute sur ses sentiments profonds :

> (...) Fuyez l'Antechrist et les inventions et suppôts d'iceluy, qui, sous le nom d'Église, gourmandent, brigandent, corrompent et persécutent la vraie Église, de laquelle la pierre fondamentale est Jésus-Christ seul, notre Sauveur et Seigneur Dieu, et suivez sa sainte parole de point en point, sans y rien ajouter, ny diminuer (...).

François Hotman clot la série des protestants qui illustrèrent la Faculté de Droit. Le Silésien avait embrassé les doctrines nouvelles avec conviction, et il y resta constamment attaché au milieu des dangers, des angoisses, et des douleurs dont sa vie fut semée[1]. Il n'était arrivé à Bourges que depuis cinq mois que la guerre civile éclata. Il fut bientôt obligé de chercher un asile à Sancerre avec sa femme et ses sept enfants. Il assista ainsi au premier siège de la ville, et prit part à la vaillante défense des Sancerrois. En 1567, le sentiment anti-protestant était si fort que la ville de Bourges dut fermer son université plutôt qu'admettre Hotman en son sein[2]. Rappelé à Bourges en 1570 par la duchesse Marguerite après la paix de Saint-Germain (août 1570), il remonta dans sa chaire, malgré l'opposition des habitants, et commença un cours de droit féodal à l'intention des

1 E. Haag, *Op. cit.*, vol. V, pp. 525-531.

2 D. R. Kelley, *François Hotman, a Revolutionary's Ordeal*, Princeton, N. J., 1970, pp. 191-92.

étudiants allemands qui affluaient à la Faculté. Après trois années de guerre acharnée, on osait à peine croire à la paix, et le 9 décembre 1571, Hotman écrivait ces lignes au pasteur Walther, de Zurich :

> (...) De toutes les Académies de France la nôtre est la mieux réglée, sans doute à cause de la religion des trois docteurs, car tous les trois nous professons le vrai culte de Dieu et nous donnons à la jeunesse l'exemple d'une vie réglée. Aussi la plupart de ceux qui sont attachés à la religion nous envoient leurs enfants (...)[1].

Cependant, à l'annonce de la blessure de l'amiral de Coligny, pressentant bientôt une catastrophe, il s'enfuit de Bourges, se tint pendant quelques jours caché dans le voisinage et réussit à gagner Genève, où il arriva le 2 octobre 1572, résolu à ne jamais rentrer en France.

Dès 1600, c'est-à-dire au lendemain de la promulgation de l'édit de Nantes, des mesures furent prises pour empêcher le retour de la Réforme à Bourges, mesures dont l'une consista à interdire les chaires de l'Université à des professeurs protestants, -la municipalité chercha à se soustraire quelquefois – ce qui contribua surtout à accélérer la décadence de l'établissement lui-même.

3.3 Bourges et le protestantisme.

Dans son histoire du protestantisme français, Robert Mandrou[2] distingue quatre types de villes qui eurent leurs propres réactions au calvinisme. Certaines villes embrassèrent la nouvelle religion avec enthousiasme et restèrent des centres de foi fervents jusqu'au coeur du XVIIe siècle. D'autres connurent des spasmes de pouvoir protestant pendant une ou deux années. Une troisième catégorie eut des protestants parmi ses dirigeants en place au cours des premières guerres de religion, puis très vite ils perdirent leur influence. Enfin, certaines villes réussirent à résister à toute tentative protestante de prendre le contrôle des municipalités.

---

1 Citée *in* R. Dareste, « Dix ans de la vie de François Hotman (1563-1573) », *in Bulletin de la Société de l'histoire du protestantisme*, n°. 25, 1876, p. 539.

2 R. Mandrou, *Histoire des Protestants en France,* Toulouse, Privat, 1977, pp. 87-8.

Bourges appartient à la troisième catégorie, le calvinisme y étant particulièrement influent entre 1550 et 1570. Dès 1543, Léon Colladon fut élu au conseil de la ville, et de 1557 à 1561, au moins un échevin chaque année était protestant. En 1559, deux échevins étaient protestants, le maire et un troisième échevin étaient issus de familles qui comptaient des protestants parmi leurs membres[1]. L'influence protestante atteint son apogée au coeur de l'été 1562, lorsque les calvinistes prirent le contrôle de la ville ; c'était au cours de la première guerre de religion. Cependant, les catholiques reprirent la ville à la fin de l'été. Puis, progressivement, l'influence protestante perdit force au sein de la vie politique de la ville. De nombreux protestants retournèrent au catholicisme, surtout après le massacre de la Saint-Barthélémy. Seulement huit sur trente-neuf élus au conseil de la ville dans les années 60 étaient protestants et à l'exception des années 1554-55, ces derniers ne contrôlèrent pas le gouvernement local. A partir de 1563, la ville était de nouveau en mains catholiques, et cette année-là, deux mille membres de la religion réformée furent chassés de Bourges[2].

---

1 F. R. Hodges : *War, Population and the Structure of Wealth in 16th Century Bourges 1557-1586*, University of Tennessee, Knoxville, 1983, pp. 49-53.

2 *Ibid.*, p. 52.

CHAPITRE 4

LA FACULTÉ DE DROIT AU XVIIe SIÈCLE

4.1 Le recrutement et le corps professoral.

Le corps professoral au XVIIe siècle fut remarquable de stabilité, et les temps de professorat individuels furent très longs. Si les maîtres qui suivirent n'égalèrent pas leurs prédécesseurs, les étudiants étrangers étaient encore nombreux à venir à Bourges.

Jean Mercier survécut à Cujas jusqu'en 1600 ainsi que François Ragueau qui mourut en 1605. En 1593, deux chaires avaient été données, l'une à Antoine Bengy[1], élève de Cujas, et l'autre à Gilles Desjardins, originaire de Chartres. Le recrutement des professeurs allait se faire différemment, par la force des choses. Nous avons vu comment les maîtres au XVIe siècle étaient engagés sur contrats, à durée déterminée, contrats accompagnés de conditions financières et matérielles très avantageuses. En ce début de XVIIe siècle, les finances de la ville ne permettaient plus d'offrir des ponts d'or à d'illustres professeurs. Il y eut cependant plusieurs tentatives pour faire venir à Bourges quelque célèbre docteur, afin de retenir ou attirer encore les étudiants dont le nombre commençait à baisser. Ainsi, en 1604, les échevins de la ville pensèrent à appeler un jurisconsulte allemand, mais M. de la Châtre, qui exerçait dans toute la province une influence prépondérante, s'y opposa, refusant de voir un huguenot à l'Université[2]. La municipalité se conforma à cette interdiction, mais en 1603, les magistrats de la ville s'adressèrent à un autre protestant, Denis Godefroy, qui enseignait alors le droit avec grand succès à l'Université d'Heidelberg[3]. Deux conseillers au présidial furent

---

1 *« Né à Bourges, en 1564, d'une famille de Dun-le-Roi, et déjà fort estimé au barreau », in* L. Raynal, *Histoire du Berry, Op. cit.*, p. 443.

2 L. Raynal, *Ibid.*, p. 445.

3 Au préalable, Denis Godefroy (père de Jacques Godefroy) avait été conseiller au Parlement de Paris, mais les persécutions religieuses l'avaient obligé à s'expatrier à l'Académie de Genève, où il enseigna, comme son fils, avant d'aller à Heidelberg, in « Jacques Godefroy (1587-1652) et l'Humanisme juridique à Genève », *Actes du Colloque Jacques Godefroy*, Helbing & Lichtenhahn, Faculté de Droit de Genève, 1990 ? , p. 7.

envoyés pour négocier son contrat, mais le jurisconsulte exilé, après une première réponse positive, renonça à quitter l'Allemagne où il avait trouvé une retraite sûre. De même, les tentatives de recrutement de deux maîtres toulousains, anciens élèves de Cujas, échouèrent.

Gilles Desjardins mourut en 1609. Il ne restait plus comme professeur aux côtés d'Antoine Bengy, que Jean Renouard ; l'institutaire étant François Pinsson, beau-fils de Bengy. Citons aussi François Broé qui fut appelé de Clermont à Bourges, en 1617. Pour gonfler l'effectif devenu bien mince, on eut recours à la *dispute*. Ce mode de recrutement n'était pas nouveau, puisqu'il était apparu dans les universités du midi de l'Europe à la fin de la période médiévale. En France, elle était réclamée comme moyen de mettre fin au pouvoir oligarchique des maîtres au sein de l'université. Par ailleurs, l'aspect financier était ainsi ramené à des proportions raisonnables, ce qui convenait bien à la municipalité.

Si au XVIe siècle, on avait préféré chercher un professeur déjà célèbre, et le faire nommer, faisant fi ainsi des ordonnances de Blois qui avaient prescrit aux docteurs des universités de mettre des affiches, lorsqu'une chaire se trouvait vacante, au siècle suivant ce mode de recrutement devint la norme et on devait trouver le docteur qui, « *par leçons continuées un mois durant et par répétitions publicques, auroit esté trouvé le plus digne par le jugement des docteurs-régens* »[1].

Lorsqu'une chaire se trouvait vacante, les professeurs de droit en place devaient poser des affiches[2] dans le mois, en envoyer aux universités du ressort, en indiquant le jour où s'ouvrirait *la dispute*. Il s'agissait pour les candidats de tirer au sort une loi en droit civil et une

---

1 L. Raynal, *Histoire du Berry*, *Op. cit.*, p. 445.

2 Voici en exemple le texte d'une de ces affiches, datée de 1643 : « *Notum faciunt antecessores Universitatis inclytiae Academiae Bituricensis vacare cathedram in eadem Academia per obitum viri clarissimi Francisci Broci eamque omnibus patere qui probitate et doctrina bonisque artibus sibi ambiendam esse duxerint. Condicitur illis dies Cinerum quae est X° februarii qua se sistere debeant in scholis Universitatis inclytae, ordinem lectionum et instituendae contestationis ab iisdem antecessoribus accepturi. – Datum Biturigis die XIV Augusti, anno Domini 1643. – De mandato Dominorum Universitatis inclytae. – Pineau, scriba* ». – Registre de l'Université, 1636-1692, Archives départementales du Cher.

en droit canonique – prises parmi le *Digeste*, le *Code*, et les *Décrétales* de Grégoire IX – puis de les présenter, les expliquer et les défendre pendant trois jours face aux critiques des autres candidats, en présence d'un large parterre de professeurs et de notables.

Recourir à la publicité pour recruter les professeurs donna peu de résultats, et en 1612, on dérogea encore au principe de recrutement par *dispute* en faisant venir de l'Université de Cahors un maître déjà bien réputé : Edmond Mérille.

4.2 Edmond Mérille.

Les historiens du Berry, tous les deux hommes de loi, Louis Raynal et Gaspard Thaumas de la Thaumassière, n'ont pas hésité à ajouter Edmond Mérille à la liste des professeurs de droit qui firent la renommée de Bourges. Antoine Bengy, lui-même ne contesta pas la « *suffisance et capacité* » de ce nouveau venu originaire de Troyes, où il était né en 1579[1].

Edmond Mérille avait terminé très jeune le premier cours de ses études, et commença celles du droit à seize ans, dirigé uniquement par son père, qui n'avait pu l'envoyer dans les universités, désertées par les guerres. Le calme revenu, Mérille alla prendre ses grades à Toulouse et fut promu docteur à l'âge de vingt-et-un ans. Il fut alors – comme Cujas- appelé à Cahors, où il enseigna le droit civil pendant douze ans, avant d'être invité en 1612 à l'Université de Bourges, où il effectua le reste de sa carrière. Fort de cinq cents livres de gages, d'une maison, de cent livres pour son voyage, Mérille venait entamer à Bourges une carrière longue de trente-cinq années.

Personnage aussi grave que sa toge, Mérille, docteur assis dans la chaire de Cujas, qualifié de « *Conseiller de Sa Majesté, doyen des docteurs et professeur es droicts* » ne parvint certes pas à la hauteur écrasante de son plus illustre prédécesseur, mais il attira néanmoins à Bourges un grand nombre d'auditeurs des Pays-Bas, du Danemark et surtout d'Allemagne. Ces étudiants étrangers, nobles en grande partie, étaient si nombreux que fut créée – avec l'appui de Mérille – une

1 L. Raynal, *Histoire du Berry*, *Op. cit.*, pp. 447-8. Les deux formes du prénom sont admises : Edmond ou Edmé.

cinquième nation en 1621 : la Nation Germanique[1]. Sa vive piété lui avait inspiré au milieu de ses doctes travaux la composition de *Notes philologiques sur la Passion de Jésus-Christ* publiées à Paris en 1632 et approuvées par Urbain VIII. L'auteur s'y propose d'éclairer par l'histoire des institutions et le texte des lois romaines, le récit comparé des quatre évangiles en grec et en latin, faisant preuve de connaissances précises et de bonne critique[2]. Auparavant, en 1616, il avait réalisé l'édition complète des oeuvres d'Antoine Leconte, et rédigé un commentaire sur les *Institutes*. Sa réputation fut définitivement acquise lorsqu'il fut chargé d'enseigner au jeune duc d'Enghien le droit, mais aussi l'histoire, les Ecritures et les mathématiques[3]. Mérille ne manquait ni de science ni de mérite, ni d'orgueil non plus. En effet, successeur de Cujas, il voulut être son critique et c'est ainsi qu'en 1638, il publia un ouvrage où il cherchait à relever les contradictions et à condamner le propre travail que Cujas avait réalisé sur les texte des *Pandectes Florentines*. Ceci valut à Mérille une vive réfutation de la part d'un professeur orléanais, François Osy qui le ridiculisa.

En 1647, alors qu'il reconduisait un de ses amis, Mérille fit une chute, sa tête heurta une pierre et il mourut le même jour, le 14 juillet de la même année[4].

4.3 Les Jésuites et l'Université.

Après avoir été un foyer actif de diffusion des idées réformées l'Université de Bourges – après la Saint-Barthélémy- tomba sous l'influence des Jésuites par le biais d'abord de la Faculté des Arts et puis de la Faculté de Théologie. Le prêtre Jean Nicquet, d'origine

---

1 W. Dotzauer, *Deutsche Studenten an der Universität Bourges, Album et Liber Amicorum,* Maisenheim am Glan, A. Hain, 1971, pp. XII-469 ; W. Frijhoff, « Matricule de la Nation Germano-néerlandaise de Bourges : le second registre (1642-1671) retrouvé et de nouveau transcrit », Extrait de *LIAS XI*, 1984, pp. 83-116.

2 H. Chérot, *Trois éducations princières au dix-septième siècle, le Grand Condé, son fils le duc d'Enghien, son petit-fils le duc de Bourbon 1630-1684, d'après les documents originaux,* Lille, Desclée, 1896, p. 52.

3 H. Chérot, *Ibid.,* Remarquons ici que Jean Domat, auteur du *Traité des Loix Civiles*, fut également son étudiant.

4 *Biographie Universelle Michaud*, 1843, pp. 36-37.

berruyère, partisan dévoué de la Société de Jésus, pour faire admettre les Jésuites au Collège, offrit en 1572 tous ses biens – qui étaient considérables – et l'assurance d'une rente et autres bénéfices, à la condition que le Collège serait gouverné par la Compagnie. Si cette clause n'était pas respectée, les biens devaient appartenir au Collège de Clermont. Le Collège Ste-Marie – c'est son nom – fut bientôt placé sous la direction spéciale du recteur de l'Université, à laquelle il était incorporé et dont il devait observer les statuts. Grégoire XIII approuva ces arrangements par bulles du 10 juillet 1574, et l'année suivante, les Jésuites furent admis dans la Faculté des Arts de l'Université ; il leur fut toutefois interdit de porter le costume – la robe violette – des docteurs de cette faculté[1].

En 1603, lorsque les Jésuites obtinrent le droit de rentrer en France après leur expulsion en 1594, les habitants s'empressèrent de les rappeler à la direction du Collège. En 1627, grâce au prince de Condé qui s'était récemment converti et cherchait à se faire une réputation de bon catholique et gagner les bonnes grâces de la Société, ils firent une conquête d'importance en s'emparant de la Faculté de Théologie, qui se trouvait à l'époque en pleine décadence[2]. Ils en gardèrent l'enseignement et la direction du collège jusqu'en 1762[3]. Certes, les étudiants écossais étudièrent le droit et non la théologie, mais les spécialistes de ces deux disciplines étaient en bon voisinage, et Edmond Mérille était aussi membre de la Compagnie et professait sous la protection du prince de Condé[4].

4.4 Les années 1650-1700.

En cette deuxième partie du XVIIe siècle, on poursuivit les efforts pour rendre à l'Université son éclat passé, mais bien inutilement. La grande époque était révolue, malgré d'habiles professeurs en place: Jacques Chenu, Marc-Antoine Dominici, Pierre De La Chapelle, Jean Broé.

Par un édit d'avril 1679, Pierre de la Chapelle se vit confier une chaire de droit français, et aux quatre professeurs en poste s'ajoutèrent

---

1 L. Raynal, *Histoire du Berry, Op. cit.*, t. III, p. 460.

2 L. Raynal, *Ibid.*, p. 461

3 L. Raynal, *Ibid.*, p. 464

4 H. Chérot, *Op. Cit.*, p. 52.

six docteurs agrégés[1], parmi lesquelles Pierre Gaspard Thaumas de la Thaumassière. Né à Sancerre en 1631, d'un père qui s'était fait protestant dans sa jeunesse et avait fait ses études à Genève grâce à une bourse d'étude obtenu du synode de Berry, puis converti au catholicisme, Gaspard fit ses études au collège Sainte-Marie, et fut confié directement à l'archevêque de Bourges, avant de devenir l'élève de Jacques Chenu à la Faculté de Droit dans les années 1650. Avocat, historien de sa province, La Thaumassière mourut le 14 juillet 1702, alors qu'il était docteur agrégé de l'Université depuis 1681[2].

Toutes les mesures prises en vue de relancer l'Université furent vaines et cette dernière, qui était encore une des étapes du « *Grand Tour* » européen jusqu'aux années 1650, ne connut bientôt plus qu'une fréquentation estudiantine régionale, suivant en cela le recrutement des professeurs qui, d'international, était devenu national et enfin local. Presque tous les professeurs à cette époque étaient berrichons. La Faculté de Droit entra dès lors en une période végétative, jusqu'à la Révolution qui entraîna sa ruine et sa fermeture[3] (Graphique 2).

4.5 Attraits de l'enseignement du droit à Bourges pour les Écossais.

Nous avons plus particulièrement insisté sur la période 1530-1590 qui nous montre une Faculté progressiste, à la pointe de l'innovation en matière d'enseignement du droit romain, mère de l'humanisme juridique, autant de facteurs porteurs qui ne pouvaient qu'attirer les étrangers, et les Écossais parmi eux.

Il est à noter que de tous temps les Écossais arrivés en France recherchaient les meilleurs maîtres. John Durkan cite le commentaire d'un jeune futur juriste, admis avocat en 1588 (l'université reste inconnue), Alexander Sym, qui explique qu'après avoir étudié les

---

1 L. Raynal *Histoire du Berry*, *Op. cit.*, p. 449.

2 J-Y Ribault, « Un Historien Provincial au XVIIe siècle : Gaspard Thaumas de La Thaumassière », *Bulletin d'Histoire Moderne et contemporaine*, n° 14, pp. 7-36.

3 Signalons ici qu' à l'initiative du Conseil Général du Cher et de son Président Jean-François Deniau, il est possible de suivre un premier cycle universitaire de Droit, grâce à une antenne universitaire liée à l'Université d'Orléans. Les cours sont dispensés dans la salle Calvin, au couvent des Augustins, là où, dit-on, le futur réformateur prêcha d'une magnifique chaire de pierre, toujours visitée.

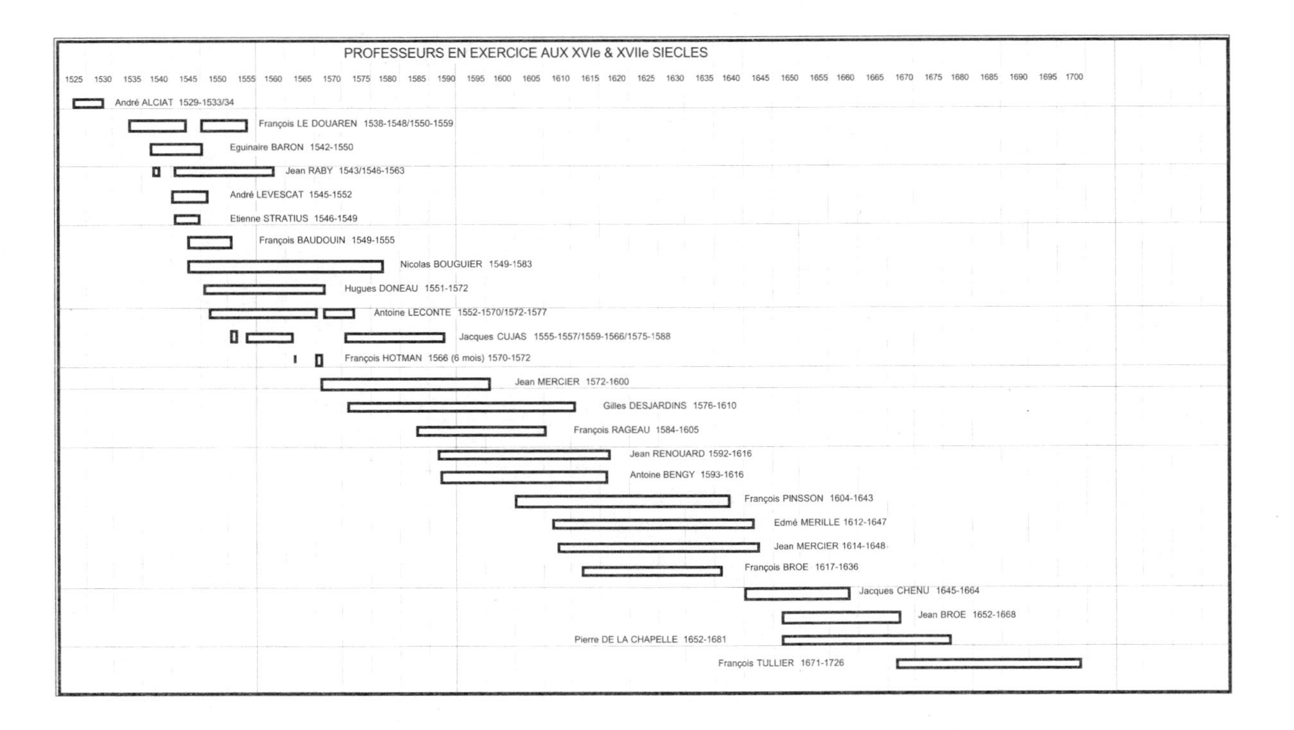
PROFESSEURS EN EXERCICE AUX XVIe & XVIIe SIECLES
1525 1530 1535 1540 1545 1550 1555 1560 1565 1570 1575 1580 1585 1590 1595 1600 1605 1610 1615 1620 1625 1630 1635 1640 1645 1650 1655 1660 1665 1670 1675 1680 1685 1690 1695 1700
André ALCIAT 1529-1533/34
François LE DOUAREN 1538-1548/1550-1559
Eguinaire BARON 1542-1550
Jean RABY 1543/1546-1563
André LEVESCAT 1545-1552
Etienne STRATIUS 1546-1549
François BAUDOUIN 1549-1555
Nicolas BOUGUIER 1549-1583
Hugues DONEAU 1551-1572
Antoine LECONTE 1552-1570/1572-1577
Jacques CUJAS 1555-1557/1559-1566/1575-1588
François HOTMAN 1566 (6 mois) 1570-1572
Jean MERCIER 1572-1600
Gilles DESJARDINS 1576-1610
François RAGEAU 1584-1605
Jean RENOUARD 1592-1616
Antoine BENGY 1593-1616
François PINSSON 1604-1643
Edmé MERILLE 1612-1647
Jean MERCIER 1614-1648
François BROE 1617-1636
Jacques CHENU 1645-1664
Jean BROE 1652-1668
Pierre DE LA CHAPELLE 1652-1681
François TULLIER 1671-1726

belles lettres, il arriva en France « *où en l'espace de trois années je terminai mon cycle d'étude du droit, fréquentant les hommes les plus doctes et habiles* »[1].

A Bourges, l'attraction fut grande, devant ces maîtres orientés à la fois vers l'enseignement et la formation des juristes, vers la recherche et la culture désintéressée. En effet, à l'exception de Guy Coquille et de Charles Du Moulin, les plus grands professeurs de droit du XVIe siècle ont enseigné à Bourges ; certains y firent l'essentiel de leur carrière et rédigèrent sur place de très nombreux ouvrages. Ces ouvrages, nous les retrouverons bien représentés sur les étagères des bibliothèques écossaises. Au-delà des maîtres eux-mêmes, c'était le type d'enseignement du droit qui était recherché.

Nous avons vu dans notre première partie l'état du droit en Écosse. Si les praticiens écossais avaient suivi pour la plupart la tradition bartoliste, les futurs juristes étaient bien curieux néanmoins de voir comment les hommes de loi français traitaient le droit romain à la lumière humaniste. Par ailleurs, le fait que les deux droits étaient enseignés à Bourges représentait un atout d'importance pour les Écossais, car même dans l'Écosse protestante, le droit canon n'était pas mort, ceci pour deux raisons. D'une part, un fort courant épiscopal subsista jusqu'à la révolution de 1688 qui remit en honneur l'Église presbytérienne, après que l'Église épiscopale eut été rétablie en 1646. Tout au long du siècle, subsista une hiérarchie d'évêques qui tenaient à défendre leur position.

Le droit canon restait important d'autre part, en tant que discipline en Écosse, pays qui fut longtemps administré par des ecclésiastiques, comme nous l'avons vu, à tel point que « *le Droit moderne d'Écosse présente encore des éléments Canoniques* »[2]. En outre, la nouvelle école scientifique née du développement de l'enseignement du Droit

---

1 « *quhair be the space of thre zeris I completit my resort ordinar to the lawis, (...) resorting to the maist lernit and cunning men* » *in* J. Durkan, « The French Connection in the sixteenth and early seventeenth centuries » in *Scotland and Europe 1200-1850*, T. C Smout, Edinburgh, 1986, p. 26.

2 « *The modern Law of Scotland still shows Canonical elements* » in D. B. Smith, « Canon Law », in *An Introductory Survey of the Sources and Literature of Scots Law by various authors*, Edinburgh, Stair Society, 1936, p. 185.

romain n'échappa pas au droit canon, car *« il y a des liaisons indissolubles entre les deux systèmes de Droit »*[1].

Nous avons remarqué qu'il était généralement admis que la connaissance du droit romain était indispensable à une bonne maîtrise du droit canon. Ce dernier s'appuyait sur la Bible, et aucun jurisconsulte ne niait les liens qui unissaient l'Église et la loi civile. Tous ceux qui briguaient un poste d'avocat se targuaient de posséder un diplôme *in utroque*, dans les deux droits. Le test d'aptitude à l'obtention d'un poste à une fonction judiciaire de haut niveau comprenait un commentaire d'un texte de droit civil et de droit canon, et sur les soixante avocats écossais titulaires d'une licence entre 1575 et 1608, un tiers avait étudié en France, et pour la plupart étudié les deux droits. Les exemples se perpétuent tout au long du XVIIe siècle[2], et encore en 1703, un étudiant écossais se faisait connaître à Edimbourg comme fraîchement licencié dans les deux droits de l'Université de Bourges : il s'agit de Malcolm MacGregore[3].

Il nous faut maintenant établir une comparaison, à l'aide d'un tableau, montrant l'évolution de la Faculté même, et l'évolution de la présence des Écossais sur toute la période et voir s'il y a corrélation.

4.6 Tableau comparatif(Graphique 3) : évolution de la Faculté de Droit et fréquentation écossaise, commentaire.

La première inscription de Levenax à la date de 1480 ne fut suivie, d'aucune inscription de la part d'étudiants écossais. Ceci est surprenant. Levenax fut, nous le verrons, élu recteur à deux reprises. Etre recteur signifiait avoir un droit de juridiction avec ses assesseurs, les serviteurs et suppôts de l'université, et avoir le droit également de remplir les places de scribes, libraires, parcheminiers, messagers quand ces places devenaient vacantes[4], c'est-à-dire un pouvoir

1 M. le Recteur Coing, « Réception du Droit romain », in *Pédagogues et Juristes, Congrès du Centre d'Études Supérieures de la Renaissance de Tours : Eté 1960*, Paris, Librairie philosophique J. Vrin, 1963, p. 51.

2 D. B. Smith, « Canon Law », *Op. cit.*, p. 191.

3 J. W. Cairns, *Legal Education in 18th Century Edinburgh*, p. 18 (à paraître).

4 M. A. P. TH. Eyssel, *Doneau sa vie et ses ouvrages, Op. cit.*, p. 35.

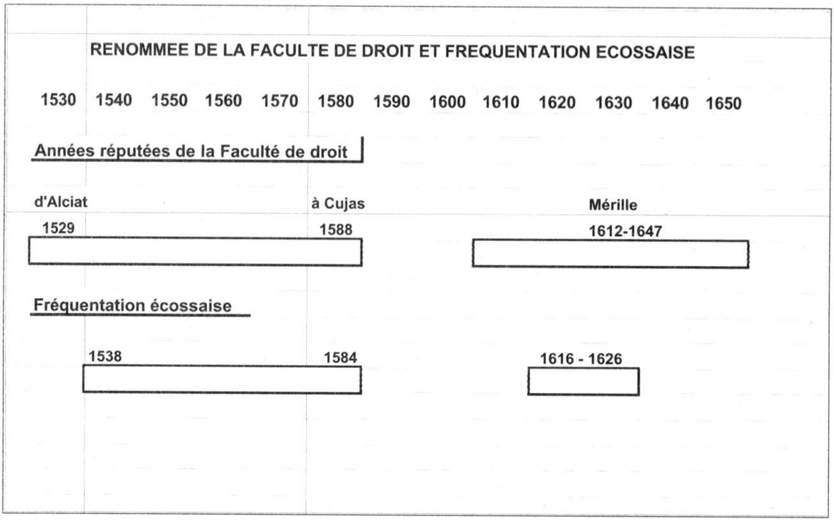

RENOMMEE DE LA FACULTE DE DROIT ET FREQUENTATION ECOSSAISE

1530 1540 1550 1560 1570 1580 1590 1600 1610 1620 1630 1640 1650

Années réputées de la Faculté de droit

d'Alciat 1529 — à Cujas 1588

Mérille 1612-1647

Fréquentation écossaise

1538 — 1584

1616 - 1626

universitaire qui aurait pu attirer des compatriotes. En effet, les étrangers et les Écossais en particulier tendaient à suivre une tête de file, une première inscription entraînant souvent une série d'inscriptions dans les années suivantes, comme si les nouveaux se décidaient à entrer à l'université, encouragés dans leur démarche par le précédent séjour de leurs compatriotes. Ainsi, à titre d'exemple, à l'Université de Poitiers, l'Écossais Robert Irland commença en 1502 une carrière de professeur de droit civil, carrière qui s'étendit sur soixante années et l'un de ses fils, Bonaventure Irland fut également nommé professeur de droit civil ; tous les deux créant ainsi une colonie écossaise[1]. A Bourges, l'effet boule de neige eut bien lieu, mais ce fut Scrimgeour, non Levenax, qui en fut l'initiateur.

Nous avons vu que la période universitaire qui s'étend de la fin du XVe siècle jusqu'aux années 1520, ne fut pas prestigieuse. Ceci explique aussi l'absence d'Écossais à ce moment-là. Les étudiants ne s'y pressaient pas, ni les Français, ni les étrangers. Il nous faut attendre presque soixante ans pour relever la deuxième présence écossaise.

1 J. Plattard, « Scottish Masters and Students at Poitiers on the Second Half of the Sixteenth Century », *in Scottish Historical Review*, vol ; 21, Glasgow, 1924, p. 83.

Puis, l'image d'ensemble qui se dégage des deux tableaux est particulièrement éclairante. Deux périodes de fréquentation se distinguent de façon nette : l'une couvrant une cinquantaine d'années, de 1538 à 1584 et l'autre, plus courte, plus intense, étalée sur dix années, de 1616 à 1626. Entre les deux, une période de non-fréquentation couvrant vingt années, entrecoupée par une seule inscription en 1607-1608. Après 1626, une désertion brutale, totale à l'exception de trois inscriptions individuelles en 1656 et 1703, qui comme celle de 1480 sont à considérer de façon individuelle, et en tant que telles ne comportent pas de signification statistique réelle.

Nous avons comptabilisé treize Écossais au cours de la première période, mais trente au cours de la deuxième période.

Notre première constatation est la suivante : nous assistons à une présence certes peu fournie (un ou deux étudiants en même temps) mais malgré tout, constante au cours de la première période, qui correspond exactement aux années prestigieuses de l'école de droit, d'Alciat à Cujas.

La fréquentation des années 1616-26 est l'effet d'un phénomène bien différent. Les grands maîtres qui illustrèrent la Faculté de Droit n'étaient plus, et les professeurs de cette décennie du 17ème siècle n'avaient pas la même réputation. Cependant, les traditions restaient et les leçons du *Grand Cujas* répétées à satiété par ses successeurs étaient toujours un aimant pour les étudiants, Français et étrangers. Les élèves n'étaient donc plus attirés par la présence de professeurs de renom. La Faculté de Droit n'était plus la même, ses étudiants non plus, mais la tradition était bien ancrée. Ces inscriptions tardives montrent à l'échelon individuel, la permanence d'une réputation, fondée sur l'ancienne célébrité de l'Université.

Presque tous les noms relevés pour cette période, figurent soit sur l'*Album* de Fait tot, soit dans les lettres des frères Erskine. Il semble que tous ces étudiants se soient donné le mot en quelque sorte, pour se retrouver tous ensemble à Bourges : inscription collective rassurante. Démarche de groupe, illustrant le *Grand Tour*.

Le voyage universitaire devenait prétexte à faire des rencontres européennes, éléments de tremplin pour une carrière à venir. C'est dans cet esprit semble-t-il que les jeunes nobles des années 1616-1626 fréquentèrent l'Université. Leurs études étaient partagées entre une réelle volonté d'apprendre certes, mais aussi le désir de s'affiner, se former à la vie sociale : la durée de leurs séjours – assez brefs – et leurs itinéraires – très morcelés- en attestent.

Cette présence étalée de la deuxième moitié du XVIe siècle aux premières décennies du XVIIe siècle illustre par ailleurs un phénomène qui n'est pas particulier à la seule université de Bourges. En effet, même si le prestige seul de la Faculté de Droit de Bourges suffisait à attirer de nombreux étudiants de toutes parts, il s'avère néanmoins que toutes les études sur les migrations estudiantines[1] dont nous disposons aujourd'hui, montrent l'universalité du phénomène : la venue des étudiants étrangers dans les facultés de droit françaises s'est faite tout au long du XVIe siècle, « *mais elle s'est surtout accentuée dans sa seconde moitié et c'est dans ses dernières années, ainsi que dans les premières du XVIIe, que les effectifs des étudiants en droit étrangers semblent avoir été les plus importants* »[2], suivant en cela les mouvements de la pérégrination académique : « (...) *le flux des étudiants pérégrinants augmente considérablement dans la seconde moitié du XVIe et connaît son niveau maximal dans la première moitié du XVIIe siècle* »[3].

Au-delà de cette période, d'une façon générale des « *mesures de nationalisation des grades universitaires et des emplois ont contribué à tarir le flux des étudiants de pays à pays au cours des XVIIe et XVIIIe siècles* »[4], les frontières étatiques commencent à se refermer.

1 En particulier : H. De Ridder-Symoens « la migration académique des hommes et des idées en Europe, XIIIe-XVIIIe siècles » *in C. R. E Information*, nou. sér., no. 62, 1983, pp. 69-79 ; W. Frijhoff, « Université et marché de l'emploi dans la République des Provinces Unies », *in Les universités européennes du XVIe au XVIIIe siècle. Histoire sociale des populations étudiantes,* éditions de l'École des Hautes Études en Sciences Sociales, études rassemblées par D. Julia, J. Revel & R. Chartier, Paris, Tome 1 : 1986, pp. 205-243.

2 J-L Thireau, « Professeurs et étudiants étrangers dans les facultés de droit françaises (XVIe-XVIIe siècles) » in *Revue d'Histoire des Facultés de Droit,* 1992, no 12, p. 52.

3 *Les universités européennes du XVIe au XVIIIe siècle. Histoire sociale des populations étudiantes,* éditions de l'École des Hautes Études en Sciences Sociales, études rassemblées par D. Julia, J. Revel, Paris, Tome 2 : 1989, pp. 36-37.

4 *Ibid.*, p. 65

Dans le cadre de réformes universitaires, l'édit d'avril 1625 stipulait que « *les étudiants devront résider au moins six mois dans la ville universitaire où ils veulent prendre leur licence ou leur doctorat (...), ils devront en outre faire état d'au moins une année entière d'études* »[1]. Ces règlements freinèrent certainement les étudiants qui, à cette époque, envisageaient dans le cadre d'un circuit de plusieurs universités, de ne séjourner que quelques mois, voire quelques semaines en un seul lieu, moins soucieux d'obtenir un grade universitaire qu'une connaissance sociale du pays visité et de se créer des carnets d'adresses, au fil des pages de leurs *Albums Amicorum.* A cet égard, à titre d'exemples pris sur le vif, nous nous référons aux *Albums Amicorum* conservés au British Museum[2]. Parmi tous les *Albums* consultés pour les XVIe et XVIIe siècles, nous en avons relevé onze qui mentionnent Bourges parmi les villes universitaires visitées, ceci entre les années 1566 et 1635. Tout au long de cette période, Bourges se situe sur le chemin des étudiants européens pérégrinants, au même titre que Strasbourg, Genève, Tubingue, Leyde. A partir de l'année 1635, Bourges n'apparaît plus du tout sur les pages de ces *Albums Amicorum.*

Nous venons de remarquer une période de non-fréquentation entre les années 1590 et 1616. Dans notre partie consacrée au contexte historique, nous avons déjà tenté un essai d'explication à cette désertion : situation politique et économique en Écosse, en Berry. Ne faudrait-il pas chercher aussi d'autres raisons ? Les études nous manquent pour établir des comparaisons avec les effectifs écossais d'autres universités continentales à la même époque ; cependant si nous considérons l'Université d'Heidelberg, nous sommes confrontée à une réalité bien déroutante, et peut-être à un essai d'explication.

1 *Ibid*, p. 109. Précédemment à ces mesures, une réforme des statuts concernant les facultés, l'organisation des cours et la collation des grades avait été entreprise en février 1595, selon les travaux d'une commission présidée par l'archevêque de Bourges, grand aumônier de France, et composée de parlementaires parmi lesquels Auguste de Thou.

2 British Library, Manuscript Department.

4.7 Les Écossais à Heidelberg : essai d'explication.

L'Université d'Heidelberg, la plus ancienne d'Allemagne, fondée en 1386, compta des Écossais en son sein, très tôt dans son histoire[1] : le premier d'entre eux fut inscrit en 1423[2]. Tout au long de la période, soit 276 ans, furent recensés trente et un Écossais, dont vingt-quatre inscrits de 1587 à 1613. La majorité d'entre eux étaient épiscopaliens[3]. S'il n'entre pas dans le cadre de notre étude de présenter ces Écossais à Heidelberg, il est néanmoins nécessaire de constater qu'un élément a retenu notre attention. En effet, parmi ces Écossais, nous notons l'inscription de *M. Alexander* Arbuthnot, *Scotus, 30th July, 1594*. Ce jeune homme dont la signature nous était déjà apparue sur l'*Album Amicorum* de Tage Thott à la date de juillet 1600[4] n'est autre que le propre fils d'Alexander Arbuthnot, étudiant/maître à Bourges dans les années 1560/65, juste avant de rentrer en Écosse, pour devenir principal de *King's College*, premier principal de la nouvelle université réformée d'Aberdeen. Ainsi donc, le fils ne choisit pas Bourges pour ses études, à la suite de son père, mais préféra Heidelberg. Ce qui est encore plus frappant, c'est de remarquer que les autres universitaires d'Aberdeen furent également formés à Heidelberg : ainsi, Andreas Aidius[5] devint-il principal de *Marischal College* en 1615, Gulielmus Jonstonus[6] fut-il nommé premier professeur de Mathématiques au *Marischal College* en 1626, et Patricius Dunaeus principal de ce même collège de 1621 à 1649[7]. Arturus Jonstonus[8], quant à lui, fut principal de *King's College* en 1637. Par ailleurs, dix autres étudiants venaient d'Aberdeen. L'on ne peut s'empêcher de penser ici qu'Alexandre Arbuthnot père ne

---

1 W. Caird Taylor : « Scottish Students in Heidelberg, 1386-1662 » *in Scottish Historical Review*, 5, 1908.

2 W. Caird Taylor, *Ibid.*, p. 67.

3 W. Caird Taylor, *Ibid.*, p. 75.

4 Det Kongelige Bibliotek, Copenhagen, NKS 681. 8, f°140. Nous remercions Vello Helk de cette information.

5 Inscrit à Heidelberg en 1603, in W. Caird Taylor, *Op, cit.*, p. 71.

6 Inscrit à Heidelberg en 1603, in W. Caird Taylor, *Ibid.*, p. 70.

7 Inscrit à Heidelberg en 1607, in W. Caird Taylor, *Ibid.*, p. 72.

8 Inscrit à Heidelberg en 1599, in W. Caird Taylor, *Ibid.*, p. 69.

recommanda peut-être pas Bourges à son retour en Écosse, ni à son fils, ni aux futurs étudiants.

4.8 Conclusion.

Ainsi, la fréquentation écossaise à Bourges, en même temps qu'elle fut étroitement liée à la renommée et à l'évolution de la Faculté, suivit-elle un schéma universel.

Nous allons exposer les biographies de tous ces Écossais, le cheminement qui fut le leur, de leur pays natal à Bourges. Cet exposé de fiches signalétiques aura pour objet d'établir les caractéristiques de notre groupe.

CINQUIÈME PARTIE

DE L'ÉCOSSE À BOURGES

PRÉSENTATION BIOGRAPHIQUE DES ÉCOSSAIS

RECONSTITUTION DES SÉJOURS INDIVIDUELS

ÉTUDE PROSOPOGRAPHIQUE

MAÎTRES ÉCOSSAIS À BOURGES

INTRODUCTION

Ce chapitre aborde l'étude spécifique de la population étudiante écossaise à Bourges : qui étaient ces Écossais et quelles furent les circonstances de leur séjour à Bourges ?

Il ressort de l'établissement de notre liste que nous sommes confrontée à une mosaïque d'individus, qui représentent autant d'échantillons différents. Cette première constatation a déterminé notre méthode d'approche. En effet, comment les regrouper alors qu'ils ne semblent obéir à aucun schéma de démarche systématique, à aucune règle de conduite fixée au préalable ? Le traitement de masse et de ses traits caractéristiques ne s'applique pas en la circonstance, notre groupe n'est pas assez imposant par ailleurs pour permettre des statistiques.

Notre méthode d'approche sera autre : elle consistera en un premier temps, à un essai de reconstitution du parcours individuel de chaque étudiant, de l'Écosse jusqu'à Bourges, ceci selon la chronologie des passages à l'Université. Cette méthode de présentation biographique fournira – outre la reconstitution justifiée des séjours – des indications prosopographiques précieuses qui autoriseront une série de constatations dont la portée dépassera alors les cas particuliers.

A la fin de notre chapitre sur les Sources Documentaires, nous avons livré en une liste verticale les noms des étudiants écossais à Bourges. Nous exposons de nouveau cette liste, mais de manière horizontale, en précisant pour chaque étudiant, autant que faire se peut, la durée (attestée ou reconstituée) de chaque séjour. Cette reconstitution permettra d'établir les périodes de fréquentation individuelles : Graphique 5, à l'issue du présent chapitre.

Les données biographiques des étudiants écossais, en partie transposées en tableaux feront l'objet du chapitre suivant et nous permettront de cerner les éléments suivants : origines sociales, professionnelles et géographiques, antécédents académiques et itinéraires, durées des études et diplômes obtenus.

Puis, il conviendra de s'interroger sur la vie même des Écossais à Bourges, pendant leurs études. Quelques uns de ces étudiants écossais enseignèrent à l'Université de Bourges : les maîtres écossais feront l'objet du troisième chapitre de cette partie centrale.

CHAPITRE 1

RECONSTITUTION JUSTIFIÉE DES SÉJOURS ET TEMPS D'ÉTUDES INDIVIDUELS, D'ALAN LEVENAX À MALCOLM MACGREGORE.

1.1 Introduction.

Il est extrêmement difficile d'établir une chronologie exacte des séjours de ces Écossais car nous disposons rarement d'une information complète. En outre, les sources de renseignements varient énormément selon les étudiants, car il est bien évident que seuls ceux qui ont acquis notoriété font l'objet de biographies presque complètes. Même dans ces cas-là, la reconstitution de la durée des séjours n'a été rendue possible qu'en regroupant certains indices d'une part, et en effectuant des calculs et des déductions d'autre part, à partir de renseignements collectés à diverses sources.

1.2 ALAN LEVENAX.

Nicolas Catherinot, juriste et historien berruyer cite cet Écossais dans son opuscule intitulé *Annales Académiques du Cher* en date du 13 septembre 1684, à la page 3 ; il écrit ceci :

> 1479, le I. Janvier Alan Levenax Escossais R. Il avait pour devise « Est mihi prompta quidem (nisi pes ruat) ipsa voluntas » (J'ai la volonté prompte certes, à moins que le pied ne trébuche), et pour armes un triangle dans un autre triangle.
>
> 1481, Le I. Octobre assemblée de l'Université ; le même jour, Alain Levenax Recteur.
>
> Levenax assembla quatre fois en Octobre l'Université chez les Pères Carmes.

Il est à noter que le nom de Levenax/Levenox est la forme initiale du nom Lennox qui en est l'abréviation. Les deux formes sont également employées, souvent pour la même personne, dans le même document[1]. Alan Levenax/Lennox ne figure pas dans l'important

---

1 Information recueillie auprès de Robert Smart, archiviste de la Bibliothèque de l'Université de St Andrews, que nous remercions très sincèrement.

ouvrage que W. Fraser consacra aux Lennox[1]. Nous ne savons rien de plus sur lui, car il n'est mentionné ni dans les registres des universités écossaises, ni dans les dictionnaires biographiques, ni dans aucune des sources d'archives consultées[2]. Le témoignage de Catherinot est le seul vestige que nous possédions sur cet Écossais. La description de son blason nous révèle seulement qu'il était de noble origine. Ceci dit, il nous faut apporter la précision suivante : à l'origine, le recteur était élu normalement parmi les professeurs, et cette dignité n'était gardée que trois mois. Mais bien vite, l'élection fut faite par l'Université tout entière, maîtres et étudiants compris. Ce processus répondait en cela au souhait de Louis XI qui avait voulu fonder une université d'étudiants sur le modèle italien et non une communauté de maîtres comme c'était le cas de l'Université de Paris[3]. Ainsi, tous les étudiants gradés ou non, participaient au vote, de telle sorte qu'un simple étudiant pas même bachelier pouvait détenir ce poste important. Raynal confirme que « *les écoliers en vinrent même à faire un statut qui excluait les docteurs du rectorat* »[4].

Levenax était-il simple étudiant, bachelier, licencié, docteur ou professeur ? La question restera sans réponse. Toutefois, le témoignage de Catherinot nous donne des indications quant à la durée du séjour de ce premier Écossais, au minimum deux années complètes, car pour être élu au 1er janvier il fallait qu'il ait été déjà sur place et connu des écoliers, et sa deuxième réélection en octobre 1481 dut le maintenir à l'Université jusqu'au début 1482. Il dut donc passer au minimum deux années pleines à Bourges : 1480 et 81.

---

1 W. Fraser, *The Lennox*, Edinburgh, 1874, 2 vol.

2 Archives en Écosse : Scottish Record Office, National Register of Archives ; à Londres : The Royal Commission on Historical Manuscripts ; en France : A. Gandilhon, *Inventaire Sommaire des Archives Communales Antérieures à 1790, ville d'Aubigny-sur-Nère*, Bourges, 1931.

3 L. Raynal, *Histoire du Berry depuis les temps les plus anciens jusqu'en 1789,* Bourges, Vermeil, 1845-1847, t. 3, pp. 359-60.

4 *Ibid.*, p. 360.

1.3 HENRY SCRIMGEOUR[1] (1505/6-1572)[2].

Henry Scrimgeour naquit à Dundee, probablement en 1505. Il était le second fils de James Scrimgeour, prévôt de cette ville. Sa soeur Isobel épousa Richard Melville : leur fils n'était autre que James Melvill, l'auteur du journal autobiographique qui porte son nom. Une autre de ses soeurs, Margaret, épousa John Young, dont l'un des fils était Sir Peter Young, chargé de la bibliothèque royale de Jacques VI. Par ailleurs, soulignons ici que la grand-mère d'Arbuthnot était une Scrimgeour. Ces antécédents familiaux appellent ce commentaire de John Durkan :

> trois des postes universitaires clés de l'Écosse de Jacques VI étaient tenus par ses parents : Melville à Glasgow et St-Andrews et Alexander Arbuthnot à King's College, Aberdeen ; tandis que la Bibliothèque Royale était contrôlée par un autre parent, le grand aumônier, Peter Young[3].

Henry Scrimgeour commença son instruction à l'école de Dundee peut-être sous la férule de John Fethy (John Faith) qui se trouvait à Wittenberg en 1544 et plus tard à Francfort sur l'Oder où il acquit notoriété[4]. Puis, Scrimgeour poursuivit ses études de philosophie au *St-Salvator's College* de l'Université de St-Andrews. Pour une raison qui nous est inconnue, il commença ses études sur le tard, il avait alors une trentaine d'années puisqu'il fut bachelier en 1533, et il

---

1 Le nom de *Scrimgeour* est orthographié de maintes façons : *Scringer, Scrimgen, Screnzer, Scrimzeor, Scremger, Scrymgeour, Scryngeur.* Nous avons choisi l'orthographe la plus courante et la plus moderne : *Scrimgeour,* retenue par les auteurs du *Dictionary of National Biography*, et par le Professeur Durkan.

Par ailleurs, il est à noter que Scrimgeour donna son édition des *Novelles* de Justinien en 1558, sous le nom de *Henricus Scotus* : *in* R. Aulotte, *Amyot et Plutarque La Tradition des Moralia au XVIe siècle*, Librairie Droz, Genève, 1965, p. 156.

2 Le *Dictionary of National Biography* donne comme année de naissance 1506, mais John Durkan penche pour l'année 1505, car dans un document daté de janvier 1570, il est noté que Scrimgeour avait alors soixante-quatre ans, *in* John Durkan, « Henry Scrimgeour, Renaissance Bookman » in *Edinburgh Bibliographical Society Transactions 1971-87*, Vol. 5, Part. 1, p. 2.

3 « *three of the key university appointments in the Scotland of James VI were held by his relatives- Melville at Glasgow and St-Andrews and Alexabder Arbuthnot at King's College Aberdeen ; while the Royal Library was controlled by yet another, the grand almoner, Peter Young* », in John Durkan, « Henry Scrimgeour, Renaissance Bookman », *in Ibid.,* Vol. 5, Part. 1, p. 1.

4 *Ibid.,* pp. 1-2.

obtint la licence, de façon brillante, l'année suivante[1]. Quelque temps passa avant sa venue en France, à Paris précisément. Le 23 mars 1538 le nom de *Henricus Scrymgeour* figure dans le Livre du Recteur de l'Université de Paris et de nouveau le 22 juin 1538, sur la liste des *Incipientes :* étudiant sous la direction de William Cranston, il préparait une maîtrise-ès-arts :

> Dominus henricus Scrymgeur brechinensis, incepturus sub magistro Gulielmo Cranston[2].

En quelle année Scrimgeour arriva-t-il à Bourges ? Nous ne le savons pas avec certitude : soit 1538, soit 1539. En effet, peut-être suivit-il François Le Douaren qui donnait des leçons publiques sur les *Pandectes* à Paris en 1536, avant d'être appelé comme professeur à Bourges deux ans plus tard, soit 1538[3]. Cependant, au cours de ses études à Paris, il semble que Scrimgeour soit retourné à St Andrews afin d'y obtenir une maîtrise-ès-arts ; il était revenu au mois d'avril 1539[4]. Une circonstance précise pourrait bien autoriser l'hypothèse selon laquelle Scrimgeour serait arrivé à Bourges en 1539 ; en effet, il succéda à Jacques Amyot en tant que précepteur des fils de Guillaume Bochetel. Ce dernier, berruyer d'origine, notaire et secrétaire du roi dès 1518[5], était à l'époque qui nous concerne, à l'apogée de sa carrière et il avait engagé l'helléniste comme précepteur de ses enfants, ceci jusqu'en 1542 ou 1543[6]. Les sources ne s'accordent pas sur la date précise à laquelle Amyot termina son préceptorat.

---

1 *Ibid.,* p. 2 ; J. M. Anderson, *Early Records of St Andrews University*, Scottish History Society, ser, iii, Edinburgh, 1926, pp. 128, 132, 321.

2 W. A. McNeill, « Scottish Entries in the *Acta Rectoria Universitatis Parisiensis*, 1519-c. 1633 », in *Scottish Historical Review*, xliii (1964), p. 80 ; F. de Borch-Bonger, « Un ami de Jacques Amyot : Henry Scringer » in *Mélanges offerts à M. Abel Lefranc par ses élèves et ses amis*, Librairie Droz, Paris, 1936, p. 363 ; Bibliothèque Nationale, MS. Latin. 9953, ff°. 78v, 89v.

3 E. Haag, *La France Protestante ou Vies des Protestants Français*, J. Cherbuliez éd, Paris, 1846, Vol. iv, p. 318.

4 J. Durkan, « Henry Scrimgeour », *Op. cit.*, Vol. 5, Part. 1, p. 2.

5 J-Y Ribault, « Fortunes de Jacques Amyot », in *Actes du colloque international (Melun 18-20 avril 1985)* présentés par Michel Balard, A.-G. Nizet, 1986, p. 111.

6 J-Y Ribault, *Ibid*, p. 113 ; R. Aulotte, *Amyot et Plutarque*, *Op. cit.*, p. 155.

Pour être positive, considérons que si Scrimgeour étudia jusqu'en 1542 il arriva à Bourges en 1538 et, s'il étudia jusqu'en 1543, il y arriva en 1539 ; dans les deux cas, cela laisse quatre années entre l'arrivée et la première activité de Scrimgeour, quatre années suffisantes pour l'obtention du doctorat. Par ailleurs, nous disposons d'une lettre plus tardive, en date d'un 16 février d'une année indéterminée, écrite par Guillaume Bochetel à l'intention de la reine d'Écosse. Cette lettre a pour objet de recommander Scrimgeour à Marie de Lorraine :

> « Madame, pour ce que j'ay trouvé Maistre Henry Scremger, présent porteur, homme de honneste vie, de vertu et de grand sçavoir tant en lettres grecques que latines ; je luy ai baillé charge de mes enfants puis troys ou quatre ans en ça, en quoy il s'est tellement employé que j'ay occasion, Madame, de m'en louer et grandement contenter. Et d'autant, madame, qu'il est de nation escossaise et qu'il m'a prýé luy permectre aller quelque temps par delà pour donner ordre à aucuns affaires de sa maison, j'ay pris hardiesse, Madame, de l'accompagner de cestre lettre et très humblement vous supplier qu'il vous plaise avoir luy et sa maison en vostre bonne protection et recommandation. .
>
> Escript à la Muette, ce XVIe jour de février. Vostre très humble et très obeissant serviteur ; Bochetel ».[1].

Si la lettre ne porte aucune indication d'année, R. Aulotte[2], se livrant à d'ingénieux calculs, démontre néanmoins, qu'elle fut certainement écrite en 1547, ce qui nous permet de conclure que Scrimgeour était précepteur chez Guillaume Bochetel entre 1543 et 1544, soit « *troys ou quatre ans en ça* ».

En février 1547, Scrimgeour préparait donc un retour en Écosse, ainsi en atteste la lettre de Bochetel. La missive nous apprend le lien qui existait entre Bochetel et Scrimgeour : « *il m'a prýé luy permectre aller quelque temps par delà* » : Scrimgeour a besoin de l'autorisation de Bochetel pour se rendre en Écosse, ce qui signifie qu'il était encore à son service à cette époque-là. Si Scrimgeour retourna en Écosse en

---

1 *Foreign Correspondence with Marie de Lorraine, Queen of Scotland* (Balcarres Papers 1537-1548), vol. I, p. 209. Edited by Marguerite Wood, Scottish Hist. Society ; 3rd serie, No. 4. Edinburgh, 1922-23 ; R. Aulotte, *Amyot et Plutarque, Ibid*, p. 156.

2 R. Aulotte, *Ibid*, pp. 156-57.

1547, il y resta peu de temps, car en 1548, il accompagnait à Padoue son élève Bernardin Bochetel depuis peu abbé de Saint-Laurent, dont il était devenu le secrétaire[1].

En regard de ces informations, il apparaît que Scrimgeour passa presque dix années à Bourges, dont quatre à l'Université. Il avait alors trente-trois, trente-quatre ans. Au cours de son séjour à Bourges, il rencontra et se lia à un autre Écossais : Edward Henryson.

1.4 EDWARD HENRYSON/HENRY EDOUARD (1522-1590).

Nous n'avons que peu de détails sur les premières années de la vie d'Edward Henryson en Écosse, avant son arrivée en France. Il naquit à Edimbourg le 27 décembre 1522[2] et J. Swan[3] remarque qu'il était probablement le petit-fils du poète du même nom.

Nous le retrouvons à l'Université de Paris, qu'il fréquenta cinq ans après son compatriote Scrimgeour. Il est inscrit dans le Livre du Recteur comme *Incipiens* le 16 décembre 1543 sous le nom de Henricius Eduardus, Dominus, diocèse de St Andrews, et également le 24 mars de l'année suivante[4]. Soulignons que c'est sous ce nom qu'il sera connu à l'Université de Bourges : « *Henry Edouard Écossais* ».[5]

Nous ne savons pas exactement à quelle date Henryson arriva à Bourges, cependant en janvier 1547, il fut chargé de cours de grec auprès du jeune Ulrich Fugger, alors étudiant à Bourges, puis en octobre de la même année, ce poste fut confirmé et donna lieu à un contrat selon lequel Henryson devait suivre les Fugger chez eux près d'Augsburg, pour une durée initiale de deux années, contre un salaire

---

1 Nous revenons sur cet épisode de la vie de Scrimgeour dans notre septième partie.

2 Vatican MS. pal. lat. 1425, f. 165 ; in Durkan « Scrimgeour, Renaissance bookman », *Op. cit.*, p. 2, note 13.

3 *Views of Fife*, 1840, Vol. III, p. 229.

4 W. A. McNeill, « Scottish Entries », *Op. cit.*, *Supra* note. 11 ; p. 76 ; J. Durkan, « Henry Scrimgeour », *Op. cit.*, p. 2 ; Bibliothèque Nationale, MS. Latin. 9953, ff°213, 217r.

5 J. Durkan, *Ibid.* ; P. Lehmann, *Eine Geschichte der alten Fuggerbibliotheken*, Tübingen, 1956, 1960, ii, p. 51.

de cent livres tournois[1]. Il y a de fortes chances qu'il soit arrivé à Bourges en 1544, pour y entreprendre ses études de droit sans tarder, directement après son séjour à Paris. Il est tout à fait raisonnable de penser qu'il n'avait pas terminé son doctorat lorsqu'il fut employé par Fugger père, et qu'il le termina tout en exerçant comme précepteur. Il avait alors vingt-deux ans. Il resta attaché à la famille Fugger au Tyrol jusqu'en 1552. Nous avons retrouvé sa signature précisément datée de 1552 à Tübingen dans l'*Album Amicorum* de Johann Valentin Deyger : il signa « Henry Edouard »[2]. Cette signature accrédite bien la thèse que Edward Henryson et Henry Edouard sont une seule et unique personne.

Cette même année, il retourna en Écosse où il trouva un autre mécène en la personne d'Henry Sinclair Président de la *Court of Session*[3]. En accueillant Henryson sous son toit, Sinclair lui permit d'entreprendre et de mener à bien la traduction complète de l'*Enchiridion* d'Epictète, certes très rapidement car Henryson était de nouveau chez les Fugger en 1552. Son séjour fut de nouveau bref, en effet, en 1553/54 il fut choisi comme professeur de droit civil par l'Université de Bourges[4], ceci dix ans après y avoir séjourné comme étudiant.

En conclusion, Henryson séjourna deux fois à Bourges, la première fois en tant qu'étudiant de 1544 à 1547, puis une deuxième fois en tant que professeur à partir de 1553. Il est fort probable qu'il compta William Skene et peut-être James Boyd, parmi ses étudiants.

1.5 WILLIAM SKENE.

Nous n'avons pas les dates de naissance et de décès de William Skene. Il était le frère de John Skene of Curriehill, une vieille famille de l'Aberdeenshire, son arrière grand-père était Lord Forbes.

---

1 J. Durkan, *Ibid.* ; P. Lehmann, *Eine Geschichte der alten Fuggerbibliotheken*, Tübingen, 1956, 1960, ii, p. 51.

2 W. Klose, *Corpus Alborum Amicorum. Beschreibendes verzeichnis des Stammbücher des 16. Jahrhunderts*, Anton Hiersemann-Verlag, Stuttgart, 1988, p. 473 : *52. DEY. JOH.*

3 P. F. Tytler, *An Account of the Life of Sir Thomas Craig*, 1823, p. 269.

4 Nous revenons sur Henryson, et les circonstances de son professorat à Bourges dans notre chapitre « Maîtres écossais à Bourges ».

L'incertitude règne sur son éducation. Nous savons qu'il étudia la théologie en 1549 au King's College d'Aberdeen[1], sans doute avec l'idée d'entrer dans les ordres, ceci toutefois après des études de droit. Ses études de droit, Skene les suivit certainement à Bourges. Nous n'en avons pas l'évidence, mais John Durkan[2] le suggère lorsqu'il remarque que Skene possédait un petit ouvrage de l'École de Bourges, intitulé *Oratiuncula in schola Biturgium* ainsi que des notes manuscrites d'Hugues Doneau[3]. Ce dernier était professeur à Bourges depuis 1551, année même où il fut promu au grade de docteur, le 17 juillet précisément[4].

Dans son essai, John Cairns remarque cependant que Skene possédait également un ouvrage de Jean Coras[5]. Cela signifie-t-il que Skene étudia à Toulouse, car c'est dans cette ville que Coras enseigna le droit ? Cela semble peu probable, car Coras resta dix ans à Toulouse, de 1535 à 1545, date à laquelle il quitta la ville pour aller enseigner à Valence[6]. En 1545, Skene n'avait pas encore commencé ses études à Aberdeen. Il est tout à fait possible que cet ouvrage de Coras fut donné à Skene par Doneau lui-même, car ce dernier eut Coras comme professeur à Toulouse[7], avant de venir poursuivre ses études à Bourges en 1546. Par ailleurs, bien que cela ne soit pas

---

1 J. W. Cairns : « The Law, the Advocates and the Universities in late Sixteenth-Century Scotland », in *Scottish Historical Review*, October 1994, Vol. 73, p. 152.

2 J. Durkan, « The French Connection in the Sixteenth and Early Seventeenth Centuries », in T. C Smout, ed., *Scotland and Europe 1200-1850* (Edinburgh, 1986), pp. 19-44, pp. 25-26.

3 Archives de l'Université de St-Andrews, *St. AUA SS110 AP2*. John Durkan précise que ces Notes sont répertoriées ainsi : « *Annotationes hugonis duelli* », au lieu de « *donelli* » : erreur du scribe.

4 *M. A. P. TH. Eyssel, « Doneau, sa Vie et ses Oeuvres » mémoire couronné par l'Académie des Sciences, Arts et Belles-Lettres de Dijon, traduit du Latin de l'auteur par M. Simonnet, in Mémoires de l'Académie Impériale des Sciences, Arts et Belles-Lettres de Dijon, deuxième Série, Tome huitième, année 1860-1861, p. 56.*

5 J. W. Cairns, « The Law, the Advocates », *Op. cit.*, p. 153, notes 48 & 49. Le Professeur Cairns précise que l'ouvrage est mentionné sans autre indication que son titre : « *Joannes Corasius* ». La liste des livres de Skene fait partie de l'inventaire de ses biens conservé aux archives de l'Université de St-Andrews, sous la cote : *St-AUA, SS110AP2*.

6 M. A. P. TH. Eyssel, « *Doneau, sa Vie et ses Oeuvres* » *Op. cit.*, p. 28, note 12.

7 Sur les rapports Coras/ Doneau à Toulouse : Cf Eyssel, *Ibid* p. 29, note. 16.

preuve d'un séjour à Bourges, il est à noter que Skene possédait également des ouvrages d'André Alciat, de François Bauduin et de François Hotman, trois têtes de file de l'école berruyère[1].

En 1556, William Skene était de retour en Écosse, membre du *St-Mary's College*'s de l'Université de St-Andrews[2] ; il était alors titulaire d'une licence dans les deux droits. Il fallait trois années d'études pour obtenir la licence ; un petit calcul rétroactif nous permet de penser que Skene aurait pu arriver à Bourges vers 1552 ; il aurait eu alors comme professeurs, outre Hugues Doneau, François Bauduin, et Antoine Leconte, François Le Douaren, ce dernier étant de retour pour son second professorat.

1.6 JAMES BOYD OF TROCHRIG.

Nous n'avons que peu de détails sur l'enfance et la jeunesse de James Boyd of Trochrig : il appartenait à la famille de Lord Boyd originaire d'Ayshire, mais ses dates restent inconnues ; nous savons seulement qu'il était déjà décédé en 1581[3]. James Boyd étudia les Belles Lettres et la philosophie avant d'être envoyé sur le continent pour enrichir ses connaissances. Au cours de ce séjour, il étudia le droit pendant quatre années sous le professorat de Jacques Cujas avant de retourner en Écosse, juste avant la Réforme, ou au moment de la Réforme[4].

Cujas arriva à Bourges pour son premier professorat le dernier jour de septembre 1555, et y resta jusqu'en mai 1557, puis partit à Valence[5]. Rappelé par la duchesse de Berry, il revint de Valence à Bourges, pour son deuxième professorat en 1559.

Ainsi, il semblerait que Boyd ait passé ses deux premières années d'études, soit 1555-57 sous Cujas à Bourges, mais ensuite, suivit-il Cujas à Valence, ou bien resta-t-il à Bourges pour y continuer ses

---

1 J. W. Cairns, « The Law, the Advocates » *Op. cit.*, p. 156.

2 J. M. Anderson ed., *Early Records, Op. cit., Cf Supra* note. 10 ; p. 264. ; D. H. Fleming, *St Andrews Cathedral Museum*, Edinburgh, 1931, p. 144.

3 Lord Hailes, *Sketch of the Life of Mark Alexander Boyd*, Edinburgh, 1786, p. 1.

4 Robert. Wodrow : *Collections upon the Lives of the Reformers and Most Eminent Ministers of the Church of Scotland*, Glasgow, 1834, Vol. 1 p. 206.

5 Pour les circonstances du départ de Cujas : Cf L. Raynal, *Histoire du Berry, Op. cit.*, t. 3, p. 423.

études sous Hugues Doneau, François Le Duaren et Antoine Leconte, jusqu'au retour de Cujas en 1559 ? Nous l'ignorons et l'absence d'information complémentaire n'autorise aucune conclusion. Cependant ses quatre années d'études durent lui permettre d'obtenir son grade de docteur.

1.7 JOHN LOGIE (? -1591).

De retour en Écosse, John Logie fut le premier candidat à devenir avocat à la *Court of Sessions*, juste après la Réforme, en 1563. Grâce à sa licence dans les deux droits obtenue à l'Université de Bourges, il demanda son admission, et fut reçu :

> (...) et les lords considérant son admission par les docteurs de bourges en Berry et ses qualifications(...)[1].

Aucun détail supplémentaire ne nous est fourni, mais tout nous donne à penser que, pour obtenir sa qualification, Logie dut étudier à Bourges trois années durant, son séjour se serait donc situé entre 1559 et 1562.

1.8 ALEXANDER ARBUTHNOT (1538-1583).

Alexander Arbuthnot naquit en 1538, il était le deuxième fils d'Andrew Arbuthnot de la famille des Arbuthnott de Kincardineshire des Mearns (Angus) Il suivit un premier cycle d'études de lettres et philosophie à St-Andrews, puis quitta l'Écosse à l'âge de vingt-trois ans pour venir à Bourges où il resta cinq ans, soit de 1561 à 1566. Il étudia le droit civil sous Jacques Cujas lorsque celui-ci y professa une deuxième fois en effet, de 1559 à 1566[2].

La question est de savoir si Arbuthnot passa effectivement ses cinq années seulement à étudier[3]. En tout cas, il est certain qu'il ne rentra pas en Écosse avant 1566 puisque Pierre de L'Estoile nous confirme

---

1 Scottish Record Office, SRO, *Books of Sederunt*, CS1/2/1, f°79. : « *and the lordis obseruand his admission be the doctoris in burges of berry and his qualifications* ».

2 J. Spottiswoode, *History of the Church of Scotland*, Edinburgh, 1851-5, Vol. II, p. 319 ; P. S. M. Arbuthnot, *Memories of the Arbuthnots of kincardineshire and Aberdeenshire*, G. Allen & Unwin Ltd, London, 1920, p. 43.

3 Nous revenons sur ce point dans notre chapitre « Maîtres écossais à Bourges ».

avoir eu en sa possession deux lettres d'Arbuthnot, écrites « *de Bourges l'an 1566* » justement[1]. C'est titulaire d'une licence dans les deux droits qu'il retourna à Aberdeen en 1566[2].

1.9 PATRICK ADAMSON (1537-1592)

Patrick Adamson naquit vers le 15 mars 1536-37 à Perth. Fils d'un boulanger, il fréquenta d'abord l'école de Perth, puis le *St-Mary's College* de l'Université de St-Andrews, où il obtint la maîtrise-ès-arts en 1558, sous le nom de Patrick Constyne[3]. Déclaré apte aux fonctions de ministre et d'enseignant par l'Assemblée Générale dès 1560, Patrick Adamson fut nommé ministre de Ceres du Comté de Fife, près de St-Andrews, en 1563. En juin de l'année suivante, il supplia l'Assemblée Générale d'Edimbourg de l'autoriser à se rendre en France pour étudier et enrichir ses connaissances. Ceci lui fut refusé. Avec ou sans le consentement de l'Assemblée[4], il se démit de ses fonctions et vint en France en tant que tuteur de James McGill, fils aîné de Sir James McGill, *clerk-general.* (secrétaire d'État). Tous les deux ne vinrent pas à Bourges directement, mais s'arrêtèrent d'abord à Paris. En juin, Adamson publia un poème de célébration à l'occasion de la naissance du prince Jacques, fils de Marie, reine d'Écosse. Dans ce poème rédigé en latin et intitulé *Genethliacum*, il qualifiait l'enfant de « *serenissimus princeps* » d'Écosse, Angleterre, France et Irlande mais mal lui en prit, car « cela lui coûta de la part de la Reine Elisabeth, jalouse de son trône, six mois d'emprisonnement »[5].

Libéré, il alla en Poitou, puis à Padoue : de là, il se rendit à Genève où il rencontra Théodore de Bèze et étudia la théologie selon Calvin[6], avant de revenir à Paris, toujours en compagnie de son élève. Son

---

1 G. Brunet, A. Champollion, éd., *Mémoires-Journaux de Pierre de l'Estoile*, Paris, 1881, Tome Neuvième, *Journal de Henri IV, 1607-1609*, p. 29.

2 T. McCrie, *Life of Andrew Melville*, Edinburgh, 1856, p. 366.

3 *Dictionary of National Biography*, Vol. 1, p. 111

4 D. G. Mullan, *Episcopacy in Scotland : the History of an Idea 1560-1638*, Edinburgh, 1986, p. 54.

5 D. G. Mullan, *Ibid.*, Dictionary of National Biography, Vol 1, p. 112.

6 *Dictionary of National Biography*, *Ibid.*

périple fut certainement de courte durée car en 1567/68, au milieu de la guerre civile, il décida de quitter Paris pour se retirer à Bourges où, dit-on, dans un premier temps, il resta caché dans une auberge pendant sept longs mois[1]. Selon Thomas McCrie, il se consacra sérieusement à l'étude du droit pendant son séjour[2]. Toujours selon McCrie, Adamson était de retour en Écosse en 1570, mais James Melvill dans son Journal mentionne Adamson et écrit en l'année 1574, que ce dernier et le jeune James McGill étaient récemment rentrés de France[3].

Ainsi donc, Adamson dut rester à Bourges deux ans, trois ans, quatre ans, ou six ans : de 1567/68 à 1570/72-73. Il en fut de même pour son élève James McGill.

1.10 JAMES McGILL.

James McGill était le fils aîné de Sir James McGill of Rankeillor Nether qui fut nommé *Clerk Register* le 25 juin 1554.

Nous ne savons rien d'autre de ses agissements, si ce n'est qu'en mai 1565, « *il prit la direction des écoles de France* »[4], sous la tutelle de Patrick Adamson.

1.11 WILLIAM/GUILLAUME BARCLAY[5] (1546/47-1608).

La date de naissance de William Barclay n'est pas connue avec certitude[6], cependant on peut bien admettre que l'année 1546 est la bonne, car c'est cette date-là qui apparaît dans l'inscription placée en tête de son traité *De regno et regali potestae*[7] et également en haut du

1 *Dictionary of National Biography*, *Ibid.*

2 *Life of Andrew Melville*, *Op. cit.*, pp. 369-370 : « *he applied himself to the study of law at the university of Bourges* ».

3 *Mr. James Melvill's Diary*, Edinburgh, 1829, p. 25 : « *then new retourned out of France with young Mr James Macgill* ».

4 « *bown to the schulis in France* » in Sir James Balfour Paul ed, *The Scots Peerage, A History of the noble families of Scotland,* Edinburgh, 1914, Vol. VI, p. 594.

5 Selon les sources considérées, Barclay porte soit son prénom d'origine : *William*, soit l'équivalent français : *Guillaume.* Il semble bien qu'il ait opté en faveur de *Guillaume* à son arrivée en France. Cependant, nous gardons dans cette étude son prénom d'origine.

6 *Dictionary of National Biography*, Vol. 1, p. 1093.

7 E. Dubois, *Guillaume Barclay, Jurisconsulte écossais*, Nancy, 1872, p. 39, Appendice III.

portrait conservé au musée de Nancy. Il était le petit-fils de Patrick Barclay, baron de Gartly, en Aberdeenshire.

William Barclay fit ses études au *King's College* de l'Université d'Aberdeen[1]. Fervent catholique, attaché à Marie Stuart, méprisant le régent Murray protecteur de l'Église presbytérienne, et afin de rester fidèle à sa foi et surtout à sa reine, il semble qu'il fit le choix décisif de quitter son pays et l'université en 1569, lorsque l'Assemblée Générale d'Écosse mit tous les membres du Collège d'Aberdeen dans l'obligation de signer la Confession de foi[2].

La date exacte de son arrivée à Bourges ne nous est pas connue, et selon les sources, il serait arrivé soit en 1571, soit en 1573[3]. Cependant, nous avons une preuve décisive qu'il était déjà à Bourges en 1572, car il dit lui-même qu'il eut François Hotman et Hugues Doneau comme professeurs. Or, nous savons que ces deux maîtres durent quitter la ville de Bourges et son Université, pour n'y jamais revenir, après la terrible nuit de la Saint-Barthélémy.

De François Hotman, il dit dans le *De Regno :*

> (...) Hotman, jurisconsulte d'ailleurs subtil et pénétrant, que j'eus autrefois comme professeur, il y a environ trente ans, à l'Académie de Bourges[4].

De Hugues Doneau, il dit dans son Commentaire de *Rebus creditis* :

---

1 *Dictionary of National Biography*, Vol. 1, p. 1093.

2 J. -B Coissac, *Les Universités d'Écosse depuis la fondation de l'Université de St-Andrews jusqu'au triomphe de la Réforme (1410-1560)*, Paris, 1914 ? , p. 279 ; C. Collot, *L'École Doctrinale de Droit Public de Pont-à-Mousson (Pierre Grégoire et Guillaume Barclay) Fin du XVIe siècle*, Paris, 1965, pp. 48-49.

3 Ménage, *Remarques sur la vie de Pierre Ayrault*, Paris, 1675, p. 33 ; Taisand, *Vies des plus célèbres jurisconsultes de toutes les nations*, Paris, 1721, pp. 56-57 ; D. Irving, *Lives of Scotish writers*, Edinburgh, 1839, Vol. 1, p. 210 ; R. Chambers, *Biographical Dictionary of Eminent Scotsmen*, Edinburgh, 1853-55, Vol. 1, p. 157 : ces quatre auteurs retiennent la date 1573. Le *Dictionary of National Biography*, Vol. 1, p. 1093, indique l'année 1571.

Sur cette argumentation au sujet de la date d'arrivée de Barclay à Bourges, *Cf.* E. Dubois, *Guillaume Barclay, Jurisconsulte écossais*, *Op., Cit, Cf. Supra* note. 53, p. 39, Appendice IV.

4 *De Regno et Regali Potestate, adversus Buchananum, Brutum, Boucherium, et reliquos Monarchomachos*, Paris, 1600, Vol. VI, p. 18. : « (...) *Hotmanum, subtilem alioqui et acutum j. c. quo praeceptore XXX circiter abhinc annis in Bituriansi Academia aliquamdiu usus sum* (...) ».

> Hugues Doneau, l'un de mes maîtres (...)[1].

Nous nous rallions donc à l'opinion d'E. Dubois[2] pour qui l'arrivée de Barclay ne peut se situer qu'avant 1573, et avant 1572. Il était alors âgé de vingt-cinq ans.

Combien de temps William Barclay resta-t-il à Bourges ? En quelle année prit-il congé ? Il est un fait qu'il quitta l'Université berruyère pour se rendre à Pont-à-Mousson, enseigner le droit, à l'invitation de son oncle le jésuite Edmund Hay recteur de la toute nouvelle université[3]. Celle-ci ouvrit ses portes en octobre 1575, mais une épidémie de peste l'été suivant l'obligea à fermer, et la rentrée fut repoussée au 1er décembre 1577. Barclay était déjà sur place en 1576, comme l'atteste un reçu d'une somme de deux cents francs, versée à son crédit le 26 décembre, somme allouée à l'achat de livres nécessaires à son enseignement[4]. Mais le 11 mai 1575, il était toujours à l'Université de Bourges, employé comme *Institutaire*[5]. Par ailleurs, en août de la même année, Jacques Cujas revint à Bourges pour son troisième professorat, et selon Berriat-Saint-Prix[6], Barclay l'eut pour maître, et peut-être comme président de ses thèses de doctorat.

Ainsi, Barclay serait resté à Bourges de c. 1571 à 1576, soit cinq années, dont une année comme lecteur. Son séjour lui permit d'obtenir licence et doctorat en l'un et l'autre droit, ce dont il se prévalut lorsqu'il arriva à Pont-à-Mousson[7].

1.12 NICOL DALGLEISH.

Dans sa vie d'Andrew Melville, Thomas McCrie précise que Nicol Dalgleish quitta l'Université de St-Andrews, et la régence de St-

---

1 E. Dubois, *Guillaume Barclay*, *Op. cit.*, p. 39, Appendice IV : « *Hugo Donellus, unus ex praeceptoribus meis* ».

2 E. Dubois, *Ibid.*

3 C. Collot, *L'École Doctrinale*, *Op. cit.*, p. 51.

4 Archives Départementales de Meurthe et Moselle, B. 1171, f° 165.

5 Nous revenons sur ce point dans notre chapitre « Maîtres écossais à Bourges ».

6 *Histoire du Droit romain suivie de l' Histoire de Cujas*, Paris, 1821, p. 569.

7 C. Collot, *L'École Doctrinale*, *Op. cit.*, p. 50

Leonard's College en 1577[1]. Il se rendit en France et resta quelque temps à Bourges. James Melvill mentionne également Dalgleish. Il inscrivit dans la marge de son journal[2], pour l'année 1578, une remarque que Dalgleish lui fit sur son séjour et sur son accueil à Bourges, chez une certaine dame Mombirneau[3].

Melvill écrit :

> Mr. Nicol Dalgleish m'a dit que la mère de ce Monbirneu était une dame très pieuse ; elle avait eu beaucoup d'égard pour eux alors qu'ils étaient en France, à Bourges, en Berry[4].

Nous ne savons pas si la remarque de Dalgleish fut bien faite en 1578, ou si Melvill l'a rapportée, en commentaire d'un événement survenu en 1578. Dans son ouvrage, McCrie précise que Dalgleish, de retour en Écosse, fut nommé par l'Assemblée Générale, en 1581, Principal de King's College, Aberdeen[5]. Ou bien Dalgleish rentra en Écosse peu de temps avant cela, ou bien il rentra au début de l'année 1578 ; par conséquent, il resta soit un an, soit trois ans au plus à Bourges.

1.13 DAVID MacGILL (? -1607).

David MacGill of Cranston Riddel était le fils de David MacGill nommé *King's advocate* (Avocat du roi) le 12 juin 1582. Il obtint sa Licence de Droit Civil à l'Université de Bourges le 21 juillet 1579, son diplôme signé par Jacques Cujas est conservé au Scottish Record Office d'Edimbourg[6]. Nous n'avons pas d'autre élément sur les circonstances de son séjour, mais pour obtenir sa licence, MacGill dut normalement étudier trois années, ce qui placerait son arrivée c. 1576.

---

1 *The Life of Andrew Melville, Op. cit.*, p. 105, note 1.

2 James Melvill, *Mr James Melvill's Diary, Op. cit.*, p. 76.

3 Ce nom est écrit par deux fois, avec deux orthographes différentes : *Mombirneau* et *Monbirneu*. Ces noms ne figurent pas dans le *Dictionnaire des familles du Berry*.

4 *« Mr. Nicol Dalgles tauld me that this Monbirneu's mother was a verie godlie lady, and schew grait curtessie to tham in France, at Burge in Berie »*.

5 *Life of Andrew Melville, Op. cit.*, p. 105, note. 1. Il n'est pas sans intérêt de noter que cette nomination suivait celle d'Alexander Arbuthnot.

6 Scottish Record Office : SRO GD/135/2717. Une description de ce diplôme est faite dans notre partie « diplômes », dans notre cinquième partie.

Nous notons par ailleurs qu'il était bachelier en droit civil, information livrée dans son diplôme.

1.14 ALEXANDER SCOT[1] (1560-1615).

Alexander Scot fut nommé régent principal du Collège de Carpentras, en décembre 1593 et cette année-là, il passa un bail pour le collège avec les consuls de la ville[2].

Si une documentation abondante est conservée sur ce séjour en Vaucluse, les détails de ses divers déplacements antérieurs sont rares. Alexander Scot naquit en 1560 à Kininmouth, en Aberdeenshire ; il étudia au King's College d'Aberdeen où il obtint sa maîtrise-ès-arts, avant de venir en France, à Tournon, étudier la théologie[3], puis le droit à Bourges : « *Artium Liberalium Magister et Juris utriusque Doctor* », ainsi le qualifie W. Forbes-Leith[4]. Toutefois, si toutes les sources s'accordent pour confirmer que Scot fut étudiant et disciple de Cujas, certains contestent que ce soit lors du troisième professorat de ce dernier à Bourges. J. Durkan apporte une note d'incertitude : « *Alexander Scott n. d (incertain, mais fut étudiant sous Cujas)*[5] », et R. Barjavel dans son *Dictionnaire Historique du Département de Vaucluse*[6] suggère que Scot étudia avec Cujas à Avignon. Ce dernier arriva à Bourges pour la troisième fois en 1575, Scot n'avait alors que 15 ans. Est-il possible qu'il ait eu déjà, avant cet âge-là, le temps d'obtenir sa maîtrise à Aberdeen, puis d'étudier la théologie à Tournon ? Cela semble peu probable. Lorsque Cujas prit sa retraite définitive de l'Université de Bourges en 1588, Scot « *docteur en*

1 Il est à noter que le nom de *Scot* est quelquefois orthographié avec deux t : *Scott*. Nous retenons l'orthographe la plus courante : *Scot*.

2 Moulinas et Patin, « Notes sur le Collège de Carpentras », in *Mémoires de l'Académie de Vaucluse*, 1893, p. 262. Toutes les informations concernant Scot à Carpentras ont été recueillies à notre intention par M. Hayez, Directeur des Archives Départementales de Vaucluse. Nous l'en remercions très sincèrement.

3 D. Irving, *Lives of Scottish Writers*, *Op. cit.*, Vol. II, p. 354.

4 *Bibliographie des livres publiés à Lyon et Paris par les savants écossais réfugiés en France au 16e siècle*, 1912, p. 31, note. 2.

5 « The French Connection » *Op. cit.*, p. 38 : « Alexander Scott n. d (uncertain, but was student under Cujas) ».

6 Carpentras, 1841, pp. 397-98.

droit »[1] était déjà parti lui aussi car nous le retrouvons cette même année à Lyon où il fit paraître une nouvelle édition de l'*Apparatus Latinae elocutionis, ex Ciceronis libris collectus*[2].

Nous avons une deuxième preuve qu'il avait obtenu son doctorat en droit : en tête du tome I de son édition des oeuvres de Cujas paru en 1606, se trouve cette ligne : « *ornatissimo ac eruditissimo viro domino Alexandro Scot Scoto juris utriusque doctori et advocato Carpentoracti* »[3]. Afin d'obtenir un doctorat en quatre années d'étude, selon la norme, Scot dut étudier à Bourges autour des années 1580, raisonnablement 1580-84 ; nous rejoignons de la sorte J. Durkan qui, bien qu'il ne donne pas de date, place malgré tout la présence de Scot à Bourges après celle de David MacGill (1579) mais avant celle de M. A. Boyd (1585)[4].

1.15 MARK ALEXANDER BOYD (1562-1601).

Mark Alexander Boyd naquit le 13 janvier 1562 à Galloway ; il était un des plus jeunes fils de Robert Boyd de Pinkill Castle, en Ayrshire. Certains biographes le représentent comme l'un des génies les plus extraordinaires qu'on ait jamais vus[5]. Il vint au monde, dit-on avec des dents. Très tôt orphelin de père, c'est son oncle James Boyd alors archevêque de Glasgow qui se chargea de son éducation en le confiant à deux grammairiens qui lui enseignèrent le grec et le latin. Admis au Collège de Glasgow dont le principal était Andrew Melville, Boyd se fit remarquer par son comportement pour le moins turbulent : il battit ses maîtres, brûla ses livres, négligea l'étude et ne voulut plus bientôt entendre parler d'éducation. Lord Hailes apporte le témoignage suivant :

---

1 Scot porte le titre dans une référence au prieuré de Saint-Michel de Mollans, dont il était propriétaire dans le diocèse de Vaison : Archives départementales de Vaucluse, 3 E 26/1540, f°706.

2 Forbes-Leith, *Bibliographie*, *Op. cit.*, p. 31

3 Francisque-Michel, *Les Écossais en France, les Français en Écosse*, Trübner & Cie, Londres 1862, 2ème Vol, 2ème partie, p. 262, note. 5.

4 « The French Connection », *Op. cit.*, p. 38.

5 *Nouvelle Biographie Universelle*, Michaud, Paris & leipzig, Vol. V, p. 374.

> Le jeune Boyd, de nature enjoué et têtu, se lassa vite de la discipline académique, se querella avec ses précepteurs, renonça à ses études, et, pressé de devenir un homme du monde, se présenta à la cour... Tout ce que nous savons de ses exploits à la cour est qu'il se battit en duel une fois, et se livra à de nombreuses altercations(...)[1].

A la mort de son oncle, ses proches lui conseillèrent de s'engager dans la profession des armes aux Pays-Bas. A ceci il consentit avec empressement, mais il choisit la France comme terre d'accueil. Il arriva à Paris en 1581, où il perdit d'un coup de dés tout l'argent qu'il avait apporté avec lui[2]. Puisqu'il était de bon ton pour les jeunes hommes de qualité et même les militaires de suivre une carrière académique, il décida de reprendre ses études. Impressionné par la grande considération dont bénéficiaient les hommes éduqués en France, il se mit en tête de devenir lui aussi un homme éduqué. Il commença ses études d'abord à Paris ; ses professeurs furent Jacques-Marius d'Amboise, professeur de philosophie, Jean Passerat professeur de rhétorique et poète, ainsi que Gilbert Génébrard, professeur d'hébreu. Boyd toutefois confessa son ignorance de cette langue, et décida de se consacrer à l'étude du droit civil, à l'Université d'Orléans, où professait « *J. Robertus, homme connu surtout pour avoir osé s'élever contre Cujas* »[3].

Boyd quitta bientôt Orléans pour l'Université de Bourges, où il fut reçu avec gentillesse par Jacques Cujas, d'autant plus que son nouvel élève avait quitté Orléans et le professeur Robertus[4]. En outre, Boyd se fit apprécier de son maître en lui écrivant quelques vers en latin, dans le style d'Ennius, qui plurent particulièrement au grand juriste. A quelle date Boyd arriva-t-il à Bourges ?

---

1 « *Young Boyd, in his nature lively and headstrong, soon grew weary of academical discipline, quarrelled with his preceptors, renounced his studies, and eager to become a man of the world, presented himself at court(...). All that we learn of his proficiency at court is, that he fought one duel, and was engeged in numberless broils(...)* », in D. Dalrymple, Lord Hailes, *Sketch of the Life of Mark Alexander Boyd*, Edinburgh, 1786 ou 1787, p. 1.

2 *Dictionary of National Biography*, Vol. 1, p. 1002.

3 « *J. Robertus, a man principally known for having dared to become the antagonist of Cujacius* », in Hailes, *Op., cit.*, p. 2.

4 *Ibid.*, p. 2.

Le brouillon d'une dissertation de sa plume est conservé à la National Library of Scotland[1]. Ce manuscrit ne mentionne ni date, ni lieu, et de ce fait ne nous autorise pas à conclure de façon sûre. John Durkan retient la date de 1585 mais l'archiviste qui a rédigé la note du manuscrit précise qu'il a probablement été écrit en 1590. Ceci nous porte à croire que le document ne fut pas rédigé à Bourges, bien que dédicacé à François Bauduin. En effet, Boyd s'enfuit de Bourges, chassé par l'épidémie de peste. Sibbald écrit : « *La peste éclata à Bourges ; et Boyd redoutant l'infection, s'enfuit à Lyon* »[2]. De quelle épidémie s'agit-il ? Celle de 1581-82 au cours de laquelle beaucoup d'écoliers périrent[3], ou bien celle de 1584 ? Il semble que ce soit la recrudescence de l'épidémie en 84 qui éloigna Boyd de Bourges. En effet, comment aurait-il pu repartir de Bourges en 1581 alors qu'il quittait Glasgow cette même année et qu'il est censé avoir habité et étudié à Paris puis à Orléans entre-temps ? A nouveau la peste l'éloigna de Lyon et il se réfugia en Italie. Selon Hailes, Boyd était de retour à Lyon c. 1585, et deux années plus tard, rejoignait les troupes royales d'Henri III, en Auvergne[4].

Ceci nous amène à conclure que Boyd dut arriver à Bourges dans le courant de l'année 1583, après l'épidémie de 1581-82, puis repartir au moment de la nouvelle propagation du fléau, en 1584. Boyd serait ainsi resté ou passé à Bourges entre 1583 et 1584. Selon Sibbald, « *à Bourges, Boyd étudia sérieusement, et fit preuve d'une grande application, d'autant plus surprenante chez une personne de son âge et de nature peu contenue* »[5] : il avait vingt ans.

---

1 NLS Ms 15. 1. 7, f°. 192-197.

2 Hailes, *Op., cit.*, p. 3 :
« *The plague broke out at Bourges ; and Boyd, dreading the infection, fled to Lyons* ».

3 A. Leprince, *La Faculté de Médecine de Bourges (1464-1793)*, Bourges, 1903, p. 99.

4 Hailes, *Op., cit.*, p. 4

5 R. Sibbald, *Scotia Illustrata, Pars Secunda Specialis, tomus secundus*, Edinburgi, 1684 : « While at Bourges, Boyd applied his mind to ferious study, with more earneftnefs than could have been looked for from a perfon of his age and defultory temper ».

1.16 WILLIAM DRUMMOND OF HAWTHORNDEN (1585-1649).

William Drummond était le fils aîné de John Drummond premier comte de Hawthornden, qui devint officier à la cour de Jacques VI en 1590, fut fait chevalier en 1603 à son arrivée en Angleterre avec le roi, mourut en 1610 et fut enterré à Holyrood. La mère de William, Susannah, était la soeur de William Fowler, secrétaire privé de la reine Anne du Danemark qui l'accompagna en Angleterre en 1603. William naquit le 13 décembre 1585 à Hawthornden, situé à une distance de sept miles au sud d'Edimbourg. Enfant, il fréquenta l'école d'Edimbourg, puis l'université de la ville, sous le professorat de John Ray. Il obtint la maîtrise en 1605. L'année suivante, il effectua son premier voyage à Londres, à la cour de Greenwich où se trouvait son père. William prit le temps de se procurer et lire les écrits de Sidney, Lyly et Shakespeare et vint en France[1].

A la Bibliothèque de l'Université de Dundee, est conservé le journal de William Drummond. Il couvre la plus grande partie de sa vie et est essentiellement un registre des naissances, maladies et décès de ses nombreux enfants. Parmi ces événements, Drummond a consigné quelques épisodes de sa propre vie, et en particulier deux comptes-rendus de son voyage aller-retour Écosse-Bourges qui nous permettent de savoir exactement les dates de ses arrivée et départ, donc la durée de son séjour à Bourges :

> L'Année 1606, le 3 Septembre, un Mardi, j'arrivais pour la première fois en France. Le 6 suivant étais à Paris. Le 10 avril 1607 j'arrivais à Bourges en Berry où je restais jusqu'en août 1608
> l'Année 1608 le 13 Novembre à environ minuit, à moins de 20 miles de Scarbrough rentrant en Écosse, je me trouvais en grand danger de périr par noyade suite à une collision de mon navire avec un autre navire en pleine mer. celui-là cassa les haubans de l'autre et creva sa quille. J'avais 23 ans. C'était un mardi[2].

1 *Dictionary of National Biography*, Vol. 1, p. 45.

2 University Library of Dundee, Br MS 2/2/4 : *« Anno 1606 the 3 of September being Tusday I first arrived in france. the 6 thereafter came to Paris. The 10 of aprill 1607 I came to Burges in Berrye there remained till agust 1608 »*

« Anno 1608 the 13 of November about twelfe a clocke in the night not 20 miles from Scarsbrough returning to Scotland by the rencountring of a ship in the broad

Agé de vingt et un ans à son arrivée, William Drummond resta donc seize mois à Bourges.

1.17 ALEXANDER ERSKINE (? -1640)

1.18 HENRY ERSKINE (? -1628)

1.19 JOHN SCHAU

Alexander et Henry Erskine étaient frères, fils du Comte de Mar. John Schau était leur tuteur. Tous les trois voyagèrent ensemble ; leurs lettres au comte témoignent de leurs déplacements sur le continent et nous permettent de reconstituer les détails de leur séjour à Bourges[1]. Dans une lettre en date du 26 décembre 1616, John Schau écrit de Bourges :

> Nous avons quitté Paris pour Bourges le 9 décembre.[2].

En mars de l'année suivante, tous les trois sont encore à Bourges[3], et le 5 juin de la même année, John Schau écrit cette lettre :

> (...)les fils de Monsieur le Comte sont, Dieu soit loué, en très bonne santé. Henry étudie le droit avec application mais Alexandre ne s'y intéresse pas (...). Bourges, le 5 juin 1617[4].

Ils passent l'été à Bourges, comme en témoigne la lettre en date du 17 juillet[5], mais la lettre du 7 août annonce l'intention de ne pas quitter Bourges avant Noël[6]. Le désir de reprendre la route est dans

---

sea I was in great Danger to have been drowned. the one ship braking the shroudes of the other and shee bursting her at the keelle. this happened the 23 of my age. Upon a Tusday ».

1 Ces lettres sont conservées au Scottish Record Office sous les cotes GD 124/15/32 et GD124/15/34. Nous en proposons une étude détaillée dans notre sixième partie.

2 SRO GD124/15/32/1 : « *We removit from Paris to Bourges upon the 9th of December(...) Burge 26 December 1616* ».

3 SRO GD124/15/32/2 : lettre en date du 9 mars 1617 de John Schau au comte de Mar.

4 SRO, GD124/15/32/3 : (...) « *your lordship's sons are praised be God, in very good health. Henrie applies the studying of the laws diligently but alexander's mind is not into them (...) Bourges the 5 of Junno 1617* ».

5 SRO GD124/15/32/4 : John Schau au comte de Mar.

6 SRO GD/124/15/32/5 John Schau au comte de Mar.

l'air. Si la lettre du 19 août est encore écrite à Bourges[1], la suivante en date du 23 octobre est envoyée de Paris, et son contenu est clair : « *Monsieur le Comte, les fils de Monsieur le Comte ont quitté Bourges... Paris le 3 octobre 1617.* »[2] Cependant, John Schau et Henry éprouvent le besoin de justifier leur départ de Bourges. Tous les deux écrivent au comte de Mar le 22 décembre 1617 alors qu'ils se trouvent à Saumur, où ils resteront quelque temps. John Schau écrit :

> (...) Que Monsieur le Comte ne soit pas contrarié que ses fils aient quitté Bourges pour aller à Saumur, ceci à cause de centaines d'inconvénients occasionnés par la présence d'une multitude d'Écossais sur place : toutefois bien qu'on ait changé de lieu, il n'y a d'interruption ni dans les études ni dans les exercices. Il est vrai que le droit n'est pas enseigné ici (...)[3].

Henry Erskine, de son côté, justifie leur départ de Bourges par ces lignes, à son père :

> (...) si nous étions demeurés plus longtemps à Bourges, nous n'aurions pu apprendre le français, à cause du grand nombre d'Écossais présents pour l'heure, car nous nous rencontrions chaque jour au cours de nos exercices, tant et si bien qu'il nous était impossible de ne pas parler écossais. Je dois dire qu'en cette ville on n'enseigne pas le droit, mais ceci importe peu car nous avons d'autres occupations(...) car tout le bien qui est enseigné dans les écoles aux hommes consiste à les aider à progresser, afin qu'ils puissent comprendre les choses qu'ils lisent(...)[4].

---

1 SRO/ GD/124/15/32/6 John Schau au comte de Mar.

2 SRO/GD/124/15/32/7 John Schau au Comte de Mar.

« *(...)My Lord your Lordship's sonnis removit from Bourg upon the 3 october(...) Pareis 23 octb 1617* ».

3 SRO/GD/124/15/32/8 John Schau au comte de Mar

« *(...) Let not your Lordship be offendit at the removing of your Lordship sonnis from Burgs to Saumers, which was donne becauis of the hindrid incommoditeis brought into them by the multitude of Scottisch men resident thair : so that albeit the place be changit, yet thair is no intermitting nathair of studie, nor exercise. It is treuth the lauis ar not taght hir (...)* ».

4 SRO/GD/124/15/34/5 Henry Erskine au comte de Mar :

« *(...) for if we had stayed still in Bourges, we would not have lernit the frence, in respek of the great number of Scots mon that is ther for the present, for me met everyday together at our exercise, so that it was impossible to us, not to speake Scotis. I confess that we have not the lauis tecthed in this touno, but that is no great moater so that we be diligent othervais(...) for all the good that tetchin in the schooles dois to mon, if only bot to giv them some progress, thathereby they may understand the things they ried (...)* ».

Par le contenu de ces lettres, nous apprenons que les frères Erskine et leur tuteur sont restés à Bourges de la mi-décembre 1616 au 3 octobre 1617 ; la durée de leur séjour fut d'un peu plus de neuf mois. Elles nous apprennent également qu'ils suivirent bien des études de droit, le temps de leur séjour. Nous avons déjà signalé que les deux frères signèrent l'*Album Amicorum* de Fait tot. Leurs seules signatures n'auraient sans doute pas suffi à les identifier, mais leurs lettres apportent un témoignage complémentaire d'importance.

1.20 Les Écossais de l'*Album* de Fait tot : ROBERT BURNET, J.STEWART OF TRAQUARE, M.A.GIBSONE, ROBERT DOUGLAS, ARCHIBALD DOUGLAS, HENRY HAY, J.LYNDESE, PATRICK HUME DE POLWART.

Nous n'avons pas d'autres preuves qui nous permettraient d'identifier les autres Écossais dont les noms figurent sur l'*Album* de Fait tot. Les seules initiales et les dates sont des indices bien minces pour des patronymes aussi courants. Cependant, nous avons tenté de les identifier.

A cet effet, nous avons orienté nos recherches dans deux directions : en amont d'une part, aux archives des universités écossaises, en aval d'autre part, en consultant le répertoire de la *Faculty of Advocates*. Notre recherche ne fut pas tout à fait vaine, car la vérification du catalogue des gradés de l'Université d'Edimbourg nous révéla parmi les noms des diplômés, les noms qui suivent :

Classis 21. Julij, 27, 1609 :
Robert BURNET : jurisconsultus
Classis 27. Julij, 22, 1615 :
Robert DOUGLAS : 22 Julij, 1615
Joannes STEWART a TRAQUARE, Comes Traquarius
Classis 29. Julij, 30, 1617 :
Archibaldus DOUGLAS
Classis 33. Julij, 14, 1621 :
Henricus HAYUS, Commissarius
Classis 28. Julij, 27, 1616 :
David HERIOT, jurisconsultus

Classis 33. Julij, 14, 1621 :

Joannes LYNDESIUS

Classis 32. Julij, 22, 1620 :

Patricius HOOME de POLWART

Cette liste de noms est bien troublante car elle correspond tout à fait aux noms inscrits sur l'*Album* de Fait tot à Bourges ; les dates de l'obtention des diplômes à Edimbourg précèdent les dates données à Bourges. Tout en gardant une certaine prudence, l'on ne peut s'empêcher de penser que ces étudiants, après avoir obtenu leurs diplômes à Edimbourg, sont venus poursuivre leurs études de droit à Bourges où ils se sont retrouvés.

En ce qui concerne nos recherches en aval, nous avons également relevé des noms dans le répertoire de la *Faculty of Advocates*[1].

Nous n'avons pas la preuve que les individus recensés dans le répertoire sont bien ceux qui étudièrent à Bourges ; pourtant, nous en risquons l'hypothèse car les dates sont de nouveau très suggestives dans chaque cas. Nous donnons ci-après les informations relevées s'agissant de Robert Burnet, Gibsone le Jeune, Henry Hay, et David Heriot.

ROBERT BURNET (n. d)

Présent à Bourges entre 1619 et 1624.

Fils de William Burnett, admis à la Faculty of Advocates d'Edimbourg le 6 juillet 1622, épousa Margaret Heriot en 1627.

GIBSONE Younge (n. d)

Présent à Bourges entre 1619 et 1624.

James Gibson était le frère de Patrick Gibson de Muldares, de la famille de Sheriffhill, admis avocat le 6 février 1627.

HENRY HAY (1603- ?)

Présent à Bourges en 1621.

Fils aîné de Sir John Hay of Barra, admis avocat le 6 juin 1627, commissaire de la ville d'Edimbourg le 9 octobre 1628.

---

1 Sir F. J. Grant, ed., *The Faculty of Advocates in Scotland 1532-1943, with genealogical notes*, Edinburgh, 1944, pp. IV-228.

DAVID HERIOT (? -1662)

Heriot (sans prénom) présent à Bourges en 1621.

Fils aîné de David Heriot, joaillier à Edimbourg, admis avocat en 1624, épousa en 1622 Margaret, fille de David McGill of Cranston-Riddell.

1.21 ARTHUR STUART.

Nous ne savons pas combien de temps Stuart passa à l'Université de Bourges, mais nous savons qu'il y arriva vers la fin de l'année 1625 car nous relevons dans les *Records of the Scots Colleges Abroad* ces indications :

> Arthur Stuart originaire du diocèse de Kinmachliensis, du Comté de Murray fut envoyé par P. Anderson faire son droit à l'âge de 24 ans. Admis ad sociÉtatum le 15 août 1625 par R. P Herennio, il partit le 18 du même mois pour Rome ; mais à Paris, ayant changé d'avis, il se détourna sur Bourges[1].

1.22 ANDREW KERR (? -1672)

Contemporain de George Mackenzie. Ce dernier témoigne du passage de Kerr à Bourges quand il cite Andreas Kerrus dans son court ouvrage intitulé « *Characteres quorundam apud Scotos advocatorum* » :

> (Andrew Kerr, pendant qu'il étudiait à Bourges (cette Athènes des jurisconsultes auxquels je dois toute la jurisprudence que je sais)) (...)[2].

1.23 GEORGE MACKENZIE OF ROSEHAUGH (1636/38-1691)[3].

George Mackenzie naquit à Dundee en 1636 ou 1638. Neveu du deuxième comte de Seaforth, son grand-père maternel était Peter

---

1 *Records of the Scots Colleges Abroad*, New Spalding club, Aberdeen, 1906, Vol. I, p. 20 :

« Arthurus Stuartus, Kinmachliensis Diocesis Moraviensis missus a P. Andersono ad logicam aÉtatis 24. Admissus ad sociÉtatem 15 Aug. 1625 a R. P Herennio, discessit 18 ejusdem Romam ; sed Parisiis mutata mente Bituriga divertit ».

2 (...) *Andreas Kerrus Biturcis (Athenis illis jurisconsultorum, quibus ego etiam qualem qualem jurisprudentiam meam debeo) dum studeret* (...), in Works, Edinburgh, 1716, vol. 1, p. 7.

3 Les deux dates de naissance sont acceptées indifféremment par toutes les sources, sans qu'aucune preuve ne soit tentée.

Bruce, principal de St-Leonard's College de St-Andrews. Entre 1650 et 1653, Mackenzie étudia le grec et la philosophie aux Universités de St-Andrews et d'Aberdeen. Il n'avait pas seize ans lorsqu'il quitta l'Écosse pour la France, pour Bourges[1]. George Mackenzie apposa sa signature dans le livre-matricule des écoliers de la Faculté de droit des années 1656-1665 ; sa signature est précédée de ce texte, écrit de sa main :

> Moi, Georgius Mackenzie, Écossais, j'ai inscrit mon nom dans la matricule des étudiants de droit in utroque ce jour, le 24 février 1658
>
> j'ai entrepris l'étude du droit le 5 du mois de novembre 1656[2].

En regardant la page attentivement, nous voyons que Mackenzie rajouta la deuxième phrase qui consiste à préciser la date de début de ses études, après coup. Voulait-il rétablir l'oubli d'une première inscription, apporter cette précision supplémentaire par souci de rigueur personnelle ? Cela n'est pas impossible, car ce genre d'information n'apparaît pas dans les inscriptions de façon régulière à cette époque-là. Normalement, le semestre auquel s'inscrivait l'étudiant devait toujours être indiqué. Étranger, Mackenzie n'oublia pas de mentionner sa nationalité, par contre il n'indiqua pas son diocèse d'origine, alors que cela était pratique courante, pour tous les étudiants français et étrangers. Il était également courant d'inscrire son nom en latin ou sous une forme latinisée. Mackenzie ne modifia pas son patronyme, il latinisa seulement son prénom : *Georgius*.

L'inscription en date du 28 février 1658 est-elle la dernière inscription semestrielle pour Mackenzie, ou bien prolongea-t-il son étude d'un ou deux semestres ? Nous l'ignorons, mais le 18 janvier 1659, il était déjà admis avocat au Barreau d'Edimbourg[3]. Par

---

1 *Dictionary of National Biography*, Vol. XII, p. 586.

2 Archives départementales du Cher, AD9, f°5v° :

« *Ego Giorgius Mackenzie, Scoto britannus, studiosorum utriusque juris matriculae nomon moum inscripsi hodie 24 february 1658 studium juris aggressus mense novembris 5ta anni 1656* ».

3 John W. Cairns, *ORATIO INAUGURALIS in Aperienda Jurisconsultorum Bibliotheca Sir GEORGE MACKENZIE*, Butterworths, Edinburgh, 1989, p. 18 ; NLS Adv MS25. 2. 5(i), f°290r.

conséquent, si nous laissons à Mackenzie le temps de rentrer en Écosse, il étudia à Bourges très certainement de novembre 1656 à la fin de l'année 1658, soit deux années.

1.24 MALCOLM MacGREGORE (? -1714).

L'origine de Malcolm MacGregore ou Malcom Gregory ou Macgregory of Coltquhot est totalement inconnue[1]. Sans doute est-il le « Milcolumb McGregor » qui obtint sa maîtrise-ès-arts au King's College d'Aberdeen le 21 juin 1694[2].

Malcolm MacGregore apposa sa signature deux fois sur le livre-matricule des écoliers gradés de la Faculté de Droit de Bourges, des années 1696-1715 :

La première fois, à la date du 19 juillet 1703, il écrivit :

> Moi, Malcolm Makgregore, Écossais du Diocèse d'Aberdeen, j'ai obtenu le grade de bachelier en droit in utroque par les très célèbres professeurs D. D de l'académie de Bourges, en ayant défendu cette thèse sur le titre des Institutes de obligationibus ce jour, le 19 juillet 1703[3].

puis le 9 août suivant :

> Moi, Malcolm Makgregore, Écossais du Diocèse d'Aberdeen, j'ai obtenu le grade de licencié en droit in utroque par les très célèbres professeurs D. D de l'académie de Bourges, en ayant défendu cette thèse sur le titre du Digeste de adquirendo rerum dominio et sur celui des Décrétales de fructis, ce jour, le 9 août 1703[4].

---

1 Autres formes de ce nom : Malcolm Gregory ou Macgregory, in John W. Cairns, *Legal Education in 18th Century Edinburgh*, manuscrit personnel, à paraître, p. 30.

2 P. J. Anderson, ed, *Officers and Graduates of the University and King's College of Aberdeen*, Aberdeen, 1893, pp. 216-17 :

« *21 Junii, anno 1694* ».

3 Archives départementales du Cher, AD19 :

« *Ego malcolombus Makgregore Scotus Diocesis Aberdonensis, gradum Baccalaureatus in utroque jure a clarissimis D. D ; academiae Bituriensis antecessoribus propugnatis prius publice thesibus ex titulo Institutiarum de obligationibus consecutus sum hodie 19 julii 1703* ».

4 Archives départementales du Cher, AD19 :

« *Ego Malcolombus Makgregore Scotus Diocesi Aberdonensis, gradum licentiatus in utroque jure a clarissimis D. D. academiae Bituriensis antecessoribus propugnatis primo septima thesibus ex titulo Digestorum de acquirendo rerum dominio et ex titulo Decretalium de fructis consecutus sum hodie nona augusti*

Contrairement à Mackenzie, MacGregore n'omit pas de préciser son diocèse d'origine : Aberdeen. Ces deux dates 19 juillet 1703 et 9 août 1703 cependant ne nous donnent aucune indication de la durée de son séjour à Bourges. Comme nous l'avons déjà remarqué, MacGregore dut, soit arriver à l'Université avant cette date, et négligea de s'inscrire, – la remarque que nous venons de faire au sujet de l'inscription de Mackenzie devient instructive-, soit s'inscrire auprès d'une autre université et ne venir à Bourges que pour y passer ses examens. Pour obtenir sa licence, il devait normalement étudier trois années consécutives.

Remarquons ici que MacGregore reprit le premier titre de ses thèses qu'il défendit à Bourges pour le défendre une deuxième fois à Edimbourg, en vue d'obtenir son admission en tant qu'avocat en 1706[1]. MacGregore est le dernier des Écossais présents à Bourges. Nous exposons ci-après les temps de séjours individuels : Graphique 4.

1703 ». La mention D. D. signifie qu'il y avait au moins deux professeurs au moment de l'examen ; nous devons cette précision à Michel Reulos, et nous l'en remercions.

1 Cairns, *Legal Education*, *Op. cit.*, *Supra note* 111, p. 30.

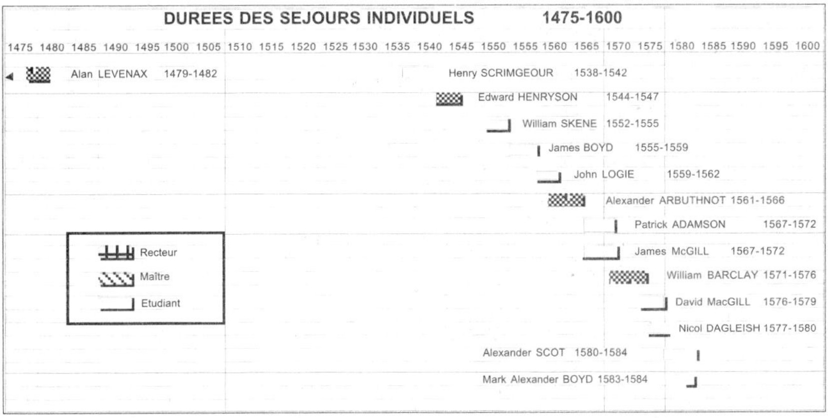

DUREES DES SEJOURS INDIVIDUELS 1475-1600

1475 1480 1485 1490 1495 1500 1505 1510 1515 1520 1525 1530 1535 1540 1545 1550 1555 1560 1565 1570 1575 1580 1585 1590 1595 1600

Alan LEVENAX 1479-1482
Henry SCRIMGEOUR 1538-1542
Edward HENRYSON 1544-1547
William SKENE 1552-1555
James BOYD 1555-1559
John LOGIE 1559-1562
Alexander ARBUTHNOT 1561-1566
Patrick ADAMSON 1567-1572
James McGILL 1567-1572
William BARCLAY 1571-1576
David MacGILL 1576-1579
Nicol DAGLEISH 1577-1580
Alexander SCOT 1580-1584
Mark Alexander BOYD 1583-1584

Recteur
Maître
Etudiant

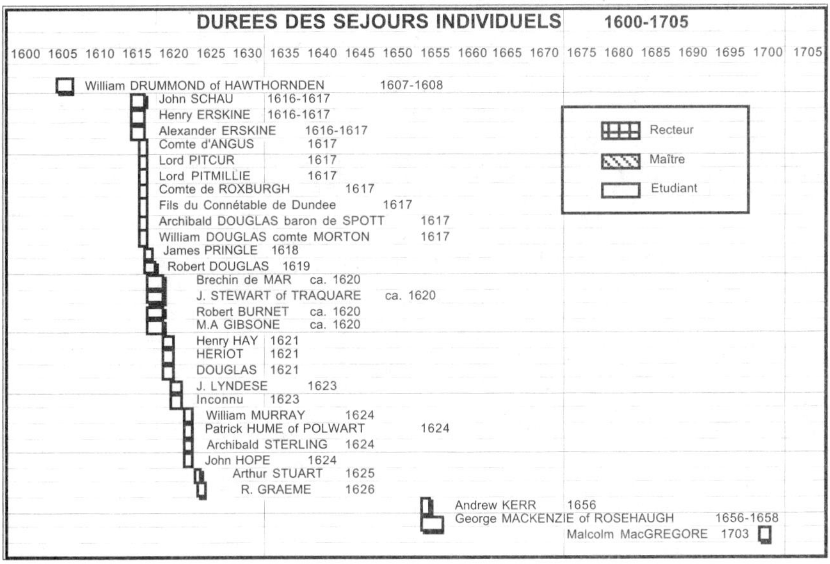

DUREES DES SEJOURS INDIVIDUELS 1600-1705

1600 1605 1610 1615 1620 1625 1630 1635 1640 1645 1650 1655 1660 1665 1670 1675 1680 1685 1690 1695 1700 1705

William DRUMMOND of HAWTHORNDEN 1607-1608
John SCHAU 1616-1617
Henry ERSKINE 1616-1617
Alexander ERSKINE 1616-1617
Comte d'ANGUS 1617
Lord PITCUR 1617
Lord PITMILLIE 1617
Comte de ROXBURGH 1617
Fils du Connétable de Dundee 1617
Archibald DOUGLAS baron de SPOTT 1617
William DOUGLAS comte MORTON 1617
James PRINGLE 1618
Robert DOUGLAS 1619
Brechin de MAR ca. 1620
J. STEWART of TRAQUARE ca. 1620
Robert BURNET ca. 1620
M.A GIBSONE ca. 1620
Henry HAY 1621
HERIOT 1621
DOUGLAS 1621
J. LYNDESE 1623
Inconnu 1623
William MURRAY 1624
Patrick HUME of POLWART 1624
Archibald STERLING 1624
John HOPE 1624
Arthur STUART 1625
R. GRAEME 1626
Andrew KERR 1656
George MACKENZIE of ROSEHAUGH 1656-1658
Malcolm MacGREGORE 1703

Recteur
Maître
Etudiant

1. Diplôme de licence en droit civil de David MacGill, Bourges, 21 juillet 1579, SRO, GD135/2717. Cliché Scottish Record Office.

2. Portrait d'André Alciat. Donné par M. Marnier, Conseiller d'État. Haut. : 0,76m, Larg. : 0,60m. Musée du Berry. Cliché Musées de Bourges.

3. Portrait de François Le Douaren. Donné par M. Marnier, Conseiller d'État. Haut. : 0,76m, Larg. : 0,60m. Musée du Berry. Cliché Musées de Bourges.

4. Portrait de Hugues Doneau. Donné par M. Marnier, Conseiller d'État. Haut. : 0,76m, Larg. : 0,60m. Musée du Berry. Cliché Musées de Bourges.

5. Portrait de François Hotman. Donné par M. Marnier, Conseiller d'État. Haut. : 0,76m, Larg. : 0,60m. Musée du Berry. Cliché Musées de Bourges.

6. Portrait de William Barclay. Le texte figurant en haut du tableau est le suivant : *G. de Barclai Libellor supplicum magister caroli III Lothar. Duc : et Jacobi I Hiberniae regis ab intim : consil huj acad. Antecess. et decanus, abdicavit an. 1602 obiit andegavi an. 1605 aÉtat*. 62. Haut. : 0,81m, Larg. : 0,65m. Musée Lorrain, Nancy photo. P. Mignot.

7. Portrait de Mark Alexander Boyd. Cliché Lord Hailes, *Sketch of the Life of Mark Alexander Boyd*, Edinburgh, 1786, National Library of Scotland.

MEMORIALLS

of my father under his owen hand writ

Anno 1606 the 3 of
september being Tusd
I first arrived in france
the 6 thereafter came to
Paris.

The 10 of aprill 1608
I came to Burges in
Berrye there remained
till agust 1608.

Anno 1608 the 13 of Nov
-ember about twelfe a
clocke in the night no
20 mils from Starsbrou
returning to Scotland by
the rencountring of a
ship in the broad sea

8. Journal de William Drummond of Hawthornden. Cliché Dundee University Library.

9. Inscription et signatures de George Mackenzie dans le livre-matricule, AD, D9. Cliché Archives départementales du Cher.

10. Inscription et signatures de Malcolm MacGregore dans le livre-matricule, AD, D19. Cliché Archives départementales du Cher.

My Lord: we removit from pareis to Burge
upon the 9 Decemb: y.l. sonnis was twa days
wt thair grandmither. hir l. rejosit exceidingly
to sie them, ze the joy of hir hart did fill hir eis
wt teiris for the space ane day desyring
above all things to sie y.l. hir bairn in good helth
bot grathie alterit. If wearis fall furth, schi
will haue y.l. sonnis togr wt hir to glatonnie
and to leive securly among the nunis, bot
our beast and saifest recurse will be to pareis
whair we may werie securly remain the
untill y.l. sonnis acqueir such pairts as
ar fitting to be in men of thair qualitie:
And as for thair chargis at pareis It sall
not far exceid thair chargis heir: bot I hope
we sall not be put to thir schiftis. our
sing is not cumed as yet in to our hands, If the
fault of this be in our factor at pareis capi=
tain settonne will try it for I gave in to him
whan we left pareis, one power to resave,
discharge, and persew what soever monnie he
culd lerne to be in any factoris handis for our
use. direct all things to capitan setton heirefter.
so the Lord blisse y.l.

Burge 26
Decembris

y.l. humble and obedient
servand Jhon Schau

11. Lettre de John Schau au Comte de Mar, Bourges le 26 décembre 1616, SRO GD124/15/32/1. Cliché Scottish Record Office.

Right honorable and loving father
thir few lynes ar onli to lat your lo/
understand that (praisit be god) war
alin good helth in thir parts except
that gentelman Patrulli who ar
hers is better then any of us Bot
I am affirit your lo/ hea hard at greatter
lenth of subject in my brother henry letter
wich he hes writin to your lo/ As
consarning other novels they ar veri
scarce in thir parts whar we ar so
having no farther for the present
I rest your lo/ most obe=
dient sonne

Bourges 17 of
Julii 1617 Alex Erskine

12. Lettre d'Alexander Erskine à son père, le Comte de Mar, Bourges le 17 juillet 1617, SRO GD124/15/35/1. Cliché Scottish Record Office.

13. Portrait de Sir George Mackenzie of Rosehaugh, par Godfrey Kneller, 1686, National Library of Scotland. Cliché National Library of Scotland.

~~Bruges~~, professors of — 1684

Liber cui titulus est Idea eloquentiæ forensis, non solum eloquentiæ sed nativam sui auctoris facundissimi oratoris incomparabilis juris consulti gravissimi Scotiæ Regis et regni advocati catholici nobilissimi D. Georgii Markensie a valle Roscarum imaginem universo orbi adumbrat, non aere fusam, non marmore exsculptam non minio sed perpetuo duraturis ingenii coloribus delineatam. hic siquidem auctor non tantum bene dicendi praecepta sed et exempla exaruit non tantum quomodo ex arte orandum esset ostendit, sed ipse perite et ex arte oravit caeteris qui idem argumentum tractaverunt tanto praestantior quanto praestantiora et potentiora sunt exempla quam praecepta vera verba togae sequitur qui non vanam et futilem qua rerum iners et vacua solo rerum modulo auribus lenocinatur, sed viridam masculam, succi plenam politioris literaturae, peritioris juris prudentiae dotibus refertam facundiam colit quam non solo patrii et Scotici juris cujus apprime patricius et causas agens callens est, sed romanae nomothesiae quae omnium legum fons est et origo luminibus exornet et illustrat imo cum ad juris gentium et naturalis aequitatis praecepta perorarit, non unius gentis et nationis sed omnium et majorum gentium se juris esse consultum esse probarit dignum cui universi orbis juris consulti bona ac fausta omnia apprecati suffragentur. quod cordate et ex animo hoc publico instrumento faciunt antecessores et aggregati doctores universitatis Bituricensis sexto Kalendas Decembris 1684

Tullier Robeyre

De la chappelle antecessor primicerius

Le Clerc

Du Barment: petit

De la Thaumassiere De Bonvoi

14. Lettre adressée à George Mackenzie, portant les signatures de Robert Tullier, de la Chapelle, et de La Thaumassière, SRO RH9/2/20. Cliché Scottish Record Office.

CHAPITRE 2

ÉTUDE PROSOPOGRAPHIQUE

Les éléments biographiques exposés ci-dessus nous permettent de dégager certaines caractéristiques de notre groupe que nous commenterons de la façon suivante.

2.1 Âges et statuts (Graphique 5).

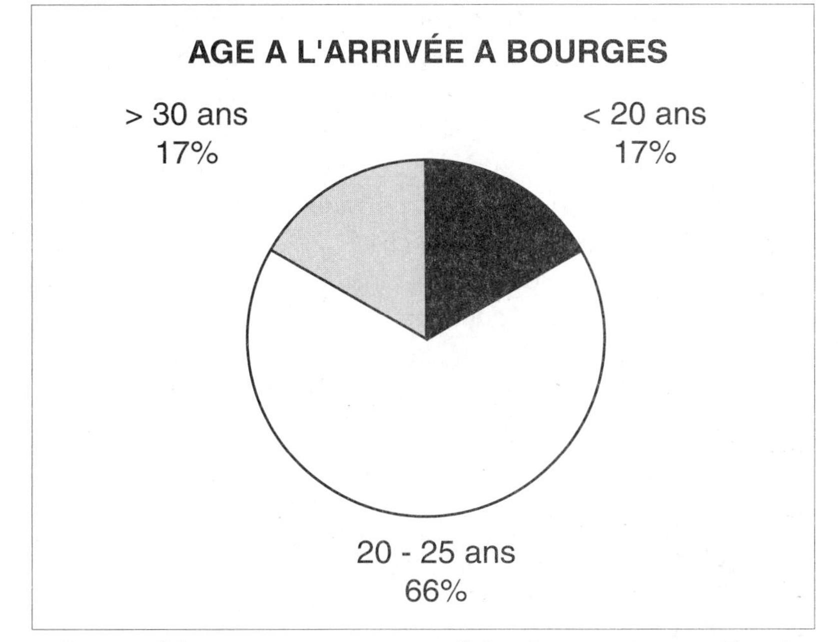

Le graphique que nous avons élaboré nous permet d'analyser l'âge de certains de ces étudiants, à leur arrivée à Bourges. Il est intéressant de noter que nous pouvons les classer en deux catégories : jeunes hommes et hommes mûrs. Cette caractéristique n'est ni exceptionnelle, ni nouvelle. Annie Dunlop dans son essai consacré aux étudiants écossais au XVe siècle, remarque également qu'en ce qui concernait leur âge, *« cela allait des jeunes hommes inexpérimentés à des hommes mûrs »*[1].

---

1 « (...) *from inexperienced youths to mature men* (...) » *in Scots abroad in the fifteenth century*, Edinburgh, 1942, p. 17.

La majorité était âgée d'une vingtaine d'années, la moyenne d'âge se situe à vingt-deux ans. Mackenzie semble avoir été le plus jeune de tous, car bien que nous ayons perdu sa trace à son départ d'Écosse, il avait seize ou dix-huit ans (selon la date de naissance retenue) à son arrivée. Il semble bien que ces jeunes hommes étaient restés sous l'autorité de leurs parents à qui ils devaient rendre compte de leurs déplacements et de l'état de leurs finances assurées précisément par leurs familles.

A l'autre extrémité de notre éventail, Scrimgeour est en effet un homme mûr : il avait plus de trente ans à son arrivée ; il était déjà engagé dans la vie active, nous avons bien vu qu'il avait certainement des bénéfices en Écosse, qui l'obligèrent à y retourner. Il en allait de même pour Adamson qui avait déjà exercé comme ministre pendant quatre ans, à Ceres où on lui avait assigné la charge de « *planter des églises de Dee à Aithan* »[1]. Il se consacra à l'étude avec son élève. Sans doute John Schau, tuteur des jeunes Erskine, se trouva-t-il dans la même situation. Les étudiants plus âgés étaient aussi plus indépendants, n'hésitant pas à trouver un emploi sur place pour financer leurs études et s'insérer sans tarder dans la vie active, par exemple Scrimgeour, Henryson, Barclay.

2.2 Origines.

2.2.1. Origines sociales (Tableau 6).

ORIGINES SOCIALES

FAMILLES NOBLES

WILLIAM SKENE

JAMES BOYD OF TROCHRIG

ALEXANDER ARBUTHNOT

WILLIAM BARCLAY

MARK ALEXANDER BOYD

WILLIAM DRUMMOND OF HAWTHORNDEN

1 « *(...) plant kirks from Dee to Aithan (...)* », in D. G. Mullan, *Episcopacy in Scotland : the History of an Idea, 1560-1638*, J. Donald publishers, Edinburgh, 1986, p. 54.

ALEXANDER ERSKINE
HENRY ERSKINE
Comte d'ANGUS
Lord PITCUR
Lord PITMILLIE
Comte de ROXBURGH
ARCHIBALD DOUGLAS BARON OF SPOTT
BRECHIN OF MAR
WILLIAM DOUGLAS Comte MORTON
J. STEWART OF TRAQUARE
WILLIAM MURRAY
PATRICK HUME OF POLWARTH
GEORGE MACKENZIE OF ROSEHAUGH

FAMILLES DE NOTABLES

HENRY SCRIMGEOUR
EDWARD HENRYSON
JAMES McGILL
DAVID MacGILL

Qui étaient ces Écossais ? A quelles sphères de la société appartenaient-ils ?

La majorité des étudiants est d'origine noble, certains sont titrés, ainsi le comte de Morton, le baron de Spott, le comte d'Angus, le comte de Roxburgh. Les ascendants de vingt-trois de nos étudiants nous sont bien connus : dix-neuf d'entre eux étaient d'origine noble ou titrée, d'ascendance directe : ils étaient fils de comtes, barons, ou lords ; quatre autres étaient issus de famille dont les membres exercèrent d'importantes fonctions dirigeantes en Écosse : Scrimgeour, Henryson, McGill et MacGill. Un seul était d'origine modeste : Patrick Adamson dont le père, nous l'avons vu, était boulanger.

2.2.2. Origines professionnelles.

Une autre remarque beaucoup plus sensible à notre sujet de réflexion s'impose à la seule lecture de leurs noms : les étudiants en droit en grande majorité sont issus de famille de juristes au sens large du terme, ceci confortant bien la réalité de l'existence en Écosse de dynasties en la matière. La consultation du répertoire de la *Faculty of Avocates* d'une part et de l'ouvrage retraçant l'histoire du *College of Justice*[1] est riche d'enseignement ; en effet, les patronymes nous sont familiers et l'on retrouve à la fois plusieurs générations d'hommes de loi dans certaines familles : on se formait à la carrière juridique de père en fils, chez les Henryson, Skene, MacGill, Burnet, Douglas, Gibson, Hay, Hope, Lyndese, Grahame, Kerr. G. Donaldson remarque qu'en Écosse :

> la profession juridique laïque n'était pas plus tôt établie qu'un esprit de clan, quasi héréditaire l'a dominée (...) ; (...) dans au moins trente-six cas, le lien de parenté à savoir celui de père à fils était le plus étroit d'entre tous (...) ; (...) des dynasties judiciaires se formèrent dès le début (...)[2].

Ainsi les MacGill comptèrent-ils quatre juges de père en fils, dans la famille.

2.2.3. Liens familiaux, amicaux.

Si nous affinons notre analyse, nous découvrons que des liens familiaux existaient entre certains de nos Écossais ; ainsi James Boyd était l'oncle de Mark Alexander Boyd. La grand-mère de Scrimgeour était une Arbuthnot, et plus tard Henryson épousa en deuxièmes noces une Heriot. William Skene était le beau-père de la femme d'Adamson. Les MacGill étaient de la même famille. Les frères Erskine étaient peut-être de la famille de Brechin de Mar, car leur père était Comte de Mar. Dans l'une de ses lettres à son père, Alexander Erskine précise qu'il voyagera en Italie avec Stewart of Traquaire. Il donne des

1 F. J. Grant, *The Faculty of Advocates in Scotland 1532-1943 with Genealogical notes*, Scottish Record Society, Edinburgh, 1944 ; G. Brunton and D. Haig, *An Historical Account of the Senators of the College of Justice from its Inception in MDXXXII*, Edinburgh, 1836.

2 « *(...) No sooner had the legal profession, as a lay profession, been established, than kinship, almost hereditary, prevailed in it (...).* » ; « *(...) in no less than 36 cases the relationship was the closest of all, namely that of father and son (...)* » ; « *(...) Judicial dynasties began at the very outset (...)* » *in* G. Donaldson, « The Legal Profession in Scottish Society in the Sixteenth and Seventeenth Centuries », in *Juridical Review*, 1976, pp. 9-10.

nouvelles des comtes de Morton et de Douglas, ce qui signifie que leur père les connaissait déjà en Écosse. Il s'agit là de liens non plus familiaux, mais seulement amicaux. Toutes ces observations nous donnent à penser que le voyage à Bourges pour ces Écossais n'était pas un plongeon dans l'inconnu. Si leur fréquentation ne fut pas un mouvement de masse, il apparaît bien qu'elle n'était pas le fait d'une démarche d'individus isolés, indépendants. La plupart se connaissaient déjà, voire se suivaient.

2.2.4. Esprit de clan.

Ce phénomène illustre bien l'esprit de clan fondamentalement enraciné dans la société écossaise, l'appartenance à un groupe ; le « *kinship* ». Le clan qui tout d'abord signifiait le cercle strict de la famille, avec le père pour chef, se desserra pour couvrir une entité plus large : faisaient alors partie du clan tous ceux qui acceptaient – à titres multiples – l'autorité du chef. Les relations empreintes de loyauté et d'allégeance au clan, qui existent entre les hommes furent l'originalité et le ciment de la société écossaise : « *(...) une société où les hommes s'appuyaient de façon importante sur des relations personnelles, sur un soutien personnel* »[1]. Les divisions naturelles du pays favorisèrent cette organisation sociale.

1 « *(...) in a society where men depended so heavily on personal relationships, personal support* », in J. Wormald, *Court, Kirk, and Community, Scotland 1470-1625*, Edinburgh, 1981, p. 31,

2.2.5. Origines géographiques (Graphique 7).

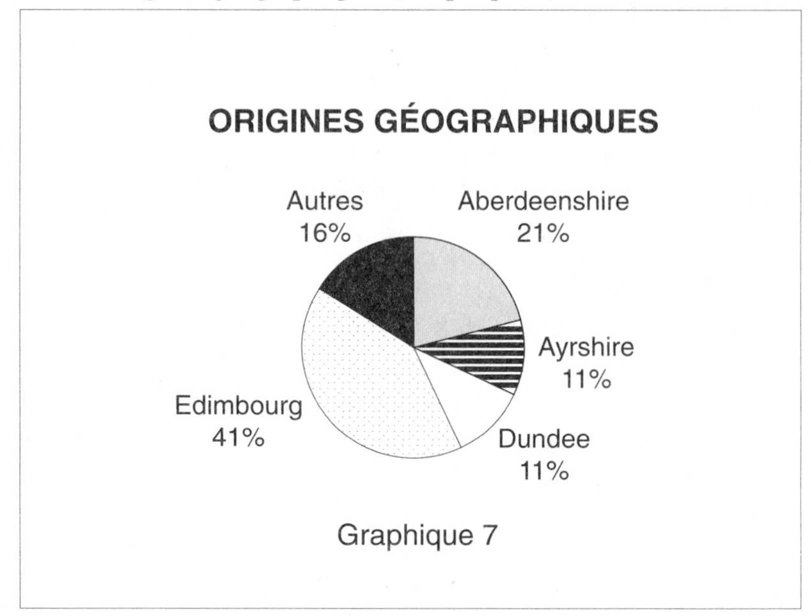

Graphique 7

La principale division historique de l'Écosse coïncide avec sa division géographique en deux parties : les *Highlands* et les *Lowlands*.

Les Lowlands correspondent à cette partie d'Écosse septentrionale qui descend d'une partie de Caithness, le long de l'Est Ross, longeant le Moray Firth, et retrouve la plaine côtière jusqu'au sud de la région d'Aberdeen, englobant toute la partie située au sud d'une ligne Firth of Clyde/ Firth of Forth.

Les Highlands, par conséquent, s'étendent à l'ouest des Lowlands, plutôt qu'au nord, et comprennent le centre montagneux de l'Écosse, toute la côte ouest jusqu'à la pointe sud de Kintyre, ainsi que les îles occidentales. Ces deux divisions de terrain ont entraîné naturellement deux modes de vie différents ; une économie pastorale d'une part dans les parties pauvres des Highlands et une exploitation de culture dans les régions fertiles des Lowlands d'autre part. C'est à partir de cette différence initiale qu'au Moyen-Age, les communautés religieuses, les châteaux, les cathédrales s'établirent, et plus tard la capitale.

A comparer les origines géographiques des étudiants écossais à Bourges, tous étaient originaires des Lowlands et une partie de cette région paraît plus productive que d'autres. C'est celle qui s'étire du nord-ouest d'Aberdeen vers le Midlothian, bande de terre englobant les comtés et les villes d'Écosse situés vers la côte est, Edimbourg étant la ville la plus citée, devant Aberdeen et Dundee, avec deux étudiants originaires de l'Ayrshire : les Boyd.

Que les étudiants soient originaires des Lowlands ne saurait donc nous surprendre puisque, nous venons de le voir, ces régions représentaient le noyau d'activité du pays, sa richesse et sa stabilité. Par ailleurs, ces régions étaient dotées des trois universités et, étant donné que tous les étudiants écossais avaient déjà fréquenté une université chez eux avant de partir, il est normal de les retrouver à l'origine dans ces régions précisément. « *La plupart des étudiants fréquentaient les universités les plus proches de la région où ils vivaient* »[1].

Existerait-il une autre explication à l'absence de Highlanders à Bourges ? L'on est en droit de s'interroger et de chercher à savoir si ce phénomène est exceptionnel et s'il révèle une quelconque réticence vis-à-vis de Bourges. Il semble bien que cela ne soit pas le cas et qu'il ne faille voir là qu'une preuve supplémentaire de l'absence d'Highlanders en général, dans les universités françaises, absence déjà constatée par J. Durkan en ces termes : « *(...) un fait remarquable (...) est l'absence presque totale d'Highlanders en France* »[2].

J-B Coissac quant à lui, remarque que les Highlanders ne fréquentaient pas davantage les établissements écossais, préférant peut-être la culture irlandaise :

> (...) il faut convenir, en effet, que les Highlanders envoyaient leurs fils en petit nombre dans les instituts célèbres de Wardlaw, de Turnbull, et même d'Elphinstone. En rapports suivis avec l'Irlande, ils recevaient en grande partie d'elle une culture rivale à celle des Lothians et des Borders(...)[3].

---

1 V. H. H. Green, *British Institutions, the Universities*, Edinburgh, 1969, p. 76.

2 « The French Connection in the sixteenth and early seventeenth centuries », in *Scotland and Europe 1200-1850*, TC Smout ed., 1986, p. 23.

3 *Les Universités d'Écosse depuis la Fondation de l'Université de St-Andrews jusqu'au Triomphe de la Réforme (1410-1560)* Paris, 1914, p. 299.

Ceci expliquerait bien cela : ces Écossais, qui ne fréquentaient pas les universités chez eux, n'avaient ni le désir, ni le bagage nécessaire semble-t-il pour entreprendre un voyage vers les universités françaises. En effet, venir étudier en France signifiait posséder un premier degré d'instruction universitaire acquis sur place.

2.3 Antécédents académiques en Écosse (Tableau 8).

ANTÉCÉDENTS SCOLAIRES / UNIVERSITAIRES EN ÉCOSSE

HENRY SCRIMGEOUR : *Grammar School* Dundee
Université de St-Andrews
(*St-Salvator's College*)
- Bachelier 1533
- Licencié 1534
- Maîtrise-ès-arts 1539

EDWARD HENRYSON : Université de St-Andrews
- Maîtrise-ès-arts

WILLIAM SKENE : Université d'Aberdeen
(*King's College*)
Université de St-Andrews
(*St-Mary's College*)

JAMES BOYD OF TROCHRIG : Université de Glasgow

ALEXANDER ARBUTHNOT : Université de St-Andrews

PATRICK ADAMSON : École de Perth
Université de St-Andrews
(*St-Mary's College*)
- Maîtrise-ès-arts 1558

WILLIAM BARCLAY : Université d'Aberdeen
(*King's College*)

NICOL DALGLEISH : Université de St-Andrews
(*St-Leonard's College*)

ALEXANDER SCOT : Université d'Aberdeen
(*King's College*)
- Maîtrise-ès-arts

MARK ALEXANDER BOYD : Université de Glasgow

WILLIAM DRUMMOND : *High School* Edimbourg
Université d'Edimbourg
- Maîtrise-ès-arts 1605
GEORGE MACKENZIE : *High School* Dundee
Université de St-Andrews
(*St-Leonard's College*)
Université d'Aberdeen
(*King's College*)
MALCOLM MacGREGORE : Université d'Aberdeen
(*King's College*)
- Maîtrise-ès-arts 1694.

Avant de devenir étudiant d'une université en Écosse, il fallait d'abord s'asseoir sur les bancs d'une *grammar school* appelée aussi *high school*. Le programme d'enseignement de ces écoles répondait à l'objet pour lequel notre enseignement secondaire a été institué. Certaines étaient de très haut niveau académique, et comme leur nom l'indique, les sujets liés à la grammaire y étaient enseignés. Si l'apprentissage des langues anciennes – le grec et l'hébreu – n'était pas négligé, il faut bien avouer que le but principal de la *grammar school* était l'enseignement du latin[1], les traductions, compositions en latin étaient exercices quotidiens. Ces écoles préparaient également à la *determinatio :* cela consistait en un ensemble de prescriptions qui réglaient l'admission à la faculté des arts et le droit de s'y préparer au grade de bachelier. Avant de passer de l'enseignement inférieur à l'enseignement supérieur, un stage de dix-huit mois à la *grammar school* était la norme. La *déterminance* n'était accordée qu'à partir de quinze ans.

Les *grammar schools* étaient présentes dans les villes : Montrose reste la plus célèbre car elle accueillit Andrew Melville qui y apprit l'hébreu sous la férule brillante de Philippe de Marsilliers[2], mais aussi Dundee, Perth, et Edimbourg où étudièrent, respectivement à titre d'exemples, Scrimgeour, Adamson et Mackenzie.

---

1 J. Durkan, « Education in the Century of the Reformation », in *The Innes Review*, N° 10, p. 75.

2 J. Durkan, *Ibidem.*, p. 74.

Notre observation suivante est donc la conséquence de cette réalité : des parcours universitaires que nous avons pu retracer et, selon notre tableau, il ressort que tous les étudiants écossais fréquentèrent une université en Écosse et complétèrent un premier cycle d'études dans les facultés des Arts. La durée statutaire de formation à St-Andrews était de quatre ans, mais ce principe ne fut jamais respecté, et le *curriculum* fut aménagé de telle sorte qu'il fut possible de le parcourir en moins de trois ans ; en réalité, le licence-ès-arts était délivrée deux ans et quelques mois après la *déterminance*[1]. A Glasgow, les règlements initiaux étaient un peu plus précis. Le baccalauréat était obtenu après un an et demi de présence à la faculté, contre un an à St-Andrews. La licence, ou *licentia docendi* consistait en un examen au cours duquel les cahiers de textes, les notes, la thèse écrite par le postulant étaient examinés. Le contenu des cours variait peu entre les universités. Il était recommandé par dessus tout de s'imprégner des textes d'Aristote : *Logique*, *Physique*, *Philosophie naturelle*, *Métaphysique*. Le système continua après la Réforme, même si les réformateurs détestaient Aristote[2].

En ce qui concerne la maîtrise, elle était la consécration donnée par l'université aux privilèges de la licence. Nul ne pouvait être maître avant l'âge de vingt ans. C'est ainsi que tous les étudiants que nous avons pu identifier de façon détaillée étaient déjà titulaires soit d'une licence soit d'une maîtrise-ès-arts, c'est-à-dire qu'ils possédaient une première formation universitaire de base importante, à partir de laquelle ils étaient en mesure d'envisager des études de droit ; la faculté des arts étant le passage, la voie d'accès à une autre faculté.

L'ensemble des disciplines enseignées, les arts libéraux (logique, rhétorique) contenaient « *la tradition des lettres et des sciences grecques, réduites en système par les grammairiens et les rhéteurs, maîtres des écoles romaines* »[3], système qui fut adopté par les écoles

1 J-B Coissac, *Op. cit.*, p. 46.

2 V H H Green, *Op. cit.*, p. 81.

3 S d'Irsay, *Histoire des Universités Françaises et Etrangères*, t. II : du XVIe à 1860, Paris, 1935, p. 4.

épiscopales et monastiques au Moyen-Age. Cependant la finalité de cet enseignement avait changé : les arts n'étaient plus étudiés pour eux-mêmes mais devenaient « *l'assise d'un édifice érigé pour l'usage de la société chrétienne. Les arts libéraux ne serviront désormais qu'à la préparation aux grandes professions savantes : légistes, canonistes, médecins, théologiens* »[1]. La faculté des arts devient la *pia nutrix*[2].

2.4 Antécédents académiques en France (Tableau 9).

PARCOURS UNIVERSITAIRES DE L'ÉCOSSE À BOURGES

HENRY SCRIMGEOUR : Université de St-Andrews
Université de Paris
- Maîtrise-ès-arts 1538
Université de Bourges
- Doctorat en droit

EDWARD HENRYSON : Université de St-Andrews
Université de Paris
- Maîtrise-ès-arts 1543
Université de Bourges
- Doctorat en droit *in utroque*

WILLIAM SKENE : Université d'Aberdeen
Université de St-Andrews
Université de Bourges
- Licence en droit *in utroque*

JAMES BOYD OF TROCHRIG : Université de Glasgow
Université de Bourges
- Doctorat en droit *in utroque*

ALEXANDER ARBUTHNOT : Université de St-Andrews
Université de Bourges
- Licence en droit *in utroque*

PATRICK ADAMSON : Université de St-Andrews
Académie de Genève

1 *Ibidem.*
2 R. Kink, *Geschichte d. Kaiserl, Universität Wien*, Vienne, 1865, II, p. 272.

- Études de théologie

Université de Bourges

WILLIAM BARCLAY : Université d'Aberdeen

Université de Bourges

- Doctorat en droit *in utroque*

NICOL DALGLEISH : Université de St-Andrews

Université de Bourges

ALEXANDER SCOT : Université d'Aberdeen

Université de Tournon

- Études de théologie

Université de Bourges

- Doctorat en droit *in utroque*

MARK ALEXANDER BOYD : Université de Glasgow

Université de Paris

Université d'Orléans

Université de Bourges

WILLIAM DRUMMOND : Université d'Edimbourg

Université de Bourges

GEORGE MACKENZIE : Université de St-Andrews

Université d'Aberdeen

Université de Bourges

- Doctorat en droit *in utroque*

MALCOLM MacGREGORE : Université d'Aberdeen

Université de Bourges

- Baccalauréat

- Licence en droit *in utroque*

Toutefois cette première formation ne semblait pas suffisante à ces étudiants si exigeants en matière d'éducation. Une fois arrivés en France, ils entendaient réchauffer leurs esprits de toutes parts et enrichir leurs connaissances à toutes les sources disponibles. Ainsi, nous avons vu que Scrimgeour et Henryson s'inscrivirent à l'Université de Paris, l'un pour y obtenir ses grades de bachelier, licencié et maître-ès-arts, l'autre sa maîtrise-ès-arts ; tous les deux suivaient ainsi les traditionnels chemins tracés par leurs aînés prestigieux, qui fréquentèrent dès le début de leur création, les écoles parisiennes si prisées.

A la faveur des relations diplomatiques entre la France et l'Écosse – en 1229 Alexandre II épousa Marie de Coucy, fille d'un seigneur français – les premiers étudiants écossais arrivèrent à l'Université de Paris. C'est en effet à cette époque que « *Michel le Scot, surnommé le mathématicien ou le mage, après avoir étudié à Oxford, se rendit à Paris, suivant la coutume, et s'y adonna avec passion à la philosophie et aux arts mathématiques* »[1].

Si les écoles parisiennes furent prisées dès leur création, il faut souligner également que les Écossais allaient être encouragés à venir étudier à Paris, très tôt dans l'histoire de l'Université et bien au-delà de l'année 1688, lorsque des mesures furent prises par Louis XIV pour continuer à soutenir les Écossais catholiques. En 1313, David évêque de Moray conçut le projet d'envoyer quatre écoliers pauvres de son diocèse à Paris afin qu'ils soient formés au travail de missionnaires en Écosse. Envoyé en France par Bruce, pour négocier et signer le traité de Corbeil, il profita de son séjour pour acheter une ferme et des terres dans le village de Grisy, près de Brie-Comte-Robert, en Brie. Les revenus de ce domaine étaient réservés à payer les bourses de ces étudiants pauvres, et à faciliter leur intégration au Collège du Cardinal Lemoine, dit Collège des Écossais[2]. Cependant, les revenus ne furent jamais assez prospères ni le Collège assez grand pour accueillir tous les jeunes Écossais qui plus tard durent trouver hébergement à Montaigu, à Sainte-Barbe, ou chez des maîtres privés.

La Faculté des Arts de Paris accueillit de 1466 à 1476, « *plus de 60 candidats aux divers examens* » et de 1494 à 1500, cent soixante inscriptions d'Écossais furent relevées sur les listes des candidats au baccalauréat ou à la licence[3]. Cette période qui selon Coissac, est considérée comme « *la pléiade écossaise* » rayonna sous l'éminente

---

1 J-B Coissac, « Les étudiants écossais à l'Université de Paris », in *Revue Internationale de l'Enseignement*, n° 17, 1917, p. 23.

2 V. M. Montagu, « The Scottish College in Paris », in *The Scottish Historical Review*, 4, 1907, pp. 399-416.

3 J-B Coissac, *Ibidem*, p. 27.

personnalité de John Mair qui régna docteur en théologie pendant près de trente ans.[1]

Non seulement les Écossais étaient nombreux, mais aussi bien appréciés ; en effet, l'honneur d'être élu recteur revint souvent à des Écossais, et au cours du XVIe siècle, le rectorat leur revint dix fois.[2]

Toutefois, au moment de la Réforme, l'Église catholique écossaise n'était pas en état de répondre aux demandes d'aides de ses écoliers et, en 1566, le Principal du Collège, Thomas Winterhop écrivit à Marie Stuart pour solliciter son aide. Il ne manqua pas de montrer à la reine l'avantage qu'elle aurait à soutenir ses compatriotes de confession catholique étudiants à Paris. Marie promit son aide financière et tint ses promesses, en allouant d'une part une pension annuelle à un certain nombre de jeunes, et en prenant d'autre part des dispositions testamentaires afin que ces aides continuent après sa mort.[3]

Outre Marie, James Beaton, archevêque de Glasgow et ambassadeur à la cour de France, agit en faveur de ces étudiants : il fonda en 1569 un collège pour les Écossais à Paris, fondation accompagnée de subsides et d'une maison pour leur hébergement. Par ailleurs, conscient des difficultés de ces jeunes aspirants à la prêtrise en Écosse, il obtint du Pape Grégoire III en septembre 1580 qu'il accepte que les évêques de Paris et de Meaux confèrent la prêtrise aux Écossais écoliers à Paris. Bien plus tard, en 1688, Jacques II persuada Louis XIV de s'intéresser au Collège. Ce dernier ne manqua pas d'accorder son aide à ceux de la foi catholique, en les plaçant sous sa protection et en leur accordant les privilèges attachés aux autres écoliers de l'Université de Paris.[4]

Influence et prestige incontestés des études de théologie et des arts à l'Université de Paris, conditions d'études favorisées, tout au long des siècles, autant d'éléments qui ne pouvaient que pousser les étudiants à s'arrêter à Paris, avant de rejoindre Bourges. En effet, si

---

1 *Ibidem.*, p. 28.
2 *Ibidem.*, p. 25.
3 V. M. Montagu, *Op. cit.*
4 *Ibidem.*, p. 404

nous n'avons retrouvé que les deux inscriptions de Scrimgeour et d'Henryson à la Faculté des Arts parisienne, la plupart des autres étudiants à Bourges firent également d'abord une halte à Paris : Adamson, Barclay, Boyd, Drummond, les frères Erskine, Stuart.

Au-delà de l'attrait pour le centre intellectuel qu'était Paris, la capitale présentait un autre élément important pour les étudiants écossais tout frais arrivés de leur terre natale : la ville était une plaque tournante, où l'on passait inévitablement pour y poser ses repères, qui rencontrer des compatriotes, qui se renseigner, avant de continuer le voyage.

2.5 Itinéraires.

ITINERAIRES DE PARIS A BOURGES						
Etudiants	PARIS	ORLEANS	POITIERS	TOURNON	GENEVE	BOURGES
Henry SCRIMGEOUR	1					2
Edward HENRYSON	1					2
Patrick ADAMSON	1		2		3	4
James McGILL	1		2		3	4
William BARCLAY	1					2
Alexander SCOT				1		2
Mark Alexander BOYD	1	2				3
William DRUMMOND	1					2
Alexander ERSKINE	1					2
Henry ERSKINE	1					2
John SCHAU	1					2
Arthur STUART	1					2

Graphique 10

Etape sociale, en quelque sorte, en route vers une autre université, le Graphique 10 le montre bien, Paris se trouve en deuxième place après une université écossaise, et donc en première place des universités visitées en France.

Les universités étaient des corporations privilégiées, qui à leur création avaient recueilli la confirmation du pape ; ainsi, les inscriptions étaient-elles acceptées, nonobstant les nationalités et les candidats avaient le droit d'apprendre où bon leur semblait ; de même les étudiants gradés avaient le droit d'enseigner où bon leur semblait (*ius ubique docendi*). Il semble bien qu'aucun de ces étudiants ne soient venus à Bourges directement. D'autres suivirent un parcours atypique avant d'arriver à Bourges ; ainsi Adamson étudia-t-il la théologie à Genève, Scot étudia cette même discipline à Tournon, et Mark Alexander Boyd s'arrêta quelque temps à Orléans, avant d'atteindre Bourges.

Si les éléments biographiques nous permettent d'assurer que tous les étudiants avaient une première formation universitaire en Écosse, leur itinéraire de l'Écosse à Bourges ne semble correspondre ni à une démarche systématique qui correspondrait à un circuit existant, ni à un plan d'étude pré-établie ; mais bien plutôt à des décisions sporadiques, liées à des décisions individuelles, comme des accidents de parcours en quelque sorte, n'obéissant pas à des comportements collectifs.

Si l'attrait pour la Faculté des Arts de l'Université de Paris ne se démentit pas au cours des siècles évoqués, il en fut tout autrement pour l'École de droit d'Orléans, notre tableau confirme bien la désaffection vis-à-vis de cette dernière de la part des Écossais.

2.6 Durée des études à Bourges et diplômes.

2.6.1. Remarques.

Armés d'une première formation universitaire importante, possédant des connaissances en latin, à quel rythme d'études les Écossais étaient-ils confrontés dans l'Université berruyère ? Précisons tout d'abord que la durée des études ne se confond pas nécessairement avec la durée des séjours. Ainsi, Scrimgeour, Henryson et Arbuthnot ont-ils prolongé leurs séjours au-delà de leurs années d'études.

Par ailleurs, le problème est de savoir si les durées d'études fixées étaient respectées. Rappelons que l'on accédait au grade de bachelier en deux ans, à celui de licencié en trois ans, et à celui de docteur en quatre ans. Nous avons des cas normaux où la durée des études est parallèle à l'obtention du diplôme correspondant, ainsi, W. Barclay ou J. Boyd obtinrent le doctorat après quatre années d'études. A côté de ces cas normaux, les autres exemples sont nombreux d'études anormalement courtes (MacGregore) ou longues (Adamson). Il semble bien que ces anomalies ne soient qu'apparentes et dues aux *« vices de la documentation »*[1], pour reprendre l'expression même de

---

1 « Les universités médiévales : intérêt et limites d'une histoire quantitative » in D. Julia, J. Revel, *Les Universités Européennes du XVIe au XVIIIe siècle, Histoire*

J. Verger qui, se référant au cas d'Avignon (semblable à Bourges en cet exemple) précise :

> La matricule d'Avignon, comme d'autres d'ailleurs, contient de nombreux exemples d'étudiants qui prenaient leurs grades dans les jours qui suivaient leur immatriculation. Dans beaucoup de cas, il doit s'agir en réalité soit d'étudiants ayant fait leurs études ailleurs, soit d'étudiants ayant fait à Avignon même des études réelles mais ayant différé leur immatriculation (et ses frais) jusqu'au moment d'être sûrs d'obtenir leur grade[1].

Quant aux diplômes, il semble que la majorité des étudiants recensés accédèrent à la licence et au doctorat. Dès la création de l'Université de Bourges, nous l'avons vu, les deux droits, droit civil et droit canon furent enseignés ; aucun des deux droits ne semblait jouir d'une supériorité, car les étudiants se targuaient, à l'issue de leurs études, de posséder un diplôme *in utroque jure,* ils n'oubliaient pas de le mentionner, comme si c'était là le diplôme idéal.

2.6.2. Le diplôme de David MacGill.

Le diplôme de David MacGill est le seul diplôme d'un Écossais à Bourges, conservé à notre connaissance. Le diplôme est un parchemin de 40 sur 20cm. Il se ferme par deux rubans de soie, l'un rose poudré et l'autre couleur d'ivoire, tous les deux disposés en deux croix délicates, telles qu'elles nous apparaissent sur notre photocopie. Suspendus à ces rubans, les sceaux du chancelier et de la Faculté de Droit sont contenus dans des boîtes en fer-blanc[2]. Voici le texte du diplôme :

> François Godard, licencié en droit, chancelier de l'Église et de l'Université de Bourges, à tous les lecteurs de ce document, salut. Quand les très illustres Jacques Cujas, conseiller royal du sénat de Guationopolis (Grenoble), Nicolas Bouguier et Jean Mercier,

---

Sociale des populations Étudiantes, Paris, éd. de l'École des hautes études en sciences sociales, 1986, t. 2, p. 16.

1 *Ibidem.*, p. 22, note. 26.

2 Diplôme de MacGill : SRO GD 135/2717. L'emploi des rubans pour sceller les diplômes est une des caractéristiques de la diplomatie universitaire, au même titre d'ailleurs que l'utilisation de boîtes en fer-blanc pour contenir les sceaux. Seule, l'Université de Poitiers fut toujours rebelle à cet usage ; in R. Gandilhon, *Sigillographie des Universités de France*, Delmas, 1952, p. 25.

docteurs dans les deux droits et professeurs en poste dans cette Université de Bourges, nous ont rapporté et dit qu'ils avaient examiné aussi diligemment que possible le remarquable David MacGill, Écossais de la province de Lauder, bachelier en droit civil, approuvant sa défense, et pour cette raison, il leur a semblé qu'il était digne personnellement d'être promu au grade de licencié, nous, prenant en compte la défense de cet homme, (comme cela est juste) n'avons pas refusé de le lui accorder, lui que nous ne pourrions jamais honorer assez, quand il était présent et faisant sa demande. En conséquence, afin d'assurer un dénouement heureux et favorable, nous, ayant d'abord exigé un serment solennel de sa part, par l'autorité que nous détenons à cet effet, l'avons déclaré et le déclarons assurément digne du grade de licencié en droit civil et avons donné et par ce document donnons assurément le droit d'interpréter le droit civil et d'en disputer publiquement, de chercher à obtenir et d'avoir un doctorat dans cette académie, et finalement de remplir tous les devoirs scolastiques ici et partout dans le monde. Afin que cet acte soit encore plus sûr et certifié davantage, j'ai ordonné que ce document soit scellé par le greffier de la dite université et je l'ai certifié de la façon la plus régulière en y attachant les sceaux des chanceliers des facultés des deux droits.

Daté à Bourges, le 21 juillet 1579[1].

2.6.3. La remise du diplôme.

Lorsque les professeurs avaient jugé l'étudiant digne d'obtenir le grade qu'il sollicitait, celui de docteur en droit, par exemple, on

1 « *Franciscus Godard legum licentiatus ecclesiae universitatisque Biturigum cancellarius omnibus harum literarum lectoribus salutem. Cum viri clarissimi Jacobus Cuiacius in senatu guationopolitano consiliarius regius Nicolaus Buginierius et Joannis Mercerius, iuris utriusque doctores et in hac universitate Bituricensi actu regentes, detulerunt nobis et communicaverunt se quam diligentissime examinasse circumspectum virum Davidem Maguil, Scotum, Laudonensis provincia, iuris civilis baccalaureum, advertione eius diligenti probata quam ob causam dignum sibi videri qui suo iure ad licentiae gradum in iure civili promoveatur, nos hominis advertionem (ut aequum est) amplexi, cui nullus satis dignus honos a nobis deferri potest, ipsi presenti et postulanti denegare non sustinuimus. Itaque quod felix faustumque sit, nos, exacto imprimis ab eodem solemni iureiurando, auctoritate qua in hac parte fungimur, dignum eius licentiae gradu in iure civili pronunciavimus et pronunciamus, dedimus atque his literis damus facultatem ius cuvile interpretandi et publice ab eo disputandi, docturam in hac academia petendi et obtinendi, omnes denique scolasticos actus hic et ubique terrarum exercendi. Horum omnium ut maior certiorque sit fides has literas ab eiusdem universitatis scriba signavi sigillorumque cancellariorum facultatum utriusque iuris appensione munivi iustissime. Datum Biturigii die vigesima prima mensis Jullii anno Domini millesimo quingentesimo septuagesimo nono* ».

réunissait tous les régents, le chancelier de la cathédrale, les officiers du roi et de la ville, ainsi que certains notables. Le candidat se présentait : il prononçait un discours en latin, faisant ainsi l'éloge du droit et demandait qu'on lui conférât les insignes du doctorat. Il devait prêter serment de toujours garder honneur et révérence à l'université, et de contribuer à sa gloire[1]. Quant à la cérémonie proprement dite, Raynal nous donne une description précise de ce moment grave pour l'étudiant :

> Il montait sur l'estrade. On lui attachait une ceinture, on lui passait une bague au doigt annulaire de la main gauche, on mettait sur sa tête le bonnet de docteur et on plaçait entre ses mains les livres du droit canon et du droit civil, en lui déclarant que désormais, par l'autorité du souverain pontife, du roi et de l'ordre auquel il appartenait, il lui était loisible d'enseigner et de commenter l'un et l'autre droit, de donner des consultations, de demander des magistratures, de juger, de créer des bacheliers et des docteurs, en un mot, de jouir de tous les privilèges attachés au doctorat ; puis on embrassait le nouveau gradué en signe d'éternelle amitié, et l'on se mettait en prières[2].

Puis on lui délivrait enfin un diplôme sur parchemin, tel celui que nous venons de décrire.

Avant de clore cette partie, il nous faut présenter ces Écossais, dans leur environnement berruyer : intégration sociale, intégration intellectuelle et religieuse. Nous n'avons que très peu d'information en ce domaine, pourtant les maigres indices nous poussent à un essai de reconstitution culturelle. Quel fut l'accueil réservé à ces Écossais en Berry ?

2.7 Intégration sociale.

2.7.1. Hébergement.

En matière de vie quotidienne, il nous faut bien admettre que nous sommes confrontée à une pénurie de renseignements, et donc obligée de nous livrer à quelques essais de reconstitution. En ce qui concerne leur hébergement, il semble que ces Écossais aient été logés chez l'habitant. Les Écossais ne disposaient pas de collège à Bourges.

---

1 L. Raynal, *Histoire du Berry depuis les temps les plus anciens jusqu'en 1789*, Vermeil, Bourges, 1847, tome III, p. 384.

2 *Ibidem*, p. 385.

Nous l'avons vu, Nicol Dalgleish logeait chez une dame Montbirneau, pour lui « *très gentille* » et « *très pieuse* ». Les frères Erskine résidaient, quant à eux, sous le même toit que le comte de Morton, nous l'apprenons dans l'une de leurs lettres[1]. George Mackenzie, avait aussi une logeuse, dont il confiera, au détour d'un essai sur les principes des coutumes, un détail culinaire peu courant :

> (...) Moi-même j'ai vu ma logeuse en France, troublée en conscience, de nous avoir donné de la Viande à manger pendant le carême (...)[2].

2.7.2. Moyens de subsistance.

Les frères Erskine recevaient des fonds de leur père pour leurs propres dépenses. Sans doute les autres jeunes nobles recevaient-ils également des subsides de leurs parents restés en Écosse. Le tuteur des fils Erskine, John Schau, et Patrick Adamson tuteur de James McGill étaient rémunérés par leurs maîtres respectifs pour leurs charges.

Henryson, Arbuthnot et Barclay touchèrent des gages – bien minces il est vrai – de l'Université pour leurs emplois. Henryson compléta ses revenus en étant précepteur de grec du jeune Ulrich Fugger. Quant à Scrimgeour, il était aussi précepteur dans la famille Bochetel et à ce titre était rémunéré. Cependant sa situation matérielle était sans doute plus enviable que celle de ses amis car il touchait par ailleurs, nous l'avons vu, des revenus de ses bénéfices en Écosse.

2.7.3. Activités non académiques.

Concernant leurs activités non académiques, nous savons que les jeunes Écossais pratiquaient l'escrime, l'*Album* de Guy Fait tot en est un témoignage. A Saumur, les jeunes nobles jouèrent au tennis tout l'hiver et s'adonnèrent aux plaisirs de la danse et de la musique, en apprenant le luth[3], mais nous n'avons pas de témoignage concernant

---

1 SRO GD15/34/1.

2 « (...) *I myfelf have feen my Landlady, in France,* (...) *troubled in Conscience for giving us Flesh to eat in Lent* (...) », in *The Works of that Eminent and Learned Lawyer Sir George Mackenzie of Rosehaugh*, Edinburgh, 1716-1722, Vol. I, *Moral Essays*, p. 55.

3 Lettre écrite à Saumur : SRO GD15/32/9.

les activités culturelles berruyères autres que les représentations théâtrales auxquelles Drummond assista avec diligence et sur lesquelles nous reviendrons.

2.7.4. Langues.

2.7.4.1. *Le français et l'écossais.*

Les témoignages de Drummond et des frères Erskine suffiront à nous montrer que ces jeunes Écossais s'intéressaient sincèrement à la langue française.

Quant à leur langue maternelle, le *scot*, les lettres des frères Erskine en sont de bons exemples. Branche de l'anglais, introduit dans le sud-est par des colons d'Anglia au 6ème siècle, l'écossais s'est répandu rapidement à travers toute l'Écosse à partir du XIIe siècle[1]. Francisque Michel remarque le côté rude de la langue, du *dialecte*, quand il écrit :

> (...) quant au véritable écossais, il semblait si étrange aux oreilles françaises du XVIe siècle, qu'on le plaçait sur la même ligne que le basque, et il y avait un traducteur et un interprète royal pour le dialecte parlé par nos alliés[2].

2.7.4.2. *Le latin.*

La langue internationale, celle qui était parlée aux cours restait le latin. Sans doute cette langue était-elle plus ou moins bien acquise. John Durkan remarque que :

> (...) Le niveau de connaissance du latin, même chez des hommes de savoir, variaient de façon extraordinaire. Certains ecclésiastiques du bas clergé ne possédaient que quelques rudiments (...) Comme il en va aujourd'hui pour la langue anglaise, certains hommes, même instruits, l'écrivaient en dépit des règles grammaticales, avec une orthographe et une ponctuation plutôt fantaisistes(...)[3].

1 G. Donaldson and R. S Morpeth, *A Dictionary of Scottish History*, Edinburgh, 1977, p. 194.

2 *Les Écossais en France, les Français en Écosse*, Trübner & Cie, Londres, 1862, Vol. II, p. 8.

3 *« The level of Latinity even of educated men varied extraordinarily. Some of the lower clergy may have had very little (...) As to-day with English, some men, even educated men, wrote it ungrammatically and spelt and punctuated it somewhat*

Le latin restera longtemps la langue universitaire ; ainsi en 1684, c'est en latin que les professeurs de Bourges écriront à Mackenzie pour le féliciter de l'ouvrage qu'il vient d'écrire, ouvrage intitulé : *Idea eloquentiae forensis hodiernae unà cum actione forensi ex unaquaque juris parte*, Edinburgh, 1681, traduit en anglais en 1711 sous le titre : *An Idea of the Modern Eloquence of the Bar*[1].

2.8 Intégration intellectuelle.

2.8.1. La Faculté des Arts.

Si la Faculté de Droit fut prépondérante au sein de l'Université, elle ne saurait nous faire oublier la Faculté des Arts, remarquable par ses précepteurs érudits en leur enseignement des lettres anciennes : Melchior Wolmar actif de 1530 à mai 1535, Jacques Amyot de 1534 à 1546, totalisant douze années de présence, Charles Girard son successeur à la chaire de grec et Pierre Bouquin professeur d'hébreu. Les deux facultés étaient de bon voisinage, leurs maîtres travaillant de concert sur leurs travaux philologiques. Nous avons vu comment la nouvelle école de pensée avait donné naissance à l'humanisme juridique. Dans cet élan, un milieu intellectuel interdisciplinaire avait vu le jour, grâce aux pratiques des langues anciennes. Membres de la Faculté de Droit et membres de la Faculté des Arts oeuvraient ensemble, forts de cette culture humaniste et des amitiés se créaient. Jacques Amyot, lecteur de grec et de latin, devint l'ami d'Henry Scrimgeour, et plus tard d'Edward Henryson. C'est par l'influence de l'helléniste que Scrimgeour obtint la place de précepteur des enfants Bochetel.

2.8.2. Jacques Amyot.

Titulaire d'une maîtrise-ès-arts, l'ancien boursier du Cardinal Lemoine avait accepté l'offre faite de venir à Bourges donner des leçons particulières au début de l'année 1535. L'offre émanait de Jacques Colin, abbé de Saint-Ambroise et lecteur de François Ier,

---

eccentrically ». *in* « The Cultural background in sixteenth century Scotland », *in Essays on the Scottish Reformation 1513-1685,* D. McRoberts Burns ed., Edinburgh, 1962, p. 278.

1 *Cf.*, *Infra*, notre septième partie.

agissant en quelque sorte en protecteur des professeurs et des écrivains[1]. A Bourges, la classe de Jacques Amyot comptait six enfants -dont les deux neveux de Colin – auxquels il dut inculquer les rudiments du latin et de la grammaire. Il n'est pas impossible que, tout en s'occupant de l'éducation de ses jeunes élèves, Jacques Amyot ait suivi quelques cours de droit à la faculté voisine, accompagnant son ami Jacques Canaye[2]. En 1536, grâce à l'appui de Jean de Morvilliers, lieutenant général du Berry, il fut nommé lecteur de grec à l'Université, en remplacement de Melchior Wolmar parti l'année précédente à Tubingue. Il dispensa également des cours de latin. Malgré un programme bien chargé – une heure de latin le matin et une heure de grec l'après-midi de façon quotidienne, Amyot, toujours sur la recommandation de Morvilliers se vit proposer le poste de précepteur des quatre fils de Guillaume Bochetel, beau-frère de ce dernier, secrétaire d'État et greffier de l'ordre du roi.

Amyot quitta Bourges pour l'Italie – il allait rejoindre Morvilliers ambassadeur à Venise- mais avant son départ, il montra son estime pour Scrimgeour en usant de son influence pour lui procurer la place de précepteur qu'il laissait vacante dans la maison Bochetel, sans doute en 1543[3].

2.8.3. Jacques Amyot et Henry Scrimgeour.

Dès les années 1540, Amyot s'était attaché à la traduction de l'oeuvre de Plutarque, en particulier des *Moralia*. Si nous mentionnons ce point à cet instant, c'est parce qu'il y a semble-t-il un lien, plus qu'amical, entre l'helléniste et l'Écossais. En effet, F. de Borch-Bonger, dans son essai intitulé « Un ami de Jacques Amyot : Henry Scringer »[4] établit que la traduction par Amyot des *Oeuvres*

---

1 A. Cioranescu, *Vie de Jacques Amyot d'après des documents inédits*, Paris, Droz, 1941, pp. 30-31. Jacques Colin poète lui-même, fut surtout connu pour sa traduction du *Courtisan* de Balthasar Castiglione, l'un des ouvrages les plus goûtés de l'époque.

2 Jacques Canaye sera l'un des auteurs de la réformation de la coutume de Paris.

3 R. Aulotte, *Amyot et Plutarque, la Tradition des Moralia au XVIe siècle*, Droz, Genève, 1963, p. 155.

4 *Mélanges offerts à M. Abel Lefranc par ses élèves et ses amis*, Lib. Droz, Paris, 1936, pp. 362-373.

morales de Plutarque repose sur un manuscrit de Scrimgeour qu'Amyot dut consulter à Bourges en 1542 et qu'il devait redemander à Scrimgeour bien plus tard, en 1566[1]. En outre, F. de Borch-Bonger remarque que Scrimgeour possédait toutes les oeuvres grecques traduites par Amyot mais elle déplore que nous n'ayons pas retrouvé les notes de Scrimgeour sur l'*Histoire éthiopique*, car estime-t-elle, la comparaison avec la traduction d'Amyot nous permettrait de savoir si celle-ci n'est pas le fruit d'une collaboration entre les deux hommes. Nous ne saurions prendre parti. Quoiqu'il en soit, si nous avons jugé bon de relater cette anecdote, c'est qu'elle témoigne d'une première implication de Scrimgeour à Bourges dans le mouvement philologique et humaniste, implication annonciatrice d'une carrière à venir.

2.8.4. Edward Henryson et Henry Scrimgeour.

Edward Henryson, beaucoup plus jeune que Scrimgeour, disait de ce dernier qu'il lui était *un second père*[2]. Il dut à cet aîné d'être nommé en janvier 1547 tuteur de grec auprès du jeune Ulrich Fugger, membre de la célèbre famille des banquiers d'Augsbourg. Ulrich était alors étudiant à la Faculté de Droit[3].

En outre, Henryson connaissait lui aussi Amyot, sans doute par l'intermédiaire de Scrimgeour[4], et il fréquentait également la famille Bochetel. Nous en avons la preuve : c'est Henryson lui-même qui mentionne une visite qu'il fit avec son maître Eguinaire Baron à la résidence familiale des Bochetel, située à l'extérieur de Bourges[5].

2.9 Intégration spirituelle : quelle religion ?

Il convient de faire la distinction entre les divergences religieuses, tout en demeurant dans une stricte prudence, car on se trouve bien mal renseigné sur les opinions religieuses de ces Écossais. Celles-ci pouvaient être incertaines, discrètes, changeantes, et les informations

---

1 *Ibidem.*, pp. 364-365.

2 J. Durkan, « Henry Scrimgeour, Renaissance Bookman », *in Edinburgh Bibliographical Society Transactions, Vol. 5, Part ; 1*, Edinburgh, 1978, p. 2.

3 *Ibidem.*

4 *Ibidem.*

5 G. Meerman, *Thesaurus Juris Civilis et Canonici*, The Hague, 1752, iii, p. 451, cité *in* J. Durkan, *Ibidem.*

quand elles existent, sont par conséquent, fragiles. Malgré tout, nous avons quelques certitudes.

2.9.1. Écossais catholiques et protestants.

Trois de ces étudiants écossais furent catholiques convaincus : il s'agit de William Barclay, Alexander Scot et William Drummond. Les deux premiers restèrent en France, pour des raisons confessionnelles. Barclay quitta l'Écosse devenue protestante, et Scot ne retourna pas en Écosse pour la même raison. Drummond rentra mais ne cacha guère ses opinions le moment venu.

Malcom MacGregore était peut-être catholique, rappelons qu'il dédia ses thèses au marquis d'Huntly, catholique et jacobite.

Deux autres Écossais étaient catholiques lors de leur séjour d'études à Bourges, mais embrassèrent la religion réformée plus tard. Il s'agit d'Henry Scrimgeour et de William Skene. Le premier adhéra à la nouvelle foi au contact de Calvin à Genève, et le second adopta également la religion protestante peu de temps après son retour en Écosse.

Nous ne savons pas si James Boyd et Alexander Arbuthnot étaient étudiants catholiques à Bourges, mais de retour en Écosse, ils étaient tous les deux protestants.

En ce qui concerne les autres Écossais dont nous connaissons les confessions, ils étaient protestants ; il s'agit de Mark Alexander Boyd, des frères Erskine, et de Lord Pitmillie.

Lord Pitmillie se fit enterrer dans le cimetière protestant de Sancerre, ville de la religion, attestée par les frères Erskine. Ces derniers quitteront bientôt Bourges pour Saumur. Là, ils y seront bien accueillis par Mornay-Duplessis en personne qui leur donnera une lettre de recommandation pour leurs pérégrinations futures. Dans sa lettre en date du 9 septembre 1618, Henry écrira à son père pour lui demander de bien vouloir remercier Mornay-Duplessis de sa courtoisie à leur égard, à lui et à son frère.

2.9.2. Commentaire.

Ainsi, nous voyons bien que l'on trouve des catholiques et des protestants à l'Université de Bourges, au cours de toute la période étudiée, avec sans doute une majorité de protestants. Plus précisément, jusqu'en 1607, on trouve des catholiques et des protestants, mais après cette date, il semble qu'il n'y ait que des protestants.

Si à cette époque, l'apprentissage d'un savoir était difficilement dissociable d'une croyance religieuse, les données exposées ci-dessus nous poussent à admettre qu'il n'en était rien à Bourges. Du fait de sa composition, l'Université berruyère échappait au modèle culturel qui faisait que les jeunes nobles protestants fréquentaient plutôt les académies de leur confession et les jeunes catholiques des centres de leur religion, comme Douai, Reims et Pont-à-Mousson qui allaient devenir des lieux de refuge des catholiques des îles britanniques. L'Université de Bourges, poussée par la municipalité de la ville avait toujours favorisé le dualisme. Mais dans certains centres et académies, le droit n'était pas enseigné. Il fallait donc choisir un autre établissement et ce n'est qu'un peu plus tard que le clivage confessionnel se fera et qu'il faudra aller vers les universités allemandes et hollandaises protestantes ou bien vers les universités catholiques. C'est ainsi que le catholique Barclay eut comme maître respecté le fougueux huguenot Hotman et que Scot édita les oeuvres de son professeur Cujas. C'est ainsi que les jeunes protestants Erskine assistèrent aux cours du jésuite Mérille.

2.10 Conclusion.

Loger chez l'habitant, avoir des loisirs, s'efforcer de parler le français, créer des liens amicaux à l'intérieur des facultés, tout cela montre que les Écossais furent intégrés à leur milieu intellectuel berruyer. Il est malgré tout à regretter que nous ne possédions pas de témoignages plus nombreux en ce domaine, ou plus riches comme celui de John Lauder qui séjourna à Poitiers en 1665-1666 et qui nous laissa son journal[1].

Pourtant, nous possédons d'autres témoignages de première main : il s'agit d'une part, des notes de théâtre prises par Drummond à Bourges, et de son expérience de bibliophile, et d'autre part, des

---

1 « Un étudiant écossais en France en 1665-1666, Journal de voyage de Sir John Lauder », traduit et commenté par Jean Plattard, *in Mémoires de la Société des Antiquaires de l'Ouest*, 3ᵉ série, tome 12ᵉ, année 1935, Poitiers, 1935.

lettres écrites par les frères Erskine. Autant de documents précieux et originaux qui sont l'objet d'une prochaine partie, mais auparavant, il nous faut considérer les maîtres écossais à Bourges et faire quelques observations à partir des éléments recueillis.

CHAPITRE 3

MAÎTRES ÉCOSSAIS À BOURGES

Introduction : Internationalisation du corps professoral : maîtres étrangers à l'université de bourges.

Les universités accueillaient indistinctement maîtres et étudiants de toute l'Europe, et cette pratique remontait au Moyen-Age. Cependant, c'est au XVIe siècle que les universités françaises virent l'apogée de l'internationalisation des Facultés de Droit[1], Bourges n'échappant pas à cette pratique. Nous avons vu que dans ses efforts pour engager les meilleurs maîtres, la ville n'avait pas attaché d'importance à la nationalité de ceux-ci, sinon pour attirer d'autres étudiants étrangers sur place.

Parmi les professeurs étrangers qui enseignèrent à la Faculté de Droit de Bourges, outre le célèbre milanais André Alciat, nous citerons d'autres milanais moins célèbres : Filippo de Dexio, Marc-Antoine Caimi, lecteur en droit civil de 1532 à 1535 et Ansovin de Médicis, lecteur puis docteur-régent de 1533 à 1535. Un autre milanais Jéronyme du Gaur, docteur-ès-droits exerça l'été 1530. D'autres nationalités furent représentées, ainsi le portugais Salvador de Ferrandina (1524-29) et ses disciples, Antoine Govea et Guillaume Villareal. Erasme envoya l'un de ses élèves, le brugeois Charles Sucquet qui sera docteur-régent en 1530-31[2]. Aussi n'est-il pas surprenant de voir que certains Écossais professèrent à Bourges, comme des compatriotes le firent dans d'autres établissements et dans les autres facultés de droit en France.

---

1 J-L Thireau, « Professeurs et Étudiants étrangers dans les Facultés de Droit Françaises (XVIe-XVIIe siècles) » *in Revue d'Histoire des Facultés de Droit*, 1992, n°13, p. 45.

2 J-Y Ribault, « Le rayonnement européen de l'Université de Bourges (XVIe-XVIIe siècles) », *in L'Europe des Universités* Actes du Colloque organisé par le Conseil Général du Cher les 26, 27, et 28 septembre 1991, à Bourges, s. l, s. d, pp. 24-25.

3.1 Maîtres écossais dans les collèges et académies protestantes de France.

Nous ne retiendrons de ces maîtres écossais que les plus connus ou les plus caractéristiques, car la liste serait très longue : *« il n'est cité française du XVIe siècle où n'enseigne un Écossais »*[1]. Les Écossais étaient particulièrement recherchés pour leur érudition et leurs compétences en philosophie et en langues.

Sir William Hamilton le remarque quand il écrit :

> (...) Durant les XVIe et XVIIe siècles, il était rare de trouver sur le continent une université sans professeur écossais, on disait, en effet, communément que l'on rencontrait partout un colporteur et un professeur de cette nation (...)[2].

Si les Écossais se distinguaient par leur grand nombre, leurs qualités pédagogiques n'échappaient pas davantage aux observateurs. A une date ultérieure, venant de faire l'éloge d'un professeur écossais de l'Académie de Saumur, qui parlait couramment grec et latin – il s'agit très certainement de John Cameron- Thomas Urquart constatait :

> (...) la gloire de la nation écossaise se répandit tellement dans toute l'étendue de la France et s'y établit si solidement, sous l'empire de l'idée qu'ont les Français de la supériorité des Écossais sur toutes les autres nations en matière de disputes philosophiques, que naguère encore un seigneur, un gentilhomme, ou autre dans tout ce pays, désireux de faire apprendre à son fils les principes de la philosophie, ne l'aurait confié à personne d'autre qu'à un maître écossais (...) l'éducation de la jeunesse dans tous les genres de littérature, sous des maîtres écossais, étant alors tenue dans toute la France comme supérieure à l'instruction fondée sur l'enseignement des autres étrangers (...)[3].

Si les collèges parisiens comptaient parmi leurs régents des érudits écossais tels Hector Boèce et John Mair, James Crichton qui pouvait discuter en douze langues et Georges Crichton professeur royal de

---

1 J. Mathorez, « Notes sur les intellectuels écossais en France au XVIe siècle », *in Bulletin du Bibliophile*, 1919, p. 100.

2 *Fragments on the Scottish philosophy*, Vol. 1, p. 393, cité par Francisque-Michel, *Les Écossais en France*, *Op. cit.*, p. 187.

3 *The Discovery of a most exquisite Jewel,* p. 117, cité par Francisque-Michel, *Ibid.* p. 101.

langue grecque, ou Patrick Cockburn qui enseignait les langues orientales, les collèges provinciaux ne furent pas moins bien lotis. Ainsi, à Poitiers, Andrew Melville fut régent du collège Saint-Marceon en 1568, et quelques années plus tard, en 1611, après un séjour à Genève, sera titulaire de la chaire de philosophie à l'Académie protestante de Sedan[1]. George Buchan fut professeur d'humanités latines et de belles lettres au collège de Guyenne pendant trois années. Toujours à Bordeaux, Robert Balfour professeur de langue grecque au même collège, fut le premier titulaire de la chaire de mathématiques créée par François de Foix-Candale, évêque d'Aire[2]. Devenu principal du collège, il sera remplacé par un autre Écossais William Hegate. La Rochelle, Tournon, Lyon, Carpentras où Florence Wilson fut à la tête des écoles pendant dix ans : toutes ces villes eurent des professeurs écossais. Aux académies protestantes, Saumur et Sedan en particulier, les érudits écossais se pressaient : outre Cameron déjà cité, Robert Boyd of Trochredg (1606-1614) et William Craig (1614-1615) enseignaient les Saintes Ecritures, la philosophie et l'histoire, Marc Duncan dispensait ses cours de grec et d'éloquence, avec John Forbes (1642-46) et William-Daniel Doull (1646-1677). Quant à Zachary Boyd, il fut régent de 1611 à 1615. A Sedan, outre Andrew Melville déjà mentionné, nous citerons John Cameron (1602-04), Arthur Johnston (1604-19), Alexander Colville (1619-43), et Adam Stewart (1619-25) : tous enseignèrent la philosophie et l'histoire. En ce qui concerne l'enseignement du droit, nous sommes bien moins renseignés, faute d'études en la matière. Cependant, nous sommes en mesure de présenter quelques noms.

3.2 Maîtres écossais dans les autres Facultés de Droit françaises.

A la Faculté de Poitiers, quatre Écossais se firent un nom par leur enseignement : Robert Irland y enseigna le droit pendant quelque soixante années, de 1502 à 1562, tandis que son fils Bonaventure Irland dispensa des cours de droit civil pendant dix années, jusqu'en

---

1 P. D. Bourchenin, *Étude sur les Académies Protestantes en France au XVIe et au XVIIe Siècles*, Grassart Libraire-éditeur, Paris, 1882.

2 Mathorez, *Op., cit.*, p. 99.

1601[1]. En troisième place, Duncan Mac Ruder (*Aelius Donatus Mac Rodorus*) y fut docteur régent de 1562 à 1575. Adam Blackwood siégea au parlement et enseigna le droit civil jusqu'en 1613.

En ce qui concerne les professeurs écossais des Facultés de Droit de Toulouse et d'Angers, nous n'avons pas de sources disponibles autres que l'étude de John Durkan, qui ne précise pas si les Écossais répertoriés étaient maîtres ou élèves. Il faut savoir que lorsque les Écossais avaient pris leurs grades, donc achevé leurs études, il leur advenait fréquemment de s'établir comme professeurs, pour des durées plus ou moins longues, parfois prémices d'une installation définitive sur le continent. C'est exactement ce qui se passa à l'Université de Bourges.

3.3.Maîtres écossais à Bourges.

Trois Écossais enseignèrent le droit à Bourges : il s'agit d'Edward Henryson, de William Barclay et d'Alexander Arbuthnot (Graphique 11). Deux autres Écossais ont peut-être enseigné le droit à Bourges : il s'agit d'Henry Scrimgeour et Alexander Scot : nous y reviendrons le moment venu. Nous avons déjà amplement cité ces Écossais car tous ces professeurs, le fait est digne de remarque, furent anciens et d'abord étudiants de l'Université.

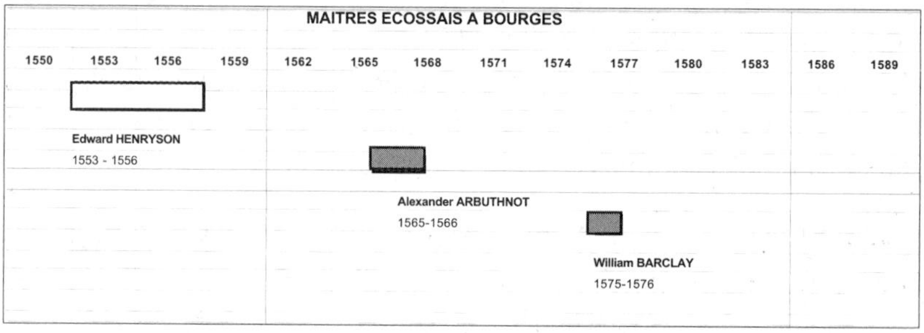

MAITRES ECOSSAIS A BOURGES

1550 1553 1556 1559 1562 1565 1568 1571 1574 1577 1580 1583 1586 1589

Edward HENRYSON
1553 - 1556

Alexander ARBUTHNOT
1565-1566

William BARCLAY
1575-1576

Graphique 11

1 J. Plattard, « Scottish Masters and Students at Poitiers in the second half of the Sixteenth century », *in Scottish Historical Review,* Vol. 21, Glasgow, 1924, p. 83.

3.3.1. Edward Henryson/Henry Edouard.

3.3.1.1. *Temps de professorat.*

Nous l'avons vu dans notre chapitre consacré aux étudiants, Henryson fut étudiant à Bourges jusqu'en 1547, puis il y revint en 1553 comme professeur. C'est Catherinot[1] qui nous renseigne sur ce professorat et les honoraires perçus par les enseignants : Duaren en tant que premier professeur recevait neuf cent vingt livres, Bauduin deuxième professeur percevait trois cent cinquante livres, Doneau troisième professeur touchait deux cent trente livres et Bouguier encaissait cent livres. Rabyre et Levescat, tous les deux professeurs de droit canon se voyaient remettre respectivement cent quarante et cent soixante livres. Quant aux émoluments d'Antoine Leconte et de *« Henri Edouard, Écossais »*, ils se montaient à quarante cinq livres chacun ! Le traitement était certes officiel, mais étaient-ils vraiment considérés comme professeurs à ce moment-là ? A cette date, la Faculté comptait huit professeurs de droit civil ou canon, le nombre des titulaires était complet, et l'on peut se demander comme Eyssel[2], si Leconte et Henryson n'étaient pas dans l'expectative d'une chaire. Cependant, Henryson faisait bel et bien partie du corps professoral en 1553 malgré les efforts de l'agent en France de l'archevêque Hamilton pour attirer Henryson au *St-Mary's College* de St-Andrews : *« ma demande d'avoir l'accord de Maîtres edouard henrison et John ruderford pour être régents au collège de sa seigneurie le 12 décembre 1553 »*[3]. C'est toujours à Bourges qu'en octobre de l'année suivante il rédigera un traité en latin, dédicacé à Ulrich Fugger, en réponse à l'attaque de Govea contre Baron. Henryson prit la défense de Baron, qui avait été son maître et auquel il restait très attaché. Il détestait Govea depuis que ce dernier s'en était pris hardiment à La Ramée. L'ouvrage d'Henryson, intitulé *Pro Eg. Barone adversus*

---

1 *Le Calvinisme de Berry*, 1684, p. 4.

2 M. A. P. Th. Eyssel, *Doneau, Sa vie et ses ouvrages, Op. cit.*, pp. 57-58.

3 *« Commandis me to agre with Maisteris euerd henrison and Johne ruderfurde to be regentes in his lordships college 12 Decembris 1553 »*, Edinburgh University Library, MS. Laing 321, Div. iii, f. 118v., cité *in* J. Durkan, « Henry Scrimgeour, Renaissance bookman », *Op. cit.*, Cf *Supra*, note. 7, p. 4.

Antonium Goveanum de Iurisdictiones, Paris, 1555, était fait pour plaire à Fugger : il fallait en voir l'argumentation dans le contexte de l'emploi des textes de droit romain à des fins pratiques.

L'année où l'ouvrage fut publié, Henryson en publiait un autre sur le droit romain, intitulé *Commentio in Tit. x. Libri Secundi Institutionum de Testamentis Ordinandis*, dédié à Michel de L'Hospital. Dans cette édition, l'auteur remarque qu'il est dans sa deuxième année de professorat à Bourges. L'ouvrage sera republié en 1556, par Vascosan, lui-même éditeur de Giovanni Ferrerio. C'est ce dernier qui recommanda Henryson auprès de Robert Reid, évêque d'Orkney, qui rappela l'Écossais à Edimbourg en 1556. C'est donc cette année-là q'Henryson quitta définitivement la Faculté de Bourges, sans doute au début du printemps. En effet, le 9 juin, il était à Edimbourg où il commençait à dispenser des cours de droit et « *autres bonnes lettres, aussi bien le grec et le latin* »[1]. Henryson enseigna donc à Bourges de 1553 à 1556. Enseignèrent en même temps que lui : Le Douaren, Bauduin, Doneau, Leconte et Cujas.

Cependant ses écrits avaient reçu un bon accueil auprès des spécialistes européens de droit romain. Dempster signale que dans l'université berruyère, l'on se souvenait d'Edward Henryson cinquante ans après son passage, comme un homme érudit versé dans la littérature classique.

3.3.1.2. *Méthode*

Rien de tangible ne nous est parvenu de l'enseignement que put dispenser Edward Henryson à Bourges. Aucun de ses cours ne nous est parvenu. Selon P. F. Tytler[2], Henryson s'acquit à Bourges la réputation d'un civiliste talentueux qui suivit les pas de Baron, Alciat, Cujas et des autres jurisconsultes de l'École berruyère. Son étude des lois s'allia au goût raffiné qu'il avait pour les beautés classiques des langues de Grèce et de Rome.

---

1 « *uthiris gude lettiris, as wele Greik as latin* », cité *in* J. Durkan, « The Royal Lectureships under Mary of Lorraine », *in The Scottish Historical Review*, Vol. LXII, N° 173, avril 1983, p. 74.

2 *An account of the life of Sir Thomas Craig*, 1823, p. 269.

3.3.2. Alexander Arbuthnot.

La seule source à notre disposition concernant le professorat d'Arbuthnot à Bourges est celle de Pierre de L'Estoile, relevée dans le tome neuvième de ses *Mémoires-Journaux*. L'Estoile écrit ceci :

> Le dimanche 25e (novembre 1607), un Escossois, nommé Arbuthnot, nepveu d'un nommé Alexandre Arbuthnot, homme de grande doctrine et preudhommie, et lequel nous avait esté donné à M. Hennequin et à moi comme pour précepteur et conducteur en l'Université de Bourges (il y a quarante-deux ans, me vinst voir ceans, et me dit comme son oncle, dont je n'avais ouï parler il y avait près de quarante ans, estoit mort en Écosse dès l'an 1583 ; et comme Dieu lui avoit donné une heureuse fin, conforme à sa bonne vie. Me rafraischit la mémoire de ce bon personnage, laquelle j'honorerai tousjours ; et me pria, si j'avois quelque chose de lui, le lui vouloir prester ; et que tout ce qu'il en auroit il me le communiqueroit. J'ay trouvé deux lettres latines très élégantes qu'il m'escrivoit de Bourges l'an 1566, que j'ay baillées audit Arbuthnot, qui me les a rendues, le 2ème du mois suivant[1].

D'après ce texte, Arbuthnot enseigna à l'Université de Bourges dès l'année 1565, peut-être même un peu avant, et certainement jusqu'en 1566 : son temps de professorat ayant été d' une ou deux années. A cette époque, professèrent également Doneau, Leconte, tandis que Cujas terminait son second professorat et Hotman s'installait pour cinq mois initialement. Le seul ouvrage publié d'Alexander Arbuthnot est un traité sur l'origine et la dignité de la loi. Il s'agissait probablement d'orations ou de thèses académiques ; tout ce que nous en savons se trouve dans les vers flatteurs de Thomas Maitland[2]. Georges Mackenzie précise que les *Orationes* furent imprimées à Edimbourg en 1572[3].

---

1 *Mémoires-Journaux de Pierre de l'Estoile*, G. Brunet et A. Champollion, Paris, 1881, Tome Neuvième, Journal de Henry IV 1607-1609, pp. 28-29.

2 *« Alexandri Arbuthnaei Orationibus de origine et dignitate juris praefixa » : Delitiae poet. Scot. tom. ii. p. 153, in* McCrie, *Life of Andrew Melville, Op. cit.*, p. 367, note. 3.

3 *Lives*, iii, p. 194, *in* McCrie, *Ibid.*

3.3.3. William Barclay.

3.3.3.1 Temps de professorat.

Dans son discours de réception, par ailleurs très documenté, ayant pour sujet Guillaume Barclay, Ernest Dubois[1] omet néanmoins le professorat de ce dernier à Bourges, ne mentionnant que ses années d'étude. Qui plus est, il met en doute ce professorat[2]. Pourtant il est bien certain que Barclay enseigna à Bourges, tout de suite après avoir acquis ses grades de licencié et docteur dans les deux droits. Il fut choisi lecteur des *Institutes*, ou *Institutaire* en mars 1575. Les comptes de la ville de Bourges, pour l'année 1574-1575 rapportent au chapitre « *Gaiges des lecteurs* » ceci :

> (...) A Me Guillaume Barclay, lecteur ès-institutes de la dicte Université, la somme de 28 livres, 6 sols, 8 deniers pour ses gaiges depuis le cinquième marz mil cinq cens soixante quinze jusques au dernier juing ansuyvant audit an, à raison de 70 livres par an (...)[3].

Le registre mentionne également les émoluments des autres professeurs ; ainsi Jacques Cujas toucha quatre cents livres de juin à septembre 1575, Nicolas Bouguier deux cents livres par an, Jean Mercier quatre cents livres, et Antoine Leconte six cents livres. A la lecture de ces chiffres, il n'est pas surprenant que Barclay se sentit quelque peu défavorisé ; il se plaignit de la maigreur de ses gages et obtint de l'assemblée municipale une augmentation de trente livres. Ses gages seront portés de soixante-dix à cent livres par an à compter de juillet 1575[4]. Le compte de l'année 1575-1576 fait apparaître un autre versement au maître écossais :

> A Me Guillaume Barclay, lecteur es Institutes (...) la somme de cinquante livres pour ses gages de demye année échue le dernier jour de mars M V0 LXXVI[5].

---

1 *Guillaume Barclay Jurisconsulte écossais, professeur à Pont-à-Mousson et à Angers, 1546-1608*, Discours de réception à l'Académie de Stanislas, Nancy, Paris, 1872.

2 *Ibid.* pp. 83-84.

3 Archives Municipales de Bourges, CC 351, f°31.

4 Archives Municipales de Bourges, BB 8, f°128.

5 Archives Municipales de Bourges, CC 352, f°45.

Son nom ne figure plus aux comptes suivants. C'est donc une année de lectorat en l'Université de Bourges que William Barclay effectua, de mars 1575 à mars 1576. Son collègue le plus célèbre fut Jacques Cujas.

3.3.3.2. *Méthode.*

Barclay, nous venons de le voir, fut chargé du cours des *Institutes*. L'objet de ce cours était de dispenser les bases de la formation en droit, de donner des principes dans l'étude des problèmes juridiques. Ce cours était presque toujours confié à un jeune docteur qui se destinait au professorat et désireux de se consacrer à un aspect général du droit. Ce n'était pas une grande chaire réservée à l'enseignement des volumes du *Digeste*, ou au commentaire du *Code*[1]. Le cours d'*Institutes* était néanmoins important, car il permettait d'étudier et d'apprendre autre chose que le droit romain dans les facultés de droit ; il permettait en particulier, une approche du droit coutumier[2].

Cependant, comme pour Henryson, rien de concret ne nous est parvenu de l'enseignement que put dispenser William Barclay à Bourges. Aucun de ses cours n'a été retrouvé. Il est donc difficile de savoir quelle position doctrinale il adopta et l'on est en mesure de se demander si la pensée de l'Écossais était mûre en cette première année de professorat. Cependant, l'influence de ses maîtres fut grande et selon C. Collot, Barclay était *« acquis à la méthode historique »*[3]. Il le dit lui-même très nettement en ouverture d'un commentaire sur le *lex Imperium :*

> Si les interprètes jugent cette loi difficile à expliquer, c'est parce qu'ils ont suivi l'interprétation erronée de Bartole qui par ignorance de l'Antiquité et par suite d'une confusion entre tous les chapitres du droit a rendu cette loi presque inextricable. Mais Alciat, Baron, Duaren sont venus arracher ce texte aux ténèbres et c'est leur leçon que nous suivrons[4].

---

1 M. Reulos, « L'importance des praticiens dans l'humanisme juridique », *in Pédagogues et juristes, Congrès du Centre d'Études Supérieures de la Renaissance de Tours : Eté 1960*, Paris, 1963, p. 121.

2 *Ibid.*

3 *L'École Doctrinale de Droit Public de Pont-à-Mousson (Pierre Grégoire de Toulouse et Guillaume Barclay) Fin du XVIe siècle*, 1965, p. 103.

4 *Ibid.*, Barclay, *Commentarii ar legem « imperium », Dig. de jurisdictione (Dig. II, 1, 3)* :

Leur leçon fut la suivante : critique de textes, recherche de l'origine des extraits du *Digeste*, méthode comparative et logique[1] : Barclay s'inscrit dans cette démarche. Sans doute ses cours inspirèrent-ils les pages de ses ouvrages à venir, les commentaires de droit canon ou de droit romain. Pourtant, ce ne sera qu'exceptionnellement qu'il se montrera le disciple de cette école historique et de ces maîtres qu'il cite, Cujas et Hotman y compris. Son oeuvre portera également l'empreinte de la tradition médiévale : démonstration par syllogisme et analogie. Cette dualité d'approche reflète parfaitement la complexité de l'époque. Nous restons dans l'incertitude quant aux professorats éventuels de Scrimgeour et de Scot.

3.3.4. Henry Scrimgeour.

Nous l'avons vu, Henry Scrimgeour eut des fonctions de précepteur dans la famille Bochetel. Il resta par ailleurs longtemps à Bourges. Il n'est donc pas impossible qu'il professa également à la Faculté de Droit – il enseignera le droit civil plus tard à l'Académie de Genève. Cependant, nous n'avons trouvé nulle part d'indice pour créditer cette opinion. Nous écartons donc l'idée que Scrimgeour put faire partie du corps professoral universitaire berruyer.

3.3.5. Alexander Scot.

Dans la collection d'essais consacrés à l'Université d'Aberdeen, P. J. Anderson écrit ceci, au sujet d'Alexander Scot :

> Scot obtint sa licence in utroque jure à Bourges, et enseigna en la Faculté de Droit. L'on dit qu'après 1590 il occupa la chaire de Cujas[2].

« Hanc legem difficilem esse omnes interpretes fatentur. Difficultas autem inde est quod omnes fere in ejus interprÉtationes Bartolum secuti sunt tanquam legalis scientiae principem. Ille sive ignoratione antiquitatis quae mania fuit eo saeculo, sive plurimum a consuetudine Romana et jurisconsultorum sententiis jam tum deflexerat, tum mixti imperii hanc legem involvit ut dificilem eam ac prope inextricabilem reddiderat (...) Sed postea Alciatus, Eguinarius Baro, praecipue, vero Duaren ex tantis tenebris eruit ; horum nos exempla secuti sumus ut facilem relinquamus ». in Collot, *Ibid.* p. 103.

1 Cf Collot, *Ibid.* p. 110.

2 « (...) *Scot took his degree* in utroque jure *at Bourges, and taught in the Faculty of Law. It is said that after 1590 he filled Cujas' chair* (...) » in *Studies in the History and Development of the University of Aberdeen, A Quatercentenary tribute*

Cette dernière remarque nous laisse perplexe. En effet, le professeur Anderson n'indique pas ses sources, et nous n'avons trouvé nulle part ailleurs mention du professorat de Scot à Bourges. Cujas prit sa retraite en 1588 et Scot était à Lyon en 1593. S'il enseigna à Bourges, il ne put le faire qu'entre ces deux dates-là, car à partir de 1594, il était professeur à Carpentras. Au crédit du professeur Anderson, nous noterons que toutes ses autres affirmations - concernant Scot et d'autres érudits – sont, pour autant que nous puissions en juger, exactes et fondées. Il est bien regrettable que nous n'ayons pas d'indices supplémentaires, et restons en ce domaine sur la réserve. Pour nous, le professorat de Scot à Bourges est suivi d'un point d'interrogation.

3.4 Commentaire.

Quelques remarques s'imposent à notre réflexion. Tout d'abord, les maîtres écossais enseignèrent à Bourges au cours d'une période très précise ; la deuxième moitié du XVIe siècle seulement. Aucun ne sera répertorié au siècle suivant ; ceci ne saurait nous surprendre car cette constatation correspond bien à l'évolution générale de l'internationalisation à la nationalisation des corps professoraux. Les temps de professorat sont courts, d'une à trois années, suivant en cela la norme. Seuls les professeurs français auront des temps de professorat très longs. Les trois professorats recensés ont lieu tous les dix ans, donc ne se suivent pas et n'ont, semble-t-il, aucun lien entre eux.

Les recrutements ne furent pas par ailleurs spectaculaires comme le seront les recrutements d'Alciat ou de Cujas, à grands renforts de contrats mirobolants. Les gages des maîtres écossais sont à remarquer pour leur maigreur, et chacun semble s'installer provisoirement dans sa condition de maître, en attendant mieux. Ces temps de professorat ne furent que des étapes, des passages dans les carrières respectives, même si l'on est en droit de se demander s'ils n'auraient pu être prolongés si la vie en avait décidé autrement ? Cela n'est pas certain,

---

paid by certain of her professors & of her devoted sons, P. J. Anderson ed. Aberdeen, 1906, pp. 242-43.

car Henryson et Barclay quittèrent tous les deux Bourges, appelés pour professer ailleurs, le premier à Edimbourg et le deuxième à Pont-à-Mousson.

Qu'advint-il de ces maîtres après leur passage à Bourges ? Henryson et Arbuthnot retournèrent en Écosse, Barclay resta en France. Leur devenir et celui de tous les autres étudiants fera l'objet de la dernière partie de notre étude qui comportera une double interrogation : quel fut l'impact des études berruyères sur les carrières embrassées, les incidences sont-elles celles attendues ? Mais auparavant, nous présentons les témoignages originaux de certains de ces étudiants. C'est l'objet de notre prochaine partie.

SIXIÈME PARTIE

TÉMOIGNAGES DIRECTS : LES NOTES DE THÉÂTRE ET LES LIVRES DE WILLIAM DRUMMOND LES LETTRES DES FRÈRES ERSKINE

CHAPITRE 1

LE THÉÂTRE À BOURGES VU PAR WILLIAM DRUMMOND.

Introduction

Nous avons remarqué dans notre partie consacrée aux biographies que William Drummond n'était pas venu directement d'Écosse à Bourges. En effet, il s'arrêta à Londres, où il passa plusieurs mois à la cour de Greenwich, en compagnie de son père. Il mit à profit son séjour pour se procurer et lire les écrits de Shakespeare et de ses contemporains.

A Bourges, Drummond manifesta de nouveau son intérêt pour le théâtre, en tant que spectateur. L'étudiant en droit eut l'occasion d'assister à des représentations théâtrales, une vingtaine au total, ceci sur plusieurs semaines. Qui plus est, il consigna en notes précieuses les détails de ces spectacles, faisant de ces documents un témoignage exceptionnel, unique.

Témoignage exceptionnel, car Drummond notait le texte en grande partie, et nous n'avons pas ces textes imprimés par ailleurs. Si les noms des acteurs nous sont connus par le biais de contrats, autorisations, location de costumes, le texte même des pièces l'est beaucoup moins, et il n'est pas toujours certain que les pièces imprimées fussent les pièces jouées[1]. Témoignage unique pour Bourges, car nous n'avons que très peu de renseignements sur ses activités théâtrales, au XVIIe siècle. Pourtant il y avait bien une tradition théâtrale au siècle précédent, théâtre liturgique, certes de teneur bien différente du théâtre de Drummond.

1.1 Une manifestation théâtrale à Bourges en 1536

Au cœur du XVIe siècle, en 1536 précisément, il y eut une représentation du « *Triomphant Mystère des Actes des Apostres* »[2],

---

1 R. H. MacDonald, « Drummond of Hawthornden : The Season at Bourges 1607», *in Comparative Drama*, Vol. IV, n° 2, 1970, p. 95.

2 L. Raynal dans son *Histoire du Berry, depuis les temps les plus anciens jusqu'en 1789*, Bourges, Vermeil, 1845-1847, Tome 3, pp. 312-329, en donne une description détaillée ; et aussi R. Lebegue, *Le Mystère des Actes des Apôtres,*

suivant en cela la tradition des mystères donnés au Moyen-Age. Cette représentation spectaculaire, organisée dans la fosse des Arènes[1], avec un luxe inouï de personnages (cinq cents à peu près), costumes, décors, agencements (d'immenses toiles furent tendues afin de protéger les spectateurs des rayons du soleil) s'étala en une douzaine de séances, du 30 avril au 14 juin : le texte comptait vingt mille vers.

Les catholiques, effrayés des progrès de l'hérésie, avaient projeté cette manifestation grandiose, mettant en scène les origines du christianisme et la prédication des apôtres, avec l'intention de frapper l'imagination du peuple[2]. Cependant l'on est en droit de se demander si l'objectif fut atteint, car le metteur en scène, Jean Chaponneau, jeune chanoine augustin, alla rejoindre Calvin à Genève, peu de temps après la représentation ! Cette dernière fut le dernier exemple à Bourges d'un spectacle de mystères. Toutes les sources[3] s'accordent pour affirmer qu'il nous faut attendre les années 1620 pour reparler théâtre à Bourges. Théâtre d'un genre différent.

1.2 Le théâtre à Bourges dans les années 1620.

A cette époque en effet, deux troupes sont signalées de passage à Bourges : en 1619, les *Tragiques Historiens de S. M.* que dirigeait le sieur de Belleroze, et les *Comédiens Français* du sieur de Lambour en 1621. C'est le prince de Condé, qui dit-on, avait donné le ton, en entretenant deux troupes de comédiens, français et italiens[4]. Avant Condé, il n'y eut pas de spectacle régulier à Bourges, seulement des troupes voyageuses qui parcouraient les provinces. Ce sont ces troupes que Drummond vit évoluer sur scène et dont il témoigne.

Contribution à l'étude de l'humanisme et du protestantisme français au XVIe siècle, Paris, Champion, 1929, pp. VIII-262.

1 Ancien amphithéâtre gallo-romain. Partiellement détruit, le théâtre demeurait cependant assez grand pour y représenter des Mystères. En 1536, il y eut, dit-on, plusieurs dizaines de milliers de spectateurs ; in J-Y Ribault, P. Goldman, M. Lemaire, *Bourges*, 1992, p. 138.

2 L. Raynal, *Histoire du Berry, Op., cit.*, Tome 3, p. 312.

3 L. Raynal, Meslé, Chérot

4 L. Raynal, *Histoire du Berry, Op., cit.*, Tome 4, pp. 277-8.

1.3 Le témoignage de William Drummond.

Non seulement Drummond assista aux représentations, mais aussi il prit des notes. Ses notes sont parvenues jusqu'à nous[1] : leur écriture est serrée, parfois illisible. La publication de Robert H. MacDonald intitulée *Drummond of Hawthornden : The Season at Bourges, 1607*[2], ainsi que la thèse[3] non publiée, du même auteur, nous furent de précieuses aides ; nous nous appuyons amplement sur ce travail remarquable. Il est à souligner que les notes de Drummond sont rédigées en écossais, et difficiles d'accès, seules quelques notes concernant la première farce sont en français ; cependant, il serait dommage de les négliger car elles nous informent sur la pratique théâtrale de ce début du XVIIe siècle. En fait, elles comblent un vide. Les noms des acteurs, actrices, troupes nous étaient déjà connus ; mais les détails manquaient. Drummond nous donne ces détails : il assista au répertoire entier composé de tragédies, tragi-comédies, comédies et farces[4].

Déjà en 1607, il est clair qu'il y avait deux troupes de théâtre à Bourges : l'une française et l'autre italienne. La troupe française resta environ neuf jours à Bourges, donnant une représentation par jour, suivie d'une farce. La troupe italienne, quant à elle, joua deux ou trois pièces, puis repartit. Il n'est pas impossible qu'il y ait eu une situation de conflit entre les deux troupes, et il est certain qu'il y eut quelque hostilité de la part des berruyers à leur encontre. L'opposition était fomentée par les Jésuites, qui allèrent même jusqu'à menacer d'excommunication quiconque assisterait à une représentation. Le comédien Laporte riposta à cette entrave en faisant circuler jusqu'à Paris, un pamphlet contre les Jésuites, pamphlet écrit de sa main, et lu par lui-même le 9 septembre en *Prologue* à la pièce[5]. L'Estoile consigna l'affaire dans son *Journal*, même s'il fit peu de cas du

1 National Library of Scotland, *Hawthornden MSS, MS. 2059, ff. 65r-81v, 84r.*

2 in *Comparative Drama*, Vol. IV, n° 2, 1970, pp. 89-109.

3 *The manuscripts of William Drummond of Hawthornden*, Edinburgh University, Faculty of Arts, October 1969, 2 vol.

4 Il assista également à une pièce jouée par les jeunes jésuites du Collège ; nous y reviendrons.

5 L. Raynal, *Histoire du Berry*, *Op., cit.*, Tome IIII, p. 229.

Prologue : « Le discours en est gauffe et mal fait, digne d'un bouffon et comoedien, remarquable seulement pour le subject(...) »[1].

Mais le propos fort vif du pamphlet valut à son auteur les avantages d'une publication, car en défendant sa profession, et surtout la tragédie, il attaquait les Jésuites de façon virulente. En voici quelques lignes :

> cachez-vous dons, calomniateurs insensez, ou guérissez vos vieux ulcères avant que sonder les playes avant que votre venimeuse morsure nous a faictes, car nous ne sentons aucune aultre que celle-là, aulcun ver qui nous poigne la conscience d'un mordant repentir. Nos actions sont ouvertes comme nos cœurs : Nostre Roy les voit jounellement, y prend plaisir et les approuve...[2]

Drummond fut-il témoin de l'incident ? Peut-être pas, car le premier compte-rendu qu'il fit des pièces auxquelles il assista date du 21 septembre 1607. Les notes de Drummond sont divisées en trois parties. La première partie s'intitule « *The Italien comedies at Burgess 21 of September 1607* » : c'est un ensemble de notes sur toute une pièce sans titre, simplement décrite comme « *The first* », additionné de quelques notes sur une partie d'une autre pièce. Suivent des notes en latin d'une pièce intitulée « *In collegio SociÉtatis Iesuitarum* » ainsi qu'une section beaucoup plus longue portant sur la saison de la troupe française. Cette dernière s'intitule « *Comedies de la Porte and Valerin quhair the yonger sister of the vther vas ane actor 1607 at Burgess* ». La section comprend « *the first comedie* », puis « *the farce*», « *the second days comedie* », et ainsi de suite jusqu'à « *the nynt days comedie* »[3].

1.3.1. Troupes françaises et italiennes.

1.3.1.1. *Les acteurs.*

Les noms des acteurs de la troupe française se laissent identifier aisément, car ce sont ceux des premiers acteurs français de renom : « *la porte* » est l'acteur Mathieu Le Febvre, connu sous le nom de

---

1 *Mémoires-Journaux de Pierre de L'Estoile*, Brunet et al. ed, Paris, 1875-96, t. VIII, p. 348.

2 R. H. MacDonald, *The Season at Bourges, Op, cit.*, p. 91.

3 « *la première comédie* », « *la farce* », « *la comédie du deuxième jour* », « *la comédie du neuvième jour* ».

Laporte[1] (c. 1584-c. 1621), et « *Valerin* » est l'acteur Valleran Le Comte (1590-c. 1613)[2], précisément chef de la troupe qui se faisait appeler les *Comédiens du Roi.* Quant à « *la jeune sœur de l'autre* »[3] (l'autre étant Laporte), il s'agit de Marie Venier (Vernier) (1590-1619), propre femme et non sœur de Laporte. Marie Venier est la première actrice française connue[4].

Les deux acteurs d'abord indépendants, Laporte et sa femme devinrent membres de la troupe de Valleran à Bourges, sans doute par nécessité ; Laporte cherchait du travail et Valleran avait besoin de nouvelles recrues, surtout d'une actrice qui faisait défaut à sa troupe. La venue de Marie était pour lui un avantage considérable. Il est à remarquer ici que dans ses notes, Drummond insista sur la présence d'une femme-actrice au théâtre, en soulignant son nom. C'était pour lui un événement remarquable et nouveau, car dans le théâtre de Shakespeare dont il put assister à des représentations à Londres, les rôles féminins étaient interprétés par des garçons et de jeunes hommes[5].

Faisaient également partie de la troupe de Valleran les acteurs François de Vautrel, Hugues Guéru, connu sous le nom de Gaultier-Garguille (c. 1573-1633)[6], et un débutant Estienne de Ruffin. Toute la troupe se trouvait à Paris en mai 1607, au théâtre permanent de l'Hôtel de Bourgogne, puis les comédiens se déplacèrent à Bordeaux

---

1 Auteur par ailleurs d'un certain nombre de pièces écrites pour la troupe, in *The Oxford Companion to the Theatre*, Phyllis Hartnoll ed., Oxford University Press, 1951, p. 451.

2 *Ibid.*, p. 819.

3 « *the younger sister of the vther* »

4 Marie Venier était la fille de l'acteur Pierre Venier qui s'était établi à la Foire St-Germain en 1600, avant de jouer à l'Hôtel d'Argent. *in The Oxford Companion to the Theatre, Op, cit.*, p. 825.

5 Il faudra en effet attendre la Restauration en 1660, pour que des femmes apparaissent sur une scène londonienne pour la première fois. Le nom de la première actrice anglaise n'est pas connu et tout ce que nous savons d'elle est qu'elle tint la rôle de Desdémone le 8 décembre 1660. in *The Oxford Companion to the Theatre, Op, cit., Cf Supra,* note 16, p. 10.

6 Partageait les rôles dans les farces avec Gros-Guillaume et Turlupin. Epousa Aliénor Salomon, elle-même fille (peut-être) de Tabarin, in *The Oxford Companion to the Theatre, Op, cit.*, p. 302.

au cours des mois de juin et juillet, et finalement passèrent à Bourges en septembre, avant de regagner l'Hôtel de Bourgogne le 24 octobre[1].

Au sujet de la troupe italienne, Drummond ne nous fournit que peu de renseignements. La partie de ses notes intitulée « *The Italien comedies at Burgess 21 of Septembr 1607* » nous donne à penser que les productions étaient des comédies jouées par des Italiens, et typiques des productions des troupes de la *commedia dell' arte*. Les troupes en question étaient certainement les *Confidenti* ou les *Uniti*, Fulvio étant l'acteur Domenico Bruni et Franceschina l'acteur Ottavio Bernardini[2]. Il n'est pas impossible que les deux troupes fussent à Bourges en même temps.

1.3.2. Les pièces.

Pour revenir à la troupe française, les notes de Drummond indiquent le schéma des pièces : le prologue en introduction, puis la tragédie ou comédie, puis la farce, l'ensemble étant un mélange de mélodrame et de bouffonnerie. En deux occasions, le prologue est lié au texte de la pièce : dans la septième pièce c'est un discours contre la présomption, et dans la pastorale c'est un discours à la gloire de l'amour des femmes. Quant au contenu des pièces, Drummond ne donne que les textes des farces, mais l'intrigue lui laisse quelques points d'ombre. En effet, il n'était en France que depuis quelques mois après tout, et sa maîtrise de la langue française n'était pas parfaite[3]. Sur les dix pièces présentées par Valleran, nous en avons six : trois tragédies, une pastorale et deux tragi-comédies.

1.3.2.1. *Les tragédies.*

La première pièce est la tragédie d'une princesse qui, mariée à un homme en aime un autre. La deuxième pièce, un drame, jouée les deuxième et troisième jours, relate l'histoire d'une méchante femme qui trompe et tue ses deux maris et, qui plus est, se révèle être de mèche avec le diable ! Le quatrième jour, le spectacle était une pastorale.

---

1 R. H. MacDonald, *The Season at Bourges, Op, cit.*, p. 91.
2 *Ibid.*, p. 92.
3 *Ibid.*, p. 96.

1.3.2.2. *Les pastorales.*

La mode de ces pièces était venue d'Italie, jouées par des troupes italiennes, ou imprimées en tant qu'œuvres littéraires. Drummond devait en être particulièrement friand car il possédait plusieurs exemplaires de ces pastorales, en latin, en français ou les deux : *Arcadia* de Jacopo Sannazaro, Venice, P. Marinelli, 1589 ; et la traduction : *L'Arcadie(...) mise d'italien en françoys ; Opere* de Torquato Tasso, Ferrare, G. Vasalini, 1583-7, 6 vol.[1] ; *Il pastor fido Madrigali*, de Giovanni Battista Guarini, Treviso, F. Zanetti, 1603 et en français : *Le berger fidelle, pastorale, de l'italien(...)* ; et enfin la *Pastorelle, L'vnion d'amour et de chasteté. Pastorale(...)*, Poitiers, J. Blanchet, 1606. Drummond se procura ce dernier exemplaire à Bourges en 1608[2].

Le sujet de la pastorale que Drummond vit à Bourges reposait sur un simple malentendu amoureux : deux bergers pleurent deux bergères qui les éconduisent. Les choses se compliquent par la présence d'un satyre, mais la déesse amour veille et tout est bien qui finit bien ! Sousjacente à cette intrigue, et la doublant en quelque sorte, l'histoire de Mars et Vénus.

1.3.2.3. *Les tragi-comédies.*

La pièce jouée les cinquième et sixième jours est une tragi-comédie inspirée de Bandello[3], et la dernière pièce annotée par Drummond est celle jouée les septième et huitième jours. Cependant, nous n'avons pas la source de cette dernière œuvre, et la description de Drummond est incohérente, sa maîtrise du français ne lui permettait peut-être pas de saisir les nuances des dialogues et de l'action. Il se plaint également que la pièce est trop longue, et abandonne son travail de reporter au milieu de la deuxième journée.

---

1 Drummond les acheta à Londres en 1610.

2 Tous ces titres ont été relevés dans l'ouvrage de R. H. MacDonald, *The Library of Drummond of Hawthornden*, Edinburgh, 1971, pp. 208-220.

3 Les *Nouvelles* de Bandello relatent les amours de la Duchesse de Turin. in R. H. MacDonald, *The Season at Bourges*, *Op, cit.*, p. 100. Il est à noter que Drummond en possédait un exemplaire : Bandello, Matteo, *Il primo volume delle novelle*, Milan, 1560, in R. H. MacDonald, *The Library of Drummond of Hawthornden*, *Op. cit.*, p. 216.

A considérer toutes ces pièces, l'on voit bien que ce n'était pas là des œuvres de qualité. Le théâtre français était à cette époque bien en deçà des théâtres anglais et italien. Les *journées* de théâtre présentées à Bourges sont loin de la sophistication de la Renaissance et rappellent encore le modèle médiéval ; elles sont en fait peu éloignées des moralités. Drummond qui avait dans sa bibliothèque un exemplaire de l'ouvrage de Sir David Lindsay, *Satyre of the Thrie Estaits*[1] n'était pas dépaysé devant ces scènes de satire, fantaisie et humour[2].

1.3.2.4. *Les farces.*

Les farces, quant à elles, étaient un genre à part : productions courtes, écrites en vers de huit pieds, ne comptant pas plus de quatre cents lignes. L'intrigue était simple, née de déceptions, mauvais tours, situations confuses. Les personnages sont stupides, les maîtres des coquins, les femmes consentantes et les maris de vieux idiots. Les plaisanteries de mauvais goût émaillent les sujets indécents, impertinents, et les coups volent. Ainsi dans la cinquième farce, le domestique dit à son maître qu'il n'a pas besoin d'acheter autant de viande, « *car vous avez déjà une tête de veau vous-même* »[3]. Les sept farces auxquelles Drummond assista étaient conformes au genre. Quatre d'entre elles avaient pour thème l'infidélité conjugale, la balourdise paysanne. Drummond ne dit pas qu'il rit à ces représentations, son récit est sobre, mais néanmoins il note avec application les situations comiques. Ainsi, ce dialogue, entre le bon et le méchant :

> « Lève-toi, on va se battre » dit l'un, « parce que je ne tuerai jamais un homme couché »
> « Si c'est le cas », répond l'autre, « je reste où je suis »[4].

Et dès que le premier fait mine de s'en aller, dépité, le deuxième se relève précipitamment et le frappe, avant de retourner se coucher à

1 R. H. MacDonald, *The Library of Drummond of Hawthornden, Ibid.*, p. 226.
2 R. H. MacDonald, *The Season at Bourges, Op. cit.*, p. 101.
3 *« for ye heue a good veal head of your aune »*
4 *« Get up and I'll fight you, for I'll never kill a man that's lying down ».*
« If that's the case, I'am staying where I am ».

toute vitesse. Mais la farce la plus drôle est la sixième, composée de deux pièces : l'anatomie et l'interview du perroquet.

Dans la première, le chirurgien doit disséquer un cadavre, mais le cadavre en question n'est autre que le nouvel amant de sa femme qui, surpris, n'eut d'autre cachette que la table de dissection. Le chirurgien, en état d'ébriété avancé, prépare son matériel à découper, arrache la chemise du malheureux, prend son scalpel, et s'apprête à faire l'incision, quand… le téléphone se met à sonner ! : « *arrive un page qui lui demande de se rendre en toute hâte au chevet d'une dame pour lui faire une saignée* »[1] Ouf ! Dans la deuxième pièce, le personnage principal est un perroquet, qui n'est autre que l'amant de l'épouse. Le mari le découvre alors qu'il était caché sous un voile, et pour sauver la situation, le jeune homme réussit à convaincre le mari qu'il fut vraiment perroquet, mais qu'il vient tout juste de devenir un homme !

1.3.2.5. *Le théâtre jésuite.*

D'un tout autre ordre fut la pièce de théâtre donnée par les Jésuites du collège berruyer à laquelle Drummond assista en novembre 1607. La pièce en latin s'intitulait *Marcus Manlius Capitolinus.* Nous avons vu que les Jésuites avaient essayé d'empêcher Valleran et Laporte de pratiquer leur art en ville, tant ils étaient contre toute forme de théâtre professionnel, mais néanmoins encourageaient leur propre expression théâtrale, faite de tragédies dont les sujets étaient empruntés à l'histoire de l'Église, des Ecritures, ou de l'histoire ancienne. Les Jésuites écrivaient leurs propres pièces et les élèves les interprétaient, avec quelquefois l'aide de leurs parents.

Drummond résume brièvement l'histoire de *Marcus Manlius*, puis nous donne un synopsis des cinq actes de la tragédie, synopsis suivi d'une ou deux phrases en commentaire de la partie chantée. Ensuite, Drummond écrivit quelques phrases en écossais pour décrire les tableaux présentés pendant les entractes. Il explique que ces tableaux annonçaient en réalité l'action à venir, intensifiant la tension

---

1 « *ther com a page quho desyrit him al hast to come to a dame quhom of he must by and by draw blud* ».

dramatique. Il nous livre également des détails scéniques : les blessures étaient représentées par une chemise ensanglantée, le rideau servait à cacher le corps. Il semble que la pièce ait été jouée sur un court de tennis (ou près d'un court de tennis) :

> la dernière (scène), Manlius fut jeté du haut du Capitole représenté par les poteaux d'un court de tennis d'où il sauta et se retrouva, caché par un rideau, sur un lit[1].

Drummond n'en écrira pas davantage. Il ne nous renseigne pas sur la mise en scène, les costumes, les réactions du public. Les représentations étaient probablement en plein air, avec un rideau de fond. Une seule fois, il mentionne un rideau dont la présence occultait les bruits de fond[2].

1.3.3. Conclusion

Ce témoignage de Drummond nous est bien précieux, pour toutes ces notes sur un théâtre par ailleurs quasiment inconnu, mais aussi pour l'image que l'étudiant nous donne de lui-même : affamé de culture, appliqué à noter le moindre détail du spectacle, à s'instruire de toutes les façons, à améliorer sa connaissance de la langue du pays visité, à s'enrichir et ne pas perdre une minute de ce séjour universitaire. Venir étudier le droit certes, mais aussi ouvrir et former son esprit à toute nouveauté, selon ses goûts initiaux. L'autre goût de Drummond était pour les livres.

---

1 « *The last the throwing of Manlius from the top of the capitol vich vas the fusts of a teniss court quhair he leep and vas keppit vunder the siparium on a bed* » f°. 68v.

2 « *used for noises off* » in R. H. MacDonald, *The Season at Bourges*, *Op. cit.*, p. 107.

CHAPITRE 2

CATALOGUE DES LIVRES DE DRUMMOND ACHETÉS À BOURGES.

Introduction

William Drummond partagea son séjour en France entre Paris et Bourges où il resta, nous l'avons vu, seize mois puis deux mois environ dans la capitale, d'août à octobre 1608. Dans les deux villes, il acheta des livres, et même à Rouen sur le chemin du retour. Drummond, très méthodique, annotait la plupart de ses acquisitions en précisant le lieu et la date d'achat, sur la première page de ses livres. De retour en Écosse, en 1611 exactement, il rédigea le catalogue de sa bibliothèque. Nous avons relevé les ouvrages achetés à Bourges, et compilé une liste à partir du travail de R. H. MacDonald, soit 1. 407 ouvrages recensés[1].

Le catalogue que nous présentons n'est pas exhaustif : il semble que certains livres aient bien été acquis à Bourges mais ils ne portent pas cette mention, nous ne pouvons donc les identifier. Avant de présenter cette liste, il convient de s'interroger sur les libraires berruyers de l'époque : où William Drummond acheta-t-il ses livres et à quels prix ?

2.1 Les libraires-imprimeurs à Bourges : où William Drummond, étudiant à Bourges, acheta-t-il ses livres ?

La ville de Bourges eut des libraires tôt dans son histoire. En 1484, Jean Coffin fut le premier libraire de l'Université et tout au long du XVIe siècle, les libraires travaillèrent dans la capitale berruyère[2], les plus connus étant Brillard et Lauverjat. Beaucoup furent seulement libraires, marchands de livres. Mais certains pratiquèrent l'édition ; ainsi, à la fin du siècle, Brillard et Thévenin éditèrent-ils des ouvrages de droit imprimés par Pierre Bouchier[3].

---

1 *The Library of Drummond of Hawthornden, Op. cit.*

2 J. Jenny, « Libraires et imprimeurs de Bourges au XVIe siècle, leurs rapports avec l'Université », *in L'Humanisme français au début de la Renaissance*, Colloque International de Tours, 1977, p. 93.

3 *Ibid.*

L'activité de ces libraires était liée à la vie universitaire toute proche, puisque la majorité d'entre eux tenaient boutique dans la rue Bourbonnoux, tout près des Grandes Écoles (situées rappelons-le à l'angle Nord des rues Bourbonnoux et des Trois Maillets) et quelques autres se trouvaient rue des Ecrivains, actuelle rue Porte-Jaune[1]. En ce qui concerne les imprimeurs, il faudra attendre les années 1530 pour avoir un imprimeur permanent en ville, attaché à l'Université : Jean Garnier, également libraire du Chapitre cathédral et imprimeur du clergé.

Dès 1541, Marc Guérin veillait sur sa boutique de libraire à l'enseigne de l'*Écu de Bâle :* située près des Tois Maillets, elle voisinait les *Grandes Écoles.* A sa mort, *« sa fille Marie épousa en 1558, Pierre Bouchier, qui prit la succession et donna un certain lustre à l'enseigne de son beau-père, qu'il adopta également comme marque de libraire, puis d'imprimeur »*[2]. Pierre Bouchier – et plus tard Nicolas Levez- portera les titres d'imprimeur et libraire de l'Université : il vendra des livres qui étaient imprimés dans d'autres villes, à Lyon notamment. Les achats de Drummond en sont un bon exemple puisque quatre de ses livres portent les noms d'imprimeurs lyonnais, les non moins célèbres étant : Honorat, Rouille et Bounyn ; de nombreuses productions de Guillaume Rouille étaient en vente à la librairie Bouchier, un courant commercial assez important existait, en matière de livres de Lyon à Bourges[3]. Dès 1567, Bouchier associé à Jean Lauvergat, tenait « *petite boutique et ouvroir (...) assise devant les Six Maillets »*[4] *:* c'était en réalité *une échoppe* à usage de librairie installée entre les contreforts des Écoles[5]. En 1608, Germain

---

1 *Ibid.*, p. 2

2 J. Jenny, « Coup d'oeil sur les rapports entre les imprimeurs-libraires lyonnais et berruyers au XVIe siècle », in Bulletin du Bibliophile, p. 23.

3 *Ibid.*, p. 32 ; p. 29.

4 J. Jenny, « Le local de l'imprimerie à Bourges (1530-1669) Etude Topographique », in *Cahiers d'Archéologie et d'Histoire du Berry*, n° 112, (décembre 1992), p. 29.

5 *Ibid.*, p. 28. Notons ici que ce genre de petites boutiques en bois existaient aussi en Ecosse : incrustées entre les contreforts de la cathédrale St-Giles à Edimbourg, elles proposaient à la vente toutes sortes de produits, et avaient pour nom *krames*, in G. Donaldson & R. Morpeth, *A Dictionary of Scottish History*, J. Donald, Edimbourg, 1977, 1988, 1992, 1994, p. 119.

Lauverjat, fils de Jean occupait les mêmes locaux[1] : c'est très certainement là que Drummond fit ses achats, à moins que ce ne soit auprès de Jean Toubeau, l'un des membres de la célèbre famille de libraires berruyers.

2.2 Le prix des livres de William Drummond.

Non seulement Drummond consigna les titres des ouvrages achetés, mais aussi il nota les prix. Ces prix sont intéressants, car ils ont valeur d'information sur le prix des livres à l'époque, et nous permettent de savoir pourquoi Drummond en acheta autant.

Drummond acheta en tout trois cent vingt-trois ouvrages en France (Bourges, Paris et Rouen) qui lui coûtèrent en tout 2. 399 sous (soit £10 18s). A titre comparatif, il acheta soixante-seize livres en Angleterre qui lui coûtèrent £6 13s. 7d.[2] On voit bien par ces chiffres que les livres en France coûtaient bien moins cher qu'en Angleterre, et cela valait la peine pour un Écossais de les acheter sur place, et de les remporter dans ses bagages. Il est à noter qu'il acheta, pour la plupart, des ouvrages de petit format, *in 8°* ou moins, sans doute pensait-il au poids ! Le prix normal pour les plus petits livres variait de 1 à 8 sous, le prix d'une page étant d'un quart de sou. Les livres d'occasion étaient un peu moins chers, mais le coût de la reliure faisait perdre l'avantage. Nous ne savons si les livres achetés à Bourges par Drummond étaient des livres neufs ou d'occasion, mais à considérer la date d'imprimerie, il semble que l'ouvrage de Mélanchton[3] et la pastorale aient été neufs. Quant aux autres, ils étaient très certainement d'occasion, à en juger par leurs lieux d'impression : Cologne, Anvers, Venise, et peut-être avaient-ils voyagé de Venise, d'Allemagne, des Pays-Bas, avec leurs premiers acheteurs étudiants pérégrinants ? Nous venons de mentionner un ouvrage de Mélanchton,

1 *Ibid.*

2 *The Library of Drummond of Hawthornden*, *Op. cit.*, *Cf. Supra* note 26, pp. 37 & 39.

3 Il n'est pas sans intérêt de noter ici que Pierre de l'Estoile consigna dans son *Journal* avoir acheté le même ouvrage de Mélanchton en 1607, c'est-à-dire la même année que Drummond acheta le sien, et que tous les deux payèrent le même prix, soit 4 sous, in *Mémoires-Journaux*, *Op. cit.*, VIII, p. 335.

et nous remarquons qu'il ne semblait pas y avoir de censure des livres protestants à ce moment-là[1].

S'il valait la peine pour un étudiant écossais de faire l'acquisition de livres en France, quels types de livres recherchait-il ? Nous ne nous intéressons ici qu'aux ouvrages certifiés achetés à Bourges. En voici la liste : pour chaque ouvrage répertorié, nous donnons le nom de l'auteur, le titre complet, le lieu d'impression, le nom de l'imprimeur, l'année de parution, et l'endroit où l'ouvrage se trouve actuellement.

2.3 Les livres que Drummond acheta à Bourges.

2.3.1. Ouvrages en latin.

2.3.1.1. *Théologie.*

1 MELANCHTON, Philip. *Sententiae Phil. Melanthonis Martini Buceri, Casp. Hedionis & aliorum in Germania theologorum de pace ecclesiae.*

n. p., 1607

Edinburgh University Library

Acheté à Bourges en 1608

2.3.1.2. *Droit.*

2 HOPPER, Joachim. *siue dispositio titulorum pandectarum iuris ciuilis... praelectionibus collecta, nunc premium in tabulas digesta, per Ottonem ab Hoeuel.*

Cologne, héritiers de A. Birckmann, 1564.

Edinburgh University Library

Acheté à Bourges en 1608.

3 HORTENSIUS, Aegidius. *AEgidii Hortensii Anetensis, I. C. in L. pacta conuenta. lxxij. D. de contraenda, emptione. Ad haec in titulum integrum singulàsque leges D. de praescriptis verbis & infactum actionibus, commentarij* (...)

---

1 Sur le chemin du retour, Drummond acheta à Rouen l'ouvrage de L. Pollot, *Dialogues contre la pluralité des religions et l'athéisme,* H. Haultin, traité huguenot sorti des presses de La Rochelle en 1595, in *The Library of Drummond of Hawthornden, Op. cit.*, p. 40.

Lyon, B. Honorat, 1587

Edinburgh University Library

Acheté à Bourges en 1608.

4 RAYMUNDUS, Joannes. *Epistolarum legalium, in quibus varii iuris articuli continentur, libri tres (...) è corpore iuris collectae* (...)

Lyon, G. Rouille, 1549

Edinburgh University Library

Acheté à Bourges en 1608.

5 BOETHIUS, Anicius Manlmius Torquatus Severinus. *In diui. Seuerini Boetij de scolarium disciplina commentarium feliciter incipit.*

Lyon, G. Le Roy, 1486

British Museum

Acheté à Bourges en 1608.

2.3.1.3. *Prose.*

6 ESTIENNE, Henri, le Grand. *Henrici Stephani epistola, qua ad multas multorum amicorum respondet, de suae typographiae statu, nominatimque de suo thesauro linguae Graecae... Index librorum qui ex officina eiusdem Henrici Stephani hactenus prodierunt.*

Genève, H. Estienne, 1569

Edinburgh University Library

Acheté à Bourges en 160(8 ?).

7 OVIDIUS NASO, Publius. *Epistole Ouidij cum commento. Epistole Heroides Publij Ouidij Nasonis dilgenti castgione exculte, aptissimis figuris ornate : commentantibus Antonio Volsco, Vbertino Cresentinate, & A. Iano Parrhasio, necnon Iodoco Badio Ascensio. Liber seu epistola Sapphus cum enarrationibus Domitij Calderini Veronensis primarij interpretis, Georgij Merule Alexandrini, et ipsius Iodoci Badij Ascensij.*

Liber in ibin cum diligentissimis interprÉtationibus Domitij Calderini, Christophori zaroti, cun per familiari Iodoci Badij Ascensij expositione...

Ouidij vita a Petro Crinito in de poetis latinis descripta.

Lyon, B. Bounyn, 1536.

Edinburgh University Library

Acheté à Bourges en 1607.

2.3.2. Ouvrages en grec.

8 EUNAPIUS. *E. bibliotheca Ioan. Sambuci Pannonij Tirnauiensis. (Eunapius Sardinius, de vitis philosophorum et sophistorum : nunc primum Graece & Latinè editus, interprete Hadriano Iunio Hornano. Cum indice & Graeci exemplaris castigatione.)* (En deux parties)

Anvers, C. Plantin, 1568.

Edinburgh University Library

Acheté à Bourges en 1608.

9 OPPIAN. *Anazarbei de piscatu libri v. De venatione libri iv.*

Paris, A. Turnèbe, 1555

Folger Library

Acheté à Bourges en 1608.

Attachées à cet ouvrage une traduction latine de *De Venatione*, et des traductions latines de *De Piscatu* et de *De Venatione :*

9a OPPIAN. O. *de venatione libri iiii, J. Bodino Andegauensi interprete... His accessit commentarius... ejusdem interpretis.*

Paris, M. de Vascosan, 1555.

9b OPPIAN. O. A. *de piscatu libri v, L. Lippiointerprete. De venatione libri iv, ita conuersi.*

Paris, G. Morel, 1555.

2.3.3. Ouvrages en français.

10 GAUTIER, Albin. *L'vnion d'amour et de chasteté.* Pastorale[1]...

Poitiers, J. Blanchet. 1606

Edinburgh University Library

Acheté à Bourges en 1608.

---

1 Drummond assista à la représentation de cette pastorale à Bourges. Il se procura très certainement le texte à ce moment-là.

2.3.4. Ouvrages en italien.

11 PIETRO, Aretino. *Le carte parlanti, dialogo.*

Venise, B. detto l'Imperadore for M. Sessa, 1545

Propriétaire privé

Acheté à Bourges en 1608.

Attachés à cet ouvrage, deux autres livres :

11a PIETRO, Aretino. Il capitulo... in laude de lo Imperatore, & à sua maesta da lui proprio recitato.

Venise ? , 1543

Propriétaire privé.

11b PIETRO, Aretino. La uita di San Tomaso, signor d'Aquino...

Venise, G. de Farri et frères pour M. Biago de Perugia, 1543.

Propriétaire privé.

2.4 Commentaire.

Ainsi, pendant son séjour à Bourges, d'avril 1607 à août 1608, Drummond acheta onze ouvrages (ou quinze si nous comptons 9a, 9b et 11a 11b). Il est à remarquer que les titres mentionnés sont très significatifs, très symboliques car ils représentent la bibliothèque de Drummond en miniature aux sujets variés : théologie, droit, philosophie, médecine, prose, poésie en langues variées : latin, grec, français, italien, espagnol. C'est dans cet ordre que le poète écossais classa sa collection, suivant en cela le modèle adopté par les bibliothécaires professionnels, tel Thomas James qui rédigea en 1605 le catalogue de la Bibliothèque *Bodleian*[1]. Cette liste appelle quelques remarques : nous ne relevons pas d'ouvrage de médecine, mais cela ne saurait nous surprendre car la Faculté de Médecine de Bourges ne fut jamais brillante. Par contre, nous remarquons bien le nombre important d'ouvrages en latin. Nous y voyons le témoignage et la

---

1 T. James, *Catalogus librorum bibliothecae publicae quam vir ornatissimum Thomas Bodleius eques auratus in academia Oxoniensi nuperinstituit ; continet autem libros alphabetice dispositos secundum quatuor facultates : cum quadruplici elencho expositorum S. Scripturae, Aristotelis, iuris vtriusq ; & principum medicinae, ad vsum almae academiae Oxoniensis, auctore Thomae James ibidem bibliothecario ;* Oxford, J. Barnes, 1605.

marque de l'éducation académique de Drummond et cela montre que pour améliorer ses connaissances, s'enrichir, il fallait entretenir, pratiquer le latin qui restait la langue des théologiens, juristes, savants et garantissait une audience internationale. En ce qui concerne le grec, les notes manuscrites[1] de Drummond montrent qu'il maîtrisait bien cette langue, car à l'Université d'Edimbourg on enseignait Aristote en grec, même si l'on avait recours à une traduction latine pour le texte[2]. Par ailleurs, Drummond fin linguiste avait de bonnes notions d'italien et d'espagnol et s'intéressait beaucoup à ces deux langues. Quant à sa connaissance de la langue française, il est indéniable que Drummond prenait l'étude de notre langue très au sérieux[3]. Nous en voulons pour preuve le nombre d'ouvrages de grammaire, dictionnaires et autres traités remarqués dans sa bibliothèque. Nous en citons quelques uns, dont le premier au titre savoureux.

2.5 Dictionnaires et grammaires de français.

BELLOT, J. *Le guide francois qui conduit par un assure sentier, au certain usaige de la langue Francoise, faict, & mis en lumiere, par J. Bellot gent. Cadomois. « Imprimè a Londres 1582, in french and english ».*

Edinburgh University Library

DU BREUIL, A. *Petit dictionnaire de l'orthographe Françoise ;* Paris, A. Du Brueil, 1608.

Edinburgh University Library

Bien parler la langue, mais aussi l'écrire correctement : c'était le souci de Drummond, comme en témoignent les achats suivants :

ESTIENNE, R. *Les mots francois selon lordre des lettres, ainsi que les fault escrire : tournez en latin, pour les enfants.*

Paris, R. Estienne, 1544 (abondamment annoté de la main de Drummond).

Edinburgh University Library

---

1 NLS MSS. 2059-60.

2 *The Library of Drummond of Hawthornden, Op. cit.*, p. 20.

3 NLS MSS. 2059-60, *ff. 82-147* : notes rédigées en français.

ESTIENNE, R. *Les declinaisons des noms & verbes.*

LA TOUCHE, G. de. *Art nouueau, et familiere industrie d'interpreter, tourner et translater de Latin en François, selon le vray ordre de natur, pour r'accorder & sympathiser l'eloquence Latine à la Françoise. Nouuellement recherche & compose...*

Paris, R. Colombel, 1587.

Edinburgh University Library

LE MOYNE, J. *Le stile et maniere de composer, dicter, et escrire toute sorte d'epistre, ou lettres missiues, tant par response, que autrement, auec epitome de la poinctuation, & accents de la langue Françoise : liure tres-vtile & profitable. Nouuellement reueu & augmenté.*

Lyon, T. Payen, 1566.

Edinburgh University Library

Outre les ouvrages achetés à Bourges et ceux ayant trait à la langue française, nous aimerions également mentionner d'autres ouvrages figurant dans la bibliothèque de Drummond et qui sont intéressants pour notre étude, car liés de très près à l'histoire berruyère et au séjour du poète en terre berrichonne. Il s'agit de livres d'étude du droit, mais aussi d'ouvrages plus divers, ainsi que d'un manuscrit inédit que nous notons en tête de notre liste : un exemplaire du testament de Jacques Cujas.

2.6 Testament de Jacques Cujas (manuscrit *Hawthornden, National Library of Scotland* : *MSS, NLS.2.059, f.132.*)

Nous ne savons pas comment Drummond se le procura, il semble qu'il le recopia lui-même. Il est à remarquer que Drummond était particulièrement friand de documents historiques manuscrits[1]. Cujas écrivit son testament le matin même de sa mort. La copie est identique à l'exemplaire original.

1 Liste des manuscrits collectionnés par Drummond, in *The Library of Drummond of Hawthornden*, *Op. cit.*, pp. 224-227.

2.7 Ouvrages de la Collection Drummond, liés à l'histoire berruyère.

1. LERY. Jean de, *Histoire memorable de la ville de Sancerre. Contenant les entreprises, siege, approches, bateries, assaux & autres efforts des assiegeans : les resistances, faits magnanimes, la famine extreme & deliurance notable des assiegez. Le nombre des coups de canons par iounees distinguees ; Le catalogue des morts & blessez à la guerre(...)*

La Rochelle, 1574.

Edinburgh University Library

2. Marguerite d'ANGOULÊME, *L'Heptameron ou histoires des amans fortunez, des nouuelles de tres-illustre & tres-excellente princesse, Marguerite de Valois, royne de Nauarre*(...)

Paris, C. Chappellain, 1607 (vraisemblablement acheté neuf à Bourges).

Edinburgh University Library

3. Marguerite d'ANGOULÊME, *Les Marguerites de la Marguerite des princesses, tresillustre royne de Nauarre.*

Paris, veuve F. Regnauld, 1554.

Acheté à Paris, 1608.

Edinburgh University Library

2.8 Ouvrages de la Collection Drummond liés au séjour de Drummond à l'Université : droit, poésie et prose.

2.8.1. Droit.

4. ALCIAT, André. *Andrae Alciati iurecons. clariss. de singulari certamine liber. Eiusdem consilium in materia duelli, exceptum ex libro quinto responsorum.*

Lyon, A. Vincent, 1543.

Edinburgh University Library

5. BARCLAY, William. *Guil. Barclayi(...) iudicium de certamine G. Églisemii cum G. Buchanano, pro dignitate paraphraseos psalmi ciiii... Adjecta sunt, Églisemmii ipsum iudicium (...) ejusdem psalmi elegans paraphrasis Thomae Rhaedi.*

Londres, G. Eld, 1620.

Edinburgh University Library

6. CUJAS, Jacques. *Paratitla in libros quinquaginta digestorum seu pandectarum imperatoris Iustiniani.*

7. GRATIEN, le Canoniste. *Decretum Gratiani : seu verius, decretorum canonicorù collectanea, ab ipso auctore Gratiano primùm inscripta, concordia discordantium canonum : ex diuite illa scriptorum ecclesiasticorum, summorum pontificum, conciliorùmque oecumenicorum supellectile, eiusdem Gratiani labore concinnata, & in suas classes digesta. Praefixa sunt ab Antonio Demochare Sorbonicae Academiae collega, singulis ferè distinctionibus & sausarum quaetionibus quaedam, summam totius rei succinctè complectentia*(...)

Anvers, J. Steels et P. Nuyts, héritiers maison C. Plantin, 1573.

Edinburgh University Library

8. HOTMAN, François. *F. Hotomani(...) Partitiones iuris civilis elementariae. Particula universae historiae ab eodem auctore conscripta quae ad Jus civile pertinet.*

9. HOTMAN, François. *F. H(...) vetusrenovatus commentarius in quatuor libros institutionum iuris civilis.*

10. JUSTINIEN Ier, Empereur. *Corpus iuris civilis.*

11. JUSTINIEN Ier, Empereur. *Institutiones* (avec le commentaire d'Accurse, le Glossateur).

12. JUSTINIEN Ier, Empereur. *Institutiones imperiales nouiter impresse...*

Lyon, J. Huguetan, 1516.

Edinburgh University Library

13. JUSTINIEN Ier, Empereur. *Imp. Caes. Justiniani Institutionum lib. IIII., adnotationibus(...) illustrati(...) Studio et opera. Crispini Atre(...)*

14. JUSTINIEN Ier, Empereur. *Dn. N. Istiniani (...) Institutionum sive Elementorum (...) lin. IIII emendatissimi. In eosdem libros Jacobi Cujacij posteriores notae(...)*

15. JUSTINIEN Ier, Empereur. *Institutionum juris civilis libri quatuor, olim a Theophilo antecessore in graecum e latino(...) translati(...) e graeco in latinum(...) conversi.*

16. JUSTINIEN Ier, Empereur. *Institutiones iuris civilis in Graecam linguam per Theophilum Antecessorem olim traductae, ac fusissimè planissiméque explicatae, superioribus diebus cura & studio Viglii Zuichemi Phrysij primùm in lucem aeditae.*

Paris, C. Wechel, 1534.

Edinburgh University Library

17. PAULUS, Julius. *Iulij Pauli receptarum sententiarum ad filium, libri v. In eosdem I. Cuiacij interprÉtationes.*

2.8.2. Poésie.

18. BARCLAY John. *Ioannis Barclaii poematum libri duo.*

Londres, J. Bill, 1615.

Edinburgh University Library

19. BOYD, Mark Alexander. *M. Alexandri Bodii epistolae heroides, et hymni... Addita est eiusdem literulerum prima curia.*

20. SECUNDUS, Joannes. *Ioannis Secundi Hagiensis opera. Nunc primum in lucem edita.*

Utrecht, H. Borculus, 1541.

Edinburgh University Library

2.8.3. Prose.

21. BARCLAY John. Epistola Iohannis Barclaii. Ad amicum suum Iohan. Flaminium.

Lyon, P. G., 1616.

Edinburgh University Library

22. BARCLAY, John. *Barclay his Argenis : or, the loues of Poliarchus and Argenis : faithfully translated out of Latine into English, by Kingesmill Long, gent.* (avec cette devise, écrite de la main de Drummond : « *Quicquid calcas rosa est* ».)

Londres, H. Seile, 1625.

Dundee University Library

23. DU FAIL, Noël. *Les contes et discours d'Eutrapel, reueus et augmentées par le feu seigneur de la Hérissaye*(...)(la page de titre est déchirée, le titre a été écrit par Drummond).

Rennes, N. Glamet, 1586.

Edinburgh University Library

2.8.4. Philosophie.

24. GESNER, Conrad. *Conradi Gesneri de rerum fossilium, lapidum et gemmarum maximé, figutis & similitudinibus liber : non solùm medicis, sed omnibus rerum naturae ac philologiae studiosis, vtilis & iucundud futurus.*

Zurich, maison Gesner, 1565.

Edinburgh University Library

25. GESNER, Conrad. *Historia plantarum et vires ex Dioscoride, Paulo Aegineta, Theophrasto, Plinio, & recètioribus Graecis, iuxta elementorù ordinè(...) Adiecta ad marginè nomenclatura, qua singulas herbas officinae, herbarij, & vulgus Gallicum efferre solent.*

Paris, O. Petit, 1541.

Edinburgh University Library

26. OLEVIANUS, Caspar. *Fundamenta dialecticae breuiter consignata è praelectionibus*(...)

Francfort, A. Wechel, 1581.

Edinburgh University Library

2.9 Commentaire.

Les ouvrages de droit -civil et canon- sont nombreux et bien représentatifs de l'enseignement de l'époque ; en réalité, ils semblent correspondre à la liste qu'un professeur aurait pu établir pour l'élève Drummond : les grands civilistes, maîtres de Bourges y figurent ainsi que les classiques Justinien et Gratien.

En poésie nous remarquons John Barclay, fils de William Barclay, qui devint célèbre en tant qu'auteur du roman allégorique *Argénis*, publié en de nombreuses éditions et langues ; il fut aussi l'auteur de poésies.

Mark Alexander Boyd, précéda Drummond à Bourges ; il écrivit de nombreuses poésies et lettres, dont certaines nous sont restées[1]. Jean Second (Jean Everaerts), auteur des *Baisers*, fut également étudiant à l'Université de Bourges, nous l'avons vu, et nous laissa un témoignage de son séjour d'une année.

Noël Du Fail (1520- 1591), breton d'origine comme son maître Baron, écrivit dans ses *Contes et Discours d'Eutrapel* une page savoureuse mais canaille[2], que nous ne relaterons pas ici, sur un épisode courtois de la vie d'un étudiant à Bourges.

Conrad Gesner fut également étudiant à Bourges où il entraîna en son sillage de nombreux étudiants allemands.

Quant à Caspar Olevian (von der Olewig) étudiant originaire de Trèves (1536-1587), il fut sauvé de justesse de noyade dans l'Auron en 1556, dans un drame au cours duquel périrent plusieurs jeunes nobles allemands, dont le jeune comte Hermann Louis, fils de l'électeur palatin Frédéric III. Olevian tira de ce drame une leçon de piété profonde et fit le voeu d'annoncer l'Evangile dans sa patrie natale. En 1563, il sera co-auteur du Catéchisme évangélique d'Heidelberg[3].

2.10 Conclusion.

Ainsi, les livres que Drummond acheta à Bourges ou qui sont liés d'une certaine manière à son séjour berruyer représentent-ils une tranche de l'histoire intellectuelle, typique de ce début du XVIIe siècle. Ils sont une image des goûts d'un homme mais aussi de son étude, car les nombreuses annotations montrent que Drummond lut ces ouvrages. Passionné par les livres et les antiquités, son goût de la lecture et son érudition ne le poussèrent pas cependant à se replier sur lui-même, bien au contraire ; en effet, il sut mettre à profit son riche patrimoine qu'il ne cessa d'enrichir en vue du bien commun, puisqu'il

1 NLS, Adv. MS. 15. 1. 7.

2 Librairie des Bibliophiles, Paris, 1875, tome I, pp. 58-60.

3 « Caspar Olevian 1536-1587 Juriste et théologien, originaire de Trèves, Etudiant à Bourges et à Orléans», *in* Catalogue de l'*Exposition dans le cadre du jumelage entre le Studentenwerk de Trèves et le C. R. O. U. S d'Orléans-Tours, 1989-90*, pp. 28-56.

légua sa bibliothèque à l'Université d'Edimbourg, en deux temps : une première fois en 1626, il offrit environ 363 ouvrages et manuscrits, puis une deuxième fois, il offrit sensiblement la même quantité d'ouvrages entre 1626 et 1636[1].

Après cette tranche d'histoire intellectuelle, c'est une tranche de vie sociale que nous allons évoquer par l'étude des lettres des frères Alexander et Henry Erskine à leur père, le comte de Mar, resté en Écosse.

---

1 Le premier legs fut mis en catalogue, et le catalogue fut imprimé par les héritiers d'Andro Hart en 1627, in *The Library of Drummond of Hawthornden, Op. cit., Cf. Supra* note 26, p. 47.

CHAPITRE 3

LES LETTRES DES FRÈRES ERSKINE ET DE JOHN SCHAU[1]. juin 1617- décembre 1618.

Introduction

Les lettres écrites par les étudiants à leurs parents restés en Écosse sont des documents originaux très rares. Parce qu'elles expriment la nécessité, le besoin de communiquer avec quelqu'un dont on est séparé par la distance, ces lettres sont un moyen d'enrichir l'idée que nous pouvons nous faire de leurs auteurs et sont des témoignages précieux. Leur analyse nous fournit des informations sur les circonstances personnelles et extérieures. Les Archives écossaises[2] conservent une collection de lettres écrites au comte de Mar par ses deux fils ainsi que par leur tuteur John Schau, qui les accompagna lors de leur *Grand Tour* sur le continent. Quelques unes de ces lettres ont été en partie déchiffrées et transcrites par Henry Paton : *Supplementary Report on The Manuscripts of the Earl of Mar and Kellie*, London 1930 ; mais la grande majorité d'entre elles restent non déchiffrées et non publiées. Les caractères des écritures de John Schau et d'Alexander sont larges et lisibles, sauf quelques passages estompés par les ans. Il en va tout autrement de l'écriture d'Henry : serrée et pointue, elle reste très difficile à déchiffrer.

Nous avons au total trente-sept lettres, dont quinze écrites par John Schau, et vingt-deux par les frères Erskine. Les dates de ces lettres s'étalent sur une période allant du 26 décembre 1616 au 12 avril 1620. Elles furent écrites à Bourges, Saumur, Lyon, Venise, Padoue, Orléans, Paris, Londres (Whitehall). Dix furent écrites à Bourges, et trois lettres écrites de Saumur et Paris mentionnent Bourges. A plusieurs reprises, des lettres furent écrites le même jour, du même lieu, par John Schau et l'un ou l'autre des deux frères. Ainsi, les 5 juin et 7 août 1617, l'un des fils et John Schau écrivirent-ils chacun une lettre de Bourges ; puis les 22 décembre 1617 et 21 avril 1618 de Saumur.

---

1 *Schau* ou *Schaw*.

2 *Scottish Record Office*, Edimbourg (SRO).

Nous avons déjà fait référence à ces lettres au début du présent chapitre : elles nous ont permis d'établir les dates d'arrivée et de départ de Bourges, c'est-à-dire la durée de leur séjour. Elles nous ont également permis de détecter le lien familial avec les Stuarts en Berry. Une autre allusion est faite à ce lien familial : dans sa lettre en date du 16 juillet 1617, Henry raconte à son père la visite qu'ils firent à leur tante puis à leur grand-mère :

> (...) le 19 juin, nous nous rendîmes à Glatenny pour voir la sœur de notre mère qui est religieuse, et de là à Averry, où ma grand-mère demeure actuellement ; et puis, nous revînmes à Bourges (...)[1].

Nous considérons de nouveau ces lettres, car elles présentent d'autres intérêts pour notre étude.

3.1 Intérêt social et historique de ces lettres.

3.1.1 Introduction.

Nous insérons plusieurs copies de ces lettres afin d'en montrer la calligraphie, et le style épistolaire. Nous en faisons une analyse personnelle et historique, car elles nous livrent des informations sur la vie de ces étudiants, leurs itinéraires et leur témoignage de certains événements. Ces lettres sont rédigées en langue écossaise *Scots*

---

1 SRO, GD. 124/15/34/2

« (...) *On the 19 June we toke jurnay to Glatenny to see our mother sister, that is religiousse, and out of that to Averry, quhar my gooddame presently remeans ; and quhan we cume beake to Bourge,* (...) ».

Nous avons essayé d'identifier Glatenny et Averry. Il semblerait que ce soit Glatigny et Avexy. Le prieuré de Glatigny (Fonds de la Ste-Chapelle Archives départementales du Cher, 8G 2219, Chabris cens et rentes, Biens du prieuré de Glatigny sis dans la censive de la baronie de Graçay 1455-1751) était situé près de Chabris dans l'Indre, à une distance de soixante-quinze kilomètres d'Aubigny-sur-Nère. Avexy était une paroisse située à côté de Graçay, réunie à cette dernière après la Révolution, in H. Boyer, *Dictionnaire topographique du Cher*, Paris, 1926, p. 14. Avexy est situé à dix-huit kilomètres de Glatigny dans l'Indre. Mais signalons qu'il existe un autre Glatigny près du château de Brinon, commune d'Argent-sur-Sauldre, donc beaucoup plus proche d'Aubigny, *in* Boyer, *Ibid.*, p. 183, et d'autres Glatigny en Normandie, Calvados, Seine-Maritime, Manche, Seine et Oise et Seine-Maritime, *in Annuaire des Postes*, édition 1892. Nous remercions sincèrement Messieurs Ribault et Goldman des Archives départementales du Cher pour leur coopération dans cette recherche.

language, dont l'usage commença à se répandre à partir de 1500, par opposition au latin. L'écriture ainsi constituée est appelée *Secretary Hand,* caractérisée d'une part, par des caractères très différenciés, souvent accompagnés de symboles et d'autre part par des variations assez complexes.

L'écriture est vigoureuse, distinctive par l'orthographe et la grammaire, mais parfois sans cohérence. Ainsi, il n'y a pas de règles en ce qui concerne l'emploi des minuscules ou majuscules, les abréviations sont nombreuses, les mots et les noms ne sont pas écrits de la même façon dans une même lettre : ex : *capitan Settonne / capitan Setton.* Par mesure d'économie, espace, temps (et papier ?), les contractions et abréviations sont fréquentes. Quelquefois, un simple tiret oblique placé au-dessus du mot indique une omission des lettres, principalement lorsqu'il s'agit de *ar* ou *er*. En ce qui concerne le style, nous remarquons une différence de styles entre les lettres de Schau et des fils, différence normale conséquente à la nature des relations. Cependant, dans les deux cas, nous notons dès le début de la lettre, des signes de grand respect et d'affection profonde :

> *« Très honoré seigneurie et père très aimant »*[1].

Si les formules d'introduction du tuteur sont sobres et se réduisent à un simple *My Lord*, ses formules de fin de lettre sont plus ornées, ainsi celle-ci :

> « (...) Je demeure, en souhaitant à votre seigneurie santé, richesse et grande prospérité et après, cette couronne d'immortalité pour laquelle laissons monseigneur se battre »[2].

Les lettres n'ont pas, ou ont peu d'introduction : on entre de suite dans le vif du sujet, seul est fait le rappel des lettres précédemment envoyées ou reçues : on vérifie, on compte les missives, et l'on précise les temps et moyen d'acheminement. Le 9 mars 1616, Schau écrivit au comte :

---

1 *« Right honourable lordship and most loving father ».*

2 SRO, GD. 124/15/32/4 :

(...) *I rest wishing your lordship all helth, welth and grait prosperity and heirefter that crone of immortality for the which lett your lordship fight* (...)

> My Lord, la lettre de votre seigneurie, expédiée d'Holyroodhouse le 25 janvier nous arriva le 9 mars, lequel jour j'avais expédié des lettres à votre seigneurie par l'intermédiaire de Monsieur Adamson (...)[1].

Le 17 juillet 1617, Schau écrivit au comte :

> My Lord, j'ai reçu le 16 juin la lettre de votre seigneurie écrite de Holyrood le 2 mai (...)[2].

Quelquefois, le temps d'acheminement du courrier est un peu plus long, ainsi une lettre partie d'Holyrood le 2 octobre 1617 arriva le 5 décembre. Il fallait compter un mois et demi, deux mois ; et très souvent les lettres étaient apportées par des relations (lord Pitmillie, Lord Roxburgh) ou bien un marchand. Les lettres varient – en longueur et en teneur – selon leurs auteurs et témoignent de leurs personnalités : une à deux pages, quelquefois trois pour Schau et Henry, mais beaucoup plus courtes et au contenu moins élaboré pour Alexander. Nous pensons à la remarque du tuteur qui note les personnalités différentes de ses élèves : Henry est appliqué, mais Alex est moins sérieux, peut-être paresseux ? Pour sa défense, signalons qu'Alex est le cadet. Bien qu'aucune des lettres de la main du comte n'ait été conservée, il est possible d'en déduire le contenu par certaines informations, et la nature des liens qui unissent les quatre hommes. Ils demandent la permission d'étendre leur voyage, ils expliquent les évolutions de leur périple, ils justifient : le sentiment de responsabilité prévaut chez le tuteur : les jeunes sont entre de bonnes mains. Certaines préoccupations alimentent constamment ces lettres ; ce sont sans surprise, par ordre décroissant : les préoccupations liées à l'argent, aux déplacements, à l'état de santé, aux études, aux événements politico-historiques.

3.1.2. Préoccupations liées à l'argent.

Elles se manifestent de la façon suivante : demande d'argent, souci d'acheminement, de transfert par l'intermédiaire des marchands,

---

1 SRO, GD. 124/15/32/2. « *My Lord your Lordships letter directed from Hollirudhouse upon the 25 of Januar did cum to our hands upon the 9 of March, on the which day I had directed letters to your Lordship with Monseur Adamson* (...) »

2 SRO, GD. 124/15/32/4. « *My Lord I received upon the 16 June your Lordship's letter wretting grom Hollerudhouse upon the secund of may* (...) ».

difficultés de s'entendre avec les hommes d'affaires, – les noms de James Bally, James Murray, marchand d'Edimbourg, et surtout d'Alexander Seton reviennent constamment – coût de la vie. Ces préoccupations financières apparaissent principalement dans les lettres du tuteur, mais aussi quelquefois dans les lettres d'Henry.

Dans sa lettre en date du 9 mars 1617, John Schau écrit au comte de Mar :

> (...) Le Capitaine Setton, chargé de nos affaires selon le désir de votre Seigneurie, est un homme très honnête (...) cependant son service auprès du Roi l'empêche de faire ce qu'il veut (...) Il a donné l'ordre à un marchand à Paris de me garantir la somme de mille francs, mais après avoir écrit trois fois pour demander six cents francs, je n'ai reçu aucune réponse ; par conséquent, à ce jour, nous sommes en grande nécessité (...) Si nous avions reçu notre argent à Paris, (où nous sommes restés pendant un mois, à grands frais), nous aurions évité de grandes dépenses (...)[1]

Dans sa lettre du 5 juin 1617, Henry Erskine écrit à son père :

> (...) James Bally nous a fait parvenir 200 couronnes et le Capitaine Setone nous remettra le reste de notre trimestre, c'est-à-dire 300 couronnes, pour aller ainsi jusqu'au trimestre suivant (...)[2].

Dans sa lettre[3] datée du même jour, John Schau fait part de ses difficultés de faire transférer les fonds, en particulier par l'entremise d'un homme d'affaires à Londres, Peter Wanloir, en correspondance avec un homologue parisien, Monsieur Langrailie. Il annonce qu'il a bien reçu une lettre de crédit de six cents francs, transmise par un autre homme, James Balcie qui se trouvait alors à Paris. La comptabilité montre qu'il leur reste neuf cents francs pour terminer les

---

1 SRO, GD. 124/15/34/2. « (...) *Capitan Setton, with whom your Lordship hes concludit to furnisch us, is ane verie honest man (...) yet the occasion of his employment in the Kings serveis hinders him to do what he wold (...) he left order with ane mertchand at Pareis to ansur me to the sum of ane thousand franks, bot having wrettin thryss for sax hunder hes resavit no ansur ; so at this presant our necessitie is grait (...). If we had gottin our munnie at Pareis (whair we stayed for ane month to our grait chargis) we had escapit grait expensis (...)* ».

2 SRO, GD. 124/15/34/1. « (...) *We recevit 200 crouns from James Bally, and Capten Setone will gif us the rest of this terms furnisone, to wit, 300 crouns, quhilke will serve us till the nixte teirme (...)* ».

3 SRO, GD. 124/15/32/3.

derniers six mois de l'année. Il précise en outre qu'il a envoyé l'état des dépenses pour la période qui s'étale du dernier jour de septembre au 19 mai. Le mois suivant, le 17 juillet précisément, John Schau écrivit au comte :

> (...) J'ai déjà pris cent couronnes et j'en aurai encore cent le dix août (...)[1].

1.1.3. Nouvelles liées aux déplacements.

Ces nouvelles concernent le programme du *Grand Tour :* les lettres ponctuent les étapes du voyage, qui sont des occasions d'écrire, le voyage est soumis aux circonstances. En même temps que l'on donne des indications sur les itinéraires parcourus et à parcourir, l'on donne des nouvelles des amis, des relations sur place et rencontrées. En suivant les lieux où les lettres furent rédigées, il est possible de reconstituer l'itinéraire suivant : Paris, Bourges, Saumur, Lyon, Venise, Padoue, Venise (le manque d'argent les obligera à rentrer en France plus tôt que prévu, sans passer par ailleurs par les Pays-Bas[2]), Lyon, Orléans, Paris, Londres où ils seront présentés au roi Jacques VI & Ier, à Whitehall[3]. Les étapes du *Grand Tour* n'étaient pas fixées au départ, et sont modifiées au gré des circonstances, des conditions financières, et sont aussi soumises à l'approbation du comte, tenu au courant des péripéties des déplacements :

> (...) Ils (Henry et Alexander) désirent la permission de votre Seigneurie de faire le tour de France avant que votre Seigneurie ne les rappelle à Paris (...)[4].

3.1.4. Nouvelles des amis et itinéraires.

Les amis écossais tiennent une place importante dans ces lettres, en particulier le comte de Morton, dont il est fait grand cas. Dans sa lettre du 5 juin 1617, Henry Erskine écrit à son père que le comte de Morton est arrivé à Bourges le 28 mai précédent :

---

1 SRO, GD. 124/15/32/4

2 SRO, GD. 124/15/32/17 : lettre du 29 mars 1619

3 SRO, GD. 124/15/32/22 : lettre du 12 avril 1620

4 SRO, GD. 124/15/32/8. « (...) *Thay desyr permission of your Lordship to make the tour of France befor your Lordship call them bake to Pareis* (...) »

> (...) Monseigneur Mortone est arrivé en cette ville le 28 mai, et loge dans la même maison que nous (...)[1].

Le 5 juin, John Schau reprend l'information :

> (...) Le comte de Morton est bien arrivé à Bourges le 28 mai : cela a fait plaisir à Monsieur le Comte d'être en compagnie des fils de Monsieur le Comte ; ici tout est paisible de telle sorte que les étrangers peuvent voyager sans encombre (...)[2].

Le 22 août, Henry écrit à son père :

> (...) Monseigneur Morton est toujours en cette ville, il va très bien, (...) surtout depuis qu'il reçut de bonnes nouvelles du Parlement (...)[3].

Quelques jours auparavant, le 7 août, John Schau écrivait au comte de Mar, et l'informait de l'itinéraire prévu à partir du 4 septembre pour le comte de Morton – itinéraire que ce dernier ne suivit pas à la lettre, car le 21 avril 1618, il était à Saumur avec les frères Erskine[4].

> (...) Le comte de Mortone est toujours à Bourges, mais lui et le comte d'Angus ont décidé de se mettre en route le 4 septembre. Voici leur plan de voyage : de Bourges à Lyon, de là à Genève, de Genève retour à Lyon, de là à Marseille, de là à Bordeaux, puis à La Rochelle, de là vers la Loire jusqu'à ce qu'ils arrivent à Orléans. Puis le comte de Mortone a l'intention de rentrer par les Pays-Bas, car c'est son intention d'aller à la cour du comte Palatin. Quant aux fils de votre seigneurie, ils ne se déplaceront qu'après la Saint-Martin, puis ils ont l'intention d'aller à Orléans, d'où après un séjour d'un mois, nous descendrons la Loire vers Blois, Tours, Angers, et de là vers Saumur (...)[5].

---

1 SRO, GD. 124/15/34/1. « *My Lord Mortone come to this tone the 28 of May, and is lodget in that same house with us*(...) ».

2 SRO, GD. 124/15/32/3.

3 SRO, GD. 124/15/34/4. « *My Lord Morton is yit in this tone, (...) he is in very good health, bot impetiall since he recevit good news from the Parlement (...)* ».

4 Lettre de John Schau, en date de Saumur SRO, GD. 124/15/32/9.

5 SRO, GD. 124/15/32/5. « (...) *The Erle of Mortone is still in Burgs, bot he and the Erle of Angus hes concludit to begin thair traveling upon the 4 of Septemb. This is thair cours, from Burgs to Lions, from that to Geneve, from Geneve bake to Lions, from thence to Marseiles, from thence to Burdeus, thairfra to the Rotchell, from that to the river of Loir till thay cum to Orlians. Thairefter the Erle of Mortone mynds to cum home be the Lau Countris, ye, it is in his mynd to go to Count Pallateins court. As for your Lordships sonnis, thay mynd not to remove till efter mertimes, than thay mynd to Orlians, whair haveing stayed ane month we mynd to go doun Loir to Blois,*

Ce dernier itinéraire ne fut pas davantage suivi par les frères Erskine qui, de Bourges, se rendirent directement à Saumur. L'arrivée d'un autre compatriote est également mentionnée, c'est celle du baron de Spott, en ville depuis le 22 août 1617[1].

3.1.5. Nouvelles liées à l'état de santé.

L'état de santé est fréquemment mentionné au cours des lettres qui annoncent qu'ils sont en bonne santé. Alexander lui-même auteur de lettres bien courtes s'applique à parler santé dans sa lettre du 17 juillet 1617 :

> Ces quelques lignes seulement pour faire savoir à votre seigneurie que (Dieu soit loué) nous sommes tous en bonne santé (...)[2].

Il réitère un mois plus tard, employant les mêmes termes[3] que son frère et leur tuteur emploieront à leur tour dans leurs missives respectives[4]. Cependant, les nouvelles dramatiques sont annoncées : Laird Pitmillie et puis le comte de Roxburgh quittèrent tour à tour cette vallée de larmes. Tous les deux décéderont des suites de maladie, nous avons un compte-rendu du traitement médical et des circonstances de la mort de Pitmillie dans une lettre d'Henry, à son père, en date du 16 juillet 1617 :

> (...) Le 20 juin, il (Lord Pitmillie) tomba malade, si bien que Lord Morton fit venir à son chevet le meilleur médecin de la ville ; ils firent deux saignées, et malgré cela il continua à être malade et avoir de la fièvre (...) Le 4 juillet ils lui firent encore deux saignées. Ainsi si nos docteurs font peu de saignées, les docteurs de ce pays sont dans l'autre extrémité, car ils ne font rien que des saignées, quelle que soit la maladie du patient (...). Le 9 juillet il est apparu sur son corps des sortes de boutons, comme ceux que nous connaissons (...) Le médecin dit que c'était la variole (...) quand les boutons sont sortis, Lord Mortone et moi-même nous allâmes voir le médecin pour lui demander un peu de pierre Beaser pour se débarrasser de ces boutons. Les docteurs nous demandèrent si nous croyions qu'une telle pierre existât, ils dirent

---

to Tours, to Angers, and from thence to Somer, in the mentym following our studis and exersisis. If this course pleases your Lordship, let me knau (...) ».

1 SRO, GD. 124/15/34/4.

2 SRO, GD. 124/15/35/1. « *Thir feu lynes ae onli to lat your Lordship onderstand that (praisit be God) ve ar al in good helth* (...) ».

3 SRO, GD. 124/15/35/2, lettre du 21 août 1617

4 SRO, GD. 124/15/32/4 SRO ; GD. 124/15/34/4.

> que c'était de l'imagination, que cela n'existait pas(...) Le XI juillet Pitmillie rendit l'âme à notre grand chagrin à tous (...). Ainsi Lord Morton et tous nos compatriotes, nous le transportâmes à Sancerre, ville de la religion, et nous y enterrâmes son cadavre (...)[1].

Pourquoi Sancerre ? Sancerre : « *ville de la religion* ». Le mouvement en faveur des idées théologiques nouvelles fut provoqué à Sancerre dès 1534, par les prédications de l'ancien bénédictin Jean Michel, docteur en théologie. La liberté relative dont jouissaient les habitants par l'éloignement des comtes et le petit nombre de prêtres sur place, favorisèrent le développement de la Réforme. Le nombre de réformés devint si important qu'en 1548 l'église St-Jean devint leur temple. Le pasteur Jean de la Garde sera envoyé de Genève à Sancerre en 1559, et deux ans plus tard se tiendra le premier Synode provincial de Sancerre[2]. En 1598, il fut construit un temple rue Porte-Oizon, à l'extérieur des murs de la ville – la construction d'un temple à l'intérieur de la ville se fera en 1609, rue du Vieux-Prêche, actuelle rue Porte-Serrure-, en haut du chemin qui conduisait au cimetière des Huguenots[3]. C'est très certainement dans ce cimetière que l'on porta la dépouille du malheureux Pitmillie. Un autre jeune Écossais décéda à Bourges ; il s'agit du comte de Roxburgh qui lui, sera enterré à Saumur[4], deuxième place protestante de la région.

---

1 SRO, GD. 124/15/34/2

« (...) *The 20 day of June he toke seiknes, so my Lord Mortone causit the best doctor of medecine in this toune come to hime ; they toke tua tymes blood of hime, yit nevertheles he continuit seike of ane feyver (...). The 4 of Julie they tooke uther tua tymes blood of hime. So gif our doctors takes over little blood, the doctors in this contray they ar in the uther extremitie, for they have nothing bot ever blood, quhat sumever seiknes a man hes (...). On the 9 day of Julie ther come out upon his bodie theinges leike our pokes (...) quhan his pokes was comeing my Lord Mortone and I come to the doctor to aske for some of the Beaser stone to cause them coume out. The doctors demandit of us gif we bilyvit that ther was suche ane stone, they saye it was bot fictious and ther was no souch theing(...). The XI of Julie Pitmillie randrit his spreit, quike was no litle greife to us all. (...) So my Lord Morton and all the rest of our contraymen convoied hime to Santere, ane toune of the religione, and ther interit his corpes* (...) ». Nous avons d'essayer d'élucider le mystère de la pierre de Beaser mais notre enquête menée auprès d'Ecossais pure souche est restée vaine.

2 Y. Guéneau, « Les Protestants dans le Colloque de Sancerre de 1598 à 1685», *in Cahiers d'Archéologie et d'Histoire du Berry*, Bourges, 1972, pp. 10-12.

3 H. Née, *Les Temples de Sancerre*, n. l., nov-déc 1992, pp. 2-19.

4 SRO, GD. 124/15/32/2.

3.1.6. Nouvelles liées aux études.

Si les études ne s'imposent pas comme souci permanent au fil de ces lettres, il y est fait néanmoins allusion à plusieurs reprises : étude du droit mais aussi exercices au sens large du terme. John Schau, responsable de ses élèves ne manque pas de tenir son maître au courant des progrès des deux frères. Ainsi, le 9 mars 1617, écrivit-il au comte :

> (...) Il s'avérera que les fils de monsieur le Comte (grâce à Dieu) ne perdent pas leur temps en oisiveté (...)[1].

En juin suivant, il eut de nouveau ces lignes au sujet des deux fils :

> (...) J'espère que vous trouverez qu'ils passent leur temps de façon fructueuse. Henrie s'applique à l'étude du droit de façon fructueuse, mais Alexandre n'a pas la tête à cela (...)[2].

Ils décideront de quitter Bourges pour aller à Saumur, même si le droit n'y est pas enseigné, ce qu'ils déplorent. John Schau et Henry éprouveront le besoin de justifier leur départ de Bourges. Tous les deux écriront au comte de Mar le 22 décembre 1617 de Saumur, où ils resteront quelque temps. John Schau écrit :

> Que Monsieur le Comte ne soit pas contrarié que ses fils aient quitté Bourges pour aller à Saumur, ceci à cause de centaines d'inconvénients occasionnés par la présence d'une multitude d'Écossais résidents ici : bien que nous ayions changé de lieu, il n'y a pas d'interruption ni dans les études ni dans les exercices. Il est vrai que le droit n'est pas enseigné ici(...)[3].

C'est ainsi qu'il formule le souhait d'aller à Pâques à Angers, où le droit est enseigné[4]. Henry Erskine, de son côté, justifie leur départ de Bourges par ces lignes, que nous avons déjà citées :

---

1 SRO GD/124/15/32/2 :

« (...) *Your Lordships sonis (with God's grace) will prove to have spent thair tyme not idilly* (...) ».

2 SRO GD/124/15/32/3 :

« (...) *I hope it shall be found that their time is diligently spent. Henrie applies the studying of the laws diligently but Alexander's mind is not into them* (...) ».

3 SRO/GD/124/15/32/8 :

« *(...) Let not your Lordship be offendit at the removing of your Lordship sonnis from Burgs to Saumers, which was donne becauis of the hindrid incommoditeis brought into them by the muntitude of Scottisch men resident thair : so that albeit the place be changit, yet thair is no intermitting nathair of studie, nor exercise. It is treuth the lauis ar not taght (...)* »

4 *Ibid.* : *(...) we mynd to Angierres at pasque whair the lauis ar taught (...)*

> (...) si nous étions demeurés plus longtemps à Bourges, nous n'aurions pu apprendre le français, à cause du grand nombre d'Écossais présents pour l'heure, car nous nous rencontrions chaque jour au cours de nos exercices, tant et si bien qu'il nous était impossible de ne pas parler écossais. Je dois dire qu'en cette ville on n'enseigne pas le droit (...)[1].

Apprendre le droit, mais aussi se perfectionner en français, tel est donc leur souhait. Une seule fois, il sera fait mention de l'achat de livres, à Paris, sur le chemin du retour :

> (...) je ne dépenserai rien, seulement à acheter des livres (...)[2].

Les nouvelles des événements politico-historiques, dont nous ne retiendrons que ceux relatifs à Bourges ou au Berry tiennent une place importante. Nous sentons bien le souci de faire un compte-rendu précis des affaires du moment pour un regard aussi aiguisé que celui du comte de Mar. Qui était, à la vérité, le comte de Mar ?

3.1.7. Le comte de Mar 1558-1634.

John Erskine, comte de Mar, seul et unique fils de John, comte de Mar et régent d'Écosse, reste sans doute le membre le plus célèbre de sa famille de par sa longue amitié avec le roi Jacques VI. Il fut élevé au château de Stirling, en compagnie du jeune monarque, de sept ans son aîné, sous le tutorat de George Buchanan. En 1572 il hérita son titre de son père et dès 1578, non sans quelques péripéties, Mar fut nommé Gardien du Château de Stirling et de son royal habitant. A partir de cette date-là, sa carrière se fond avec l'histoire publique de son pays, et serait trop longue à relater., nous en donnerons les faits saillants. En 1585, Mar fut déclaré membre du Conseil Privé, et par assemblée de 1588, nommé membre d'une commission établie pour

---

1 SRO/GD/124/15/34/5 Henry Erskine au Comte de Mar :

« *(...) for if we had stayed still in Bourges, we would not have lernit the frence, in respek of the great number of Scots mon that is ther for the present, for me met everyday together at our exercise, so that it was impossible to us, not to speake Scotis. I confess that we have not the lauis tecthed in this touno, but that is no great moater so that we be diligent othervais... for all the good that tetchin in the schooles dois to mon, if only bot to giv them some progress, thathereby they may understand the things they ride(...)* » (lignes déjà citées dans notre première partie).

2 SRO/GD/124/15/34/14, lettre datée du 12 février 1620, d'Henry à son père :

« (...) I will not be prodigall in nothing except in baying of bookes (...) ».

pousser le roi à proposer des méthodes afin de *« purger le pays des papistes »*[1]. Il fut l'un des nobles à accueillir le roi et la reine Anne à leur retour du Danemark ; la comtesse de Mar étant la première dame à accueillir la nouvelle reine. Mar fut bientôt fait grand maître de la maison royale puis gouverneur du Château d'Edimbourg.

En décembre 1598, par convention à Holyrood il fut expressément choisi parmi les conseillers privés pour seconder le roi et l'assister de ses conseils deux fois par semaine.

En 1601, il fut l'un des deux ambassadeurs envoyés en Angleterre et chargés d'une importante mission : celle de faire accepter par le Parlement anglais la « candidature » de Jacques à la couronne anglaise. La mission fut menée avec le succès que l'on sait, et Elisabeth *« lui manifesta son désir que le roi serait assurément son successeur »*[2]. Il laissa à la reine l'image d' *» un homme de cour de surcroît bien avisé »*[3]. Le succès de cette mission fut bien apprécié par le roi qui remercia le comte par des mots mais aussi par une pluie de faveurs ; et le 5 avril 1603, lorsque Jacques VI se mit en route à Edimbourg pour aller prendre possession du trône d'Angleterre, Mar était du voyage. En juin 1603, il devint membre du Conseil Privé anglais. Le 27 mars 1604, il reçut le titre de Lord Cardross et la baronnie du même nom ; c'est Henry qui héritera de ce titre. Il retournera en Écosse en 1606, et sera bientôt nommé membre de la cour de haute commission établie en 1610, pour juger des peines ecclésiastiques. En décembre 1616 enfin, Mar fut nommé grand Trésorier d'Écosse, poste qui fut le sien jusqu'en 1630. Il devait mourir à Stirling en 1634. Mar fut marié deux fois ; la deuxième fois à Marie Stuart seconde fille d'Edmé, duc de Lennox, comme nous l'avons déjà noté. Henry et Alexander sont respectivement les deuxième et troisième fils des neuf enfants issus de ce remariage.

---

1 *Dictionary of National Biography, Vol. 8,* p. 843

2 *Historie of James Sext*, p. 377 : *« manifesting her myind to him that the king sould br hir infallible successor »*.

3 *State Papers Dom. Ser*, 1601-3, p. 45 : *« a courtly and well-advised gentleman »*.

Ainsi le comte de Mar était-il un homme-clé de l'état écossais, proche du roi Jacques VI et l'élément déterminant dans bien des circonstances. Homme politique du plus haut niveau, les événements politico-historiques qui se passaient en France l'intéressaient de très près, en tant qu'observateur et acteur dans son propre pays, allié à la France depuis si longtemps. Nous sentons bien chez les frères et le tuteur le souci de faire un compte-rendu précis des affaires du moment pour le comte de Mar, esprit aguerri. Ce dernier n'était pas par ailleurs un inconnu à la cour de France, bien au contraire. Ainsi, en 1605, Henri IV lui avait écrit pour lui demander de tout faire pour entretenir, sauvegarder, l'amitié du roi Jacques VI, et pour le récompenser de ses bons offices, le roi de France lui avait envoyé un joyau d'une valeur de 15. 000 livres[1]. Quelles étaient donc ces nouvelles des événements politico-historiques ?

3.1.8. Nouvelles liées aux événements politico-historiques.

3.1.8.1. *Introduction*

Une lettre relate deux épisodes : l'assassinat du maréchal d'Ancre et la captivité du Prince de Condé. Nous relatons le premier épisode car il présente pour notre étude un double intérêt : d'abord il convient de rappeler que Vitry était le maréchal Vitry, gouverneur de Berry à ce moment-là. Par ailleurs, l'assassinat de Concini fut raconté par Henry dans une lettre à son père. Fut-il témoin oculaire du drame, nous ne le savons pas, sa lettre fut écrite six semaines après l'événement mais l'assassinat d'un premier ministre sur ordre du roi n'est pas une mince affaire, et Henry fit le récit de ce qui advint au maréchal d'Ancre dans les heures qui suivirent son exécution. Il est remarquable que le récit fait en France correspond tout à fait au récit du jeune écossais. Nous transcrivons ce récit et recopions le compte-rendu de l'événement recueilli dans la *Biographie Universelle*, pour comparaison. Qui était Concino Concini, maréchal d'Ancre ?

1 *The Scots Peerage, A History of the noble families of Scotland,* Edinburgh, 1904, Vol. V, pp. 617 ; H. Paton, ed., *Supplementary Report on the Manuscripts of the Earl of Mar and Kellies*, Edinburgh, 1930, p 52.

3.1.8.2. *Mort de Concino Concini, maréchal d'Ancre.*

Fils d'un notaire de Florence, cet Italien dut son élévation à sa femme, fille de la nourrice de Marie de Médicis. Arrivé en France en 1600 avec cette princesse, Concini de simple gentilhomme de la reine se rendit vite indispensable à cette dernière, et après la mort d'Henri IV, acheta le marquisat d'Ancre, avant d'être créé premier ministre et maréchal du royaume. Son ambition le poussant à des excès, il ne tarda pas à s'attirer la haine de Louis XIII qui ordonna son assassinat. Le 24 avril 1617, le projet fut mis à exécution ; dans sa lettre en date du 5 juin 1617, Henry Erskine écrivit à son père :

> (...) Le Lundi 24 Avril, le Marquis d'Ancre arrivait au Louvre, par le pont-levis, entre les deux portes du Louvre, Monsieur de Vitry vint à lui pour l'arrêter au nom du Roi ; l'autre lui pointant son épée, reçut un coup de pistolet à la tête par Monsieur Vitry en personne, et ensuite au cœur par le frère de M. de Vitry, et ensuite par d'autres hommes de la garde, prêts à agir de même (...) ; et sur le champ le Roi s'écria par la fenêtre, d'une voix forte : c'est Moi qui ai ordonné ceci ; si bien qu'aucun homme n'osera dire que c'était un acte diabolique(...)[1].

Texte de la *Biographie Universelle :*

> (...) Vitry se rendit au Louvre avec quelques gentilshommes qui portaient des pistolets sous leurs manteaux et se plaça sur le pont-levis. Le maréchal d'Ancre y arriva, suivi d'un cortège assez nombreux, les conjurés laissèrent passer le cortège ; alors Vitry, suivi de ses gens, s'approcha du maréchal, et lui dit, en lui portant la main sur le bras droit : « Le roi m'a commandé de me saisir de votre personne ». Le maréchal, étonné, dit en italien : « A moi ! » mais Vitry, du Hallier, Perray, lâchent en même temps leurs pistolets, et le maréchal tombe mort à leurs pieds ; Vitry cria aussitôt : « Vive le roi ! ». (...) Quand on apprit au roi la mort de son premier ministre, (...) il cria aux conjurés : « Grand merci à vous ; à cette heure, je suis roi » (...)[2].

---

1 SRO, GD. 124/15/34/1, *« On Monday the 24 of Apryle Marquis d'Antre cominge in to the Louver as he was passing on the drawbrige betuix the tua yeites of the Louver, Monsieur de Witrie come to hime to areste hime in the King neam ; the uther makeing hime to his shourd was shote with ane pistolet throch the head be Monsieur Vitrie hime selfe, and efter be Mr. de Vitre his bother throch the heart, and efter with some uthers of the gard, radie for the porpase (...) ; and incontinent the Keing crayd over the windoke with ane loud wose, It is I that hes easid do this ; so that no man durst say that it was ivill done(...) ».*

2 *Biographie Universelle Ancienne et Moderne*, Thoisnier Desplaces éd., Paris, 1843, Tome Premier, pp. 642-643.

Henry, dans la même lettre, continua son récit par ce sanglant épisode :

> (...) Ainsi lui mort, plusieurs de ses partisans et aussi de la Reine ordonnèrent à deux semblables de l'enterrer le soir. Ainsi il resta dans sa tombe toute cette nuit-là, mais le lendemain matin, quelques hommes arrivèrent et l'exhumèrent, pendirent son corps par les pieds à un gibet, devant le Pont-Neuf, puis lui tranchèrent le tête, et après la tête lui coupèrent le nez, les oreilles, les lèvres, la langue, et après le reste de son corps, lui coupèrent les mains, ainsi que le membre privé, et tous les autres membres. Après cela, ils le traînèrent par les grandes rues de Paris, et son membre principal porté en procession au bout d'une lance (...) Après cela le reste de son corps fut brûlé et les cendres jetés dans la Seine. Ainsi les Français firent tout ce qu'ils purent du corps du maréchal d'Ancre après sa mort, pour le bien de leur conscience, à cause du mal qu'il leur fit à eux et à leur pays quand il était en vie (...).
>
> (...) Monsieur de Vitry fut nommé Maréchal de France au Louvre, en présence de toute la noblesse de France, en grande pompe (...)[1].

Compte-rendu de la *Biographie Universelle :*

> (...) Son corps fut enveloppé dans un drap, et, vers minuit, on alla l'enterrer à Saint-Germain-l'Auxerrois. Le lendemain, le peuple se porta à l'église, et, malgré la résistance du clergé, le corps fut exhumé, traîné jusqu'au Pont-Neuf, et pendu à une potence que le maréchal avait fait élever pour ceux qui parleraient mal de lui, ensuite on le démembra, on le coupa en mille pièces et l'on vendit ses restes sanglants, que la populace furieuse s'empressait d'acheter(...)[2].

---

1 *« So he being deade, sume of his favorers and of the Queins commandit tua fallous to boury hime in the iveninge. So he layd in his graufe all that nichte, bot the morrow morneing ther gois some, takes hime out of his graive, heinges his body be the feite on ane gibet before the Nouebrige, thereafter coutes aff his head, and aff his head the nose, ears, lipes, tonge, and aff the rest of his body cuttes his heandes, with his privie member, and all uther members. Efter that they drew hime throch all the best reus of Paris, and his principall member caried leike ane prosessione on the end of ane lance (...). Efter that they brunt the rest of his bodie, and cust the sunders in the rever of Seine. So the france men did all they could to Marke d'Antre body after he was deid, for satisfaction of ther meindes, because of the ivill that he did to them and ther contray quhen he was alyfe(...). (...) Monsieur de Witrie wes recevit Marrechall of France in the Louver, with all the nobilitie of France, with great magnificens (...) ».*

2 *Op. cit.*, pp. 642-643.

3.1.8.3. *L'emprisonnement du Prince de Condé.*

A la suite de ce compte-rendu très réaliste, Henry donne les détails suivants concernant le Prince de Condé, alors en captivité :

> (...) Quant au Prince de Condé, ses conditions de détention sont moins sévères qu'avant, car quelquefois il apparaît à la cour, à la Bastille, pour prendre l'air, et sa dame peut s'approcher de lui ; si bien que le bruit court qu'il sera bientôt remis en liberté (...)[1].

D'autres épisodes politico-historiques sont ainsi traités, mais nous ne les relatons pas car ils ne concernent ni Bourges, ni le Berry ; à titre indicatif, relevons que les affaires espagnoles, jésuites sont le sujet d'autres lettres.

3.2 Conclusion : ce que les lettres ne nous apprennent pas.

Il est décevant, pour notre étude, que ces lettres ne fournissent que peu de détails sur la vie des étudiants, en particulier leurs études et leur vie de tous les jours, leur hébergement. La vie académique proprement dite n'est pas évoquée ; une seule référence est faite à l'achat de livres à Paris, nous l'avons vu. Mais l'objectif du *Grand Tour* n'était pas seulement académique ; il était surtout social, ces lettres en sont la preuve. Dans une lettre écrite à Saumur le 21 avril 1618, John Schau détaille les activités de ses élèves, parallèlement aux études : le tennis pratiqué tout l'hiver, les leçons de luth, la danse, et l'escrime. Ce dernier art, les deux frères l'avaient déjà pratiqué à Bourges, chez maître Fait tot. Il écrivit :

> (...) les fils de votre seigneurie ont passé une année à danser, huit mois à pratiquer l'escrime, (...) Allex danse très convenablement, et il joue bien du luth (...)[2].

Le *Grand Tour* se différenciait bien de la *pérégrination académique* pratiquée aux siècles précédents.

---

1 « *As conserning the Prince de Coundie, he is not so stratly kepite as he wec bifor, for sume tyms he comes done to the courte of the Basteil to take the aire, and his ladie hes accese to hime ; so that the brute is that he will be pute at libertie shortly* (...) ».

2 SRO/GD/124/15/32/9 :

« (...) *your lordships sonnis had spend ane yeir in dansing, 8 month in fensing* (...) *Allex dansis verie properlie and le playis practilie veill upon the lutt* (...) ».

SEPTIÈME PARTIE

LES CARRIÈRES DES ÉCOSSAIS APRÈS BOURGES

CHAPITRE 1

RECONSTITUTION DES BIOGRAPHIES APRÈS BOURGES D'HENRY SCRIMGEOUR À MALCOLM MACGREGORE.

L'objet de cette dernière partie de notre étude est de présenter la deuxième partie des biographies des étudiants écossais après leur passage à Bourges, et d'exposer les carrières embrassées. Cet exposé est individuel, dans l'ordre chronologique initial et suivi d'un graphique et d'un commentaire.

1.1 HENRY SCRIMGEOUR (1547-1572)[1].

En 1548, Henry Scrimgeour était à Padoue avec son élève Bernardin Bochetel. Bibliophile et helléniste, l'Écossais collectionna de vieux manuscrits grecs et latins, et c'est sans doute par l'intermédiaire de l'ambassadeur de France à Venise, Jean de Morvilliers, oncle de Bernardin Bochetel, et autrefois lieutenant-général du Berry, qu'il eut accès à la célèbre Librairie Vénitienne de St-Marc, et en particulier au Code Bessarion des *Authentica* ou *Novellae* de l'empereur Justinien[2].

Il est maintenant admis que la plus grande partie des manuscrits grecs, latins, et même hébreux de la collection Fugger a été rassemblée par Scrimgeour, qui voyageait fréquemment entre Augsbourg et l'Italie, et en Italie même. Il est à noter qu'il se déplaçait et agissait également en agent de l'électeur palatin, Ottheinrich[3].

Scrimgeour allait bientôt se faire connaître sous le nom d'*Henricus Scotus*, par deux publications. Bien que professant la religion catholique, il avait été sous l'influence de certains de ses compagnons de collège, parmi lesquels George Buchanan et, en Italie, il reçut une forte impression lorsqu'il rendit visite à Francesco Spiera, jeune

---

1 Les dates données après chaque nom dans cette partie de notre étude sont les dates de départ de Bourges et de décès.

2 J. Durkan, « Henry Scrimgeour, Renaissance Bookman » in *Edinburgh Bibliographical Society Transactions 1971-87*, Vol. 5, Part. 1, p. 2.

3 *Ibidem*, pp. 6-7-8.

juriste de Citadelle, qui se mourait d'une mort d'autant plus terrible qu'il se sentait coupable d'avoir abjuré la religion protestante.

La première publication de Scrimgeour fut donc un livre de piété : le récit des souffrances et de la vie du jeune Spiera, réformé, mort de désespoir, à la suite d'un retour au catholicisme. Cette publication fut faite vers 1550, et eut l'honneur d'une lettre préface de Calvin, en date de décembre 1549 : *Exemplum memorabile desperationis in Francisco Spera, propter abiuratam fidei confessionem.* Elle fut réimprimée avec sa préface la même année à Bâle, en collaboration avec Celio Curione, et le jurisconsulte Grimaldi[1]. Cette publication est une prise de position, et la contribution anti-papale de Scrimgeour, « *Écossais d'origine, homme érudit, éloquent et grave* »[2] est manifeste. Scrimgeour resta de nombreuses années avec Bochetel, cependant si sa rencontre avec Spiera affirma le protestantisme, il faudra attendre encore quelques années avant de détecter chez l'Écossais son adhésion à la nouvelle foi.

La deuxième publication était une édition d'Henri Estienne – la première d'une série qui bénéficia d'une subvention de Fugger – et parut en 1558[3] : c'était une édition des *Novelles* de Justinien suivies des *Constitutions* de Justin et de Léon intitulée :

> *Impp. Justiniani, Justini, Leonis Novellae constitutiones. Justiniani edicta. Ex bibliotheca illustris Huldrici Fuggeri, (...) studio et diligentia Henrici Scrimgeri Scoti (...) Anno MDLVIII. Excudebat Stephanus Huldrici Fuggeri typographus.*

Ce travail fit sensation dans le monde des jurisconsultes et dans sa préface, Scrimgeour mentionna l'encouragement qu'il reçut de la part de Le Douaren et de Baron, ses anciens professeurs berruyers[4]. Antoine Leconte cita l'ouvrage de Scrimgeour dans son édition de

1 *Francisci Spierae, Qui Quod Susceptam semel Evangelicae veritatis professionem abnegasset, damnassetque, in horrendam incidit desperationem, Historia, A quatuor summis uiris, summa fide conscripta* ; s. l. n. d ; *in* C. Borgeaud, *Histoire de l'Université de Genève* 1559-1798, Genève, 1900, p. 75, note. 1.

2 Propres termes de Curione, *in* J. Durkan, *Op. cit.*, p. 5.

3 P. Costil, « Le mécénat humaniste des Fugger», *in Travaux d'Humanisme et de Renaissance*, vol. VI, 1939, p. 168.

4 J. Durkan, *Op. cit.*, p. 15.

1559, et Le Douaren mourut avant d'y faire allusion mais son édition posthume en date de Lyon, 1567, abonde en références au texte de l'Écossais.

Scrimgeour avait gardé – et il les garda jusqu'à sa mort – ses bénéfices en Écosse, mais il tirait des revenus d'autres sources en France. Il existe, datée de 1556, une autorisation du roi Henri II, lui permettant d'avoir des bénéfices en France, bien que n'étant pas Français d'origine. Ce document se trouve aux Archives d'Orléans[1] où Morvilliers, l'oncle de Bochetel était évêque, et Scrimgeour pouvait bien espérer un bénéfice en cette ville. L'on peut se livrer à quelques conjectures quant aux services que le roi de France entendait recevoir de la faveur accordée. Bochetel, poussé par Morvilliers, se voyait entamer une carrière diplomatique, à laquelle, en une certaine mesure, Scrimgeour se trouvait mêlé. A cette époque-là, ce dernier voyageait beaucoup et il était très difficile pour ses contemporains – et encore plus pour nous aujourd'hui – de suivre ses pas, de Padoue à Venise, Florence, Rome, la France, Bourges où il essaya de créer une imprimerie – sans doute pour le compte d'Ulrich Fugger -, mais le projet ne vit pas le jour[2], et puis la Suisse.

Bernardin Bochetel l'avait à plusieurs reprises invité à Vienne ; il s'y rendit finalement en novembre 1560. Scrimgeour pouvait aider son ancien élève diplomatiquement, soit dans de délicates négociations avec les princes luthériens allemands (qui assistaient les rebelles français sous la conduite du Prince de Condé), soit peut-être dans les négociations qui aboutirent au Colloque de Poissy[3]. Quoi qu'il en soit, il ne resta que peu de temps à Vienne, car il fut bientôt invité par les magistrats de Genève, et honoré par eux du titre de bourgeois de la ville[4], trois années après John Knox. Jean Calvin,

---

1 Archives départementales du Loiret : Sous-série IF, Orléans, 1917, p. 27, no. IF 398 ; *in* J. Durkan, *Op. cit.*, p. 10, note. 63.

2 J. Durkan, *Ibidem*, p. 10.

3 *Ibidem*, p. 13.

4 *«30 décembre 1561. Spectable Henry Scrimger, filz de geu Jacques, de Donde en Escosse, gratuitement, en esgard des graces et dons qu'il a receu de Nostre Seigneur par le moyen desquelles il porra faire service à nostre République et College, qu'aussy en comtemplacion et faveur de noble et illustre Ulrich Fugger,*

pour qui Scrimgeour était une ancienne connaissance et qui partageait avec lui le souvenir d'années d'études du droit à Bourges, songea immédiatement à le retenir, en lui proposant la chaire de grec. L'Écossais refusa, mais quelques mois plus tard, fut chargé provisoirement du cours de philosophie[1].

Il était arrivé à Genève en 1561, avec la mission précise de surveiller la publication des éditions savantes qu'Estienne préparait, aux frais de son protecteur, Ulrich Fugger, qui envisageait de créer une librairie publique en la même ville. Des difficultés s'annonçaient car Henri Estienne songeait à se dégager de ses obligations ; il avait cessé d'imprimer depuis plusieurs mois et même vendu *« les choses nécessaires à* son *imprimerie »* en cachette de son mécène qui lui avait prêté 1500 florins pour les besoins de son commerce, en plus de lui avoir versé ses gages annuels[2]. Scrimgeour, *« pourvoyeur de manuscrits et homme de confiance »* de Fugger, devait au nom de ce dernier, reprendre contact avec l'imprimeur[3]. Ce n'était pas la première fois que l'Écossais défendait les intérêts du mécène[4]. Les négociations semblent avoir été longues et délicates, Estienne parlant de *« differens »* entre lui et Scrimgeour, jusqu'à ce que ce dernier perdît patience et remît au Conseil de Genève une requête soigneusement établie par ses soins et ceux de Germain Colladon, l'avocat le plus influent de l'époque dans la ville, et également procureur de Fugger.[5] Il fut finalement mis un terme à la dispute par l'intervention de commissaires nommés par le Conseil de la ville.

---

d'Auspurg, (...) pour lequel il s'employe » ; *in* Covelle, *Le livre des Bourgeois de l'ancienne République de Genève*, Genève, 1897, p. 270.

1 C. Borgeaud, *Histoire de l'Université de Genève, Op. cit.*, pp. 73-74.

2 E-H Kaden, « Ulrich Fugger et son projet de créer à Genève une « Librairie » publique », Extrait de *Geneva*, 1959, p. 130.

3 *Ibidem*, p. 129.

4 R. M. Kingdon, *Geneva and the coming of the Wars of Religion in France* 1555-1563, lib Droz, Genève, 1956, p. 96.

5 *Ibidem*, p. 130. Rappelons ici que Germain Colladon, berrichon, étudia aussi le droit à Bourges, et quitta Bourges pour Genève en 1550. L'on peut encore admirer sa demeure en la capitale berruyère. *Ami dévoué de Calvin, il fut avec Théodore de Bèze « l'une des colonnes de la Genève calviniste », quand le maître eut disparu. Il a joué un grand rôle comme conseiller politique de la Seigneurie et a marqué de son sceau la justice de la jeune république. Il fut enfin le principal rédacteur des Edits civils de*

L'année suivante, la maison de Scrimgeour fut détruite dans un incendie et Ulrich Fugger l'invita à venir à Augsbourg. L'Écossais y passa plusieurs années ; chargé de la bibliothèque familiale, il l'enrichit de beaux documents manuscrits et d'ouvrages imprimés.

Nonobstant, en 1562, nous le retrouvons sur la scène diplomatique : de Genève à Lyon, de Bâle à Strasbourg puis à Heidelberg. Le gouverneur protestant de Lyon, Jean Soubise, envoya Scrimgeour en mission à Genève et auprès des cantons protestants, pour le compte du Prince de Condé[1]. Puis de Strasbourg, il se rendit auprès de l'Electeur palatin pour obtenir des fonds pour l'Académie de Genève qui épuisait les finances de la ville. A Heidelberg, il rencontra Caspar Olevian, celui-là même qui avait étudié le droit civil à Bourges et obtenu la licence le 6 juin 1556[2].

Olevian devait rester en relation avec l'Écossais, car il lui envoya en cadeau un exemplaire de la première édition allemande du Catéchisme d'Heidelberg, dont il était en partie l'auteur. Caspard Olevian était professeur de dogmatisme à l'Université. C'était l'époque où Bauduin, également professeur à Heidelberg, réfuta et attaqua vivement certain traité de Le Douaren, démarche qui embarrassait grandement Genève. Bauduin s'apprêtait à partir, et l'on voyait en Scrimgeour un successeur adéquat, particulièrement capable de tempérer la réaction des juristes de l'université qui s'étaient montrés récalcitrants à l'égard de la discipline de l'Église[3].

C'est à cette époque, en 1563, qu'avec la consentement des pasteurs de Genève, il devint professeur de philosophie et fut admis au Conseil des Deux Cents de la ville. Son profond désir était peut-être d'enseigner le droit, et c'est une explication possible à son départ de Genève, pour Padoue encore une fois, où l'on retrouve un

---

1568 qui ont régi Genève pendant plus de deux siècles, jusqu'en 1798 ; in E. H. Kaden, « Le juriste Germain Colladon, ami de Jean Calvin et de Théodore de Bèze» in *Mémoires publiés par la Faculté de droit de Genève*, n° 41, 1974, p. I.

1 J. Durkan, *Op. cit.*, p. 17.

2 « Caspar Olevian 1537-1587, Juriste et théologien de Trèves, étudiant à Bourges et à Orléans», *Exposition dans le cadre du jumelage entre le Studentenwerk de Trèves et le C. R. O. U. S. d'Orléans-Tours* 1989-90.

3 J. Durkan, *Op. cit.*, p. 17.

« D. Henricus Schrenzer écossais », en juillet 1564, comme conseiller auprès de la nation écossaise des juristes. La mort de Calvin au printemps allait signifier la mort d'un ami puissant et d'un protecteur ; en effet, le nom de Scrimgeour figure parmi les témoins du testament de Calvin en 1564[1].

Plus tard, la même année, l'Écossais fut remplacé dans ses fonctions, ses étudiants se plaignant amèrement de son cours d'*Institutes : « il lit inutilement »*[2] ; il avait néanmoins dispensé des cours de droit, à ses frais. On lit en effet, dans les registres du Conseil : *« Henry Scringer. Pour avoir leu volontairement les Institutes depuis un an en ça, sans aucune récompense, arresté de l'apeler, l'en remercier et luy faire un présent de trente escuz »*[3], car les efforts pour faire venir des professeurs de droit de Bourges avaient échoué : *« Suyvant l'advis de monsr de Bèze a esté arresté de donner charge audit Perrot, qui a bonne cognoissance à Bourges des legistes, de s'enquérir pour en trouver un ou deux »*[4].

Le professorat de Scrimgeour ne remporta pas un franc succès, car il n'était pas bon pédagogue, mais aussi parce qu'il n'assurait pas ses cours de façon régulière, souvent absent en missions diplomatiques :

> Henry Scringer. Monsr de Bèze a esté icy de la part des ministres avec ledit Scringer remonstrant que dernierement en leur compagnie il proposoit ses excuses de sa longue absence causée par ses grandes affaires et de Monsieur le prince palatin. Au moyen de quoy il désiroyt grandement estre deschargé de la lecture publique, ce qu'ilz ont advisé de remettre à la discretion de Messieurs, estans bien marrys qu'il ne peult poursuyvre, ayant au reste tres bon contentement de luy. Attendu ces raisons a esté arresté qu'on le descharge le remerciant du service qu'il a fait jusques icy[5].

En 1562, avec la bénédiction de Calvin, il avait épousé une jeune femme, Françoise de Saussure, réfugiée de Lorraine. Tristement, la jeune épouse mourut à l'âge de vingt-cinq ans, laissant à son mari une petite fille de trois ans, prénommée Marie.

---

1 *Ibidem*, p. 18.
2 Registre du Conseil de la ville, 1er octobre 1568, in Borgeaud, *Op. cit.*, p. 92.
3 *Ibidem*, 13 septembre 1566.
4 Registre du Conseil de la ville, 29 mai 1565.
5 Registre du Conseil de la ville, 1 novembre 1568.

En 1570, il épousa en deuxièmes noces, Catherine de Veillet, fille d'Aubert Veillet, Maître des Comptes de Chambéry qui -dit-on- aurait été au service de Madame de Cardé ; Madame de Cardé étant Anne de Savoie, cousine d'Emmanuel Philibert. Cependant Scrimgeour n'était pas oublié de son ancien élève, Bochetel, évêque de Rennes qui obtint en 1569 du Trésor français qu'il versât à son ancien maître la somme de deux cents couronnes. Ce fut à cette époque que le régent Moray puis Buchanan deux années plus tard, essayèrent de le rappeler en Écosse. Le régent Mar lui-même adressa une lettre à Scrimgeour, lui demandant de rentrer et de venir à son service[1]. Le service en question n'était rien de moins que le préceptorat du jeune Jacques VI. Scrimgeour pensait qu'un jeune homme ferait mieux l'affaire et était prêt à recommander Melville à sa place[2]. Ainsi, après ample réflexion, le professeur refusa-t-il l'offre de rentrer chez lui, invoquant d'une part son âge, et d'autre part l'instabilité de son pays natal.

James Melvill écrivit de Scrimgeour :

> (...) M. Hendrie Scrymgeour, qui s'était grandement enrichi par son savoir en droit, en politique et au service de nombreux nobles et princes, avait acquis un bel emplacement à une lieue de Genève, et y avait construit une belle maison appelée « la Vilette », et un beau logement en ville, qu'il laissa avec sa fille, son enfant unique, aux syndiques de la ville[3].

Henry Scrimgeour décéda à Genève en novembre 1572.

1.2 EDWARD HENRYSON/HENRY EDOUARD (1556 -1590)

Après avoir démissionné de son poste de professeur à Bourges, Edward Henryson rentra en Écosse en 1556. Sans perdre de temps, il fut nommé lecteur de grec le 9 juin 1556, dans le cadre des lectures royales de Marie de Lorraine, certainement sur la recommandation de

---

1 J. Durkan, *Op. cit.*, p. 20

2 Andrew Melville, Bodleian Library, Oxford, MS. Cherry 5.

3 « *(...) Mr. Hendrie Scrymgeour, wha, be his learning in the laws and policie and service of manie noble princes, had atteined to grait ritches, conquesit a prettie roum within a lig to Genev, and biggit thairon a trim house called « the Vilet », and a fear ludging within the town, quhilks all with a douchtar, his onlie bern, he left to the Syndiques of that town »*. in *The Autobiography and Diary of Mr. James Melvill,* Pitcairn ed, Edinburgh, 1842, p. 42.

l'évêque d'Orkney, Robert Reid[1]. Ce dernier, dans son testament daté du 6 février 1558, devait allouer la somme de huit mille merks[2] à la construction d'un collège universitaire à Edimbourg[3], dans lequel il y aurait trois écoles : une pour l'enseignement de la grammaire, une autre pour les cours de poésie et technique oratoire et la troisième pour les leçons de droit civil et droit canon[4]. Sa mort subite et le tumulte de la Réforme retardèrent les choses, mais il est clair que nous avons là les fondements de l'Université d'Edimbourg.

Pour ses lectures publiques, Henryson reçut un revenu annuel de £100, et son emploi fut fixé initialement à trois années. « Il avait *un cours public en droit et un autre en grec, trois fois par semaine* », ceci à partir de la Pentecôte. Une *« période de vacances »*[5] était prévue du premier août au onze novembre[6]. Le paiement des deux trimestres de l'année 1558 est conservé[7]. Le 22 février 1557 Henryson fut nommé Avocat pour les Pauvres, fonction qui avait été créée peu de temps après l'institution du *College of Justice*, et rémunérée selon une pension annuelle de £20 Scots. En 1563, il fut nommé au poste nouvellement institué de Commissaire, avec un salaire de trois cents merks et trois années plus tard, le 14 janvier 1566 il devint Lord Extraordinaire des Sessions, à la place de Lethington[8].

En 1566, il fit partie d'une commission chargée de réviser, éditer et publier les lois et actes du parlement de 1424 à 1564. Le travail fut rondement mené et Henryson en rédigea la préface. Il eut également le privilège de garder ce travail à sa disposition, pendant dix années, à

1 J. Durkan, « The Royal Lectureships under Mary of Lorraine », *in the Scottish Historical Review*, Vol. 62, N°. 173, April 1983, p. 74.

2 Le *merk* équivalait à 13s. 4d.

3 J. Durkan, « The beginnings of humanism in Scotland », *in The Innes Review*, Vol. 4, p. 16.

4 *Register of the Privy Council*, Vol. II, p. 528, *in Ibidem*, note. 73.

5 *« tyme of wacance », in Ibidem.*

6 RSS, iv, 3268 : *« ane publict lessoun in the lawis and ane uthir in Greil thryis in the oulk »*, in J. Durkan, « The Royal Lectureships », *Op. cit.*, p. 74.

7 T. Dickson et al. eds., *Accounts of the Lord High Treasurer*, Edinburgh, 1877, x, pp. 354, 451.

8 G. Bruton & D. Haig, *An Historical account of the Senators of the College of Justice*, Edinburgh, 1832, pp. 132-133.

partir de la date de sa publication[1]. En 1573, il fut l'un des procurateurs de l'Église.

Il était marié à Hélène Swinton et père d'un fils et de deux filles, dont l'une, Hélène, eut pour mari Thomas Craig of Riccarton, le célèbre juriste[2]. Edward Henryson mourut en 1590. Sont parvenus jusqu'à nous treize ouvrages ayant appartenu à Edward Henryson. Nous en donnons les titres et leur location ci-après :

1. Aristophanes : *Opera*. Florence. 1525.

Newcastle, *King's College*

2. Polybius : *Historiarum libri V. Graece*. Haguenau. 1530.

Edinburgh University Library

3. Alciati, Andrea : De Summa Trinitate. Lyon. 1532.

Page de titre : « Eduardus Henrisone »

Donné à l'Université d'Edimbourg par James Inglis en 1629

Edinburgh University Library

4. *Arranius. Et Epictetus. Graece*. Victor Trincavellus Ed.

Venise, 1535

Edward Henryson avait fait le projet de publier une édition d'Arrianus, mais l'édition ne vit pas le jour.

Edinburgh University Library

5. Henryson, Edward : *Pro Eg. Barone adversus A. Goveanum*

Paris 1555

National Library of Scotland

6. *Epictetus, cum commentariis Arriani*, 2 vol ; Bâle, 1563

1re page du 1er vol. « Eduard Henryson »

St-Andrews University Library

7. Thucydides : *de bello Peloponnesiaco*. Cologne, 1527.

Inscription de Edward Henryson sur la page de titre

Edinburgh University Library

8. Ptolemy : *Geographicae Enarrationis libri*. Lyon, 1541.

St-Andrews University Library

---

1 *Dictionary of National Biography*, vol. IX, p. 581.

2 W. Maitland, *The History of Edinburgh*, Edinburgh, 1753, Book II, p. 198.

9. Lycophron : *Opera*. Bâle, 1546.

Page de titre : « Eduardus Henryson »

St-Andrews University Library[1]

10. *Herodotus*. Venise, 1502

St-Andrews University Library

11. *Arranius : Commentarii de Epicteti disputationibus*. Bâle, 1563.

Page de titre : « Ed. Henryson »

St-Andrews University Library

12. Biblia. Lyon, 1545.

Haut de la couverture, en lettres d'or : « EDVARDVS »

Bas de la couverture, en lettres d'or : « HENRYSON »

Oxford, *Worcester College*

13. Dion Cassius : Dionis Romanarum historiarum libri XXIII (Graece)

Paris, 1548.

National Library of Scotland[2]

1.3 WILLIAM SKENE (1556-1582)

En 1556, nous l'avons vu, William Skene titulaire d'une licence dans les deux droits, regagna l'Écosse et fut incorporé au *St-Mary's College* de l'Université de St-Andrews. En 1558, il était le canoniste de ce même collège[3]. Il adhéra à la foi réformée et en 1559 devint membre de la congrégation protestante de la ville[4]. Il fut nommé commissaire de St-Andrews en 1564 et l'année suivante, élu doyen de la Faculté des Arts de l'Université. Il sera réélu à cette fonction quatre

---

1 J. Durkan & A. Ross, « Early Scottish libraries », *in The Innes Review*, Vol. 9, N° 1, 1958, p. 116.

2 *Ibidem, with additions*, Glasgow, 1961, p. 116.

3 T. McCrie, *Life of Andrew Melville*, Edinburgh, 1856, p. 365.

4 *Register of the Minister Elders and Deacons of the Christian Congregation of St-Andrews comprising the Proceedings of the Kirk session and of the Court of the Superintendent of Fife Fothrik and Strathearn 1559-1600*, D. H. Fleming ed, Scottish History Society, Edinburgh, 1889-90, T. 1, p. 8, cité *in* J. Cairns, « Academic Feud, Bloodfeud, and William Welwood : Legal Education in St-Andrews, 1560-1611», exemplaire personnel, à paraître in *Edinburgh Law Review*, 2 (1998) p. 12.

années consécutives de 1578 à 1581 avant de décéder le 2 septembre 1582.

De son professorat nous avons un témoignage de première main de la part de James Melvill, l'un de ses étudiants dans les années 1570 :

> (...) Pendant les troisième et quatrième années de mes études, sur les conseils de mon père, j'écoutai le Commissaire, M. William Skene enseigner De Legibus de Cicéron et diverses parties des Institutes de Justinien. J'étais logé chez un homme de loi, un homme très bon et honnête du nom de Andrew Green (...) Ce juriste m'emmena au Consistoire où le commissaire prenait plaisir à nous montrer la pratique, en jugement, de ce qu'il enseignait dans les écoles. C'était un homme de talent et sérieux, érudit et diligent dans sa profession et se réjouissait en rien d'autre si ce n'est de répéter sans cesse à n'importe quel étudiant qui le lui demandait, les choses qu'il avait enseignées[1].

Il est significatif que Skene ait choisi d'enseigner Cicéron ; il montrait son désir de lier l'humanisme juridique et les lettres dans son enseignement. Les *Institutes* fournissent également la base de la science légale, et Skene savait allier la pratique à la théorie pour ses étudiants quand, membre de la *Commissary Court*, il siégeait dans la Chapelle du *St-Salvator's College*[2].

Pour notre propos, nous retiendrons de l'éloge de Melvill que Skene était un maître de valeur et consciencieux. Il sut faire profiter à ses élèves de sa bibliothèque bien fournie en ouvrages de droit civil et de droit canon. Outre l'ouvrage célèbre et précurseur de Guillaume Budé *Annotationes an pandectas*, le maître de St-Andrews possédait

---

1 « *In the third and fourt yeirs of my course, at the direction of my father, I hard the Commissar, Mr Wilyeam Skein teatche Cicero de Legibus, and divers partes of the Institutiones of Justinian. I was burdet in the hous of a man of law, a verty guid honest man, Andro Greine be nam (...) This lawier took me to the Consistorie with him, whar the Comissar wald take pleasour to schaw us the practise, in judgment, of that quhilk he teatched in the scholles. He was a man of skill and guid conscience in his calling, lernit and diligent in his profession, and tuk delyt in nathing mair nor to repeat ower and ower again to anie schollar that wald ask him the thingis he haid bein teatching* », in *The Autobiography and Diary of Mr James Melvill*, *Op. cit.*, pp. 28-29.

2 J. W. Cairns : « The Law, the Advocates and the Universities in late Sixteenth-Century Scotland », in *Scottish Historical Review*, October 1994, Vol. 73, p. 155 & Note. 70.

un titre -non identifié- d'André Alciat, l'œuvre de François Bauduin intitulée *In libros Institutionum commentarii* 1548, et les commentaires de Balde, Bartole et Jason. Il possédait ses notes des cours de Doneau et un nombre d'ouvrages de François Hotman[1]. Cette collection représentative d'une bibliothèque de juriste du XVIe siècle en général, et de l'École de Bourges en particulier, reflète bien les préoccupations professionnelles et savantes de son propriétaire.

1.4 JAMES BOYD OF TROCHRIG (1559-1581)

De retour en Écosse après une absence de quatre années, James Boyd vécut de sa fortune chez lui, à la campagne, pendant de nombreuses années, sans le moindre espoir ni désir d'occuper un rang dans l'Église, jusqu'à ce qu'il fût nommé, par l'intermédiaire de son proche parent, Lord Boyd titulaire et archevêque « *Tulchan* » de Glasgow vers 1573[2]. Cette fonction était plus politique que pastorale et exempte de toute ambition ecclésiastique. James Boyd avait fait la connaissance d'Andrew Melville sur le continent[3] et leur amitié dura. Au cours de l'année 1574, l'archevêque fut le principal responsable de la venue de Melville au collège de Glasgow.

L'année suivante, Boyd fut choisi comme modérateur de l'Assemblée Générale qui se tint à Edimbourg en 1575, étant le seul évêque *Tulchan* à avoir jamais eu cet emploi. En avril 1577, il remplissait ses fonctions à la satisfaction de tous et en juillet 1579 il fut nommé par le roi membre de la commission du deuxième *Livre de Discipline*[4], terminée l'année précédente. L'archevêque mourut en juin 1581.

---

1 *Ibidem.*, p. 156.

2 R. Wodrow, *Collections upon the lives of the Reformers and most eminent Ministers of the Church of Scotland*, Glasgow, Maitland Club 1834, Vol. 1, pp. 206-211. « *Tulchan* » : évêque ou archevêque qui acceptait sa charge assortie de la condition d'en transférer les bénéfices à un destinataire séculier. Dans ce cas précis, il semble que le bénéficiaire fût lord Boyd.

3 *Ibidem*, p. 210.

4 *Ibidem*, p. 225.

1.5 ALEXANDER ARBUTHNOT (1566-1583)

Arbuthnot retourna en Écosse en 1566 avec l'intention de devenir avocat[1], mais il changea d'idée et fut bientôt ordonné pasteur. Il obtint à partir du 15 juillet, le bénéfice de Logie Buchan, dans le diocèse d'Aberdeen.

A peu près à la même époque, l'Assemblée Générale lui confia la révision d'un livre intitulé *Fall of the Roman Kirk*[2]. L'année suivante, le 3 juillet, il se vit élire principal du King's College d'Aberdeen, en remplacement d'Alexander Anderson, devenant ainsi le premier principal de l'Université réformée. Il rétablit rapidement les finances de l'établissement. Un peu plus tard, il obtint le bénéfice d'Arbuthnot dans le Kincardineshire. En 1572, il assista à l'Assemblée Générale à St-Andrews, et publia cette même année à Edimbourg ses *Orationes de Origine et Dignitate Juris.* Aucun exemplaire ne nous est parvenu. En 1573, il fut modérateur de l'Assemblée qui se tint à Edimbourg. En outre, il participa à la constitution d'un plan de gouvernement ecclésiastique qui serait soumis à l'examen de l'Assemblée. En avril 1577, il fut de nouveau modérateur et en octobre de la même année, choisi avec Andrew Melville et George Hay pour faire partie d'un concile (qui n'eut jamais lieu), qui aurait établi la Confession d'Augsbourg.

En 1578, encore, à Stirling, il devait être l'un des ministres nommés pour discuter des sujets de gouvernement ecclésiastique avec certains nobles et prélats. En 1583, Arbuthnot se vit mandaté commissaire pour enquêter sur les finances et l'efficacité de l'Université de St-Andrews. Il fut également chargé, avec deux autres personnes, de porter à l'attention du roi, de la part de l'Assemblée, certaines revendications. Mais Jacques n'appréciait pas le mouvement presbytérien, et Arbuthnot fut bientôt renvoyé à ses devoirs au *King's College* d'Aberdeen. Malgré la désapprobation de l'Assemblée, le roi maintint sa décision, et on dit que la sévérité royale précipita la mort de notre Écossais, qui décéda le 10 octobre 1583. Alexander

---

1 J. Marshall Lang, « Hector Boece and the Principals » *in Studies in the History of the University of Aberdeen*, P. J. Anderson Ed. Aberdeen 1906, p. 34.

2 *Dictionary of National Biography*, T. 1, p. 531.

Arbuthnot est enterré dans la Chapelle de *King's College* ; c'est Andrew Melville qui écrivit son épitaphe.

J. Spottiswood le décrivit ainsi :

> De conversation agréable et joviale, et expert en toutes sciences ; bon poète, mathématicien, philosophe, théologien, juriste, et habile en médecine ; il pouvait parler aisément de tout et à propos[1].

Il laissa en manuscrit un exposé de la famille Arbuthnot *Originis et Incrementi Familiae Arbuthnoticae, Descriptio Historica.* Par ailleurs, il est l'auteur de trois œuvres poétiques : *The Praises of women, On Luve* et *Miseries of a Pure choler.* Dans son premier poème, très long, Arbuthnot recommande à tout homme de se marier, ce qu'il ne fit pas. Le deuxième poème, très court, est ainsi :

De L'Amour
Celui qui aime le plus légèrement
Ne connaîtra pas le meilleur.
Celui qui aime le plus longtemps
Aura le plus sûr repos.
Celui qui aimera de tout son cœur
Celui qui est sincère et simple en amour
Sera bien aimé à son tour[2].

---

1 *History of the Church of Scotland,* Edinburgh, 1851, p. 319 :
« pleasant and jocund in conversation, and in all sciences expert ; a good poet, mathematician, philosopher, theologue, lawyer, and in medecine skilful ; so as in every subject he could promptly discourse and to good purpose ».

2 *in Memories of the Arbuthnotts* of *Kincardineshire and Aberdeenshire,* G. Allen & Unwin Ltd., London 1920, p. 47

ON LUVE
He that luifis lichtliest,
Sall not happin on the best.
He that luifis langest,
Sall have rest surest.
He that luvis all his best
Sall chance upon the gudliest.
Quha sa in luif is trew and plaine,
He sall be lufit weill agane

Quant au troisième poème, il s'agit d'une composition beaucoup plus sérieuse, inspirée des troubles et changements de l'époque où l'auteur se trouve et qui exprime un sentiment de tristesse devant le « *monde misérable* »[1]. Sont parvenus jusqu'à nous onze ouvrages ayant appartenu à Alexander Arbuthnot. Nous en donnons les titres et leur location ci-après :

1. Lyra, Nicholas of : *Biblia Latina*. Venise, 1481.
Aberdeen University Library

2. Bonaventure, St. : *In 3 et 4 Sententiarum Libros*. Lyon, 1515.
Comporte la signature abîmée de M. A. Arbuthnot
Glasgow University Library

3. Sedulius : *Poetae Latini*. Venise, 1502.
Blairs College, Aberdeen

4. Eusebius : *De temporibus Chronicon*. Paris, 1518.
Blairs College, Aberdeen

5. Basil, St. : *Opera*. Paris, 1523.
Aberdeen University Library

6. Maffeus Volaterranus, raphael : Commentarii. Paris, 1526.
St-Andrews University Library

7. Jerome, St. : *Operum tom. VIII et IX*. Bâle, 1537.
Blairs College, Aberdeen

8. Eusebius : *Historia Ecclesiastica*. Bâle, 1557.
Blairs College, Aberdeen

9. Basil, St. : *Opera*. Cologne, 1531.
Blairs College, Aberdeen

10. Ulstadt, P. : Coelum philosophicum. Strasbourg, 1528.
Aberdeen University Library[2]

11. Justin Martyr : ouvrages en grec. Paris, 1551.
St-Andrews University Library[3]

---

1 « *wratchid world* », in *Ibidem*.

2 J. Durkan, *Early Scottish libraries, Op. cit.*, p. 72.

3 *Ibidem, with additions*.

1.6 PATRICK ADAMSON (1570-1592)

L'Assemblée le pressant de rentrer en Écosse afin d'y retrouver son ministère, Adamson reprit la route vers son pays natal, avec la première intention d'exercer au barreau. Puis, il déclina l'office de principal de St-Leonard's College qui revint à Buchanan. Après quelque hésitation, Adamson retrouva sa première vocation de prédicateur à Paisley[1]. En 1576, il fut promu au titre d'archevêque de St-Andrews, mais bientôt se trouva en perpétuelle lutte avec le parti presbytérien[2]. Néanmoins, en 1581, il fut chargé de la formation d'un consistoire, en compagnie d'Andrew Melville. A la fin de l'année 1583, Adamson rejoignit la cour de la reine Elisabeth, en tant qu'ambassadeur de Jacques VI. En Angleterre, son éloquence attira beaucoup d'auditeurs, et il était respecté bien que sa conduite ne fût pas toujours exemplaire[3].

L'année suivante, il retourna en Écosse et siégea au parlement qui prit des mesures radicales contre les presbytériens. Il avait toujours les faveurs du roi, mais était de plus en plus rejeté par ailleurs ; un jour, alors qu'il prêchait dans la Haute Église à Edimbourg, des fidèles se levèrent et sortirent de l'église A la fin de l'année 1585, Andrew Melville, et de nombreux nobles qui s'étaient réfugiés en Angleterre, après le *Ruthven Raid* rentrèrent en Écosse, à la grande satisfaction des presbytériens qui voyaient là un renouveau de leur parti. En avril de l'année suivante, le synode de Fife se tint à St-Andrews, et James Melvill, professeur de théologie et neveu d'Andrew, s'attaqua violemment à Adamson qui n'eut d'autre riposte que d'en appeler au roi et au parlement. La harangue de James Melvill était virulente en effet :

> Le dragon lui avait si bien injecté le poison et le venin de l'avarice et de l'ambition, qu'il s'était enflé de façon exorbitante et menaçait le corps tout entier de ruine et d'anéantissement[4].

---

1 T. McCrie, *Op. cit.*, p. 370.

2 D. G. Mullan, *Episcopacy in Scotland : the History of an Idea 1560-1638*, Edinburgh, 1986 p. 55.

3 *Dictionary of National Biography*, t. 1, p. 113

4 D. Calderwood in *Dictionary of National Biography*, *Ibidem* :

> *« the dragon had so stinged him with the poison and venom of avarice and ambition, that swelling exorbitantlie out of measure, he threaned the wracke and destruction of the whole bodie (...) ».*

Le roi n'approuva pas la prise de position des deux Melville, et l'archevêque de St-Andrews devint Chancelier de l'Université. Désormais, le roi le pria de donner des leçons publiques, auxquelles toute l'université devait être présente. Mais d'autres orages s'annonçaient. De nouveau il fut accusé, cette fois-ci d'avoir détourné ou falsifié des fonds sur les registres de l'Assemblée, lorsqu'il célébra le mariage du comte d'Huntly et de la fille aînée du duc de Lennox. Rappelons ici que cette dernière était la tante des frères Henry et Alexander Erskine. Le consistoire d'Edimbourg l'excommunia. La situation était sérieuse. Le roi ne le soutenant plus, bouleversé, il se tourna vers son ancien ennemi, Andrew Melville. Le consistoire de St-Andrews accepta de remettre la peine d'excommunication. Patrick Adamson mourut le 19 février 1592. James Melvill dit de lui :

> Cet homme avait de multiples talents, mais plus que tout, il excellait dans l'art d'écrire et de parler ; et pourtant, pour avoir abusé de sa parole et de sa plume contre le Christ, il fut dépossédé des deux à un moment de grande misère où il en aurait eu tant besoin[1].

1.7 WILLIAM/GUILLAUME BARCLAY (1576-1608)

En mars 1576, William Barclay arriva à l'Université de Pont-à-Mousson, créée par le Saint-Siège, et confiée aux Jésuites pour combattre les Réformés. Le duc de Lorraine le nomma professeur de droit civil à l'Université et pour commencer il n'avait que deux cours par jour ; il professait avec Pierre Grégoire, de Toulouse[2]. Plus tard, il passa conseiller d'État et maître des requêtes, et à la mort de Pierre Grégoire, devint doyen de la Faculté de Droit en 1598.

En 1581, Barclay épousa Anne de Malleviller, jeune femme de la noblesse lorraine. Pour le mariage, Barclay reçut une lettre-patente de Jacques VI d'Écosse qui attesta la noblesse et la bonne naissance du professeur écossais. Sa femme lui donna un fils, John, le brillant et

---

1 *Ibidem*

« This man had many great gifts, but especially excelled in the tongue and pen ; and yet for abusing of the same against Christ, all use of both the one and the other was taken from him, when he was in greatest misery and had most need of them ».

2 P. Collot, *L'Ecole doctrinale de droit public de Pont-à-Mousson, Pierre Grégoire de Toulouse et Guillaume Barclay*, Faculté de Nancy, 1965.

futur auteur d'*Argenis*. Les Jésuites s'intéressaient fort au jeune garçon et tentèrent de le faire entrer dans leur Société, mais Barclay s'y opposa. A cette époque-là, il était en butte avec les Jésuites sur un autre sujet : le statut du recteur. Les données de la dissension restent floues, mais jouèrent un rôle déterminant dans la décision finale. En effet, en 1603, William Barclay démissionna de sa chaire, quitta le duché qui lui était, malgré tout, devenu une deuxième patrie, abandonnant ainsi les fruits de nombreuses années de labeur. David Baird Smith écrit :

> Sa vanité, son irascibilité, et sa raideur doctrinaire se combinaient à une intégrité et un sens de la responsabilité personnelle qui communiquaient une valeur morale à sa vie ainsi qu'à ses écrits (...). Il quitta le duché plutôt que de céder à des influences qui lui étaient personnellement détestables et allaient à l'encontre de sa nature et de sa vie intellectuelle[1].

En 1600, Barclay avait publié à Paris son écrit, bientôt célèbre, intitulé : *De Regno et Regali Potestate*, adver*sus Buchananum, Brutum, Boucherium, et reliquos Monarchomachos.* L'ouvrage, dédié au roi Henri IV, se composait de six livres ; les deux premiers étaient une réfutation de George Buchanan, le troisième et le quatrième étaient contre Hubert Languet, et les deux derniers étaient l'analyse d'un traité écrit par Jean Boucher, docteur à la Sorbonne.

L'auteur y traite la question de savoir si, et à quelles conditions les peuples peuvent résister à l'autorité royale ou même la renverser. Il réfutait la doctrine de Buchanan selon laquelle tout pouvoir vient du peuple, bien qu'il acceptât l'idée, en deux cas, que le roi pût justifier toute résistance à ses propres désirs. Un premier cas où le prince conspire à la perte de son propre royaume, et un deuxième cas où il s'assujettit à un prince étranger ; dans ces deux cas il cesse, selon

1 D. B. Smith, « William Barclay», in *Scottish Historical Review*, Vol. XI, 1914, p. 140 :

« His vanity, irascibility, and doctrinaire stiffness were combined with an integrity and a sense of personal responsibility which imparted a moral value to his life no less than to his writings (...). He left the Duchy rather than yield to influences which were personally distasteful to him and antipathetic to his temperament and intellectual life ».

l'auteur, d'être roi *ipso facto*[1]. Les vues de Barclay font l'objet d'une argumentation dans le traité de Locke : *Le Gouvernement Civil*[2]. Ce dernier qualifie Barclay de *« grand défenseur du pouvoir et du caractère sacré des rois »*[3].

Après avoir quitté le duché, Barclay se rendit à Paris, puis à Londres. Jacques VI venait de publier son *Basilicon Doron* et l'on se prend à penser que notre Écossais avait peut-être démissionné et gagné l'Angleterre dans l'espoir que le nouveau monarque d'Angleterre aurait des faveurs pour un tel défenseur du droit divin des rois. Certes, le roi le reçut chaleureusement, et lui offrit une fonction importante mais à la condition qu'il renonçât à sa foi catholique. Barclay ne se soumit pas et au début de l'année 1604, décida de revenir à Paris. La chaire de droit civil de l'Université d'Angers était vacante depuis 1599, et Barclay avait acquis célébrité en France. On alla à Paris lui proposer cette chaire qu'il accepta de bon cœur, car il avait 58 ans. Parmi les démarches faites pour l'attirer à Angers, notons cette délibération du corps de ville, en date du 5 décembre 1603 :

> (...) avec les lettres de monsieur de Puchairic, seneschal d'Anjou, du 29 novembre dernier par lesquelles il donne advis que monsieur Carpentier, que l'on desiroit attirer en ceste université pour y tenir la première chaire, est allé en Loraine et que monsieur Barclay, escossoys, l'un des grands personnages de ce temps est de présent à Paris, qui a par un long temps leu en l'université de Bourges et aultres, lequel volontiers l'on pouroit attirer en ceste université s'il en estoit prié, desirant ledict sieur de Puchairic s'i amploier (...)[4].

Barclay fut également nommé doyen de la Faculté de Droit, en dépit de la forte opposition de deux professeurs. La nomination fut confirmée, le 1er février 1605 et il

---

1 E. Dubois, *Guillaume Barclay, Jurisconsulte écossais*, Nancy, 1872, p. 23.

2 *Dictionary of National Biography*, t. 1, p. 1093.

3 *Ibidem : « great assertor of the power and sacredness of kings »*.

4 *Registre de délibérations du corps de ville*, BB 51, f° 137 2°. Nous remercions S. Bertoldi, conservateur des Archives de la ville d'Angers de nous avoir communiqué cette information.

> continua à être le gentilhomme stylé des Highlands, car quand il se rendait à la faculté pour faire cours, il était toujours accompagné de son fils et de deux valets, vêtu d'un splendide manteau bordé d'hermine, une lourde chaine en or autour du cou[1].

Il décéda quatre ans après son arrivée à Angers le 3 juillet 1608 et fut enterré dans l'église des Cordeliers. Plusieurs de ses œuvres furent publiées à Londres et à Pont-à-Mousson en 1609, et d'autres éditions parurent en 1610, 1612 et 1617. Deux traductions en français et deux traductions en anglais attestent de l'importance de son œuvre. Le plus fameux de ses écrits étant le traité intitulé *de Poteste papae : an, et quatenus, in Reges et Principes seculares jus et imperium habeat*, publié un an après sa mort, à Londres et à Pont-à-Mousson ; cette dernière édition comporte une préface de son fils. Barclay travailla plus de dix ans à cet essai. Il y combat la doctrine du pouvoir indirect des papes sur le pouvoir temporel des rois. Il soutient cette idée que la puissance spirituelle ou ecclésiastique et la puissance temporelle ou politique sont complètement distinctes et dissociées et que l'une ne doit entreprendre aucune action sur l'autre[2].

Les deux ouvrages de Barclay se complétaient l'un l'autre et puisaient leurs sources dans les événements dont il avait été témoin, aussi bien en France qu'en Écosse. Il proposait la théorie du pouvoir absolu des monarques, vis à vis de leurs sujets et de l'autorité du pape, car elle lui apparaissait comme la plus capable de contenir le retour des troubles et de tous les maux que connurent les deux pays où il vécut. Son souci était celui causé par les démarches protestantes écossaises ennemies du catholicisme ou celles des ligueurs en France. Son attachement indestructible à la foi catholique ne l'empêcha pas de s'affirmer contre les adhérents de cette foi et contre l'usage qu'ils prétendaient faire du pouvoir des papes.

---

1 Ménage, *Remarques sur la vie de Pierre Ayrault*, 1675, p. 228, cité *in* D. B. Smith, *Op, cit.*, pp. 140-141 :

« (...) continued to be the « ornate Highland gentleman » for when he went to the faculty for a lecture, he was always accompanied by his son and two valets, dressed in a splendid robe lined with ermine, a massive gold chain around his neck ».

2 E. Dubois, *Op. cit.*, pp. 24-25.

1.8 NICOL DALGLEISH (1581- ?)

A son retour en Écosse, Nicol Dalgleish fut déclaré en 1581 apte par l'Assemblée Générale à devenir principal de *King's College*, quand il fut question de déplacer Arbuthnot[1]. A la suite des *black acts*, Dalgleish, ministre de St-Cuthbert, avait réagi avec d'autres ministres et s'était vu condamné à mort. Le jury l'acquitta toutefois, mais dans un déploiement de cruauté, l'échafaud fut installé devant la fenêtre de sa prison et y resta plusieurs semaines[2].

1.9 DAVID MacGILL (1579-1607)

David MacGill avait été admis avocat en 1586. Le 24 mai 1597, il fut présenté pour remplir à la cour la place laissée vacante par le commendataire de Culross, et les lords *« votèrent et élirent, le préférant et choisissant comme le mieux qualifié »*[3] ; le 28 mai le vit admettre après une période probatoire de cinq jours.

Le 14 décembre 1598, il reçut sa nomination de commissaire[4], mais le 14 mars 1601, il présenta une requête à la cour demandant à être démis de ses fonctions, à cause de son état de santé : *« j'ai l'intention maintenant, si Dieu le veut, de quitter ce royaume pour d'autres pays afin de recouvrer la santé »*[5]. Son absence fut excusée, mais il était de retour en Écosse avant le mois de novembre. Le 26 mai 1603, MacGill devint conseiller privé. Il décéda le 10 mai 1607[6].

1.10 ALEXANDER SCOT (1588-1616)

Alexander Scot était à Lyon en 1588. Il y publia un deuxième ouvrage, toutes les *Oraisons de Cicéron* 1588-89, 2 volumes, avant de

---

1 *Life of Andrew Melville, Op. cit.*, p. 105, note. 1.

2 *Ibidem*, pp. 104-105.

3 *« voted and elected, preferrit and choosit him as best qualifiet »* Book of Sederunt, 24 mai 1597.

4 *Act of Parliament*, iv, p. 179, *in* Bruton & Haig, *An Historical Account of the Senators of the College of Justice from its institution in 1532*, Edinburgh, 1836, p. 238.

5 *« I intend now, God willing, to depairt and pass furth of this realm to uther cuntries for obtening ane recovery of my health »*, in *Ibidem*.

6 *The Scots Peerage founded on Wood's edition of Sir Robert Douglas' Peerage of Scotland*, ed Sir James Balfour Paul, Edinburgh, 1908, t. II, p. 346.

publier sa grammaire de mille pages, intitulée *Universa grammatica graeca*, dont il envoya un exemplaire avec une épître dédicacée aux administrateurs de la ville de Carpentras, pour leur rappeler l'accueil bienveillant qu'il avait reçu de leur part et la confiance qu'ils avaient montrée à son endroit[1]. Le texte de la lettre de Scot figure dans l'ouvrage de Moulinas et Patin, « Notes sur le Collège de Carpentras », dans *Mémoires de l'Académie de Vaucluse*, 1893, p. 269 : Lettre de Scot à M. Grébot, secrétaire :

> M. Grébot, je vous envoie par un porteur la grammaire laquelle je vous dédie, et à MM. les Consuls de Carpentras. Je vous prie la présenter aux dits consuls de ma part, en témoignage de l'affection que j'ai à l'administration de leur collège. Et aussi m'avisez par la première commodité de leur volonté, d'autant que je n'ai point eu réponse de mes dernières, ce qui me tient en suspens si je dois vous allez voir pour la Noël ou non.
>
> Attendant de tout votre avis, prie Dieu vous avoir en sa protection.
>
> Lyon, le 20 novembre 1593.
>
> N. B. Je baise les mains à M. Gaut, à M. Crozet et autres de mes amis.
>
> Votre tout affectionné ami et serviteur.
>
> Scot.

En effet, Scot fut nommé régent principal du collège de Carpentras, et passa un bail avec les consuls de la ville en 1593. La ville s'engageait à lui fournir cinq lits assortis de meubles et ustensiles de cuisine nécessaires, pour les cinq régents qu'il aurait aux gages suivants : 1er régent, cinquante écus ; 2e régent, quarante écus ; 3e régent, trente écus ; 4e régent, quinze écus ; et 5e régent, douze écus[2]. Comme il l'envisageait dans la lettre que nous venons de recopier, Scot vint à Carpentras en décembre 1593, et après avoir pris tous les arrangements propres à l'ouverture du collège, il repartit pour Lyon, rechercher sa famille et fut de retour le 31 mai 1594. La ville prit les frais du voyage, qui s'élevèrent à treize écus, à sa charge. La renommée du brillant helléniste attira immédiatement un nombre

1 R. Barjavel, *Dictionnaire historique du département du Vaucluse*, Carpentras, 1841, p. 398.

2 *in* Moulinas et Patin, « Notes sur le Collège de Carpentras» *in Mémoires de l'Académie de Vaucluse*, 1893, p. 262.

important d'élèves, et lorsque le cardinal Acquaviva, légat d'Avignon, vint à Carpentras, ce sont trente-six élèves du collège qui le complimentèrent en vers aux portes de la ville[1].

Scot était toujours principal du collège en 1601, car il existe aux archives municipales de Carpentras une pièce justificative ; c'est un acquit de vingt écus payés par lui-même pour le paiement du loyer de la maison de M. de Laplane où étaient logés les régents[2]. Nous avons par ailleurs relevé sa signature dans l'*album amicorum* d'un compatriote, A. A. Strachan. Toutefois, dès 1608, Scot avait quitté le collège et il est attesté comme juge mage de la cour majeure de Carpentras cette année-là et aussi en 1611[3]. Il est également avocat et procureur général de la mense épiscopale de Carpentras en 1609[4], en 1611[5], et en 1616 : confirmation par lui-même de la procuration de la mense épiscopale de Carpentras et des causes pieuses[6]. C'est à cette époque qu'il recueillit et mit au jour les œuvres posthumes de Jacques Cujas sous le titre : *Opera priora et posthuma*, Lugd., 1614, 4 vols. *in-fol.* Celles-ci furent réimprimées à Paris en 1617, 6 vols. *in-fol.*, et cette dernière édition bien qu'incomplète, fut reproduite à Paris en 1637, 6 vols. *in-fol*[7]. Antérieurement à cette édition, Scot écrivit un vocabulaire à l'intention des juristes *Vocabularium utriusque juris* 1601, qu'il dédia à William Chisholm, évêque écossais de Vaison.

De son mariage avec Marie Pilhote, naquirent (au moins) dix enfants, à Carpentras de 1599 à 1611. L'un d'eux Horace, né en 1603, eut comme parrain Horace Capponi, l'évêque de Carpentras[8]. Un

---

1 *Ibidem*, p. 269

2 CC 247.

3 Archives départementales de Vaucluse, B 1959.

4 Archives départementales de Vaucluse, minutier de Carpentras, 3 E 26/1601, f°427.

5 Bibliothèque de Carpentras, ms 1364, f°230

6 Bibliothèque de Carpentras, ms 1364, f°732. Notons ici que Scot était donc toujours en vie en 1616, contrairement à l'affirmation de W. Forbes-Leith qui le fait décéder en 1615 dans son ouvrage intitulé *Bibliographie des livres publiés à Lyon et paris par les savants écossais réfugiés en France au 16ème siècle*, 1912, p. 31.

7 in E. Haag, *La France Protestante ou Vies des Protestants Français*, J. Cherbuliez Ed., Paris, 1846, Vol. IV, p. 141.

8 Archives communales de Carpentras GG 4.

autre de ses fils, Jean, docteur en droit de Carpentras, fut reçu avocat près les cours du Palais d'Avignon en 1627[1]. En ce qui concerne la résidence de Scot, il vécut au château des Rocans, qui se trouve dans la commune d'Aubignan. Esprit Scot, autre fils d'Alexandre, se trouve porté sur le cadastre d'Aubignan de 1637, en tant que propriétaire d'une grange et de terres au quartier des Rocans[2].

1.11 MARK ALEXANDER BOYD (1584-1601)

1.11.1. Sa vie.

L'épidémie de peste qui éclata à Bourges interrompit ses études, et Boyd apeuré par ce mal, s'enfuit à Lyon, puis en Italie.

Là, il se trouva un ami en la personne de Cornelius Varus, Florentin, qui l'encensa pour la qualité de sa poésie latine, affirmant que notre jeune Écossais *« surpassait Buchanan, et tous les autres poètes britanniques, plus que Lucrèce avait surpassé Catulle »*[3].

En 1585, Boyd décida de rentrer en France, à Lyon précisément, où il aida un jeune homme dans ses études, P. C Danconet, pour quelque temps seulement, car en 1587, une armée composée de mercenaires allemands et suisses, partisans du roi de Navarre, envahit la France et Boyd se joignit à une troupe en marche vers l'Auvergne maniant ainsi son épée pour Henri III. Soldat mais aussi poète, Boyd écrivait des poèmes au milieu de la bataille, et les envoyait à son élève Danconet[4] :

> *« Et nos militiam simul, et pia castra secuti*
> *« Egimus excubias, nec inertem sensimus hostem »,*

Un coup à la cheville le renvoya à ses études de droit, cette fois à Toulouse, où il fit le projet d'un système de loi internationale. L'année suivante, en 1588, Toulouse tomba aux mains de la Ligue. Boyd fut le témoin de nombreux massacres et après être resté caché deux journées entières dans les buissons, il fut pris par les insurgés et

1 Archives départementales de Vaucluse, B 589.

2 Archives départementales 2 E 3/18.

3 D. Dalrymple, Lord Hailes, *Sketch of the Life of Mark Alexander Boyd*, Edinburgh, 1786 ou 1787, p. 4.

4 *Ibidem.*

finalement jeté en prison. Relâché, sans doute grâce à l'intervention de quelques amis, il se précipita de nuit vers Bordeaux. Ses lettres nous permettent de suivre sa route vers La Rochelle (en route il fut dévalisé et presque assassiné) où il resta peu de temps, car l'air nuisait à sa santé. Puis, il alla à Fontenay, en Poitou, où dit-on, il consacra de nombreuses heures à l'étude et à converser avec ses amis :

> Mais dit-on, il quittait parfois cette retraite paisible pour se livrer à des entreprises militaires[1].

Quelques lettres de Mark Alexander Boyd, écrites pour lui et par lui, nous sont conservées[2] dont la première est une missive de Patrick Sharp, principal de l'Université de Glasgow, en date du 13 mai 1592. Les quatorze suivantes ne sont pas datées et furent imprimées en même temps que des poésies, dans un ouvrage, du vivant de Boyd : *M. Alexandri Bodii Epistolae Heroides, et Hymni. Ad Iacobvm Sextvm Regem. Addita est ejusdem Litervlarvm Prima Cvria Antverplae.* M. D. LXXXXII. Si ces lettres sont dans un ordre chronologique, et nous pouvons le penser raisonnablement, l'itinéraire de Boyd aurait été le suivant : Lyon, Loire, Milan, Toulouse, La Rochelle, Fontenay, Valence sur Rhône, Fontenay, Bourges, Toulouse, Cahors, Bordeaux, Toulouse, Fontenay, Ile de Ré, Bourges, partageant son temps entre les exercices militaires et les études de droit : Boyd passa quatorze années en France, de 1581 à 1595, et séjourna deux fois à Bourges[3].

Il avait toujours laissé libre cours à sa tendance naturelle à faire la guerre et pour lui, la science civile et les armes allaient de pair. Quand son neveu Robert Boyd décida de venir en France poursuivre ses études, Mark Alexander lui écrivit :

---

1 *Ibidem.*, « *But it is said, that he sometimes quitted this happy retirement, to engage in military enterprises* ».

2 NLS, Adv. MS. 15. 1. 7.

3 Je remercie Ian Cunningham, conservateur au Département des Manuscrits, National Library of Scotland, de m'avoir fourni toutes ces informations précieuses ; et aussi *in* Ian Cunningham, « Marcus Alexander Bodius, Scotus », *in 8th International Conference on Medieval and Renaissance Scottish Language and Literature*, Oxford, août 1996, actes à paraître.

> La paix et la guerre doivent toujours alterner dans nos vies ; ainsi celui qui n'a goûté qu'à l'une de ces conditions, n'est homme qu'à moitié, et ne pourra jamais vivre, ni en sûreté, ni en confort (...)[1].

Il semble que Boyd fut par ailleurs précepteur auprès de jeunes nobles de la religion réformée en France, mais ses écrits ne nous fournissent que peu de preuves à ce sujet[2].

1.11.2. Ses écrits.

Nous avons trois sortes de manuscrits de Boyd : poèmes, prose et les lettres dont nous avons déjà parlé.

1.11.2.1. Ses poèmes

La qualité de ses vers est incontestée, aujourd'hui. A propos de son célèbre poème *Sonet Fra banc to banc*, Ezra Pound déclare : *« Je pense que c'est le plus beau sonnet de notre langue, en tout cas, c'est mon opinion »*[3]. Robert Donaldson a récemment écrit un essai sur le *Sonnet*. Après de longues recherches, il conclut que le *« Sonnet (...) fut probablement composé en France, très vraisemblablement à La Rochelle, cependant peut-être à Bordeaux (...) »*[4].

L'autre ouvrage de Boyd, publié de son vivant est le suivant : *Marci Alexandri Bodii Scoti Epistolae Qvindecim Qvibvs totidem Ouidij respondet. Accedunt eiusdem elegiae, Epigram-mata illustriumque mu-lierum Elogia. Bvrdigalae, Apud S. Millangium, typographum Regium,* 1590.

---

1 Hailes, *Sketch of the Life*, *Op. cit.*, *Cf. Supra,* note. 86, p. 8.

« Peace and war must ever be alternate throughout our lives ; so he who has only tasted of that sort of knowledge which belongs to one of those two conditions, is but half a man, and will never live either safely or comfortably (...) ».

2 *Ibidem.*

3 ABC of Reading, London, 1934 : « *I suppose this is the most beautiful sonnet in the language, at any rate it has one nomination* ».

4 « M. Alex. Boyd. The authorship of *Fra Banc to Banc* » in *The Renaissance in Scotland ; Studies in Literature, Religion, History and Culture offered to John Durkan*, ed A. A. MacDonald, Michael Lynch and Ian B. Cowan ; Brill's Studies in Intellectual History, vol. 51, Leiden, E. J. Brill, 1994, pp. 344-366 : *« (...) probably set in France and very likely at La Rochelle, although possibly at Bordeaux (...) ».*

Les poèmes de Boyd, regroupés dans les deux ouvrages de 1590 et 1592, peuvent se classer en six catégories[1] :

1) *Epistolae Heroides,* ensemble d'épistoles en compléments des célèbres lettres des héroïnes mythologiques d'Ovide. La date de ces manuscrits est 1588.

2) Autres poèmes intitulés *Heroidum liber* et *Heroidum liber alius* ainsi que des couplets *Vitae illustrium mulierum.*

3) dix-sept élégies

4) les hymnes : seize odes, presque toutes ayant pour sujet une fleur particulière, et chacune en rapport avec le nom d'un ami ou d'un mécène. Les dédicaces sont écossaises : le roi Jacques VI, le chancelier Maitland, Patrick Sharp, et probablement Peter Young (*clarissimus vir P. Iuvenis*) précepteur du roi ; mais aussi françaises : le Dauphin, le poète Nicolas Rapin, P C Dantonet et deux autres, le président de la cour de Toulouse P. Le Fèvre et François Balduin, sénateur. Son ami italien n'est pas oublié, Cornelius Varus ainsi qu'une femme, la seule, Maria Tiraquella.

5) Epigrammes adressées pour certaines d'entre elles à des personnes identifiées : Jacques VI, Robert Boyd of Badneth, Dantonet. Il y a également une épitaphe pour son oncle James Boyd. Certaines ont pour titre leur sujet : *Les maîtres d'école français, La richesse et la pauvreté, Un avare*[2].

6) Divers écrits : *Philandri naufragium, Libellus de moribus, Varia,* ainsi qu'une épigramme rédigée en grec à l'intention de Jacques VI.

1.11.2.2. Ses écrits en prose.

Outre ses manuscrits de poèmes, Boyd nous laissa des manuscrits en prose[3]. Ceux-ci attisent davantage notre curiosité car liés à ses études de droit : ce sont des commentaires et des traités.

---

1 *in* Ian Cunningham, « Marcus Alexander Bodius, Scotus », *Op. cit.*

2 *On French schoolmasters, On wealth and poverty, On a miser.*

3 NLS, MS15. 1. 7.

1) Commentaire des *Institutes* de Justinien, 1591. Ce commentaire est un travail minutieux, comme celui d'un professeur de droit. Hailes suggère que Boyd s'apprêtait à ce moment-là à enseigner le droit civil[1]. L'ouvrage est incomplet mais couvre néanmoins les folios ff3-171 du manuscrit 15. 1. 7, déjà cité. Il manque plusieurs pages du milieu et de la fin de l'ensemble[2].

2) Un ouvrage en français intitulé *Discours civiles sur le Royaume d'Écosse,* qui traite des plus difficiles affaires d'état, *qui sont este songeusement epluchees par les sages iusques ici.*

3) Une série de petits traités intitulés *Politicus, Jurisconsultus, Poeta*, traitent des mérites respectifs de l'homme d'état, du juriste et du poète, dédicacés à John Maitland, Lord Thirlestane, Chancelier d'Écosse, à François Bauduin et à Cornelius Varus. Le second est, nous l'avons déjà vu, daté de 1590, mais sans certitude.

Dès cette époque, ses amis en Écosse le pressaient de rentrer, Patrick Sharp, parmi eux, lui écrivit à plusieurs reprises, lui laissant entendre que le roi Jacques VI l'appellerait à de hautes fonctions[3]. Boyd éprouvait une certaine amertume, *« une mauvaise santé m'a obligé pendant longtemps à vivre obscurément en France ; et ma condition modeste ne me permettra pas de faire bonne apparence dans mon propre pays »*[4].

Pourtant, en 1595, après quatorze années d'absence, Mark Alexander Boyd retourna en Écosse. Il apprit la mort de son frère William qui se trouvait dans le Piémont. Une fois encore, il reprit le chemin du continent, comme tuteur auprès du comte de Cassilis ; puis rentra en Écosse définitivement. Il mourut de fièvre lente, à Penkill, le 10 avril 1601.

---

1 *Sketch of the Life*, *Op. cit.*, p. 9.

2 *in* Ian Cunningham, « Marcus Alexander Bodius, Scotus », *Op. cit.*

3 *Hailes, Sketch of the Life*, *Op. cit.*, p. 9.

4 *Literularum Prima Curia*, *Op. cit.*, p. 162 : « *(...) bad health has obliged me, for a long while, to live obscurely in France ; and my fcanty circumftances will not allow me to make a tolerable figure in my own country* (...) ».

1.12 WILLIAM DRUMMOND OF HAWTHORNDEN (1608-1649)

En 1608 Drummond retourna en Écosse après son séjour en terre berrichonne. L'année suivante, il alla à Londres et peu de temps après son retour, la mort de son père le fit comte d'Hawthornden.

Il abandonna alors toute idée d'exercer le droit, et se retira sur ses terres où il passait le plus clair de son temps à lire ses ouvrages en langues étrangères. Le catalogue de ses livres effectué en 1610 répertorie seulement cinquante livres en anglais, contre quatre cent quarante-huit en d'autres langues. Il est vrai que sa collection est plus littéraire que la plupart ; quelques uns des meilleurs écrivains sont représentés : Sidney, Spenser, Drayton, Daniel

C'est à cette époque-là que Drummond se mit à la composition poétique, en anglais plus qu'en écossais. Sa première publication remonte à 1613 ; c'est une lamentation poétique sur la mort du Prince Henri : *Tears on the death of Meliades*, et sortit des presses d'Andro Hart à Edimbourg. A la même époque, il édita une collection d'élégies de Chapman, Rowley, Wither sous le titre *Mausoleum, or the Choisest Flowres of the Epitaphs* (Andro Hart, Edinburgh, 1613). L'année suivante, Drummond se rendit à Menstrie, et se présenta à William Alexander, qui devait rester en correspondance avec lui. Sir Robert Ayton fut également son ami et l'intéressa à la politique anglaise et écossaise.

Drummond ne se déplaçait pas beaucoup, consacrant son temps à la poésie et aux expériences mécaniques. En 1614, il tomba amoureux d'une jeune fille qui tristement mourut avant que le mariage ne se fît. Peu de temps après, en 1617, il publia un recueil de poèmes et de madrigaux, expressions de son amour et de son chagrin :

Inexorable

« Mes pensées mènent combat mortel,
En vérité, j'abhorre ma vie
Et avec des cris de lamentation,
Afin d'apporter paix à mon âme,
Souvent, j'appelle ce prince qui règne ici-bas :

-Mais lui, Roi menaçant-grimaçant,
Qui méprise les misérables, et surprend les bienheureux,
Ayant récemment décoré sa tombe de la rose de beauté,
Dédaigne de cueillir une mauvaise herbe, et ne viendra pas »[1].

La même année, Drummond célébra la visite de Jacques Ier en Écosse, dans un long panégyrique intitulé *Forth Feasting.* La société londonienne prit goût à sa poésie et bientôt il reçut des compliments de Michael Drayton, l'un de ses auteurs préférés. C'est vers la fin de l'année 1618, que Drummond rencontra Ben Jonson. Avant Noël, Jonson lui rendit visite à Hawthornden, et y resta trois ou quatre semaines. Jonson avait fait le voyage de Londres à Edimbourg à pied en août, cependant nous ignorons si le périple fut entrepris uniquement pour aller voir l'Écossais.

Drummond prit de nombreuses notes des conversations, qui avaient pour sujet essentiel la littérature, et malgré une correspondance chaleureuse entretenue par la suite, l'impression que Drummond en garda fut une impression défavorable :

> Il s'aime et se vante, méprise et dédaigne les autres, préfère perdre un ami plutôt qu'un bon mot, jalouse les faits et gestes de ceux qui l'entourent (surtout après un verre, ce qui est son élément naturel), dissimule les vices qui règnent en lui, se vante des qualités qu'il n'a pas, n'estime que ses paroles et ses actions ou celles de quelques amis et compatriotes. Il est gentil et coléreux avec emportement, indifférent au gain et à l'économie, âpre à se défendre, sauf si on lui répond bien (...) d'imagination délirante, jusqu'à en perdre la raison, maladie courante chez les poètes. Ses compositions ont de l'aisance et de l'élégance, mais par-dessus tout, il excelle dans l'art de la traduction[2].

---

1 *Inexorable*
« My thoughts hold mortal strife, »
« I do detest my life,
« And with lamenting cries,
« Peace to my soul to bring,
« Oft call that prince which here doth monarchise :
«-But he, grim-grinning King,
« Who caitiffs scorns, and doth the blest surprise,
« Late having decked with beauty'rose his tomb,
« Disdains to crop a weed, and will not come ».

2 Hugh MacDonald, *Portraits in prose, a collection of characters,* London, 1946, pp. 29-30 : *« He is a great lover and praiser of himself, a contemner and*

A son départ d'Edimbourg en janvier 1619, Jonson promit à Drummond de lui faire expédier – s'il venait à mourir sur le chemin du retour- tout ce qu'il avait écrit pendant son séjour en Écosse. En 1620, Drummond tomba gravement malade, et trois ans plus tard, incendie et famine dévastèrent la ville d'Edimbourg. Très déprimé, le poète écrivit un recueil de vers religieux, *Flowers of Zion,* ainsi qu'une méditation philosophique sur la mort *The Cypresse Grove.* Ce fut à ce moment-là que quelques unes de ses suggestions portant sur la traduction de Jacques Ier des Psaumes furent adoptées. En 1625, il écrivit un sonnet élogieux pour commémorer la mort du roi.

L'année suivante, l'élaboration d'un brevet de trois ans portant sur des inventions mécaniques auxquelles le poète venait de se livrer, fut préparé. Il s'agissait principalement d'accessoires militaires : armes de cavalerie, ou boîtes à pistolet, nouveaux types de piques et béliers, télescopes, miroirs ardents ainsi que des instruments de mesure des vents et des distances en mer. Le brevet fut accordé en décembre 1627. Ce fut au cours de cette même année, que Drummond offrit à l'Université d'Edimbourg sa collection de cinq cents ouvrages. Un catalogue en fut imprimé par John Hart, successeur d'Andro Hart. Peu de temps après cela, il entreprit son livre : *History of Scotland (1424-1452) during the reigns of the Five Jameses*, tous descendants directs de Robert III et Annabella Drummond. Il fit également l'arbre généalogique de la famille.

Drummond ne prit part à la tourmente politique qui agita l'Écosse et mena aux guerres civiles. Cependant, il écrivit et distribua sous le manteau à ses amis, des pasquinades féroces visant tous les partis concernés. Un appel à la paix adressé aux rois, prêtres et gens ordinaires, intitulé *Irene*, *or a remonstrance for Concord, Amity and*

Scorner of others, given rather to losse a friend, than a Jest, jealous of every word and action of those about him (especiallie after drink which is one of the Elements in which he liveth) a dissembler of ill parts which raigne in him, a bragger of some good that he wanteth, thinketh nothing well bot what either he himself, or some of his friends and Countrymen hath said or done. he is passionately kynde and angry, carelesse either to gaine or keep, Vindicative, but if he be well answered, at himself (...) oppressed with fantasie, which hath even mastered his reason, a generall disease in many poets. his inventions are smoth and easie, but above all he excelleth in a translation ».

Love, fut largement diffusé sous forme de manuscrit en 1638. Il semble qu'il ait été amené à signer le *covenant*, bien que n'étant pas pour la cause. Il fut par ailleurs obligé de contribuer au soutien de l'armée levée en 1639 pour envahir l'Angleterre, mais dans ses tracts manuscrits, il n'hésita pas à dissuader ses compatriotes de partir en guerre : *The Magical Mirror*, et *Load Star.*

Dans ses *Considerations to the Parliament* en date de septembre 1639, imprégnées de sarcasme, il ne conseilla pas moins de quarante-huit nouvelles lois, l'une d'entre elles aurait permis au prévôt d'Edimbourg de prier dans la cathédrale, au son des coups de pistolet plutôt que des orgues, et une autre loi autoriserait les écoliers à mettre à la porte leurs maîtres, tous les sept ans, et à les remplacer par des maîtres de leur choix.

Quand Charles Ier arriva en Écosse à la fin de la guerre en 1641, le poète composa un discours *Speech for Edinburgh to the King,* dans lequel il se déclarait ouvertement opposé aux *covenanters*, et plus tard, en 1642, il fit circuler un tract dans lequel il prenait parti pour les royalistes dans leur pétition auprès du Conseil Privé, en faveur du roi. Bien qu'il y fût apparemment opposé, il signa néanmoins le nouveau *covenant* et mit sa conscience en paix en signant des vers sarcastiques qui mettaient en dérision les presbytériens et leurs alliés anglais. Ces écrits furent diffusés suffisamment largement pour donner à leur auteur mauvaise réputation, et il se trouva souvent mandé devant les tables du *covenant*, afin d'expliquer sa conduite. Il se défendit en invoquant liberté de presse et d'opinion, et la cause fut entendue.

Il était en bons termes avec Montrose qui lui accordait sa protection. Ce dernier, à la tête d'une armée royaliste, donna des directives à ses hommes, pour que son ami ne fût pas molesté et que la propriété d'Hawthornden ne fût pas touchée. C'était en 1645. A la défaite de Montrose, et juste avant de s'enfuir en Norvège, celui-ci adressa une lettre à Drummond pour le remercier de « sa *bonne affection* et de *toutes ses faveurs amicales* »(good affection, all his friendly favours).

Les poèmes qu'il composa à la fin de sa vie furent principalement des sonnets ayant pour sujet soit la religion, soit la mort d'amis. On dit que l'annonce de l'exécution du roi précipita sa propre mort. Il mourut à Hawthornden le 4 décembre 1649. Drummond n'exerça jamais sa profession d'homme de loi et ne mit en aucune façon à profit ses connaissances en matière juridique. Sa production littéraire est riche de poésies et de pamphlets politiques, mais ces derniers ne furent pas remarquables. Il était avant tout un poète.

1.13 HENRY et ALEXANDER ERSKINE, JOHN SCHAU.

Henry et Alexander Erskine quittèrent Bourges le 3 octobre 1617, avec leur tuteur. Ils ne rentrèrent pas directement en Écosse, et leurs lettres nous permettent de suivre leur itinéraire. Après Bourges, ils continuèrent leur *Grand Tour* par Paris (octobre 1617), Saumur (décembre 1617-septembre 1618). Pendant leur séjour de dix mois à Saumur, dix lettres furent expédiées en Écosse au comte de Mar[1] et nous apprennent, entre autres nouvelles, qu'ils font le projet de se rendre en Italie, que laird Traquaire les accompagnera et que le comte de Morton leur expliquera à quels frais de voyage ils s'exposeront. En effet, ils se dirigèrent bientôt vers le sud, car nous les suivons à Lyon (octobre 1618), où s'ébauche un projet de mariage entre Alexander et la nièce de l'évêque de Vaison[2], l'Écossais William Chisholm[3]. Mais en décembre ils seront à Venise où ils rendront visite à l'ambassadeur de sa Majesté et seront embrassés par le duc de Venise. Leur lettre exprime également leur intention d'aller à Padoue, à Rome, puis de descendre jusqu'à Naples[4]. Au mois de mars suivant, à court d'argent, ils se verront forcés de rentrer bientôt en France. D'octobre 1619 à mars 1620, ils seront à Paris, d'où ils feront une escapade à Orléans. Le 12 avril 1620, leur lettre de Whitehall[5] informe leur père de leur arrivée à Londres et de leur présentation au roi.

---

1 SRO GD124/15/32/8, 9, 10, 11, 12, 13, 14
SRO GD124/15/34/6, 7, 8.
2 SRO GD124/15/32/15
3 Barjavel, *Dictionnaire historique du Vaucluse*, pp. 374-375
4 SRO GD124/15/32/16
5 SRO GD124/15/32/22

1.13.1. ALEXANDER ERSKINE (1617-1640)

Alexander Erskine reçut pendant quelque temps les revenus ecclésiastiques de l'abbaye de Cambuskenneth. Puis il s'engagea dans l'armée et devint colonel de cavalerie. Il se présenta au service du Prince d'Orange en 1624. A la fin de l'année 1625, il était à la Cour de la princesse Elisabeth, ex-reine de Bohême, puis à la Hague. Il fut l'une des victimes de l'explosion qui détruisit le château de Dunglass le 30 août 1640[1].

1.13.2. HENRY ERSKINE (1617-1628)

Henry Erskine à qui son père avait donné le titre de Lord Cardross, n'hérita jamais de cet honneur, car il décéda avant lui, en 1628[2].

1.14 ANDREW KERR (? -1672)

Nous ne pouvons établir de fiche biographique avec certitude. Andrew Kerr est peut-être l'avocat qui fut admis au *College of Justice* le 3 juillet 1649, qui fut juge, et le 7 novembre 1655 devint Commissaire, chargé d'administrer la justice civile. Il décéda le 29 février 1672[3].

1.15 SIR GEORGE MACKENZIE OF ROSEHAUGH (1658-1691)

1.15.1. Sa vie.

Dès la fin de ses études à Bourges, Mackenzie retourna en Écosse. En 1659, il fut appelé au barreau d'Edimbourg où il se fit rapidement une place exceptionnelle. En 1661, remarqué par la hardiesse qu'il afficha au procès du marquis d'Argyll[4] il fut rapidement nommé juge-adjoint, à une époque où il était courant de plaider des procès pour sorcellerie. Mackenzie affichait une sympathie sincère pour les

---

1 J. Balfour-Paul, *The Scots Peerage*, Edinburgh, 1905, vol. II, p. 621.

2 *Ibidem*, p. 365

3 F. J. Grant, *The Faculty of Advocates in Scotland, 1532-1943, with genealogical notes*, Scottish Record Society, Edinburgh, 1944, p. 116 ; G. Bruton and D. Haig, *An Historical account of the senators of the College of Justice from its institution in MDXXXII*, Edinburgh 1836, p. 347.

4 APS, vol. VII, p. 29.

malheureuses victimes, et quand il devait les juger, essayait toujours de les sauver. Dès 1664, il prit une part active au développement de la *Faculty of Advocates*, souvent nommé à ses comités et sera élu doyen en 1682. En 1666, il fut fait chevalier. En 1669, il commença une carrière politique et entra au parlement en tant que représentant du comté de Ross.

Mackenzie fut nommé *Lord Advocate* le 23 août 1677, et en septembre, admis conseiller privé. Il fut l'auteur d'importantes réformes, en droit criminel aussi bien qu'en instruction criminelle, réformes pour une plus grande justice dans les procès. A son entrée en fonction, il trouva les prisons pleines de prisonniers, que Nisbet n'avait pas jugés. Mackenzie les libéra, et sous ses directives, les *covenanters* furent pourchassés, les formalités de la justice appliquées de façon sévère. Après la Bataille de Bothwell Bridge, en juin 1679, les *covenanters* furent traités avec sévérité, ce qui valut à Mackenzie le qualificatif de « sanguinaire » (« *bloody* »). Le terme n'est peut-être pas mérité, car Mackenzie ne faisait qu'appliquer la loi. Ainsi, déclara-t-il :

> Aucun avocat du roi n'a plus que moi exalté la prérogative royale. Je mériterais d'avoir ma statue, derrière celle de Charles II, dans la cour du parlement[1].

En 1680, il attira l'attention sur les sommes importantes dues par les avocats ; il proposa de récupérer ces dettes et d'acheter des livres de droit avec les fonds ainsi collectés. Ce qui fut fait en 1682, lorsqu'il fut élu doyen, puis réélu en 1685. Sur sa proposition également, un avocat qui ne réglait pas son dû était banni de la profession. Lorsque le 17 août 1686, l'Acte d'abrogation des lois pénales contre les catholiques fut adopté, Mackenzie donna sa démission en tant que *King's Advocate*, et pendant quelque temps fut conseiller auprès de ces mêmes prisonniers *covenanters*, qui avaient subi la rigueur de ses propres jugements.

---

1 *Dictionary of National Biography*, vol. XII, p. 587. « *No king's advocate has ever screwed the prerogative higher than I have. I deserve to have my statue placed riding behind Charles II in the parliament close* ».

En 1688, toutefois, il retrouva ses fonctions qu'il garda jusqu'à la Révolution. L'année suivante, il jugea bon de quitter l'Écosse et partit alors en Angleterre, à Oxford où il devint étudiant de l'Université en 1690. L'une des dernières actions de Mackenzie, avant de quitter Edimbourg, fut de prononcer le 15 mars 1689, le discours inaugural en latin à l'occasion de l'ouverture de la Bibliothèque. George Mackenzie mourut à Westminster le 8 mai 1691, et repose au cimetière des Franciscains, à Edimbourg. Juriste, politicien, il fut également homme de lettres et auteur de nombreux écrits. Nous en donnons ci-après la liste.

1.15.2. Ses écrits.

1. *Aretina, or the Serious Romance*, London, 1661.

2. *Religio Stoici ; the Virtuoso or Stoick with a friendly Address to the Fanatica of all Sects ans Sorts*, Edinburgh, 1663.

3. *A Moral Essay, Preferring Solitude to Public Employment*, Edinburgh 1665, London 1685. *Moral Gallantry ; a Discourse proving that the Point of Honour obliges a Man to be Virtuous*, Edinburgh, 1667 ; London, 1821.

5. *A Moral Paradoxe proving that it is much easier to be Virtuous than Vicious, and a Consolation against Calumnies*, Edinburgh, 1667, 1669 ; London, 1685.

6. *Pleadings on some Remarkable Cases before the Supreme Courts of Scotland since the year 1661. To which the Dexisions are subjoined*, Edinburgh, 1672.

7. *A Discourse upon the Laws and Customs of Scotland in Matters Criminal*, Edinburgh, 1674, 1678, 1699.

8. *Observations upon the XXVIII Act, 23rd parliament of king James VI against Bankrupts*, Edinburgh, 1675.

9. *Observations upon the Laws and Customs of nations as to Precedency. With the Science of Heraldry treated as part of the Civil Law of Nations*, Edinburgh, 1680.

10. *Idea eloquentiae forensis hodiernae una cum actione forensi ex unaquaque juris parte*, Edinburgh, 1681 ; traduction anglaise de R. Hepburn, sous le titre *An Idea of the Modern Eloquence of the Bar*, Edinburgh, 1711.

11. *Vindication of His Majesty's Government and Judicature in Scotland*, Edinburgh, n. d ; réimprimé London, 1683.

12. *Jus Regium, or the First and Solid Foundation of Monarchy in General and more particularly of the Monarchy of Scotland ; against Buchanan, Naphtali, Dolman, Milton*, London, 1684, 1685.

13. *Institutions of the Laws of Scotland*, Edinburgh, 1684, London, 1694, Edinburgh, 1706 ; avec les notes de John Spottiswoode, 1723 ; revu par Alexander Bayne, 1730, 8ème édition, 1758.

14. *On the Discovery of the Fanatik Plot*, Edinburgh, 1684.

15. *A Defence of the Antiquity of the Royal Line of Scotland, in answer to William Lloyd, Bishop of St. Asaph, with a True Account when the Scots were governed by the Kings in the Isle of Britain*, London, 1685.

16. *The Antiquity of the royal Line of Scotland further cleared and defended against the exceptions lately offered by Dr. Stillingfleet* in his *Vindication of the Bishop of St. Asap*h, London, 1686. Traduit en latin sous le titre *Defensio Antiquitatis Regum Scotorum prosapiae, contra Episcopum Asaphensem et Stillingfletum, Lat. versa à P. Sinclaro*, Utrecht, 1689.

17. *Observations on the Acts of Parliament made by King James I and his Successors to the end of the Reign of Charles II*, Edinburgh, 1686.

18. *A Memorial to the Parliament by two Persons of Quality* (the Earl of Seaforth and Mackenzie), London, 1689.

19. *Oratio Inauguralis habita Edinburghi de Structura Bibliothecae Juridicae*, London, 1689.

20. *Reason, an Essay*, London, 1690 ; traduit en latin sous le titre *De Humanae rationis Imbecillitate, ea unde proveniat et illi quomodo possimus mederi, liber singularis editus à Geo. Graevio,* Utrecht, 1690 ; Leipzig, 1700.

21. *The Moral History of Frugality and its Opposite Vices*, London, 1691.

22. *A Vindication of the Government of scotland during the Reign of King Charles II ; with several other Treatises referring to the Affairs of Scotland*, London, 1691.

23. *Method of Proceeding against Criminals and fanatical Covenanters*, Edinburgh, 1691.

24. *Vindication of the Presbyterians of Scotland from the Malicious Aspersions cast against them*, Edinburgh, 1692.

25. *Essays upon Moral Subjects*, London, 1713.

26. *Consolations against Calumny*, n. p. ; n. d.

27. *Caelia's Country-House and Closet, a Poem*, publié dans ses *Collected Works*, Ruddiman ed. Edinburgh, 2 vol., 1716-22. Poème, d'inspiration religieuse. Il nous donne une indication des goûts de Mackenzie en poésie : Cowley, Jonson, Fletcher et Donne.

28. *A Collection about families in Scotland from their own Charters*, MSS Adv. Library.

29. *Genealogy of Families of Scotland*, Collège Catholique de Blair, Hist. MSS. Comm. *2nd* Rep. App. p. 201.

Les écrits de Mackenzie remportaient un franc succès et en 1716-1722 fut publiée par souscription, une édition en deux *in-folios* de ses œuvres complètes – seuls *Aretina* et *Fanatick Plot* sont omis- sous le titre : *The Works of that eminent and learned Lawyer, Sir George Mackenzie of Rosehaugh, Advocate to King Charles II and King James VII.*

L'on est inévitablement surpris de la part d'un homme aux multiples activités devant ce flot de publications dont certaines se sont révélées de valeur et dignes d'intérêt comme en témoignent leurs nombreuses éditions.

Ses premières publications sont d'une veine littéraire : *Aretina* romance héroïque est une histoire égyptienne, sur fond des guerres civiles[1] et suivie d'une série d'essais de philosophie morale. C'est à la suite de sa première œuvre littéraire, publiée quand il était encore très jeune, que John Dryden le qualifia de *« noble esprit d'Écosse »* (*« noble wit of Scotland »*)[2]. A son essai sur la solitude John Evelyn répondit par son *Public Employment and an Active Life preferred to Solitude and all its Appanages,* publié à Londres en 1667.

---

1 La National Library of Scotland possède un exemplaire très rare du roman.

2 *in A Discourse concerning the Original and Progress of Satire*, 1693, in W P Ker ed., *Essays of John Dryden*, 2 vol. Oxford, 1926, vol. 2, p. 108.

A partir des années 1678, Mackenzie publia essentiellement des ouvrages ayant pour thèmes le droit ou la politique historique, qui lui permirent d'exposer une analyse scientifique de documents historiques, la base de l'érudition moderne de l'époque[1], courant philosophique continental avec lequel il n'avait certainement pas manqué de se familiariser à Bourges. Nous commenterons ici quelques titres.

Ainsi, son ouvrage intitulé *A Discourse upon the Laws and Customs of Scotland in Matters Criminal* est le premier ouvrage en Écosse à traiter spécifiquement du droit criminel, et représente la première tentative qui permette d'arriver par induction au concept de crime. L'ouvrage est divisé en deux parties, la première traitant des crimes en général et des crimes spécifiques, alors que la deuxième partie traite de la juridiction criminelle et de la procédure[2]. Les références au droit civil, aux juristes européens y sont nombreuses, les scoliastes grecs étant pour Mackenzie les meilleurs interprètes des textes de Justinien. *Matters Criminal* reste un ouvrage des plus importants et des plus valables encore à ce jour[3].

Les *Observations upon the Laws and Customs of Nations as to Precedency* garde une valeur historique, car c'est le seul texte qui étudie la science héraldique liée au port du blason.

Dans son ouvrage *Idea eloquentiae*, Mackenzie livre sa conception de l'avocat idéal : un orateur cicéronien ayant le savoir d'un jurisconsulte romain. Cet exposé de l'art de la plaidoirie orale connut les éloges de ses anciens maîtres berruyers, mais aussi de John Voet de Leyde, et de John Hixdorf de Dantzig[4].

Nous copions le texte de la missive élogieuse signée par trois assesseurs de Bourges : Tullier, de La Chapelle, et de La Thaumassière. Remarquons que seul Pierre de la Chapelle fut le maître de Mackenzie qui fréquenta l'Université, rappelons-le, vingt-six années auparavant :

---

1 Thomas I. Rae, « The origins of the Advocates'Library », in *For the Encouragement of Learning, Scotland National Library 1689-1989*, Edinburgh, p. 15.

2 Walker, *The Scottish jurists*, Edinburgh, 1985, p. 163

3 *Ibidem.*

4 *Ibidem.* p. 168.

Le livre intitulé Livre de l'Eloquence Judiciaire révèle au monde, non point coulée dans l'airain ni sculptée dans le marbre, mais tracée, non dans le vermillon mais dans les couleurs perdurables de l'esprit, l'image non seulement du talent mais de la personnalité de l'auteur, orateur à l'éloquence incomparable, jurisconsulte très influent, conseiller du roi et du royaume d'Écosse, le très noble et catholique D. George Mackenzie de Rosehaugh. Si cet auteur a épuisé non seulement les préceptes mais aussi les exemples du beau language, si non seulement il a montré les règles de l'art mais les a appliquées lui même avec art, d'autant plus supérieurs et puissants les exemples que les préceptes, il obéit aux vrais principes de la toge en cultivant non l'éloquence creuse et futile qui, vide de substance et dépourvue de talent, ne cherche qu'à séduire l'oreille par la musique des sons, mais l'éloquence vive, virile, pleine de sève, tant dans le domaine de la littérature, plus élégante, que de la jurisprudence, plus subtile, qu'il orne et illustre de ses lumières tant en ce qui concerne le droit de son pays, l'Écosse, auquel il est avant tout rompu en patricien du barreau, qu'en ce qui concerne le droit romain, source et origine de toutes les lois ; bien plus, en exposant les préceptes du droit des gens et de l'équité naturelle, il a fait la preuve qu'il est digne lui-même d'être jurisconsulte non d'un seul peuple et nation, mais de toutes les grandes nations, à qui tous les jurisconsultes du monde apportent leurs suffrages avec leurs voeux de succès, ce que font cordialement et en toute sincérité par ce document officiel les antécesseurs et docteurs réunis de l'université de Bourges le sixième jour des calendes de décembre 1684.

Tullier Robert

De La Chapelle
De La Thaumassière[1]

---

1 Scottish Record Office, SRO RH9/2/20 :

« Liber cui titulus est Idea eloquentiae forensis, non solum eloquentiae sed nativam sui auctoris facundissimi oratoris incomparibilis juris consulti gravissimi Scotiae Regis et regni advocati catholici nobilissimi D. Georgii Mackensie a valle Roscarum imaginem universo orbi adnumbrat, non aere fusam, non marmore exsculptam non minio sed perpetuo duraturis ingenii coloribus delineatam. His siquidem auctor, non tantum bene dicendi praecepta sed et exempla exaruit non tantum quo modo ex arte orandum esset ostendit, sed ipse perite et ex arte oravit ceteris qui idem argumentum tractaverunt tanto praestantior quanto praestantiora et potentiora sunt exempla quam praecepta vera verba togae sequitur qui non vanam et futilem quae rerum iners et vacua solo votum modulo auribus lenocinatur, sed vividam, masculam, succi plenam politioris literaturae, peritiotis juris prudentiae dotibus resortam facundam colit quam non solo patrii et scotici juris cujus apprime patricius et causas agens callens est, sed romanae nomothesias quae omnium legum fons est et origo luminibus exornat et illustrat imo cum ad juris gentium et naturalis aequitatis praecepta peroravit, non unius gentis et nationis sed omnium et majorum gentium se juris consultum esse probavit dignum cui universi orbis juris consulti bona

En 1684 furent publiées ses *Institutions of the Law of Scotland.* Rédigé sur le modèle justinien, l'ouvrage se veut essentiellement un texte d'instruction juridique et remplit parfaitement sa fonction puisqu'il connut neuf rééditions jusqu'en 1758. Il est composé de quatre livres : droit, juridiction, cours et personnes (Livre I), droits d'héritage (Livre II), obligations et succession (Livre III), et actions, liberté surveillée, condamnations, exécutions, et crimes (Livre IV). Les *Institutions* sont un ouvrage clair, concis dans l'établissement de son esprit, défini par Mackenzie lui-même dans sa dédicace à Lord Middleton[1] : il n'a traité rien d'autre que des *« termes* et *principes »*, s'appuyant sur le premier principe pour aller vers le deuxième et ainsi de suite, ceci afin d'établir les bases du droit écossais.

Bien que les *Institutions* fussent rédigées avant l'existence structurée d'un enseignement du droit en Écosse, ce texte s'adresse de toute évidence aux jeunes étudiants débutant leur étude. Les premières chaires d'enseignement juridique furent fondées à Glasgow en 1714 et à Edimbourg en 1722, mais avant ces dates-là, un certain nombre d'avocats avaient institué des « collèges » privés de droit. Nous citerons, ci-après, l'exemple de MacGregore, mais le premier à avoir agi ainsi fut John Spottiswoode, qui commença à enseigner vers la fin de l'année 1702. Les *Institutions* lui servirent de livre d'étude, il en fit même l'édition de 1723. Il préférait cet ouvrage à tous les autres parce qu'il était bien structuré et de ce fait facile d'accès pour les étudiants débutants[2].

Un autre avocat, John Cunningham, dans la première décade du dix-huitième siècle, dispensait ses cours à partir du livre de Mackenzie. Le premier professeur de droit à l'Université d'Edimbourg, Alexander Bayne, enseignait en faisant des dictées des *Institutions*. Ce dernier devait d'ailleurs également faire une nouvelle

---

ac fausta omnia apprecati suffragentur. Quod cordate et ex animo hoc publico instrumento faciunt antecessores et aggregati doctores universitatis bituricensis sexto Kalendas Decembri 1684».

1 Works, II, 1716-1722, pp. 277-278.

2 J. W. Cairns, « Mackenzie's Institutions and law teaching in eighteenth century Scotland », in Hector MacQueen, « Scottish Legal History Group », in *The Journal of Legal History*, vol. 7, n°. 1, May 1986, p. 86.

édition du texte en 1730. En 1737, John Erskine succéda à Bayne et lui aussi enseigna le droit en s'appuyant sur le même texte de référence, dont il suivit la structure dans son propre ouvrage intitulé *Principles of the Law of Scotland* publié en 1754[1]. A Glasgow, William Forbes enseigna de 1714 à 1745, commençant par utiliser l'ouvrage de Mackenzie comme texte d'étude.

En 1724, pour la première fois, il fut question que l'examen d'entrée à la *Faculty of Advocates* porterait à la fois sur des questions de droit civil et de droit écossais. La base de l'examen de cette dernière discipline serait justement les *Institutions* de Mackenzie. Il fallut attendre l'année 1749 pour que la proposition fût acceptée, et à partir de 1750, les examinateurs suivaient la méthode de Mackenzie à la lettre. Une nouvelle édition fut produite en 1758.

Ainsi, pendant cinquante ans, les *Institutions* de Mackenzie furent la référence, et donc d'importance fondamentale dans le développement de l'enseignement du droit dans les universités écossaises au dix-huitième siècle[2].

L'année où parurent les *Institutions*, Mackenzie produisit un autre ouvrage qui remporta un franc succès puisqu'il fut édité à trois reprises l'année même de sa publication : il s'agit du *Jus Regium*, éloge de la monarchie absolue de droit divin. Le gouvernement n'était pas tyrannique mais il devait appliquer la loi. La théorie politique exposée par Mackenzie mettait inévitablement en avant l'administration de la justice et par là l'importance de la profession juridique, dont les membres sont à la fois serviteurs du roi et conseillers du public[3].

En 1686 parurent les *Observations on the Acts of Parliament made by James I and his successors to the end of the reign of Charles II*, œuvre majeure de près de cinq cents pages, notant en regard de chaque acte s'il était abrogé, en désuétude, limité ou élargi, et quelles

1 *Ibidem*, p. 87.

2 *Ibidem*, p. 87.

3 in J. W. Cairns, « Sir George Mackenzie, the Faculty of Advocates, & the Advocates' Library » *in Oratio Inauguralis in Aperienda Jurisconsultotrum Bibliotheca, Sir George Mackenzie*, Butterworths, Edinburgh, 1989, p. 22.

décisions de jurisprudence il entraînait. Des cas sont discutés, et pour expliquer les lois, il est fait recours en parallèle aux droits civil, canon, écossais, et aux lois d'autres nations. Les explications sont très claires et l'ouvrage reste utile en tant que commentaire de la législation[1].

Ses écrits confèrent à Mackenzie une place prééminente dans la jurisprudence écossaise. Toutefois, ils ne sont pas le seul témoignage de son intérêt pour l'enseignement juridique. Mackenzie, élu doyen de la *Faculty of Advocates* en 1682, joua un rôle prépondérant dans la fondation et surtout le développement de la Bibliothèque, devenue depuis 1925 la Bibliothèque Nationale d'Écosse (*National Library of Scotland*).

1.15.3 Mackenzie et la bibliothèque de la Faculty of *Advocates*.

1.15.3.1. *Origines de la bibliothèque.*

La décision de fonder une bibliothèque fut prise en 1680. En juillet de cette année-là, il ressortit d'un rapport de la *Faculty* que si les avocats avaient réglé leurs droits d'entrée comme ils auraient dû le faire, une somme de trois à quatre mille merks ainsi collectée aurait pu être affectée à l'acquisition d'ouvrages juridiques rares, en vue de la constitution d'une bibliothèque à l'usage exclusif des avocats[2]. En décembre de la même année, le doyen de la *Faculty* faisait savoir qu'un fonds était alloué à la bibliothèque et en juin de l'année suivante une pièce dotée d'une salle d'attente était réservée dans les nouveaux bâtiments de Thomas Robison[3]. Au même moment, il fut convenu que les droits d'entrée de la *Faculty* qui s'élevaient à cinq cents merks seraient attribués à la nouvelle bibliothèque. George Mackenzie fut élu doyen en janvier 1682. Deux mois plus tard, les premiers livres garnissaient les étagères, et l'on se souciait d'en acquérir de nouveaux ainsi que de trouver des donateurs.

---

1 Walker, *Op. cit.*, p. 167.

2 *Ibidem*, p. 159.

3 *Faculty of Advocates Minute Book*, Stair Society ed. Pinkerton, Vol. I, p. 53.

1.15.3.2. *Contenu de la Bibliothèque.*

Le catalogue manuscrit daté du 2 janvier 1683[1] contient 436 titres, en 591 volumes. Dans son discours inaugural, Mackenzie insista sur le fait que les ouvrages de la bibliothèque devaient être des livres de droit, à l'intention des seuls juristes : *« une bibliothèque équipée uniquement d'ouvrages écrits par des juristes ou contribuant à l'étude de la jurisprudence »*[2]. Toutefois, il remarqua l'importance des livres d'histoire, de critique et de rhétorique, les *« servantes de la jurisprudence »* (*« handmaidens of jurisprudence »*), ainsi que l'utilité des historiens grecs et romains, des poètes et autres écrivains. Le titre et le contenu du catalogue imprimé en date de 1692 reflète bien ces idées : *Catalogus librorum bibliothecae juris utriusque, tam civilis quam canonici, publici quam privati, feudalis quam municipalis variorum regnorum, cum historicis Graecis & Latinis, literas & philosophis plerisque celebrioribus.* C'est ainsi que nous signalons les titres suivants : Davila, *History of the Civil Wars in France,* les œuvres de Saluste Du Bartas, l'histoire naturelle de Gesner et une critique des oraisons de Cicéron par François Hotman[3].

Le catalogue compte 158 pages, divisées en quatre parties : *Libri juridici* (89 pages), *Libri historici* (27 pages), *Libri Miscellanei* (30 pages), *Libri theologici* (12 pages). Dans son discours, Mackenzie ne fit pas allusion à des ouvrages de théologie, mais il allait de soi qu'une connaissance et compréhension des Ecritures faisaient partie du bagage intellectuel de tout homme de loi. Cependant, les écrits de droit civil sont prépondérants et l'Ecole de Bourges est très bien représentée puisque tous les professeurs figurent sur la liste avec la majorité de leurs écrits, ainsi, nous relevons quelques titres :

1. Alciati, Andrea,

- *Opera omnia*, Basil, 1582, 4 vol.

---

1 La National Library of Scotland posséde un exemplaire du catalogue sous le cote : NLS H. 35. d. 1.

2 *« a library equipped solely with works written by lawyers or conducing to the study of jurisprudence », in* M. Townley, *The Best and Fynest Lawers and other Raire Bookes : a Facsimile of the earliest List of Books in the Advocates' Library, Edinburgh with an Introduction and a Modern Catalogue*, Edinburgh, 1990, p. 13.

3 *Ibid.*, p. 14.

- *De Magistratibus civilibus ac militaribus*. Basil, 1552.
- *Tractatus de praesumptionibus*. Colon Agripp, 1580.

2. Baronis, Eguinarii,
- *Pandectarum Juris Civilis Oeconomia*. Pictavis, 1560. 4 tom.

3. Cujacii, Jacobus,
- *Opera, editio emendiator et auctior, opera et cura Caroli Annibalis Fabroti*. Lutetiae Paris, 1658, 10 tom. fol.
- *Recitationes solemnes in varios eosque praecipuos Digestorum Titulos*. Francofurti, 1596, 4 tom.
- *Liber 60 Basilicon*. Hanov, 1606.

4. Donellus, Hugo,
- *Donellus enucleatus : sive Commentarii H. Donelli de Jure Civili in compendium redacti, auctore Osvaldo Hilligero Fribergense*. Antverpiae, 1642.
- *Commentarius ad Titulum Institutionum de Actionibus*. 1596, 8 vol.
- *Jus civile*. Francofurti, 1626.
- *In Codicem Justineam*. Francofurti, 1622
- *Commentarius ad varias partes Codicis*. Lugd. 1577, fol.
- *Les définitions du droit canon*. Paris, 1679.

5. Duareni, Francisci,
- *Opera*. Lugduni, 1584.

6. Hotmanni, Francisci,
- *Opera*. Lugduni, 1599, 3 tom, fol.
- *De Feudis Commentario tripertita ; h. e. Disputatio de Jure Feudali, Commentarius in Usus Feudorum, Dictionarium Verborum feudalium*. Lugduni, 1573, fol.
- *Commentarius in sex Leges obscurissimas*. Lugduni, 1564. 4 tom.
- *Quaestiones illustres*. Apud Guil. Laemarium, 1591, 8 vol.

A ces titres viendront s'ajouter de nombreux ouvrages de François Bauduin et les écrits de Jean Domat, ancien étudiant de la Faculté de Droit de Bourges, élève d'Edmond Mérille[1] :

---

1 *Cf.*, notre communication : « La Faculté de Droit de l'Université de Bourges : lieu de formation de Jean Domat » in *Colloque Le Droit A ses Epoques, de Pascal à Domat*, Clermont-Ferrand, 19-21 septembre 1996, à paraître.

7. Domat, Jean,

- *Les Loix Civiles dans leur ordre naturel, suivies du Droit Public.* Luxembourg, 1702. 2 tom. fol.

- *The Civil Law, in its natural order, together with the Publik Law, translated into English by William Strahan, LL. D. with additional remarks on some material differences between the Civil Law and the Law of England.* London, 1722, 2 vol, fol.

- *Legum Delectus ex libris Digestorum et Codicis.* Amst. 1703, 4 tom.

Outre ces ouvrages de droit civil, il est à souligner que la Bibliothèque possédait l'édition en trois volumes des *Décrétales* de Gratien. Un certain nombre d'ouvrages de la collection sont des éditions de recueils de lois de différents pays, y compris de droit coutumier français. Le seul ouvrage de droit écossais de toute la collection est un exemplaire manuscrit du *Regiam Majestatem.*

1.15.3.3. *Les donations.*

Parmi la première collection rassemblée et cataloguée dès 1683, l'on dénombre 108 titres figurant comme donations[1]. Mackenzie en fit plusieurs et celle qui figure en tête de la liste et la plus imposante est l'édition complète des œuvres de Jacques Cujas, publiée à Paris en 1658 et citée plus haut. Il est précisé à la main, sur la première page que c'est un présent de Mackenzie[2]. Le beau portrait de Cujas est souligné par cette inscription latine :

> *« Si tu veux savoir comment était Cujas, regarde ce portrait*
> *Si tu veux savoir son importance, personne ne peut le dire »*[3].

Une autre donation intéressante pour notre étude est un exemplaire de l'édition des *Novelles* de Justinien et des *Constitutiones* de Leon par Henry Scrimgeour, édition que nous avons déjà mentionnée : *Ivstiniani Ivstini. Leonis Novellae*, 1558.

---

1 La liste des donations est référencée sous la cote F. R. 116b.

2 Nous remercions Angus Stewart, QC, de la *Faculty of Advocates* de nous avoir permis de consulter ces livres remarquables, ainsi que le Dr. Brian Hillyard de la National Library of Scotland pour sa courtoise coopération.

3 *« Si quaeris qualis CUIACIUS, ecce figuram*
Si quaeris quantus, dicere nemo potest ».

1. 15. 3. 4. *Le rôle de Mackenzie dans le développement de la Bibliothèque, et de l'enseignement juridique.*

A la fin de l'année 1682, année où Mackenzie, nous venons de le voir, était doyen, le trésorier avait dépensé plus de £4. 000 scots, en frais d'équipement des salles, étagères, tables, livres et reliures ; un archiviste et des conservateurs allaient bientôt être recruté. Mackenzie ne voulait pas faire de la Bibliothèque seulement une vitrine pour de beaux ouvrages de droit. Il avait un autre objectif : celui de promouvoir la formation des avocats. Il était nécessaire, et cette façon de voir était partagée par de nombreux membres du *College of Justice*, d'étendre leurs propres connaissances en droit, et d'améliorer l'éducation de ceux qui se destinaient à une carrière juridique. Le côté éducatif de la Bibliothèque existait depuis le début, si bien que son concept même était associé à la création d'une chaire de droit à l'Université. Depuis le commencement, les juristes s'étaient préoccupés de la formation de leurs successeurs et pour la même raison, du coût et des vicissitudes des voyages d'études à l'étranger[1].

Encore dans la première moitié du dix-septième siècle, le parcours typique d'un jeune futur avocat, après un séjour d'études sur le continent, consistait à rentrer en Écosse et suivre une formation sur le terrain, au parlement, pour « *apprendre la pratique* »[2]. Après cette période, il demandait son admission aux *Lords of Council and Session*, qui la lui accordait après examen ; nous en avons vu un exemple précurseur avec John Logie. Après la restauration de Charles II en 1660, le pouvoir de la *Faculty* se fit plus pressant et elle se mit à contrôler les admissions à la place des *Lords of Session*. Les sessions d'examen devant le doyen et les représentants de la *Faculty* devenaient le passage obligé pour un étudiant, frais émoulu d'une université continentale, qui voulait obtenir son admission[3], et Mackenzie fut examinateur à plusieurs reprises, en 1665, 1670, 1676 et 1686[4]. Ainsi donc, il était bien au fait de ce qui se passait en

1 T. Rae, « The origins of the Advocates's library », *Op. cit.*, pp. 16-17.

2 « *learning the pratick* ».

3 R. K. Hannay, *The College of Justice*, 1933, pp. 150-154.

4 *Minute Book*, *Op. cit.*, pp. 10, 20, 32, 72.

matière d'éducation juridique dans son pays et en connaissait les manques. La publication de ses *Institutions* arriva à point nommé pour pallier à la situation. Ce n'est qu'au début du dix-huitième siècle, et Mackenzie était mort depuis de nombreuses années, que des chaires de droit furent finalement établies à Glasgow et à Edimbourg ; cependant, il ne fait aucun doute que c'est son travail en tant que doyen de la *Faculty of Advocates* et *Lord Advocate* d'une part, et en tant qu'auteur d'ouvrages didactiques d'autre part, qui montra le chemin et permit d'asseoir, de façon solide, l'éducation juridique à l'intérieur des universités écossaises[1].

1.16 MALCOLM MacGREGORE (1703-1713)

Nous n'avons pu retracer l'itinéraire de MacGregore après son passage à Bourges en 1703 et ce n'est que trois années plus tard que nous le retrouvons lorsqu'il fut admis avocat le 18 février 1707, ayant soutenu ses thèses en examen public le 6 juillet 1706 : *Disputatio juridica de acquirendo rerum dominio*[2]. Il dédia ses thèses à George, duc de Gordon et à son fils Alexander, comte de Huntly. Ces deux hommes étaient catholiques et jacobites[3]. En 1710, à la suite de James Craig, James Leslie, Robert Craigie et Sir Archibald Sinclair tous avocats, Malcolm MacGregore plaça une petite annonce dans le journal *Scots Courant* des 14/16 juin selon laquelle il proposait ses cours de droit civil sur les *Institutes* et le *Digeste*, tels qu'ils avaient été commencés par le regretté John Cunningham. Les cours reprendraient à compter du 19 juin chez lui, dans son logement dans la maison de Mr. James Lin en haut de Baxters Closs dans le Land Mercat[4]. Le cours d'*Institutes* aurait lieu les matins de huit heures à neuf heures, et le cours du *Digeste* aurait lieu les après-midi, de trois

1 H. L. MacQueen, « Mackenzie's *Institutions* in Scottish Legal History », in *Journal of the Law Society of Scotland*, december 1984, p. 499.

2 Grant, *The Faculty of Advocates in Scotland*, Edinburgh, 1944, p. 91, *in* J. W. Cairns, *Legal Education in 18th century Edinburgh*, exemplaire personnel du manuscrit non encore publié, p. 30.

3 J. W. Cairns, *Ibidem*, p. 31

4 *Ibidem*, pp. 18-19

heures à quatre heures. L'annonce spécifiait comme lieu d'information préalable la *Coffee House* de Maclurg.

Dans son annonce, MacGregore n'omit pas de spécifier qu'il était titulaire d'une licence dans les deux droits, obtenue à l'Université de Bourges en France, et après avoir donné les détails de ses cours de droit civil, il ajoutait qu'il avait aussi l'intention – afin de compléter l'éducation des jeunes – d'enseigner, de quatre heures à cinq heures l'après-midi, certains aspects du droit canon, aspects où *« (...) les deux Droits ont une Dépendance Réciproque »*[1]. MacGregore mit seulement deux petites annonces dans le journal, la deuxième datant des 16 et 19 juin 1710, contrairement à d'autres professeurs, tel Sinclair qui fit sa publicité trente et une fois[2]. MacGregore cherchait à se créer une classe de droit car il avait des soucis d'argent et était très endetté. Au tout début de l'année 1710, il avait demandé assistance financière à la *Faculty* qui lui accorda une aide de quinze livres sterling[3]. Il semble que sa classe ne lui apporta pas le bénéfice escompté, car deux années plus tard, il refaisait appel à la *Faculty*, étant cette fois-ci, emprisonné pour dettes, au *Tolbooth*. Prenant en compte son *« état d'affligement » (Distress'd Case)*, la *Faculty* donna à son trésorier l'autorisation de lui régler la somme de cent merks « (...) *et recommanda aux Messieurs de la faculté de faire une contribution volontaire (...) pour apporter un secours des plus réels au pauvre prisonnier* »[4]. Le paiement ne suffit pas à permettre la libération, et la *Faculty* ordonna à son trésorier de payer cent merks supplémentaires, de nouveau invitant ses membres à aider l'infortuné[5]. L'année suivante MacGregore devait succomber et la situation de sa veuve Elisabeth Hamilton devint le souci de la

1 « (...)*both Laws hath a Reciprocal Dependance of each other* ».

2 J. W. Cairns, *Ibidem*, p. 20

3 *Minute Book of the Faculty of Advocates, Stair Society, Vol. 29 de la Society, Vol. 1, 1661-1712, 1976,* p. 285 (18 février 1710) in Cairns, *Ibidem*, p. 30.

4 *Minute Book, Ibid.*, pp. 305-306 (6 et 18 décembre 1712) in Cairns, *Op. cit.*, *Cf Supra*, note. 141, p. 30 : « (...) *and recommended to the Gentlemen of the Faculty to make a voluntary Contribution for the* (...) *poor preisoners most effectual relief* ».

5 *Minute Book, Ibid., vol. 32, 1980,* Vol. II, 1713-1750, p. 1 (20 janvier 1713), in Cairns, *Ibidem*, p. 30.

Faculty[1] qui l'inscrivit éventuellement comme l'une des « *pauvres ordinaires de la Faculty* »[2].

1 *Minute Book, Ibid.*, II, p. 4 (19 janvier 1714) in Cairns, *Ibidem*, p. 30.
2 *Minute Book, Ibid.*, II, p. 30 (5 janvier 1720) in Cairns, *Ibidem*, p. 30.

CHAPITRE 2

LES CARRIÈRES DES ÉCOSSAIS APRÈS BOURGES

2.1 Introduction

Nous avons pu retracer quinze carrières de façon presque complète. Nous avons condensé cet exposé détaillé en un tableau qui servira de base à notre commentaire : les professions embrassées ne sont pas exemptes d'homogénéité, même si elles apparaissent très diversifiées. Il se dégage d'ores et déjà, une constatation : tous les Écossais recensés ne retournèrent pas dans leur pays d'origine, d'autres n'y retournèrent pas immédiatement après leurs études.

2.2 Itinéraires après Bourges.

Trois étudiants ne retournèrent pas en Écosse, deux d'entre eux restèrent définitivement en France, il s'agit de William Barclay et d'Alexander Scot. Le troisième se partagea entre l'Italie, l'Allemagne, la France et la Suisse, avec des voyages en Écosse ; il s'agit d'Henry Scrimgeour. Les deux premiers ne rentrèrent pas en Écosse pour raisons confessionnelles ; tous les deux fervents catholiques choisirent de rester et de faire carrière loin de l'Écosse presbytérienne. En ce qui concerne Scrimgeour, la classification est moins aisée et sa situation illustre bien cette phrase écrite par lui-même dans une lettre adressée régent Mar :

> Le dessein des hommes s'achève souvent autrement que ce qu'ils avaient prévu[1].

En ce constat à peine teinté d'amertume, Scrimgeour commente le parcours de sa vie et exprime cette idée qu'il ne choisit peut-être pas le fil de son existence, mais subit plutôt les méandres de ses mouvements au gré des hommes rencontrés – Bochetel, Fugger, Calvin- qui justement firent évoluer sa vie dans un sens et non dans le sens que Scrimgeour avait peut-être initialement prévu, c'est-à-dire un retour possible en Écosse après ses études ?

---

1 « *Men's purpose is often brought to another end than they look for* », in G. Buchanan, *Opera Omnia*, 1725, vol. II, p. 731.

Quatre Écossais retournèrent bien en Écosse après leurs études, mais prolongèrent leurs séjours sur le continent de façon importante. Il s'agit de Mark Alexander Boyd et des frères Erskine accompagnés de leur tuteur.

Personnage atypique, Boyd subit aussi sa vie au gré des circonstances : épidémies de peste, guerres, maladie, emprisonnement. Son parcours est très personnel comparé aux autres Écossais de notre liste, mais ressemble bien à d'autres parcours de ces éternels étudiants. Il choisit de rentrer au pays quelques années avant sa mort, mais aurait tout aussi bien pu terminer ses jours en France où il vécut tout de même quatorze ans.

Il en va tout autrement du séjour des frères Erskine qui prolongèrent leur visite, engagés sur le périple du *Grand Tour*. Pour eux, il s'agissait de voir du pays, se mouvoir dans des milieux inconnus, compléter leur instruction par l'étude de disciplines sociales et éventuellement plus sérieusement par l'étude du droit, faire de nouvelles expériences, améliorer leur connaissance des langues. La motivation sociale prédominait. Jusqu'à un certain point, le voyage à l'étranger relevait du domaine du « savoir-vivre ». La durée du séjour était fonction des moyens financiers mis en œuvre par les familles des étudiants, et d'une certaine façon programmée du début à la fin.

Cependant, la majorité de ces Écossais, diplômés de l'université retournèrent chez eux, remportant leur expérience pour chercher et trouver un emploi.

2.3 Carrières.

Il ressort de notre exposé des carrières embrassées que les professions liées à l'étude du droit n'ont pas une structure aussi simple que celle d'autres professions, comme la profession médicale par exemple. Les études juridiques – nous l'avons vu dans notre premier chapitre- menaient à la jurisprudence mais aussi à des carrières diverses et plurielles. En effet, elles n'étaient pas dirigées vers les professions, et leur caractère global permettait polyvalence et cumul des fonctions.

2.3.1. Graphique 12 : commentaire.

Notre graphique compte cinq sections.

La section enseignement (onze Écossais) regroupe des professeurs pour la majorité de droit, mais aussi professeur de grec : Scrimgeour, Henryson, Skene, Barclay, MacGregore et des personnes qui eurent

	CARRIERES APRES BOURGES				
	Enseignement	Juridiques	Ecclésiastiques	Politiques	Autres
Scrimgeour	■	■	■	■	
Henryson	■	■	■		
Skene	■		■		
J Boyd			■		
Logie		■			
Arbuthnot	■	■	■		■
Adamson	■	■	■		■
Barclay	■			■	
Dagleish	■		■		
D MacGill		■		■	
Scot	■	■			
M A Boyd	■				■
Drummond					■
A Erskine				■	■
Mackenzie	■	■		■	
MacGregore	■	■			
TOTAL	11	9	7	5	5

Graphique 12

diverses fonctions dans le domaine de l'éducation : précepteur : M. A. Boyd ; principaux de collège : Dalgleish, Scot, Arbuthnot ; doyens de faculté : Skene, Mackenzie ; et chancelier de l'université : Adamson.

La section juridique (neuf Écossais) regroupe des avocats : Scrimgeour, Henryson, Logie, D. MacGill, Scot, Mackenzie, MacGregore ; mais aussi des conseillers : Scrimgeour, Arbuthnot, Adamson, D. MacGill, Scot, Mackenzie ; ainsi que des juges : Scot, Mackenzie ; un commissaire/*Lord of Sessions :* Henryson, et enfin le *Lord Advocate* Mackenzie.

La section ecclésiastique (sept Écossais) regroupe un titulaire de bénéfices : Scrimgeour ; un procurateur de l'église : Henryson ; un membre de la congrégation protestante : Skene ; deux archevêques :

J. Boyd et Adamson ; deux pasteurs : Arbuthnot et Dalgleish, un modérateur : Arbuthnot et un prédicateur : Adamson.

La section politique (cinq Écossais) regroupe deux diplomates : Scrimgeour et A. Erskine ; un conseiller d'état et maître des requêtes : Barclay ; deux membres du conseil privé : D. MacGill et Mackenzie ; et un représentant au parlement : Mackenzie.

La section « autres » (cinq Écossais) regroupe un soldat : M. A. Boyd, un inventeur : Drummond, un militaire : A. Erskine, et quatre poètes : M. A. Boyd, Arbuthnot, Adamson, Drummond.

2.3.2. Résumé des carrières individuelles, par ordre chronologique.

Henry Scrimgeour : juriste, conseiller, avocat, hommes d'affaires, bourgeois de la ville de Genève, enseignant, diplomate, auteur.

Edward Henryson : enseignant, avocat, commissaire, *Lord of Sessions*, procurateur de l'Église, auteur.

William Skene : enseignant, doyen, membre de la congrégation protestante.

James Boyd : archevêque «*tulchan*».

John Logie : avocat.

Alexander Arbuthnot : pasteur modérateur, conseiller, principal de King's College, auteur.

Patrick Adamson : archevêque, prédicateur, conseiller, enseignant, chancelier de l'université, auteur.

William Barclay : enseignant, doyen, conseiller d'état, maître des requêtes, auteur.

Nicol Dalgleish : ministre, enseignant.

David MacGill : avocat, conseiller, conseiller privé.

Alexander Scot : enseignant, directeur d'école, principal de collège, auteur, avocat, juge, auteur, éditeur.

Mark Alexander Boyd : enseignant, poète, auteur, soldat.

William Drummond : écrivain, poète, inventeur.

Alexander Erskine : militaire, diplomate.

George Mackenzie : avocat, juge, *Lord Advocate*, conseiller privé, doyen, politicien, auteur.

Malcolm MacGregore : avocat, enseignant.

2.3.3. Commentaire.

Le graphique et le récapitulatif ci-dessus exposent clairement la mixité des carrières, en particulier des carrières de l'enseignement et des carrières ecclésiastiques surtout au XVIe siècle (six Écossais), et puis une mixité des trois carrières de l'enseignement, du droit et de l'Église (quatre Écossais), auxquelles s'ajoute une fonction politique pour cinq d'entre eux.

La section enseignement regroupe le plus grand nombre. Cela illustre bien la tradition instaurée au Moyen-Age qui consistait à faire de toutes les études universitaires une préparation au métier de maître ou professeur, en théologie, médecine, droit ou lettres. La pratique de la *disputatio* était comprise dans tout cursus universitaire, et l'on attendait des titulaires d'une maîtrise ou d'un doctorat qu'ils servent leur *universitas* en enseignant au moins une ou deux années. Cette tendance persista à la Renaissance.

Nous venons d'exposer la place de Mackenzie en matière d'enseignement du droit. L'on ne saurait minimiser l'importance du rôle, au siècle précédent, d'Henryson, dont les leçons de droit à Edimbourg signifient l'origine de l'établissement de l'université en la ville. L'impact fut plus direct encore par la circulation des ouvrages et des idées, même des Écossais restés en France. Ainsi, les ouvrages de Barclay et de Scot prirent bien le chemin de l'Écosse et les notes manuscrites de Scrimgeour furent transférées aussi en Écosse[1].

Cependant, en pratique, les gradés considéraient aussi leur diplôme comme un passeport à une variété de carrières. C'est bien ce qui se passa pour ces Écossais, qui optèrent pour les carrières de l'Église et de la jurisprudence, carrières sœurs de la politique et de la diplomatie.

Par ailleurs, ces diplômés écossais de la Faculté de Droit de Bourges ne pouvaient guère enseigner le droit en Écosse, car l'enseignement de cette discipline n'offrit, nous l'avons vu, aucune structure réelle avant le début du XVIIIe siècle. Les carrières juridiques, et notamment celle d'avocat sont bien représentées (sept Écossais).

---

1 J. Durkan, « The cultural background in sixteenth-century Scotland », in *Essays on the Scottish Reformation, 1513-1685*, David McRoberts Burns ed, p. 292.

Si les Facultés de Droit écossaises n'offraient pas de postes, il fallait se diriger vers d'autres sphères d'influence, et il est clair que les études juridiques représentaient une valeur marchande et que les anciens étudiants étaient ainsi un groupe privilégié qui méritait des carrières de choix. Dans l'Écosse d'avant ou d'après la Réforme, des postes clés étaient disponibles à un haut niveau laïc et ecclésiastique : conseillers du roi, avocat du roi, *lord of Sessions*, archevêques. Dans l'Église même, le nombre d'ecclésiastiques rompus au droit était important, car les études juridiques s'avéraient centrales dans la formation des hommes d'Église et avaient une place prépondérante dans la préparation de toute carrière ecclésiastique. Les connaissances en droit canon, mais aussi en droit civil étaient bienvenues. « *Le droit, non la théologie, était la voie de promotion dans l'Église* »[1]. Rappelons ici que les trois universités écossaises furent fondées par des évêques, juristes en droit canon : Henry Wardlaw à St-Andrews, William Turnbull à Glasgow et William Elphinstone à Aberdeen.

L'impact des études juridiques berruyères est fort dans tous les domaines précités, aucun n'est immunisé de leur influence. Les hommes dotés d'une éducation juridique humaniste jouèrent un rôle central au XVIe siècle en Écosse dans les commissions instituées pour réviser le droit écossais, commissions dont les fonctions n'étaient pas loin du travail de réforme de nos coutumes et dont l'inspiration est claire. L'exemple d'Henryson est certainement le plus convaincant.

2.3.4. Productions littéraires.

Dans notre exposé, nous avons souligné le nombre et la teneur des écrits littéraires, productions de neuf Écossais. La plupart sont des auteurs d'ouvrages juridiques : Scrimgeour, Henryson, Arbuthnot, Barclay, Scot, M. A. Boyd, Mackenzie ; mais aussi de littérature en prose : M. A. Boyd, Drummond, Mackenzie ; et de poésie variée : Arbuthnot, Adamson, M. A. Boyd, Drummond.

---

1 « *The law, not theology, was the path to promotion in the church* » in G. Donaldson, « The legal profession in Scottish society in the sixteenth and seventeenth centuries », *in Juridical Review*, 1976, p. 4.

Nous avons remarqué l'importance des écrits juridiques de Mackenzie, de ses *Institutions* en particulier, en matière de pédagogie. Avant lui, les écrits et les ouvrages transportés de la France vers l'Écosse véhiculèrent des idées et des connaissances du droit romain en particulier, par le biais de l'humanisme juridique, dès le XVIe siècle.

CONCLUSION GÉNÉRALE

Notre étude mène naturellement à quelques remarques de conclusion à la fois générales et particulières.

En un premier lieu, la présence écossaise à l'Université de Bourges ne fut pas un phénomène original : les étudiants écossais étaient également présents à la même époque, dans les autres facultés françaises, dans des proportions assez semblables. Parce que les universités portent en elles le concept de l'universel, nous remarquons que les comportements, les ambitions, les accomplissements de ces étudiants écossais confirment une tradition instaurée depuis fort longtemps : celle pour une partie de l'élite d'étudier hors de ses propres frontières. La présence de ces étudiants à Bourges est le maillon d'une longue chaîne, ouverte bien avant la création de l'université berruyère.

En ce qui concerne la période de fréquentation, il s'avère aussi que cette présence écossaise suit un double schéma en place : la mobilité géographique des étudiants étrangers dans l'ensemble atteignit son point culminant dans la deuxième moitié du seizième siècle et au début du siècle suivant. Par ailleurs, les études en droit connurent un engouement principalement et effectivement à ces mêmes périodes. Les étudiants écossais à Bourges s'inscrivent exactement dans cette démarche.

Il en va de même pour les professeurs écossais dont la présence reflète une réalité : en nombre au XVIe siècle, les maîtres étrangers devinrent de plus en plus rares au siècle suivant, allant jusqu'à disparaître complètement.

D'une façon plus particulière, il convient de faire la remarque suivante : l'unité suppose la multiplicité. Par-delà les différences et les particularités, nous avons voulu tenter de distinguer les traits communs qui unissaient et caractérisaient ces étudiants. Mais les circonstances de fréquentation ne sont pas vraiment similaires pour les étudiants du seizième siècle et ceux du dix-septième siècle. Pour les professeurs de la Renaissance, poursuivre ses études à l'étranger signifiait le sommet de l'éducation humaniste pour les jeunes membres de l'élite du pays en question. Les étudiants se mouvaient, attirés par le renom de maîtres tels Alciat ou Cujas, qu'ils n'hésitaient pas à suivre d'université en université, illustrant en cela la *peregrinatio academica*. Mais, nous l'avons vu, ce n'était pas ce que les jeunes nobles au XVIIe siècle espéraient de leur *Grand Tour*. Il n'est pas excessif de considérer ainsi que nous avons en réalité deux groupes d'étudiants.

Si la périodisation est claire, le facteur de choix de l'Université de Bourges n'est pas moins clair : puisque la formation en droit en Écosse à l'époque qui nous concerne était déficiente, le voyage d'étude à l'étranger devenait essentiel, et Bourges se trouvant à cette période au sommet de sa renommée et de son dynamisme ne pouvait que représenter un pôle d'attraction vers lequel les jeunes Écossais se dirigèrent. Cependant, nous ne saurions négliger des facteurs de choix secondaires : le renom de la cité même, la présence de condisciples sur place, particulièrement vrai au XVIIe siècle, la tradition (famille ou amis), ainsi que des considérations financières ou plus pratiques, telles la facilité d'accès et la situation géographique, sur un itinéraire pré-établi.

L'Université et la ville de Bourges connurent des souffrances à certains moments, empêchant la venue d'étrangers. Ces désastres permettent d'expliquer en partie les fluctuations dans le nombre des étudiants mais ne modifient pas les tendances. La peste ou la guerre isolaient pour un temps, mais pas pour une période indéfinie.

Certaines idées ont la vie dure et deviennent fortes comme des légendes. Notre étude prétend apporter une position claire en contribuant à l'établissement de deux réalités que nous croyons vérités, et en réduisant à néant des légendes qui ont généralement été acceptées jusqu'à ce jour : la présence des Écossais étudiants à Bourges n'a aucun lien avec l'épisode militaire Écosse-Berry de 1419, ni avec les descendants des Stuarts d'Aubigny, si ce n'est la parenté des jeunes frères Erskine avec Catherine de Balzac d'Entragues et de son mari Edmé Stuart. Mais le passage de ces deux jeunes hommes à l'Université fut indépendant de cette filiation.

En matière de religion, notre étude permet de réexaminer une image fortement ancrée, celle qui consiste à penser que les Écossais à Bourges étaient tous catholiques, partis de l'Écosse protestante. Notre analyse montre que cela n'était pas le cas, bien au contraire. L'Université berruyère fit partie de ces universités qui adoptèrent une attitude tolérante, et catholiques et protestants écossais y furent accueillis également à diverses périodes de son histoire.

A l'analyse, il s'avère que le contexte historique franco-écossais ne fut pas déterminant dans la venue des Écossais à l'Université de Bourges, favorable tout au plus, car il est à l'évidence plus aisé de se déplacer dans un pays ami qu'ennemi.

Comment cette migration académique d'étudiants individuels doit-elle être appréciée et jusqu'à quel point influença-t-elle la propagation des idées, étant donné que même les écrits réalisés par les Écossais restés en France étaient diffusés en Écosse ? Il est difficile de répondre à ces questions, cependant les études récentes pré-citées de John Durkan et celle de D. Baird Smith ont montré que les contributions écossaises les plus significatives dans les études de droit romain de l'époque furent réalisées par des érudits travaillant sur le continent, produits de l'Ecole de Bourges : Henry Scrimgeour, Edward Henryson et William Barclay. L'édition des *Novellae* de Scrimgeour fut publiée à Genève en 1558 ; l'œuvre d'Henryson *De Testamentis* parut à Paris en 1556, et les commentaires de Barclay sur le *Digeste*, *De rebus creditis* et *De jurejurando* firent l'objet d'une publication à Paris en 1605.

Par ailleurs, les commissions de l'époque de l'après-Réforme en Écosse, dont l'objet fut de réviser et d'affirmer les lois, subirent l'influence du mouvement humaniste, par l'intermédiaire du petit groupe d'érudits, dont Edward Henryson, qui les supervisa. Le travail de ces hommes fut d'assembler les sources écrites du droit médiéval et de fournir la matière première qui allait permettre plus tard à d'autres juristes d'édifier la structure même du droit écossais moderne.

Il est également significatif que l'accent mis sur l'éducation juridique, particulièrement le droit romain/civil fut un aspect de la Réforme écossaise, dont nous trouvons la preuve énoncée dans le premier *Livre de Discipline* qui prévoyait des cours de droit civil dans les trois universités du pays.

De même, le nouvel enseignement humaniste eut un impact en Écosse par l'intermédiaire des juristes. Avec des hommes de cette sorte employés dans des occupations si diverses, sur le devant de la scène, ou bien prenant des responsabilités dans la vie publique, l'Écosse se tenait au courant des idées en mouvance et des événements à l'extérieur. Plus précisément si l'on voit bien l'importance du travail d'Henryson en matière juridique, l'on voit bien l'influence et l'impact de Mackenzie sur l'enseignement du droit en Écosse qui déborda sur le dix-huitième siècle, mais nous en savons moins sur les mouvements d'idées de ces jeunes hommes qui affrontèrent dangers et difficultés dans leur quête de connaissances et de culture. Il est malgré tout manifeste que de retour dans leur pays, les professionnels écossais devenaient d'ardents propagandistes de la culture française.

Même si l'on n'a pas tous les noms, n'est-il pas significatif que ceux qui sont devenus de grands noms écossais soient passés par Bourges ?

Le passage dans une Faculté comme celle de Bourges signifiait un élément d'ascension sociale, d'une stratégie sociale et sans aller jusqu'à établir que la classe dirigeante écossaise fut formée à Bourges, il est clair, qu'à l'instar du héros rabelaisien, ces Écossais, en empruntant le « *grand chemin de Bourges ou grand chemin ferré* » surent comme Pantagruel « *proufiter beaucoup en la Faculté des Loix* ».

ANNEXES

ANNEXE 1

NOTICES BIOGRAPHIQUES

Patrick ADAMSON (1536/37-1592)

Né à Perth le 15 mars 1536/37.

Études à Saint-Andrews.

Nommé prêtre à Ceres, comté de Fife en 1563.

En 1566, se démit de ses fonctions et accompagna, en qualité de tuteur, James McGill sur le continent.

Voyage en Poitou, à Padoue, Genève, puis Paris et enfin Bourges jusqu'en 1572. Puis, il rentra en Écosse.

En 1576, promu au titre d'Archevêque de St-Andrews.

En 1583, il rejoignit la cour de la Reine Elisabeth et retourna en Écosse l'année suivante pour siéger au Parlement qui prit des mesures radicales contre les presbytériens. Courroux d'Andrew Melville à son égard. Le roi le protégea.

Devint Chancelier de l'Université de St-Andrews.

Accusé d'avoir détourné ou falsifié des fonds sur les registres de l'Assemblée.

Excommunié par le presbytère d'Edimbourg, qui finit malgré tout par remettre la peine d'excommunication.

Mourut le 19 février 1592.

Alexander ARBUTHNOT (1538-1583)

Né en 1538, fils d'Andrew Arbuthnot de Pitcarles.

Études à St-Andrews puis à Bourges, où il enseigna également.

Ordonné pasteur en 1568 dans le diocèse d'Aberdeen.

En 1569, élu Principal du *King's College* à Aberdeen.

En 1572, assista à l'Assemblée Générale à St-Andrews, et en 1573 fut modérateur de l'Assemblée qui se tint à Edimbourg.

Participa à la constitution d'un plan de gouvernement ecclésiastique.

En 1578, fut l'un des prêtres à discuter de ce plan à Stirling.

En 1583, fut mandaté commissaire enquêteur des finances et de l'efficacité de l'Université de St-Andrews.

Subit la désapprobation du roi et retourna au *King's College* d'Aberdeen.

Mourut le 10 octobre 1583.

William/Guillaume BARCLAY (1546/47-1608)

Date exacte de naissance inconnue.

Petit-fils de Patrick Barclay, baron de Gartly, en Aberdeenshire.

Hérita de son père et grand-père de la double tradition de loyauté envers le roi et l'église romaine.

Études à l'Université d'Aberdeen, familier de la cour de la reine Marie.

Quitta l'Écosse en 1571 pour se rendre à Paris, puis Bourges, où il étudia et enseigna le droit civil.

En 1576, quitta Bourges pour Pont-à-Mousson à l'appel de son oncle, le Père Edmond Hay, jésuite, recteur de la nouvelle université.

Professeur de droit civil à l'Université, conseiller d'état, maître des requêtes puis doyen de la Faculté de droit en 1598. Epousa Anne de Malleviller en 1581.

Eut un fils, John, auteur du roman allégorique *Argénis*.

En 1603, démissionna de sa chaire, suite à des dissensions avec les Jésuites et quitta la Lorraine.

Se rendit à Paris, puis en Angleterre, mais revint en France où il accepta la chaire de droit civil à l'Université d'Angers le 1er février 1605.

Mourut à Angers le 3 juillet 1608, enterré en l'église des Cordeliers.

James BOYD of TROCHRIG (? -1581)

Étudia les belles lettres et la philosophie en Écosse avant de se consacrer à l'étude du droit à Bourges. De retour en Écosse, il fut nommé archevêque « *Tulchan* » de Glasgow vers 1573. Modérateur de l'Assemblée Générale d'Edimbourg en 1575 ; nommé membre de la commission du deuxième *Livre de Discipline*.

Mourut en juin 1581.

Mark Alexander BOYD (1562-1601)

Neveu du précédent.

Né en 1562 à Galloway, fils de Robert Boyd de Pinkill Castle, Ayrshire. Étudia au Collège de Glasgow sous Andrew Melville. Quitta l'Écosse et arriva à Paris en 1581, où il commença ses études, puis se rendit à Orléans pour étudier le droit, avant d'aller à Bourges. Il quitta Bourges au moment de l'épidémie de peste de 1583/84 et s'enfuit à Lyon, puis en Italie.

De retour en France en 1585, il ne tarda pas à exercer ses talents militaires pour le roi de Navarre. Blessé, il reprit ses études à Toulouse. En 1588, il fut pris par les Ligueurs, et fait prisonnier. Relâché, il s'enfuit à Bordeaux, puis à Fontenay, en Poitou. Auteur de nombreuses poésies, élégies et commentaires de droit.

Retourna en Écosse en 1595, après quatorze années d'absence. A l'annonce de la mort de son frère dans le Piémont, il reprit la route de l'Italie, puis rentra définitivement en Écosse.

Mourut à Penkill, le 10 avril 1601.

William DRUMMOND of HAWTHORNDEN (1585-1649)

Fils aîné de John Drummond, premier comte d'Hawthornden. Étudiant à l'Université d'Edimbourg, puis à Bourges. Rentra en Écosse en 1608, devint comte d'Hawthornden à la mort de son père. Renonça à exercer le droit, s'appliqua à l'étude des lettres et à l'écriture poétique. Se livra également à des inventions mécaniques. Auteur de pamphlets politiques.

Mourut à Hawthornden le 4 décembre 1649.

Alexander ERSKINE (? -1640)

Fils du comte de Mar.

Étudia à Bourges puis retourna en Écosse en 1620. Il reçut les revenus de l'Abbaye de Cambuskenneth, avant de s'engager dans l'armée et devint colonel de cavalerie. Au service du Prince d'Orange en 1624. A la fin de l'année 1625, il était à la cour de la princesse Elisabeth, ex-reine de Bohême, puis à La Hague.

Mourut au cours de l'explosion du château de Dunglass le 30 août 1640.

Edward HENRYSON/ Henry EDOUARD (1522-1590)

Né à Edimbourg en 1522.

Étudia à Paris en 1543, puis à Bourges. Précepteur de grec auprès du jeune Ulrich Fugger, qu'il suivit bientôt au Tyrol. Retourna en Écosse auprès d'Henry Sinclair, évêque de Ross et président de la *Court of Session*, puis il retourna chez les Fugger en 1552, et l'année suivante, il fut choisi comme professeur de droit civil par l'Université de Bourges. Après avoir démissionné de son poste, il rentra en Écosse en 1556 et fut bientôt nommé lecteur de grec dans le cadre des lectures royales de Marie de Lorraine.

En 1557, il fut nommé Avocat pour les Pauvres, puis Commissaire. En 1566, il devint Lord Extraordinaire des *Sessions*. La même année, il fut membre d'une commission chargée de réviser, éditer et publier les lois et actes du parlement de 1424 à 1564.

Mourut en 1590.

David MacGILL (1579-1607)

Fils de David MacGill de Cranston Riddel, *King's Advocate*. Obtient sa licence en droit civil à Bourges en 1579. Admis avocat en 1586, élu commendataire de Culross en 1597. L'année suivante, reçut sa nomination de commissaire, puis se démit de ses fonctions pour raisons de santé. Devint conseiller privé en 1603.

Mourut en 1607.

Malcolm MACGREGORE (? -1713)

Étudia à Aberdeen puis à Bourges en 1703. Admis avocat en 1707. Enseigna le droit à Edimbourg.

Mourut en 1713.

George MACKENZIE of ROSEHAUGH (1636/38-1691)

Né à Dundee.

Étudia à St-Andrews et Aberdeen, puis à Bourges. De retour en Écosse en 1659, appelé au barreau d'Edimbourg, participa au procès du marquis d'Argyll. Nommé juge-adjoint. Commença une carrière politique en 1669, représentant le comté de Ross au parlement. Fut fait chevalier en 1666, nommé *Lord Advocate* en 1677, et admis conseiller privé la même année.

Élu doyen de la *Faculty of Advocates* en 1682. Démissionna de sa position d'avocat du roi, puis retrouva ses fonctions en 1688.

Partit pour l'Angleterre, pour Oxford où il devint étudiant de l'Université en 1690.

Mourut en 1690.

Alexander SCOT (1560-1615)

Né en 1560 à Kininmouth, Aberdeenshire.

Étudia à Aberdeen, puis la théologie en France à Tournon, et enfin le droit à Bourges. En 1588, il était à Lyon, puis en 1593 à Carpentras où il fut nommé régent principal du collège, poste qu'il détient jusqu'en 1601. Juge à la cour majeure de la ville, avocat, Scot fut procureur général de la mense épiscopale de Carpentras en 1609. Père de dix enfants.

Mourut en 1615.

Henry SCRIMGEOUR (1505/6-1572)

Né à Dundee c. 1505.

Étudia à l'école de Dundee, puis à l'Université de St-Andrews, enfin à Paris et à Bourges, dès 1538. Après ses études, il fut précepteur chez Guillaume Bochetel, à Bourges.

En 1548, Henry Scrimgeour était à Padoue où il collectionna de vieux manuscrits. Commença à publier ses premiers écrits. Entama une carrière diplomatique, en Italie ; se rendit à Vienne en 1560, sur l'invitation de Guillaume Bochetel. Elu bourgeois de la ville de Genève, et chargé du cours de philosophie à l'Académie. Agit comme avocat pour le compte d'Ulrich Fugger. Passa plusieurs années à Augsbourg dans la maison de son protecteur. De retour sur la scène diplomatique, de Genève à Lyon, de Bâle à Strasbourg, puis à Heidelberg. Admis au Conseil des Deux Cents de la ville de Genève. Enseigna le droit sans grand succès.

Refusa l'offre de rentrer en Écosse sur l'invitation du régent Mar.

Mourut à Genève en 1572.

William SKENE (? -1582)

Étudia la théologie à Aberdeen, puis le droit. Titulaire d'une licence dans les deux droits, il regagna l'Écosse et en 1558 devint le canoniste de l'Université de St-Andrews. L'année suivante, il était membre de la congrégation protestante de la ville. Nommé commissaire de St-Andrews en 1564 ; élu doyen de la Faculté des Arts de l'Université. Réélu quatre fois à cette fonction, jusqu'en 1581.

Mourut en 1582.

ANNEXE 2

ÉVÉNEMENTS HISTORIQUES FRANCE-ÉCOSSE / BERRY-ÉCOSSE

1513-1707

1513 (15 juillet)	Bataille de Flodden, mort de Jacques IV Andrew Foreman archevêque de Bourges Lettres de naturalité de Louis XII
1515	Arrivée de France de Jean duc d'Albany, Régent d'Écosse
1517	Retour du duc d'Albany en France, séjour de 4 années, Traité de Rouen
1537	Jacques V épouse Madeleine de Valois, fille aînée de François Ier, nièce de Marguerite d'Angoulême, duchesse de Berry
1538	Jacques V épouse Marie de Guise-Lorraine, filleaînée du Duc de Guise
1542	Bataille de Solway Moss, mort de Jacques V Marie de Guise-Lorraine Régente d'Écosse
1543	James Hamilton, 2e comte d'Arran, s'auto-proclame Régent d'Écosse
1548 (18 juin)	l'armée française débarque en Écosse
1548 (juillet)	Marie Stuart, âgée de 5 ans quitte l'Écosse pour la France
1550	Henri II accorde à Hamilton le titre de Duc de Châtelhérault
1558	(24 avril)Mariage de Marie Stuart et du dauphin François
1558 (juin)	Lettres de naturalité d'Henri II à l'intention des Écossais
1560 (17 février)	Traité de Berwick : les Français sont expulsés d'Écosse
1560 (6 juillet)	Traité de Leith, fin de la domination française en Écosse

1567	Déposition de la reine Marie Stuart, Jacques VI roi d'Écosse
1579	Arrivée en Écosse d'Edmé Stuart, seigneur d'Aubigny
1603	*Union des Couronnes :* Jacques VI devient Jacques Ier d'Angleterre
1689	Jacques II exilé à Saint-Germain-en-Laye
1707	*Acte d'Union :* abolition du parlement écossais.

ANNEXE 3

DATES DE FONDATION DES UNIVERSITÉS MENTIONNÉES DANS NOTRE ÉTUDE

PARIS1200
TOULOUSE1229
MONTPELLIER1289

AVIGNON1303
ORLÉANS1306
ANGERS1364

ST-ANDREWS1412
POITIERS1431
GLASGOW1451
VALENCE1452
NANTES1460
BOURGES1464
ABERDEEN1494

REIMS1547
DOUAI1562
PONT-À-MOUSSON1564
EDIMBOURG1583

LISTE DES GRAPHIQUES ET TABLEAUX

Graphique 1 : Nombre d'étudiants écossais dans les facultés de droit françaises p. 62.
Graphique 2 : Professeurs les plus marquants de la Faculté de Droit de Bourges, aux XVIe et XVIIe siècles, p. 201.
Graphique 3 : Comparaison entre évolution de la Faculté et fréquentation écossaise, p. 204.
Graphique 4 : Durées des séjours des Écossais à Bourges, p. 243.
Graphique 5 : Age des Écossais à leur arrivée à Bourges, p. 245.
Tableau 6 : Origines sociales des Écossais à Bourges, p. 246.
Graphique 7 : Origines géographiques des Écossais à Bourges, p. 250.
Tableau 8 : Antécédents académiques en Écosse, p. 252.
Tableau 9 : Parcours universitaire, de l'Écosse à Bourges, p. 255.
Graphique 10 : Itinéraires des Écossais, de Paris à Bourges, p. 259.
Graphique 11 : Professeurs écossais en exercice à la Faculté de Droit de Bourges, p. 276.
Tableau 12 : Les carrières des Écossais après Bourges, p. 383.

GLOSSAIRE

A

APANAGE.

A l'origine, l'apanage (du latin *ad panem*) est un avantage constitué pour les fils du roi de France qui n'ont pas droit à la succession, celle-ci allant entièrement au fils aîné. A la fin du XIIIe siècle, l'apanage est la concession d'une partie du domaine royal qui rentrera à nouveau dans ce domaine, si l'apanagiste meurt sans descendant mâle direct. Au siècle suivant, l'apanage n'est plus qu'un domaine, sorte d'usufruit, dans lequel le roi se réserve la possibilité d'intervenir et d'exercer ses droits de puissance (droits régaliens).

B

BARONY.

A partir du XIIe siècle, terres concédées par la couronne, pouvant être incorporées ou érigées en *barony*, formant une unité sociale, économique et juridique.

BLACK ACTS.

Mai 1584. Réaffermirent le gouvernement épiscopal, et la suprématie du roi, du parlement et du conseil sur les états, temporels et spirituels.

BURGHS.

Mentionnés pour la première fois au début du XIIe siècle. Des chartes royales leur concédaient des droits et privilèges à des niveaux différents. Des distinctions se développèrent entre les *burghs* royaux et non-royaux. A partir du XIVe siècle, des représentants des *burghs* étaient au parlement.

C

CLERK REGISTER.

Grand personnage officiel de l'État, gardien du grand Sceau et des archives écossaises. La fonction apparut au XIVe siècle, et devint courante aux XVIe et XVIIe siècles, détenue à cette époque par un homme de loi, et plus tard par un membre du parlement.

COLLEGE OF JUSTICE.

Court of Session devenue *College of Justice* en 1532, sur demande de Jacques V auprès du pape. A partir de 1535, les juges de la cour furent *Senators* du *College.*

COMMISSARY COURT.

La juridiction des cours ecclésiastiques en matière de procédure matrimoniale et exécutoire fut interrompue par la Réforme, et en 1564, une nouvelle cour de commissaires fut créée pour Edimbourg, avec une nouvelle juridiction pour tout le pays, pour les cas matrimoniaux et les testaments au-delà d'une certaine importance.

COURT OF SESSION.

Sessions de comités parlementaires de justice civile sous Jacques Ier et Jacques II, bientôt remplacées par des sessions conciliaires, donnant naissance, sous le règne de Jacques IV, à une judicature permanente, jusqu'à la création du *College of Justice.*

F

FACULTY OF ADVOCATES.

La *Court of Session* fit provision pour dix « *procurateurs généraux du conseil* », d'où la *Faculty* trace ses origines.

K

KING'S ADVOCATE.

Cf., Lord Advocate.

L

LAMMAS.

Festival celtique d'automne : 1er août.

LORD ADVOCATE.

Plus haut dignitaire homme de loi de la couronne, possédant totale discrétion en matière criminelle, et conseillant le gouvernement écossais pour tout problème légal. Ce poste remonte à 1478 et le détenteur du titre était aussi connu comme *King's Advocate.*

LORDS OF THE CONGREGATION.

Le terme remonte à 1557, s'appliquait aux chefs du soulèvement de 1559-60.

LORDS OF SESSION.

Juges de la *Court of Session*, à l'origine ils étaient quinze « *ordinary lords* ».

M

MARTINMAS.

11 novembre, appelé « St-Martin en hiver » pour le distinguer de la fête d'un autre Martin, célébré le 4 juillet (15 juillet à l'époque moderne).

MERK.

Rarement une pièce de monnaie, mais très employé en comptabilité : 13s. 4d.

P

PROCURATOR.

Soit un avocat à la cour, soit un avoué autorisé à parler devant une cour inférieure, soit une personne quelconque qui représente activement une cause, ou une personne.

R

RUTHVEN RAID.

Il fut mis un terme à l'ascendant d'Edmé Stuart, duc de Lennox, lorsqu'un groupe d'ultra-protestants, conduit par le premier comte de Gowrie invita Jacques VI au château de Ruthven et l'y détint prisonnier pendant dix mois (1582).

S

SENATORS.

Terme appliqué aux juges de la *Court of Session*, par bulle papale de 1535.

SHERIFF.

Remonte aux années 1120. A l'origine, le *sheriff* était l'officier général représentant la couronne dans les localités, avec des fonctions administratives et financières ; ses fonctions judiciaires comprenaient les jugements en appel des cours de *barony.*

T

TULCHAN BISHOP.

Origine : années 1540. Evêque qui reçut l'épiscopat à condition d'en assigner les bénéfices à un séculier. Le « *tulchan* » était une sorte de veau empaillé, placé près de la vache pour l'inciter à donner du lait.

W

WRITERS TO THE SIGNET.

A l'origine, clercs au poste de *Secretary* qui détenaient le sceau royal apposé sur les décrets. A la fin du XVIe siècle, c'étaient des avocats de la *Court of Session.*

BIBLIOGRAPHIE

Notre bibliographie se compose de cinq sections ordonnées de la façon suivante : Écosse, France, Europe, Bourges et Berry, Université de Bourges.

I. OUVRAGES SUR L'ÉCOSSE

MANUSCRITS
A) VIE MATÉRIELLE
B) VIE INTELLECTUELLE
C) ÉDUCATION
D) VIE RELIGIEUSE
E) HISTOIRE
F) DROIT ÉCOSSAIS
G) RELATIONS FRANCO-ÉCOSSAISES
H) LES ÉCOSSAIS EN FRANCE
I) LES ÉTUDIANTS ÉCOSSAIS SUR LE CONTINENT
J) LES ÉTUDIANTS ÉCOSSAIS EN FRANCE
K) LES ÉTUDIANTS ÉCOSSAIS DE L'UNIVERSITÉ DE BOURGES

II. OUVRAGES SUR LA FRANCE

A) VIE MATÉRIELLE
B) VIE INTELLECTUELLE
C) ÉDUCATION
D) VIE RELIGIEUSE
E) HISTOIRE
F) DROIT

III. OUVRAGES SUR L'EUROPE

A) VIE MATÉRIELLE
B) VIE INTELLECTUELLE
C) ÉDUCATION

D) VIE RELIGIEUSE
E) HISTOIRE
F) DROIT

IV. OUVRAGES SUR BOURGES ET LE BERRY

A) VIE MATÉRIELLE
B) VIE INTELLECTUELLE
C) HISTOIRE
D) VIE RELIGIEUSE

V. OUVRAGES SUR L'UNIVERSITÉ DE BOURGES

A) HISTOIRE DE L'UNIVERSITÉ
Sources manuscrites
Sources imprimées
Généralités

B) LES FACULTÉS
Faculté de droit
Faculté de médecine
Faculté des arts
Faculté de théologie

C) VIE DE L'UNIVERSITÉ
Étudiants étrangers
Réforme et Université

I. OUVRAGES SUR L'ÉCOSSE

Manuscrits

a) *Privileges granted by Kings of France to the Scotch 1513-1612*
- British Library, British Museum. Add. MS. 30666.

b) Livres d'autographes (*Albums Amicorum*)
– National Library of Scotland

Sir Michael BALFOUR National Library of Scotland MS 16000

George STRACHAN National Library of Scotland MS Dep 221
– Edinburgh University Library

George CRAIG Edinburgh University Library La III 525

Afin de mieux cerner ces étudiants écossais loin de leur terre natale, il nous a semblé indispensable de nous documenter en un premier temps, sur la vie matérielle et la vie intellectuelle de leur pays, avant et pendant la période concernée. Ainsi, à titre documentaire, nous citerons, en priorité, les ouvrages suivants, devenus classiques :

A) VIE MATÉRIELLE

a) Ouvrages

BROWN, P. H. – *Early Travellers in Scotland*, Edinburgh, 1891, pp. V- 300.

—— *Scotland before 1700 from Contemporary Documents*. Edinburgh, 1893, pp. V-368.

McCRIE, T. – *The Life of Andrew Melville*. Edinburgh, 1856, pp. III-508.

MELVILLE, A. – *Historical Memoirs of Andrew Melville*, Edinburgh, 1830, pp. 2-383.

MELVILLE, J. -*The Diary of Mr. James Melville 1556-1601*, Edinburgh, 1829, pp. II-351.

The Autobiography and Diary of Mr. James Melville, R. Pitcairn Ed, Wodrow Society, Edinburgh, 1842, pp. VI-841.

b) Articles

CAMERON, J. K. – « Some Continental Visitors to Scotland in the late Sixteenth and Early Seventeenth Centuries »*in Scotland and Europe 1200-1850*, John Donald Pub. Edinburgh, 1986, pp. 45-61.

B) VIE INTELLECTUELLE

a) Ouvrages

CADELL, P. & MATHESON, A. ed. – *For the Encouragement of Learning : Scotland's National Library 1689-1989*, Edinburgh, H. M. S. O., 1989, pp. 5-316 ; en particulier les chapitres de I. Rae et B. Hillyard, sur la création de la bibliothèque de la *Faculty of Advocates.*

DEMPSTER, T. – *Historia Ecclesiastica Gentis Scotorum*, Edinburgh, 1829, 2 Vols. pp. II-690.

DURKAN, J. & ROSS, A. – *Early Scottish Libraries*, with additions, John. S. Burns, Glasgow, 1961, pp. 5-196.

GARDNER, H. ed., – *The New Oxford Book of English Verse*, Oxford, 1972, pp. 947.

HARGREAVES-MAWDSLEY, W. N. H. – *A History of Academical Dress in Europe until the end of the 18th Century* Oxford, 1963, en particulier « Scotland », pp. 137-45.

IRVING, D. – *The Lives of the Scottish Poets*, London & Edinburgh, 1810, 2 Volumes.

—— *Lives of Scottish Writers*, Edinburgh, 1839, pp. VI-385.

LEITH, W. F. – *Pre-Reformation Scholars in Scotland in the Fifteenth Century*. Glasgow, 1915, pp. V-155.

MACDONALD, AA., LYNCH, M., COWAN, I. B Ed. – *The Renaissance in Scotland. Studies in Literature, Religion, History, and Culture*, Offered to John Durkan, E. J. Brill, Leiden, New-York, Köln, 1994, pp. X-428.

MACQUEEN, J. & SCOTT, T. – *The Oxford Book of Scottish Verse*, Oxford University Press, Oxford, New-York, 1966, 1988, pp. V-633.

b) Ouvrages sur le théâtre

HARTNOLL, P. ed. – *The Oxford Companion to the Theatre*, Oxford University Press, London, New-York, Toronto, 1951. *Scotland,* pp. 721.

JACKSON, J. – *The History of the Scottish Stage from its first Establishment to the present time*, P. Hill, Edinburgh, 1793, pp. VIII-424.

RYLEY, S. W. – *The Itinerant in Scotland,* London, 1850, 3 Vol.

c) Articles

DONALDSON, G. – « Stair's Scotland : the Intellectual Inheritance » *in Juridical Review*, 1981, pp. 128-145.

MACQUEEN, J. – « Conclusion » pp. 178-189, *in Humanism in Renaissance Scotland*, MacQueen, J. ed., University Press, Edinburgh, 1990, pp. VI-199.

SCHOECK, R. J. -« The Background of European Humanism : an Introduction », pp. 1-9, *in Humanism in Renaissance Scotland* MacQueen, J. ed., University Press, Edinburgh, 1990, pp. VI-199.

d) Dictionnaires

JAMIESON, J. – *Dictionary of the Scottish Language*, abridged by J. Johnstone, W. Tait, Edinburg, 1846, pp. VI-775.

STEPHEN, L. ed., – *Dictionary of National Biography*, London, 1885.

C) ÉDUCATION

Mention spéciale est faite à John Durkan dont le nom est associé à toutes les recherches sur l'éducation en Écosse aux XVIe et XVIIe siècles. Les publications de J. Durkan en ce domaine sont inestimables.

a) Ouvrages

– *Catalogue of the Graduates in the Faculties of arts, divinity and law of the University of Edinburgh since its foundation in the year 1583, pp. VI-342.*

COISSAC, J-B. – *Les Universités d'Écosse depuis la Fondation de l'Université de St-Andrews jusqu'au Triomphe de la Réforme (1410-1560)*, Librairie Larousse, Paris, 1914, pp. 5-310.

—— Les Institutions Scolaires de l'Écosse depuis les *Origines jusqu'en 1560*. Paris, 1914, pp. 5-76.

FINLAYSON, C. P. – *Clement Litill and his Library. The Origins of Edinburgh University Library*, Edinburgh, 1980, pp. 1-62.

GRANT, A. – *The Story of the University of Edinburgh during its first three hundred years*, 2 vol., Longmans, Green & Co, London, 1884, vol. I : pp. VIII-384, vol. II : pp. VI-510.

GREEN, V. H. – *The Universities British Institutions*, s. l., 1969, pp. 7-367 ; chapitre V : « The Scottish Universities » pp 75-97.

b) Articles

DURKAN, J. -« The Cultural Background in Sixteenth-Century Scotland » *in Essays on the Scottish Reformation 1513-1685*, Edinburgh 1962, pp. 274-331.

—— « Early Humanism and King's College » *in Aberdeen University Review*, no 163, 1980, pp. 259-279.

—— « The Royal Lectureships under Mary of Lorraine. Notes and Comments » *in Scottish Historical Review*, Vol LXII, n° 173, April 1983, pp. 73-78.

—— « The Beginnings of Humanism in Scotland » *in The Innes Review*, 4, pp 5-24.

—— « Éducation in the Century of the Reformation » *in The Innes Review*, 10, pp 67-90.

—— « The French Connection in the sixteenth and early seventeenth Centuries » *in Scotland and Europe 1200-1850*, Edited by T. C Smout, J. Donald Publishers Ltd, Edinburgh, 1986, pp. 19-44.

JANTON, P. – « Un projet éducatif pour l'Écosse : Le Livre de Discipline (1560) » *in* L'*Éducation au XVIe siècle, Actes du Colloque du Puy-en-Velay*, 13, 14, et 15 Septembre 1993, Le Puy, 1994, pp. 127-138.

KIRK, J. – « Clement Little's Edinburgh » *in Edinburgh University Library, 1580-1980,* Edinburgh, 1982, pp. X-237

WATT, D. E. R- « Scottish University Men of the Thirteenth and Fourteenth Centuries » *in Scotland and Europe 1200-1850,* Edited by T. C Smout, J. Donald Publishers Ltd, Edinburgh, 1986, pp. 1-19.

D) VIE RELIGIEUSE

a) Ouvrages

FLEMING, D. H. – *The Reformation in Scotland.* London, 1910, pp. VII-666, – *St-Andrews Cathedral Museum.* Edinburgh, 1931. pp. VIII-270.

HENDERSON, G. D. – Edited with an Introduction by the late Very Reverend, *The Scots Confession 1560,* together with a rendering into modern English by the Reverend James Bulloch, The St-Andrew Press, Edinburgh, 1960, pp. 8-80.

JANTON, P. – *John KNOX (ca. 1513-1572) l'Homme et l'Œuvre,* Études Anglaises 26, Didier, Paris, 1967, pp. 12-547.

KNOX, J. – « The Book of Discipline », in W. Croft Dickinson, *John Knox's History of the Reformation in Scotland,* Nelson and Sons, 1949, vol. II, pp. 280-324. Voir en particulier le chapitre V, pp. 295-302.

LOUDEN-STUART, R. – *The True Face of the Kirk. An examination of the Ethos and Traditions of the Church of Scotland,* Oxford University Press, London, 1963, pp. X-148.

MULLAN, D. G. – *Episcopacy in Scotland : the History of an Idea, 1560-1638,* J. Donald Publishers, Edinburgh 1986, pp. V-279, en particulier les pages 54-73 sur Patrick Adamson.

SPOTTISWOOD, J. -*History of the Church of Scotland,* Edinburgh, 1851, Vol II, pp. V-319.

WODROW, R. – *Collections upon the Lives of the Reformers and Most Eminent Ministers of the Church of Scotland,* Maitland Club, Vol. I, Glasgow, 1834. Les pages 203-230 représentent le récit biographique le plus complet à ce jour de l'archevêque James Boyd.

b) Articles

DONALDSON, G. – « The New Enterit Benefices 1573-1586. Notes and Comments » *in Scottish Historical Review*, 1953, pp. 93-98.

—— « Aberdeen University and the Reformation » *in Northern Scotland*, Volume I, no2, 1973, pp. 129-142.

CAMERON, J. K. – « Humanism and Religious Life » pp. 161-177 *in Humanism in Renaissance Scotland*, J. MacQueen, ed, Edinburgh University Press, 1990.

E) HISTOIRE

Outre les ouvrages de Gordon Donaldson qui sont des bases indispensables à toute étude sur l'histoire écossaise et l'éducation en Écosse, nous citerons ceux de W. C Dickinson, G. S Pryde et T. C Smout, également essentiels.

a) Ouvrages

BREEZE, D. J – with an Essay by Gordon Donaldson, *A Queen's Progress*, Edinburgh, Her Majesty's Stationery Office, 1987, pp. 5-80.

DICKINSON, W. C- *Scotland from the Earliest Times to 1603, A New History of Scotland*, Vol. I, Nelson, London and Edinburgh, 1961, rééditions 1962, 1965, pp. V-408.

DONALDSON, G. – *Church and Nation through sixteen centuries*, Scottish Academic Press, Edinburgh and London, 1960, pp. 8-128.

—— Scotland James V-James VII The Edinburgh History *of Scotland*, Volume 3, Oliver and Boyd, Edinburgh-London, 1965, pp. VIII-449.

—— *Scottish Kings*, B. T. Batsford Ltd, London, 1967, pp. 10-224.

—— *Scotland : the Shaping of a Nation*, D. St John Thomas Publisher, 1974,

2nd revised & extended ed. 1980, pp. 6-298.

DONALDSON, G. & MORPETH, R. S. – *A Dictionary of Scottish History*, J. Donald Publishers, Edinburgh, 1977, 1982, 1992, 1994, pp. 2- 234.

FYFE, J. G. – *Scottish Diaries and Memoirs 1550-1746,* Stirling, 1927, pp. 6-463.

MACKIE, J. D. – *A History of Scotland,* Second Edition, Revised and edited by b. Lenman and G. Parker, première impression 1964, réimpressions 1969, 1978, 1991. Penguin 1991, pp. 7-414.

PRYDE, G. S and DICKINSON, W. C. – *Scotland from 1603 to the Present Day, A New History of Scotland,* Vol. II, Nelson, London Edinburgh, 1962, pp. V-359.

SMOUT, T. C – *A History of the Scottish People, 1560-1830,* Fontana Collins, 1969, réédition 1985, pp. 10-540

WILLIAMSON, A. H. – *Scottish National Consciousness in the Age of James VI : the Apocalypse, the Union and the Shaping of Scotland's Public Culture*, J. Donald Publishers, Edinburgh, 1979, pp. VII-215.

WORMALD, J. – *Court, Kirk, and Community, Scotland 1470-1625,* Edinburgh, 1981, réédition 1991, pp. VII-216.

b) Familles

ARBUTHNOT, P. S. M. – *Memories of the Arbuthnots of Kincardineshire and Aberdeenshire*, G. Allen & Unwin Ltd, London, 1920, pp. 8-530.

BURNETT, G. – *The Family of Burnett of Leys*, Ed. J. Allardyce, New Spalding Club, Aberdeen, 1901, pp. VIII-367.

BURNETT, M. – *Genealogical Account of the Family of Burnett, of Burnetland and Barns,* Edinburgh, 1880, pp. 8-55

DALRYMPLE, H. Hon, Sir. – *Pedigree of the Macgills of Oxfuird,* 1983. M. S. 3421, NLS

FRASER, W. – *The Lennox,* Edinburgh, 1874. 2 Volumes, Vol I : Memoirs, pp. IV-536, Vol II : Muniments, pp. IV-542.

MACGREGORE, A. G. M. – *History of the Clan Gregore*, Edinburgh, 1898, 2 vols.

PATON, H. ed., – *Supplementary Report on the Manuscripts of the Earl of Mar and Kellies*, Edinburgh, 1930, pp. VI-334.

SKENE, W. – *Memorials of the Family of Skene of Skene*, New Spalding Club, Aberdeen, 1887, pp. VIII-269.

c) Biographies

DOUGLAS, R. – *The Baronage of Scotland, containing an Historical & Genealogical Account of the Gentry of that Kingdom*, Edinburgh, 1798.

—— The Peerage of Scotland, containing an Historical & Genealogical Account of the Nobility of that Kingdom, Second Edition revised & corrected by J. P. Wood, Edinburgh, 1813, 2 Vol.

DOUGLAS, D. – *The Scots Peerage* founded on Wood's edition of Sir Robert Douglas's Peerage of Scotland, Sir James Balfour Paul ed, Edinburgh, 1908, IX Vol.

—— The Scots Peerage, A History of the noble families of Scotland, 8 Volumes & Index, Edinburgh, 1914.

STEVEN, W. – *History of George Heriot's Hospital with a memoir of the Founder & an Account of the Heriot Foundation Schools* 3rd edition revised and enlarged by F. W. Bedford, Bell & Bradfute, Edinburgh, 1872, pp. VI-437.

WHITE, G. H. ed., -*The Complete Peerage or a History of the House of Lords and all its members from the earliest times*, the St-Catherine Press, London, 1953, 13 Vols.

d) Archives

BURTON, J. H. ed., – *The Register of the Privy Council of Scotland* First Series, H. M General Register House, Edinburgh, 1877, Vol XIV ; 1894 ed, Vol XI, p10

Second Series, D. Masson ed, 1899, vol I (1625-27)

Second Series, P. Hume Brown ed, 1908, vol VIII (1544-1660)

MAITLAND THOMSON, J. ed., – *The Register of the Great Seal of Scotland*, Edinburgh, London, Melbourne, 1984, Vol IV, A. D 1546-1580, pp. 2-1180.

e) Documents héraldiques

BURKE, B. Sir. – *The General Armory of England, Scotland, Ireland, and Wales.* A Registry of Armorial Bearings from the earliest to the present time, London, 1884, pp. II-1185.

STEVEN, W. – *Illustrated Catalogue of the Heraldic Exhibition*, Burlington House 1894, Printed for the Committee by C. Whittingham & Co, London, 1896, pp. XII-116.

F) DROIT ÉCOSSAIS

Grâce à l'aide du Professeur John W Cairns, nous avons pu rassembler une bibliographie basée sur des recherches très récentes. Néanmoins, des ouvrages anciens sont également cités. Les nombreux écrits de John W. Cairns, sont d'excellentes mises au point, éclairées de notes scientifiques alliant érudition et clarté. On consultera également W. M. Gordon, D. B. Smith et P. Stein.

a) Ouvrages

ANTON, A. E. – *Scottish Thoughts on French Civil Procedure.* in The Juridical Review, Edinburgh, 1956, pp. 1-306.

BRUTON, G. & HAIG, D. – *An Historical Account of the Senators of the College of Justice, from its institution in 1532*, Edinburgh, 1836, pp. VI-567.

BURGESS, R. – *Perpetuities in Scots Law,* The Stair Society, Edinburgh, 1979, pp. 1-239.

DUNCAN, A. G. M. – *Green's Glossary of Scottish Legal Terms* First published 1946, reprinted 1971, 75, 78, Second Edition 1982, 3rd Edition 1992, Edinburgh, pp. VIII-128

GRANT, F. J. Sir, edited by – *The Faculty of Advocates in Scotland 1532-1946, with genealogical notes*, Edinburgh, 1944, pp. IV-228.

GUDM, T. – *Statement to the Faculty of Advocates*, Edinburgh, 1834, pp. 4-22.

HANNAY, R. – *The College of Justice. Essays on the Institution and Development of the Court of Session.* Edinburgh and Glasgow, 1933, pp X-176. Reprinted in Great-Britain by Bell & Bain Ltd, Glasgow with an Introduction by Hector L. MacQueen, 1990, pp. X-359.

HARDING, A. ed. – *Law making and Law-makers in British History* Papers presented to the Edinburgh Legal History Conference, 1977, London Royal Historical Society, 1980, pp. VII-223, en particulier le chapitre de N. T. Phillipson intitulé : « The Social Structure of the Faculty of Advocates in Scotland 1661-1840 », pp. 146-156. *Interim Report of Library Committee/ Faculty of Advocates,* Edinburgh 1828.

IRVING, D. – *A Report to the Curators respecting the arrangement of the Advocates Library*, Ist April 1824, pp. 2-7.

—— Préface au : *A Catalogue of the Law Books in the Advocates Library,* Thomas Clark- Law Bookseller, Edinburgh, 1831.

LANG, A. – *Sir George Mackenzie of Rosehaugh, King's Advocate His Life and Times 1636 ? -1691,* Longmans, Green & Co, London, 1909, pp. VI-347.

MACKENZIE, G. – *The Science of Heraldry, Treated as a part of Civil Law*, Edinburgh, 1680.

—— Catalogus Librorum Bibliothecae juris utriusque, 1692, pp. I-158.

—— The Works of that Eminent and Learned Lawyer Sir George Mackenzie of Rosehaugh, Edinburgh, 1716-1722, Vol 1 : Moral Essays, Vol 2 : Law Treatises.

MACPHERSON – PINHERTON, J. ed, – *The Minute Book of the Faculty of Advocates,* The Stair Society, Edinburgh, 1976, pp. I-312. Vol. 1 1661-1712.

OMOND, G. W. T. – *The Lord Advocates of Scotland, from the close of the fifteenth century to the passing of the Reform Bill,* D. Douglas, Edinburgh, 1883, Vol. I : pp. VI-366, Vol. II : pp. VI-372.

STEIN, P. – *The Character and Influence of the Roman Civil Law*, Historical Essays, Hambledon Press, London & Ronceverte, 1988, pp. 4-450. En particulier le chapitre VII intitulé : « Legal Humanism and Legal Science », pp. 91-100.

TOWNLEY, M. – *The Best and Fynest Lawers and other Raire Bookes A facsimile of the Earliest List of Books in the Advocates' Library, Edinburgh with an Introduction and a Modern Catalogue*, Edinburgh Bibliographical Society, Edinburgh, in association with the National Library of Scotland, 1990, pp. 7-163.

TYTLER, P. F. – *An Account of the Life of Sir Thomas Craig of Riccarton including biographical sketches of the most eminent legal characters since the institution of the Court of Session by James V till the period of the Union of the Crowns*, Edinburgh 1823, pp. IV-362.

WALKER. D. M. – *The Scottish Legal System, an Introduction to the Study of Scots Law*. Edinburgh, 1959, pp. V-307. *En particulier les pp. 69-104 qui représentent une bonne synthèse de l'évolution des institutions légales de l'origine à l' « Acte d'Union ».*

—— *The Scottish Jurists*, Green & Son Ltd Law Publishers, Edinburgh, 1985, pp. VII-492. Contient des paragraphes sur certains Écossais à Bourges : Scrimgeour, Barclay, Henryson, Mackenzie. Cependant, les sources de référence employées sont des sources secondaires, pas toujours vérifiées. Cet ouvrage est donc à consulter avec quelque prudence.

WATSON, A. – *The Evolution of Law*, Oxford, 1985, pp. VII-156

b) Articles

BROWN, H. H. – « Sir George Mackenzie of Rosehaugh » *in The Scots Law Times,* Vol. IX, 1902, pp. 1-3

CAIRNS, J. W. – « Mackenzie's Institutions and Law teaching in 18th century Scotland » *in The Journal of Legal History*, Vol. I, May 1986, number 1, pp. 86-87.

—— « The Formation of the Scottish Legal Mind in the 18th Century : Themes of Humanism and Enlightment in the Admission of Advocates » pp. 253-263, *in The Legal Mind*, Essays for Tony Honoré, N. MacCormick & P. Briks, Oxford, 1986, pp. VIII-328.

—— *Oratio Inauguralis In Aperienda Jurisconsultorum Bibliotheca Sir George MACKENZIE*, Butterworths, Edinburgh, 1990, pp. 18-35.

—— « Rhetoric, Language and Roman Law : Legal ÉDUCATION and Improvement in 18th century Scotland » *in Law and History Review IX*, 1991, pp. 31-58.

—— « Advocates : History of the Faculty of Advocates to 1900 » *in The Laws of Scotland*, Stair Memorial Encyclopaedia, The law Society of Scotland, Butterworths, Edinburgh, 1992, pp. 499-509, Para 1241-1260.

—— « The Law, the Advocates and the Universities in the Sixteenth Century Scotland » *in Scottish Historical Review*, Vol. 73, no. 196, October 1994, pp. 145-164.

—— « Academic Feud, Bloodfeud, and William Welwood : Legal ÉDUCATION in St-Andrews, 1560-1611 » à paraître in *Edinburgh Law Review*, 2, 1998.

CAIRNS, J. W, FERGUS, D. MACQUEEN, H. L. – « Legal Humanism and the History of Scots Law : John Skene and Thomas Craig » *in Humanism in Renaissance Scotland*, Ed John MacQueen, Edinburgh University Press, 1990, pp. 48-74.

CLANCY, M. P. – « Notaries Public, Historical Introduction, Solicitors, Historical Introduction » *in The Laws of Scotland*, Stair Memorial Encyclopaedia, The Law Society of Scotland, Butterworths, Edinburgh, 1992, Vol 13, pp. 485-6, Para 1212-14, pp. 430-33, Para 1126-34.

CARSWELL, R. D. -« The Origins of the Legal profession in Scotland » *in* The American Journal of Legal History, Vol XI, 1967, pp. 41-56.

DONALDSON, G. – « The Legal Profession in Scottish Society in the XVIth and XVIIth centuries » *in The Juridical Review*, 1976, pp. 1-19. Mention spéciale à cet article condensé, qui reste fondamental car il éclaire bien les rapports et les intrications des systèmes juridiques de l'Église et de l'État.

DURKAN, J. – « The Early Scottish Notary » *in The Renaissance and Reformation in Scotland* pp. 22-40, Essays in honour of Gordon Donaldson, I. B. Cowan & D. Shaw ed., Scottish Academic Press, Edinburgh, 1983, pp. VI-261

FEENSTRA, R. – « Scottish-Dutch Legal Relations in the Seventeenth and Eighteenth Centuries » *in Scotland and Europe 1200-1850*, Edited by T. C. Smout, J. Donald Publishers Ltd, Edinburgh, 1986, pp. 128-143. Reprinted *in Academic Relations between the Low Countries and the British Isles 1450-1700*, H. de Ridder-Symoens & J. M. Fletcher, Editors. Proceedings of the First Conference of Belgian, British and Dutch Historians of Universities held in Ghent, September 30-October 2 1987 (Studia Historica Gandensia 273) Gent 1989, pp. 25-45.

GARDNER, J. C. – « French and Dutch Influences », ch. 18, pp. 226-234 *in An Introductory Survey of the Sources and Literature of Scots Law by various Authors.* Stair Society, Edinburgh, 1936, pp. 226-34.

GORDON, W. M. – « Scotland and France, the Legal Connection » *in INDEX, Qarderni camorti di studi romanistici International Survey of Roman Law*, 22, 1994, pp. 557-566.

MacLEAN, A. J – « Sir George Mackenzie and Scots Criminal Law » *in The Journal of Legal History*, Vol 7, May 1986, number 1, pp. 88-89.

MacQUEEN, H. L -« Mackenzie's Institutions in Scottish Legal History » *in Journal of the Law Society of Scotland,* December 1984, pp. 498-501.

—— Scottish Legal History Group Bibliography 1983-1992, 15 October 1993, pp. 1-12.

SELLAR, D. ed, – *Miscellany Two* by various authors, The Stair Society, Edinburgh, 1984, pp. III-339.

SMITH, D. B. – « Roman Law », chapter 14, pp. 171-182, « Canon Law », chapter 15, pp. 183-192, in *An Introductory Survey of the Sources and Literature of Scots Law by various Authors,* Stair Society, Edinburgh, 1936, pp. 171-82

—— « Roman Law and Political Theory » *in Scottish Historical Review* XXII, pp. 250-269.

SMITH. T. B. – « Scots Law and Roman-Dutch Law, A Shared Tradition ». pp. 36-46 in *Acta Juridica*, published under the Auspices of the Faculty of Law, University of Cape Town, by A. A. Balkema, Cape Town-Amsterdam, 1959, pp. V-292.

STEIN. P. – « The Influence of Roman Law on the Law of Scotland », *in Studia et Documents Historiae et Juris,* Vol. 23, 1957, pp. 149-173.

WALTON, F. P- « The Influence of France on Scots Law » *in The Scots Law Time*, Vol. III, 11 January 1896, pp. 189-90.

—— « The Relationship of the Law of France to the Law of Scotland », *in Juridical Review* 14, 1902, pp. 17-34.

WILSON, J. D. – « The Reception of the Roman Law in Scotland » *in Juridical Review* 9, 1897, pp. 361-394.

WILSON, N. – « The Scottish Bar : the Evolution of the Faculty of Advocates in its Historical Setting », *in Louisiana Law Review*, Vol. XXVIII, 1968, pp. 235-257.

YOUNG, G. B. – « Sir George Mackenzie of Rosehaugh » *in Juridical Review*, 266, 1907, pp. 266-279.

c) Conférences

SMITH. T. B – *Strange Gods, the Crisis of Scots Law as a Civilian System*. University of Edinburgh, Friday 17th October, 1958, pp. 1-22.

—— « L'Influence de la Vieille Alliance sur le Droit écossais », *in* Actes du Congrès sur l'Ancienne Université d'Orléans, 1961, pp. 109-121.

G) RELATIONS FRANCO-ÉCOSSAISES

a) Ouvrages

DONALDSON, G. – *The Auld Alliance, The Franco-Scottish Connection.* Satire pamphlets, new series 6, 1985, pp. 4-32.

FENWICK, H. – *The Aulde Alliance,* The Roundwood Press Pub. Ltd, 1971, pp. VIII-152.

FRANCISQUE-MICHEL. – *Les Écossais en France, Les Français en Écosse* Trübner & Cie, Londres, 1862, 2 volumes. Premier vol. pp. 2-548, deuxième vol. pp. 2-551. Cet ouvrage est le seul à ce jour, à présenter de façon complète, avec néanmoins quelques erreurs, les relations entre les deux pays, depuis Charlemagne jusqu'au cœur du dix-neuvième siècle.

GIRARDOT, de Baron. – *Pièces inédites relatives à l'Histoire d'Écosse, années 1550-51,* publiées par Bibliothèque Municipale, Bourges. n. d, n. l.

SANDRET, L. – *Ambassades de Phil du Croc en Écosse 1565-1573* Archives départementales du Cher, n. d, n. p.

b) Articles

BLANCHOT, J-J. – « François Ier et l'Écosse en 1520 et 1521 », *in Centre de Recherches, Relations Internationales de l'Université de Metz,* Metz, 1973, pp. 16-31.

RIBAULT, J-Y. – « Les Souvenirs écossais en Berry », *Extraits du Bulletin d'Information du Département du Cher,* nos 101 à 106, 1973-1974.

H) LES ÉCOSSAIS EN FRANCE

a) Ouvrages

ADVIELLE, V. – *Les Écossais en Rouergue*, Paris, Edimbourg, 1865, pp. 3-16.

du BOSCQ de BEAUMONT, G et BERNOS, M. – *La Cour des Stuarts à Saint-Germain-en Laye 1689-1718*, Emile-Paul Editeur, Paris 1912, pp. V-400.

CASSAVETTI, E. – *The Lion and the Lilies, the Stuarts in France*, Macdonald & Jane's, London, 1977, pp. VIII-332

GORDON, P. – *Les Écossais en Berry, Paroisse Saint-Outrillet,* Nevers, 1919.

CUST, E. – *Some Account of the Stuarts of Aubigny in France, 1422-1672*, London, 1891.

b) Articles

SUPPLISSON, M. – « Les Réfugiés écossais de Sancerre au XVIIIe Siècle » *in Extrait des Mémoires de la Société historique, littéraire et scientifique du Cher*, 4e série, 31e volume, 1918-19, pp. 1-34.

c) Catalogue

Musée des Antiquités Nationales de Saint-Germain-en-Laye. – *La Cour des Stuarts à Saint-Germain-enLaye au temps de Louis XIV*, catalogue de l'exposition 13 février-27 avril 1992 pp. 10-237.

I) LES ÉTUDIANTS ÉCOSSAIS SUR LE CONTINENT

Afin de replacer les étudiants écossais à la Faculté de Droit de Bourges dans une double perspective historique et européenne, il nous a semblé bon de proposer une documentation ayant pour sujet les étudiants écossais présents dans les autres universités de l'époque et au cours de périodes antérieures.

Nous regrettons cependant de ne pas disposer à ce jour de documents exhaustifs en la matière, mais seulement d'articles assez courts.

a) Ouvrages

BURTON, J. H. – *The Scot Abroad*, W. Blackwood & Sons, Edinburgh & London, 1864, 2 Vols, Vol I : pp. VI-328, Vol II : pp. 2-384.

DONALDSON, G. – *The Scots Overseas*, R. Hale Publishers, London, 1966, pp. 12-232.

NEW SPALDING CLUB ed., – *Records of the Scots Colleges*, vol. 1, Aberdeen, 1906.

SMOUT, T. C Ed. – *Scotland and Europe 1200-1850*, John Donald Publishers Ltd, Edinburgh, 1986, pp. V-206.

b) Articles

CAIRD-TAYLOR, W. -« Scottish Students in Heidelberg 1386-1662 » in *Scottish Historical Review*, V, 1908, pp. 67-75.

DUNLOP, A. I. -« Scots abroad in the 15th Century » published for *The Historical Association*, Publications no 124, London, 1942, pp. 3-24.

DURKAN, J. -« Notes on Scots in Italy », *in The Innes Review*, 1, 22, pp. 12-18.

JOHNSTONE, K. J. F. -« *Album Amicorum* Georgii Cragii 1602-1605 », *in Aberdeen University Studies*, no 95, 1924, pp. 19-32.

LYALL, R. J. -« Scottish Students and Masters at the Universities of Cologne and Louvain in the 15th century » *in The Innes Review*, Vol. XXXVI, 1985, no 2, pp. 55-73.

MITCHELL, R. J. -« Scottish Law Students in Italy in the later Middle-Ages », *in Juridical Review* 49, 1937, pp. 19-24.

MOORE, M. F. -« The Education of a Scottish Nobleman's Sons in the 17th Century » *in Scottish Historical Review* XXXI, 112, October 1952, pp. 101-115.

STEWART, H. -« The Scottish « Nation » at the University of Padoua » *in Scottish Historical Review* III, 1906, pp. 53-62.

STRIAN, van K. & ASHMANN, M. -« Scottish Law Students in Leiden at the end of the 17th Century », *in Lias, Sources & Documents to the Early Modern History of Ideas*, 19, 1991, pp. 271-330, & 20, 1993, pp. 1-65.

WATT, D. E. R. -« Scottish student life abroad in the 14th century » *in Scottish Historical Review*, 59, 1980, pp. 3-21.

J) LES ÉTUDIANTS ÉCOSSAIS EN FRANCE

a) Études d'ensemble.

1) Ouvrages

FLEMING, A. – *The Medieval Scots Scholar in France, So*uvenirs de France Book II, W. Maclellan, Glasgow, 1952, pp. 5-234

LEITH, W. F. – *Bibliographie des Livres Publiés à Paris et à Lyon par les Savants Écossais Réfugiés en France au 16ᵉ Siècle*, Glasgow, 1912, pp. 5-32.

2) Articles

CAMERON, A. – « Scottish Students at Paris University 1466-1492 » *in Juridical Review*, 48, 1936, pp. 228-255.

DEVEAU, C. -« Les Suites de la Vieille Alliance » in *Bulletin de la Société Archéologique et Historique de l'Orléanais*, 49, (1978-79), pp. 153-171.

DURKAN, J. -« The French Connection in the Sixteenth and Early Seventeenth Centuries » *in Scotland and Europe 1200-1850,* T C Smout Ed, Edinburgh, 1986, pp. 19-44.

——« Scots College, Paris » *in The Innes Review*, 2, pp. 112-113.

——« Grisy Burses at Scots College, Paris », *in The Innes Review* 22, pp. 50-52.

KIRKPATRICK, J. – « The Scottish Nation in the University of Orléans (1336-1538) », *Publications of the Scottish History Society*, Volume XLIV, February 1904, pp. 47-102.

MATHOREZ, J. -« Notes sur les intellectuels écossais en France au XVIᵉ siècle » *in Bulletin du Bibliophile et du Bibliothécaire* 1919, pp. 85-107.

McNEILL, W. A. -« Scottish Entries IN THE ACTA RECTORIA UNIVERSITATIS PARISIENSIS 1519 to c. 1633 » *in Scottish Historical Review*, Vol. 43, Edinburgh, 1963, pp. 66-86.

—— « Documents illustrative of the History of the Scots Colleges Paris », *in The Innes Review* 15, pp. 66-85.

MONTAGU, W. M. -« The Scottish Nation in Paris » *in Scottish Historical Review* IV, 1907, pp. 399-416

PLATTARD, J. -« Scottish Masters and Students at Poitiers in the Second Half of the Sixteenth Century » *in Scottish Historical Review*, Vol. 21, Glasgow, 1924, pp. 82-6.

b) Études individuelles.

1) Ouvrages

CRAWFORD, D. ed. – *Journal of Sir John Lauder, Lord Fountainhall, with his observations on public affairs and other memoranda 1665-1676*, edited with Introduction and Notes by Donald Crawford, Scottish History Society, University Press, Edinburgh, 1900.

DUPOND, A. – *L'ARGENIS de BARCLAI.* Paris, 1875, pp. VI-196.

PLATTARD, J. – *Un étudiant écossais en France en 1665-1666 : Journal de Voyage de Sir John Lauder*, traduit et commenté, éditions d'Art et d'Histoire, Paris, 1935, pp. 4-128.

2) Articles

BOUCHET, F. – L'Argénis néo-latine de John Barclay : le premier « roman héroïque » 1621, *in XVII*[e] *Siècle*, revue publiée par la Société d'Étude du 17e, Avril-Juin 92, no. 175, pp. 169-187.

CULLIERE, A. – « Jean Barclay contre les Jésuites de Pont-à-Mousson : approche de la toute première édition de l'Euphormion » *in Les Jésuites parmi les hommes aux 16*[e] *et 17*[e] *siècles*, Actes du Colloque de Clermont-Ferrand, avril 1985, publiés par G. et G. Demerson, B. Dompnier et A. Regond, Clermont-Ferrand, Université Blaise Pascal, pp. VI-555. (pp 207-218).

McROBERTS, D. Rev. – « George Strachan of the Mearns, an Early Scottish orientalist » *in The Innes Review* III, 1956, pp. 110-128.

K) LES ÉTUDIANTS ÉCOSSAIS DE BOURGES

a) Études d'ensemble.

1) Ouvrages

FRANCISQUE-MICHEL. – *Les Écossais en France, Les Français en Écosse*, Trübner & Cie, Londres, 1862, vol. 2, 2e Partie, pp. 261-266.

2) Articles

RIBAULT, J-Y. – « Les Écossais à l'Université de Bourges » *in Souvenirs Écossais en Berry*, (n. p, n. d).

b) Études individuelles

a) Ouvrages

ANDERSON, P. J. ed, – *Officers and Graduates of the University and King's College of Aberdeen*, Aberdeen, 1893, Malcolm MacGregore : p. 217.

ANDERSON, P. J. ed, -*Roll of Alumni in Arts of the University and King's College of Aberdeen 1596-1860*, Aberdeen, 1900, Malcolm MacGregore : p. 217.

BARJAVEL, R – *Dictionnaire historique du département du Vaucluse*, Carpentras, 1841, Alexander Scot : pp. 397-398.

CHOTTIER, C. – *Notes historiques concernant les recteurs du ci-devant Comté Venaissin*, Carpentras, 1806, Alexander Scot : pp. 233-36.

COLLOT, C. – *L'Ecole Doctrinale de Droit Public de Pont-A-Mousson (Pierre GREGOIRE de Toulouse et Guillaume BARCLAY) (FIN DU XVIe SIECLE)*, Paris, 1965, pp. 2-357.

DALRYMPLE, D. Sir, Lord HAILES. – *Sketch of the Life of Mark Alexander BOYD*, Edinburgh 1786 or 1787 pp. 2-20.

DEMPSTER, T. – *Historia Ecclesiastica Gentis Scotorum*, Edinburgh, 1829, Vol. 2, Alexander Scot : p. 614.

DUBOIS, E. – *Guillaume BARCLAY, Jurisconsulte Écossais, Professeur à Pont-à-Mousson et à Angers 1546-1608*, Discours de Réception à l'Académie de Stanislas, Paris/Nancy, 1872, pp. 5-123.

IRVING, D. – *Lives of Scottish Writers*, Edinburgh, 1839, Alexander Scot : vol. II, appendix, pp. 354 & 364, note. 2.

LEITH, W. F. – *Bibliographie des livres publiés à Lyon et Paris par les savants écossais réfugiés en France au XVIe siècle*, cf. Ouvrages sur l'Écosse, Alexander Scot : p. 31, note 2.

MacDONALD. R. H. – *The Library of Drummond of Hawthornden*, Edited with an Introduction by R. H. MacDonald, with a foreword by Sir Geoffrey Keynes, Edinburgh University Press, Edinburgh, 1971, pp. ix-245.

—— *William Drummond of Hawthornden, Poems and Prose*, Scottish Academic Press, Edinburgh & London, 1976, pp. ix-200.

MAITLAND, W. – *The History of Edinburgh*, Edinburgh, 1753, Edward Henryson : p. 198.

MASSON, D. – *Drummond of Hawthornden : the Story of his Life and Writing,* MacMillan and Co, London, 1873, pp. viii-490.

MOULINAS et PATIN. – « Notes sur le Collège de Carpentras » *in Mémoires de l'Académie de Vaucluse*, 1893, Alexander Scot : p. 262.

OUSTON, H. – « York in Edinburgh : James VII and the Patronage of Learning in Scotland, 1679-1688 », *in New Perspectives on the Politics and Culture of Early Modern Scotland*, J. Dwyer, R. A. Mason, & A. Murdoch, ed. Edinburgh : John Donald, 1982, Patrick Adamson : pp. 133-55.

—— « Cultural Life from the Restoration to the Union » *in The History of Scottish Literature*, vol II, 1660-1800, Andrew Hook ed., Aberdeen University Press, Patrick Adamson : pp. 11-31.

Records of the Scots Colleges at Douai, Rome, Madrid, Valladolid and Ratisbon, Vol. I, Registers of Students, New Spalding Club, Aberdeen, 1906, Arthur Stuart : p. 20.

SIBBALD, R. Sir. – *Scotia Illustrata, Pars Secunda Specialis*, tomus secundus, Edinburgi 1684, Mark Al. Boyd : pp. 1-3.

SWAN, J. – Views of Fife, Edinburgh, 1840, Edward Henryson : p. 229.

b) Articles

BORCH-BONGER de, F. – « Un Ami de Jacques Amyot : Henry Scringer » *in Mélanges offerts à M. Abel Lefranc par ses élèves et ses amis*, Paris, Librairie Droz, 1936, pp. VIII-506, pp. 362-373

BROWN, H. H. – « Sir George Mackenzie of Rosehaugh » in *The Scots Law Times*, Vol. IX, 1902, pp. 1-3.

CAIRNS, J. W. – « The Law, the Advocates and the Universities in Late Sixteenth Century Scotland », *in Scottish Historical Review*, Vol. 73, n°. 196, October 1994, William Skene : pp. 152-157.

DONALDSON, R. – « M. Alex. BOYDE » The authorship of « Fra banc to Banc », *in The Renaissance in Scotland ; Studies in Literature, Religion, History and Culture offered to John Durkan* edited by A. A MacDonald, M. Lynch and J. B. Cowan (Brill's Studies in Intellectual History, Vol. 54, Leiden, E. J Brill, 1994, pp. 344-366.

DURKAN, J. – « Henry Scrimgeour, Renaissance Bookman » *in Edinburgh Bibliographical Society Transactions 1971-1987*, vol. 5, Part 1, pp. 1-31 ; Henryson : pp. 2-4

LAING, D. – « A Brief Account of the Hawthornden Manuscripts in the possession of the Society of Antiquaries of Scotland ; with Extracts, containing several unpublished Letters and Poems of William Drummond of Hawthornden », *in Archaelogia Scotica or Transactions of the Society of Antiquaries of Scotland*, vol. IV, Edinburgh, 1857, pp. III-453.

MacDONALD, R. H. – « Drummond of Hawthornden : The Season at Bourges, 1607 », *in Comparative Drama*, Vol. IV, 1970, pp. 89-109.

MACQUEEN, H. L. – « Notes. Scottish Legal History Group (Mackenzie Tercentenary) », *in The Journal of Legal History*, vol. 7, May 1986, pp. 84-89.

SMITH, D. B. – « William BARCLAY », *in Scottish Historical Review*, vol. XI, 19/4, pp. 136-163.

WATSON, A. – « Some Notes on Mackenzie's *Institutions* and the European Legal Tradition », *in Ius Commune : Zeitschrift für Europäische Rechtsgeschichte*, 16, 1989, pp. 303-13.

WILLIAMS, A. M. – « Sir George Mackenzie of Rosehaugh » *in Scottish Historical Review*, vol. III, 1915-1916, pp. 138-148.

YOUNG, G. B. – « Sir George Mackenzie of Rosehaugh », *in Juricical Review*, 1907, 266, pp. 266-279.

c) Thèses

MacDONALD, R. H. – *The Manuscripts of William Drummond of Hawthornden*, unpublished Thesis, Edinburgh University, Faculty of Arts, 2 vols, October 1969.

JOLY, A. – *William Drummond de Hawthornden, 1585-1649, Aperçu d'ensemble sur la Vie et l'Œuvre du Poète*, thèse Complèmentaire pour le Doctorat-ès-Lettres, Lille, 1934, pp. II-165.

II OUVRAGES SUR LA FRANCE

A) VIE MATÉRIELLE

a) Ouvrages

DENIEUL-CORMIER, A. – *La France de la Renaissance 1488-1559*, Arthaud, 1962, pp. 7-510, en particulier le chapitre « La Renaissance des Ames » pp. 414-483.

ESTIENNE, C. – *La Guide des Chemins de France 1553,* J. Bonnerot, éd. Paris, 1935, pp. 2-392, T. Second : Fac-Similé et Cartes, Lib. Champion, 1936, pp. 1-256.

LEFRANC, A. – *La Vie Quotidienne au Temps de la Renaissance,* Paris, 1938, pp. 7-253.

SEE, H. – *Histoire économique de la France*, Vol 1 : *le Moyen-Age et l'Ancien Régime*, Paris, 1948, pp. II-453.

SEE, H. et REBILLON, A. – *Le XVIe siècle*, P. U. F, 1934, pp. VI-410.

B) VIE INTELLECTUELLE

a) Ouvrages

DEMERSON, G. – *Livres populaires du XVIe siècle*, Ouvrage publié sous la responsabilité de Guy Demerson, éd. du CNRS, 1986, pp. 5-397.

FOURNIER, E. – *Le Théâtre français au XVIe et au XVIIe siècles ou Choix des Comédies les plus curieuses antérieures à Molière* Laplace, Sanchez et Cie Ed, Paris, 1871, pp. VI-582.

LEFRANC, A. – *Marguerite de Navarre, Dernières Poésies*, Paris, A. Colin, 1896, pp. 1-455.

—— « Marguerite de Navarre et le Platonisme de la Renaissance », *in Grands Ecrivains de la Renaissance*, Paris, Edition Champion, 1914, pp. 139-249.

—— « Jean Calvin et le Texte Français de son *Institution Chrétienne* » *in Grands Ecrivains Français de la Renaissance,* Paris, Edition Champion, 1914, pp. 305-38.

LAZARE, M. – *Le théâtre en France au XVIe siècle*, P. U. F. Paris, 1980, pp. 6-253.

SAYOUS, A. – *Études littéraires sur les écrivains français de la Réformation,* 2 volumes, Paris Genève, 1841, « Jean Calvin », *in* Vol 1, pp. 63-165, « François Hotman », *in* Vol 2, pp. 1-54.

C) ÉDUCATION

1) Ouvrages

BROCKLISS, L. W. B. – *French Higher Education in the 17th and 18th centuries. A Cultural History*. Clarendon Press, Oxford, 1987, pp. VIII-544.

CHARTIER, R. COMPERE, M M. JULIA, D. – *L'Éducation en France du 16e au 18e siècle*, SEDES Paris 1976, pp. 4-304.

COMPERE, M M. JULIA, D. – *Les Collèges Français 16e-18e siècles,* Institut National de Recherche Pédagogique, Editions du CNRS, 1984, pp. 1-759.

DUPILLE, C. – *Les Enragés du XVe siècle, les étudiants au Moyen-Age*. Présentation et choix de textes par Chantal Dupille, Ed du Cerf, Paris, 1969, pp. 11-221.

JULIA, D. & REVEL, J. – *Histoire Sociale des Populations Étudiantes, les Universités Européennes du 16e au 18e siècle,* Editions de l'Ecole des Hautes Études en Sciences Sociales, Paris, Tome II, 1989, pp. 10-616.

LEFRANC, A. – *Histoire du Collège de France,* Lib Hachette & Cie, Paris 1893, pp. VIII-432.

Le GOFF, J. – *Les Intellectuels au Moyen-Age,* Ed. du Seuil, Paris 1957, pp. 7-245.

2) Universités

a) Ouvrages d'ensemble

FOURNIER, M. – *Les Statuts et Privilèges des Universités Françaises depuis leur fondation jusqu'en 1789*, éd. Larose et Forcel, Paris, 1892, 2 Vol.

GANDILHON, R. – *Sigillographie des Universités de France,* Delmas, 1952, pp. 8-127.

GUENEE, S. – *Bibliographie de l'Histoire des Universités Françaises des Origines à la Révolution*, Tome II : d'Aix-en-Provence à Valence et Académies Protestantes, Paris 1978, pp. VIII-495. Tome I : Généralités, Université de Paris, Ed Picard, Paris, 1981, pp. VIII-566.

d'IRSAY, S. – *Histoire des Universités Françaises et Etrangères,* Tome II : « du XVIe siècle à 1860 », Ed. A. Picard, Paris, 1935, pp. VI-451.

VERGER, J. – *Histoire des Universités en France*, Bibliothèque Historique Privat, Toulouse, 1986, pp. 6-432.

—— *Histoire des Universités,* P. U. F « Que Sais-je », 1994, pp. 3-126.

b) Ouvrages spécifiques

BOISSONNADE, Doyen. – *Histoire de l'Université de Poitiers, Passé et Présent, 1432-1932*, Poitiers, 1932, pp. 8-573.

GADAVE, R. – *Les Documents sur l'Histoire de l'Université de Toulouse et spécialement de sa Faculté de Droit Civil et Canonique (1229-1789)*, Bibliothèque Méridionale publiée sous les auspices de la Faculté des Lettres de Toulouse, 2e Série, Tome XIII, Toulouse, 1910, pp. VII-380.

c) Articles

BOUSSARD, J. – « L'Université d'Orléans et l'Humanisme au début du XVIe siècle » *in Travaux d'Humanisme et Renaissance*, Tome V, 1938, pp. 209-230.

FOURNIER, M. -« La Nation Allemande à l'Université d'Orléans au 14e siècle », in *Nouvelle Revue Historique de Droit Français Etranger*, Larose & Forcel, Paris, 1888, t. 12, pp. 386-394.

GOTTERI, N. – « Quelques étudiants de l'Université d'Orléans en 1462 » *in Mélanges de l'Ecole Française de Rome, Moyen-Age, Temps Modernes*, 1972, Tome 84, pp. 547-558.

d) Thèses

MARTIN, E. – *L'Université de Pont-à-Mousson (1572-1768)*, Paris Nancy, Berger-Levrault et Cie Ed, 1891, pp. VIII-455.

MOUFLARD, M. M. – *Liber Nationis Provinciae Provinciarum, Journal des Étudiants Provençaux à l'Université de Toulouse (1558-1630)*, Paris, 1965, deux volumes : A) Commentaire pp. 7-311 B) Texte pp. 9-143.

2) Les Académies protestantes

a) Ouvrages

BOURCHENIN, P. D. – *Étude sur les Académies Protestantes en France au XVIe et au XVIIe Siècles*, Grassart Libraire-éditeur, Paris 1882, pp. 1-480.

DUMONT, J. – *Histoire de l'Académie de Saumur*, Angers, 1685, pp. 2-112.

b) Articles

MARCHEGAY, P. – « Les Anciennes Académies Protestantes : Saumur (1593-1685) » *in Bulletin de la Société de l'Histoire du Protestantisme*, T. I, 1853, pp. 301-316.

NICOLAS, M. – « Des Ecoles Primaires et des Collèges chez les Protestants Français avant la Révocation de l'Edit de Nantes 1538-1685 », *in Bulletin de la Société de l'Histoire du Protestantisme,* T. 4, 1856, pp. 497-511

D) VIE RELIGIEUSE

a) Ouvrages

GARRISSON, J. – *Les Protestants au XVIe siècle*, Fayard, Paris, 1988, pp. 8-413.

GAUDEMET, J. – *Église et Cité. Histoire du Droit Canonique*, Cerf/ Montchrestien, 1994, pp. IV-725.

HAAG, E. – *La France Protestante ou Vies des Protestants Français* J. Cherbuliez Ed., Paris, 1846, 10 Volumes.

HAUSER, H. – *La Naissance du Protestantisme*, PUF, Paris, 1940, pp. 2-123.

JANELLE, P. & JOURDA, P. – *La Crise Religieuse du 16e siècle* Collection de l'Histoire de l'Église, Bloud & Gay, 1950, Vol. 16, pp. 424-445.

LEONARD, E. G. – *Histoire Générale du Protestantisme*, PUF, Paris, 1961, Vol. 1, 2.

MANDROU, R. – *Histoire des Protestants en France,* Toulouse, Privat, 1977, pp. 4-490.

McNEILL, T. J. – *History and Character of Calvinism*, New-York, 1967, pp. VI-470.

MOURS, S. – *Les Églises Réformées en France, Tableaux et Cartes* Paris et Strasbourg, 1958, pp. 6-236.

WENDEL, F. – *Calvin, Sources et Evolution de sa pensée religieuse*P. U. F, Paris 1950, pp. VI-290.

b) Articles

BAGUENAULT de PUCHESSE, G. – « La Jeunesse de Calvin d'après de nombreux documents, 1528-1534 » *in Revue des Questions Historiques,* Ed. V. Palmé, Septième Année, Tome Douzième, Paris, 1872, pp. 442-462

DOISNEL, J. – « Jean Calvin à Orléans », *in Bulletin de la Société de l'Histoire du Protestantisme,* T. 26, 1877, pp. 174-185.

PANNIER, J. – « La Maison Duchemin et les Séjours de Calvin à Orléans 1529-1533 », *in Bulletin de la Société de l'Histoire du Protestantisme*, 1941, Tome 90, pp. 263-7

c) Thèses

JOLY, A. – *Étude sur J. Sadolet, 1477-1547*, Caen, 1856.

VENARD, M. – *L'Église d'Avignon au XVIe Siècle,* thèse présentée devant l'Université de Paris IV le 11 juillet 1977, Service de reproduction des Thèses, Université de Lille III, 1980 Tome 1, pp. I-511.

d) Actes de colloque

SAUMUR, Capitale Européenne du Protestantisme au XVIIe siècle, 3e cahier de Fontevraud, 26-28 avril 1991, pp. 1-203.

E) HISTOIRE

a) Ouvrages

BERCE, Y-M. MOLINIER, A. PERONNET, M., avec la collaboration de LAGET, M et MICHEL, H. – *Le XVIIe siècle : de la Contre-Réforme aux Lumières*, Hachette Université, 1984, pp. 3-319.

CHARTROU-CHARBONNEL, J. – *La Réforme et les Guerres de Religion*, Paris, 1948, pp. 6-222.

DUBOIS, C-G. – *La Conception de l'Histoire en France au 16e siècle (1560-1610)*, A. G. Nizet, Paris, 1977, pp. 8-668

L'ESTOILE, P. de. – *Journal de Henri III Roy de France et de Pologne ou Mémoires pour servir à l'Histoire de France* 4T, La Haye 1744, *Journal de Henri II*, 4T, La Haye, 1744.

MANDROU, R. – *Introduction à la France Moderne, Essai de psychologie historique 1500-1640*, Ed. Albin Michel, Paris, 1961, pp. X-400.

PERONNET, M. – *Le XVIe siècle : des grandes découvertes à la Contre Réforme (1492-1620)*, Hachette Université, Paris, 1981, pp. 3-303.

F) DROIT

a) Ouvrages

GAUDEMET, J. – *Église et Cité. Histoire du Droit Canonique*, Cerf/Montchrestien, 1994, pp. IV-725.

des GRAVIERS, J. – *Le Droit Canonique*, P. U. F, « Que Sais-je », 1958, pp. 6-126.

KELLEY, D. R. – *Foundations of Modern Historical Scholarship Language, Law, and History in the French Renaissance*, Columbia University Press, New-York and London, 1970, pp. VI-321.

b) Articles

CHENE, C. – « Les Facultés de droit françaises du XVIIe siècle à la Révolution : éléments de bibliographie » *in Annales d'Histoire des Facultés de Droit et de la Science juridique*, 1986, no 3, pp. 5-271, Bourges, pp. 214-16, Pont-à-Mousson, pp. 236-7.

DEPAMBOUR-TARRIDE, L. – « Droit et Académie au 17e siècle, Réflexions sur une absence » *in Revue d'Histoire des Facultés de Droit et de la Science juridique*, 1987, no 5, pp. 8-22.

FEENSTRA, R. – « L'Ecole de Droit d'Orléans au 13e siècle et son rayonnement dans l'Europe médiévale » *in Revue d'Histoire des Facultés de Droit et de la Science juridique*, 1992, no 13, pp. 23-42.

GILLES, H. – « La Faculté de Droit de Toulouse au temps de Jean Bodin » *in Annales d'Histoire des Facultés de Droit et de la Science juridique*, 1986, no. 3, pp. 23-36.

THIREAU, J-L. – « Professeurs et étudiants étrangers dans les Facultés de droit français aux XVIe et XVIIe siècles » *in Revue d'Histoire des Facultés de Droit et de la Science juridique*, 1992, no. 13, pp. 43-73.

—— « L'Enseignement du Droit et ses méthodes au 16e siècle. Continuité ou rupture ? » *in Annales d'Histoire des Facultés de Droit et de la Science juridique*, 1985 no 2, pp. 27-36.

—— « Cicéron et le droit naturel au XVIe siècle » *in Revue d'Histoire des Facultés de Droit et de la Science juridique*, 1987, n° 4, pp. 55-85.

—— « Les Facultés de Droit Françaises au XVIe siècle : éléments de bibliographie », *in Revue d'Histoire des Facultés de Droit et de la Science juridique,* 1987, 1988, 1987, n° 5, Bourges : pp. 117-122, 1988, n° 7, Pont-à-Mousson : pp. 193-95.

c) Articles

COING Recteur U. de Francfort. – « Développement de la Réception du Droit Romain » *in Pédagogues et Juristes, Congrès du Centre d'Études de la Renaissance de Tours :* Eté 1960, Paris 1963, pp. 49-57.

REULOS, M. – « L'importance des Praticiens dans l'Humanisme Juridique » *in Pédagogues et Juristes, Ibid.*, pp. 119-133.

WIEACKER, M. – « Eclipse et permanence du Droit Romain », *in Pédagogues et Juristes, Ibid.*, pp. 59-72.

III OUVRAGES SUR L'EUROPE

A) VIE MATÉRIELLE

a) Ouvrages

BONNAFFE, E. – *Voyages et Voyageurs de la Renaissance*, E. Leroux, Paris, 1895, pp. II-172.

CAMUSSO, L. – *Guide du Voyageur dans l'Europe de 1492*, Milano, 1990, Liana Levi pour l'édition française, 1991, pp. 4-284.

DELUMEAU, J. – *La Civilisation de la Renaissance*, Arthaud, Paris, 1984, pp. 5-539.

DIBON, P. – recueil de textes publiés sous la direction de, *Regards sur la Hollande du Siècle d'Or,* Biblioteca Europea, Vivarium, Napoli, 1990, pp. X-783.

EVELYN, J. – *The Diary of John Evelyn*, W. Bray Ed. Everyman's Library, 1907 revised edition 1952, last reprinted 1966 Vol I : pp. V-406, Vol II : pp. 2-400

L'Homme et la Route en Europe Occidentale au Moyen-Age et aux Temps Modernes, Centre Culturel de l'Abbaye de Flaran, Deuxièmes Journées Internationales d'Histoire, 20-22 septembre 1980, Auch, 1982, pp. 8-303.

MARGOLIN, J-C. & CEARD, J. – *Voyager à la Renaissance, Actes du Colloque de Tours 1983*, éd. Maisonneuve & Larose, Paris, n. d., pp. 8-677.

b) Thèse

BOURCIER, E. – *Les Journaux Privés en Angleterre de 1600 à 1660,* Paris IV, 26 avril 1971, pp. 2-496

B) VIE INTELLECTUELLE

a) Ouvrages

HARGREAVES-MAWDSLEY, W. N. – *A History of Academical Dress in Europe until the end of the 18th century*, Oxford 1963, pp. VIII-235,

HASKINS, C. H. – *Studies in Medieval Culture*, New-York, 1929, pp. VIII-294, en particulier : « The Life of Medieval Students as illustrated by their letters », pp. 1-35.

KLOSE, W. – *Corpus Alborum Amicorum CAAC Beschreibendes verzeichnis der Stammbücher des 16. Jahrhunderts*, A. Hiersemann, Stuttgart, 1988, pp. VI-723

KRISTELLER, P. O. – *Renaissance Thought, the Classic, Scholastic and Humanist Strains*, Harper and Row Publishers, New-York, 1961, pp. VIII-169.

LE ROY LADURIE, E. – *Le siècle des Platter 1499-1628, Tome 1 Le mendiant et le professeur*, Fayard, 1995, pp. 17-526.

NICKSON, M. A. E. – *Early autograph Albums in the British Museum*, London, 1970, pp. 5-31.

PLATTER, Felix & Thomas. – *Platter Felix & Thomas à Montpellier, 1552-1559, 1595-1599, Notes de voyage de deux étudiants Bâlois*, Laffitte Reprints, Marseille, 1979, pp. 2-505.

REYNOLDS, L. D. & WILSON, N. G. – *Scribes and Scholars*, Oxford University press, 1968, 1974 publié en français sous le titre *D'Homère à Erasme,* Ed. du CNRS, 1984-86, pp. VIII-262.

RICCI, S. de & WILSON, W. J. – *Census of Medieval and Renaissance manuscripts in the United States and Canada*, Kraus Reprint Corp. New York, 1961, 3 Vol., pp. VI-2343.

b) Article

ROSENHEIM, M. – « The *Album Amicorum* » Lecture 9th December 1909*in Archaeologia or Miscellaneous Tracts relating to Antiquity* (Vol 62) Society of Antiquaries, Oxford, 1910, pp. 251-308.

C) ÉDUCATION

a) Ouvrages

BORGEAUD, C. – *Histoire de l'Université de Genève 1559-1798*, Genève, 1900, pp. VI-662.

JULIA, D., REVEL, J., CHARTIER. R. – Études rassemblées par *Histoire Sociale des Populations Étudiantes, les Universités Européennes du 16e au 18e Siècle*, Editions de l'Ecole des Hautes Études en Sciences Sociales, Paris, Tome I, 1986 : Bohême, Espagne, États italiens, Pays germaniques, Pologne, Provinces-Unies, pp. 7-260.

RASHDALL, H. – *The Universities of Europe in the Middle Ages*, Oxford University Press, Powicke F. & Emden A Editors, 1895, reprinted 1936, reprinted 1988, 3 Volumes, pp. VI-558.

RIDDER-SYMOENS, de H. Editeur. – *A History of the University in Europe,* Vol. I : Universities in the Middle-Ages, Cambridge University Press, 1992, pp. V-506. Vol. II : Universities in Early Modern Europe (1500-1800), Cambridge University Press, 1996, pp. V-693.

STELLING-MICHAUD, S. – *Le Livre du Recteur de l'Académie de Genève, 1559-1878*, Lib. Droz, Genève 1980, pp. VII-679.

b) Articles

BATTAGLIA, F. – « La Résurrection des Études en Italie à l'époque de la Renaissance » *in Pédagogues et Juristes*, Congrès du Centre d'Études Supérieures de la Renaissance de Tours : Eté 1960, Paris, 1963, pp. 11-20.

RIDDER-SYMOENS, de H. – « The place of the University of Douai in the Peregrinatio Academica Britannica », *in* J. Fletcher & H. de Ridder-Symoens eds, *Lines of Contact between Great Britain and the Low Countries. Proceedings of the Second Conference of Belgian, British and Dutch Historians of Universities Held in Oxford, September 1989*, Ghent, 1994, pp. 21-34.

D) VIE RELIGIEUSE

a) Ouvrages

BEZE, T. de. – *Correspondance* recueillie par H. Aubert, publiée par A. Dufour, B. Nicollier et R. Bodenmann, Tome XVI, année 1575, Librairie Droz, Genève, 1993, pp. VII-315.

HERMINJARD. – *Correspondance des Réformateurs dans les pays de langue française années 1512-1544*, Genève, Bâle, Lyon, 1866-1897, 9 Vols.

KINGDON, R. M. – *Geneva and the Coming of the Wars of Religion in France, 1555-1563*, Lib. Droz, Genève, 1956, Travaux d'Humanisme et Renaisance XXII, pp. 1-163.

E) HISTOIRE

a) Ouvrages

PERONNET, M. – *Le XVIe Siècle : des grandes découvertes à la Contre-Réforme (1492-1620)*, Hachette Université, Paris, 1981, pp. 3-303.

F) DROIT

a) Ouvrages

SCHMIDLIN, B. & DUFOUR, A. Editeurs. – *Jacques GODEFROY (1587-1652) et l'Humanisme Juridique à Genève.* Actes du Colloque Jacques Godefroy, Bâle & Francfort-sur-le-Main 1991, Faculté de Droit de Genève, pp. 7-299.

b) Articles

COING Recteur U. de Francfort. – « Développement de la Réception du Droit Romain » *in Pédagogues et Juristes, Congrès du Centre d'Études de la Renaissance de Tours :* Eté 1960, Paris 1963, pp. 49-57.

WIEACKER, M. – « Eclipse et Permanence du Droit Romain » *in Pédagogues et Juristes, Ibid.,* pp. 59-72.

IV. OUVRAGES SUR BOURGES ET LE BERRY

Sources Manuscrites

Archives Municipales de Bourges

Série GG : Registres Paroissiaux

Registres de baptêmes, mariages et sépultures, tenus par les curés de Saint-Ambroix 1608-1791

GG1 (E. 1) – 1608-1660

GG2 (E. 2) – 1657-1685

GG3 (E. 3) – 1685-1710

Ibid., paroisse Saint-Bonnet

GG7 (E. 9) – 1582-1623

Ibid., paroisse Notre-dame du Fourchaud

GG25 (E. 26) – 1588-1635

Ibid., paroisse Saint-Fulgent

GG31 (E. 32) – 1561-1620

A) VIE MATÉRIELLE

a) Articles

GOLDMAN, P. – *1487 La Vieille Ville en flammes, Bourges,* n. l., 1987, pp. 3-72.

GANDILHON, A. – « Note pour servir à l'histoire de l'imprimerie à Bourges », Extrait du *Bulletin Historique et Philologique*, Imprimerie Nationale, Paris, 1906, pp. 3-7.

JENNY, J. – « Libraires et Imprimeurs de Bourges au XVIe siècle, leurs rapports avec l'Université », *in L'Humanisme Français au début de la Renaissance*, Colloque International de Tours 1972, J. Vrin, Paris (De Pétrarque à Descartes, T. XXIX), pp. 93-102.

—— « Coup d'oeil sur les rapports entre les Imprimeurs-Libraires Lyonnais et Berruyers au XVIe siècle », in *Bulletin du Bibliophile*, pp. 21-39.

—— « Le Local de l'Imprimerie à Bourges (1530-1669), Étude topographique », *in Cahiers d'Archéologie et d'Histoire du Berry*, n° 112, décembre 1992, pp. 15-38.

RHODIER, P. – « Notice historique sur l'Hôtel Cujas à Bourges » *in Mémoires de la Société Historique du Cher*, 4e série, 1er vol., Bourges 1884, pp. 250-290.

b) Thèse

TAILLEMITE, E. – *La vie économique et sociale à Bourges de 1450 à 1560*, thèse de l'Ecole des Chartes, 1948, pp. 1-281.

B) VIE INTELLECTUELLE

a) Articles

JENNY, J. – « Eléments de bibliographie pour une histoire du théâtre à Bourges et en Berry sous l'ancien régime (XVIIe-XVIIIe siècles) », in Cahiers *d'Archéologie et d'Histoire du Berry*, 1979, n° 59, pp. 96-98.

RIBAULT, J-Y. – « Comédiens à Bourges au 17e siècle », *in Cahiers d'Archéologie et d'Histoire du Berry*, 1974, n° 39, pp. 15-17.

—— « Les Ecolâtres de Bourges au XIIe siècle », *Actes du 95e Congrès National des Sociétés Savantes Reims 1970*, Paris, 1975, pp. 9-99.

—— « Nostradamus, Bourges et Augsbourg » Communication faite le 22 mars 1984, *in Cahiers d'Archéologie et d'Histoire du Berry,* Bourges, 1984, pp. 15-18.

—— « Emblèmes d'Alciat et Liber Amicorum de Jérôme Meutting », in *Société d' Histoire du Cher*, n° 500.

C) HISTOIRE

a) Manuscrits

Terrier de la Sainte Chapelle, Archives départementales du Cher, 8G. 1566.

Registre des Assemblées de l'Hôtel de Ville de 1572 à 1576, BB 8, Bibliothèque municipale de Bourges.

Comptes de la Ville de Bourges, Gaiges des lecteurs de 1575 à 1576, CC 352, Bibliothèque municipale de Bourges.

b) Ouvrages

BRIMONT, V. de. – *Le 16e Siècle et les Guerres de Religion en Berry,* Paris, 1905, 2 vols, vol. I : pp. V-470, vol. II : pp. V-474.

BUHOT de KERSERS, A. – *Statistique Monumentale du Département du Cher*, Bourges, 1879-1887, 3 vols.

CHARPENTIER, C-M. – *Sancerre et St-Satur dans l'Histoire de France*, éditions OEPER, Sancerre, 1951, pp. VIII-163.

DEVAILLY, G. sous la direction de, – *Histoire du Berry*, Privat, 1980, pp. 6-334.

GANDHILON, A. – *Inventaire Sommaire des Archives Communales Antérieures à 1790, Ville d'Aubigny- sur-Nère,* Bourges 1931.

GLAUMEAU, J. – *Journal de Jehan Glaumeau Bourges 1541-1562*, publié pour la première fois avec une introduction et des notes par le président Hiver, Bourges, Paris, 1867, pp, VI-182.

GOLDMAN, P., LEMAIRE, M., RIBAULT, J-Y. – *Bourges*, Paris, 1992, pp. 7-191.

MESLE, E. – *Histoire de Bourges*, éd. Horvarth, Roanne/Le Coteau, 1988.

NICOLAY de, N. – *Description du Berry et Diocèse de Bourges*, Paris, 1865, pp. 6-112.

RAYNAL, L. – *Histoire du Berry, depuis les Temps les plus anciens jusqu'en 1789*, Bourges, Vermeil, 1844, 1845, 1847, 4 vols.

THAUMAS de LA THAUMASSIERE, P-G. – *Histoire du Berry*, F. Toubeau, Bourges, 1689. pp. 1156, réimprimé A. Jollet et fils, Bourges, 1865, 2 vols., réimprimé Vve Tardy-Pigelet et fils, Bourges, 1915, pp. 276.

c) Articles

NEE, H. – « Les temples de Sancerre », déc. 1992, n. l., pp. 2-19.

RIBAULT, J-Y. – « Un Historien Provincial au XVIIe Siècle, Gaspard Thaumas de la Thaumassière » *in Bulletin d'Histoire Moderne et Contemporaine,* no 14, pp. 7-36.

SUPPLISSON, M. – « L'Artillerie au Siège de Sancerre de 1573 » *in Mémoires de la Société Historique, Littéraire et Scientifique du Cher*, 4e série, 31ème volume, 1918-19, pp. 1-15.

d) Thèses

HODGES, F. R. – *War, population and the Stucture of Wealth in 16th Century Bourges 1557-1586,* Thèse de Doctorat de Philosophie, Université de Tennessee, Knoxville, 1983, pp. III-298.

JOURDA, P. – *Marguerite d'Angoulême, Duchesse d'Alençon, Reine de Navarre 1492-1549,* Librairie Champion, Paris, 1930, 2 Vols., pp. X-1188.

D) VIE RELIGIEUSE

a) Ouvrages

DEVAILLY, G. sous la direction de, – *Le Diocèse de Bourges*, Letouzey & Ané éd. Paris, 1973, pp. 6-264.

KADEN, E. H. – *Le Juriste Germain Colladon, ami de Jean Calvin et de Théodore de Bèze*, Mémoires publiés par la Faculté de Droit de Genève n° 41, 1974, pp. 8-174.

LEBEGUE, R. – *Le Mystère des Actes des Apôtres, Contribution à l'étude de l'humanisme et du protestantisme français au 16e siècle*, H. Champion, Paris, 1929, pp. VIII-262, en particulier la représentation de Bourges : pp. 77-113.

b) Articles

GUENEAU, Y. – « Les Protestants dans le Colloque de Sancerre 1598-1685 », *in Cahiers d'Archéologie et d'Histoire du Berry* n° 30-31, Bourges, 1972, pp. 3-231.

—— « Le Protestantisme à Bourges aux XVIe et XVIIe Siècles », Communication faite le 16 Mars 1981 à la *Société des Amis des Musées de Bourges*, pp. 1-12.

JENNY, Jean. – « Restes d'inscription sur la Chaire de Calvin au Couvent des Augustins de Bourges », in *Mémoires de l'Union des Sociétés savantes de Bourges*, vol. 9, 1961-62, pp. 75-76.

—— « Note sur une inscription ancienne de la cathédrale de Bourges. Son origine, sa disparition, sa localisation » n. l, n. d, Bibliothèque municipale Bourges, By 5928 2.-.-. « Protestants du Diocèse de Bourges réfugiés à Genève au XVIe siècle, d'après Le *Livre des Habitants de Genève* » *in Bulletin de la Société d'Emulation du Bourbonnais,* Tome cinquante-troisième, 1967, pp. 322-341.

SCHELER, L. – « Une Presse Conventuelle à Bourges en 1511 » *in Bibliothèque d'Humanisme et Renaissance*, Tome XVI, Droz, Genève, 1954, pp. 18-24.

WEISS, N. – « La Réforme à Bourges au XVIe siècle » *in Bulletin de la Société d' Histoire du Protestantisme Français,* 1904, Tome 53, pp. 307-64.

—— « Petite Promenade Calvinienne ou Calviniste dans Bourges » *in Le Lien, Bulletin d'Information de l'Église Réformée de Bourges*, Septembre 1981, no 23, p. 1.

Bulletin de la Société de l'Histoire du Protestantisme, voir les numéros : II, V, XII, XVII, XIX, XX, XXVI, XXXIII, XXXVIII, XLVIII, LIII, LXII, LXX.

V. OUVRAGES SUR L'UNIVERSITÉ DE BOURGES

A) HISTOIRE DE L'UNIVERSITÉ

I. Sources Manuscrites

Archives Départementales du Cher, Bourges.

– *Arrêts et Mémoires imprimés concernant l'Université de Bourges 1581-1779*, Archives départementales du Cher.

– *Registres des Matricules des Ecoliers :*

AD. D9 In 4°, 138 feuillets

Livre Matricule des écoliers 1656-1665

AD. D10 In 4°, 206 feuillets

Livre Matricule des écoliers 1680-1684

AD. D11 In 4°, 144 feuillets

Livre Matricule des écoliers 1684-1687

AD. D12 In 4°, 130 feuillets

Livre Matricule des écoliers 1687-1690

AD. D13 In 4°, 176 feuillets

Livre Matricule des écoliers 1695-1702

AD. D14 In 4°, 132 feuillets

Livre Matricule des écoliers 1702-1705

AD. D17 In 4°, 206 feuillets

Livre Matricule des écoliers gradés 1665-1682

AD. D18 In 4°, 170 feuillets

Livre Matricule des écoliers gradés 1682-1695

AD. D19 In 4°, 185 feuillets

Livre Matricule des écoliers gradés 1696-1715

AD. D21 In 4°, 44 feuillets

Livre d'Inscription pour examens 1680-1684

AD. D22 In 4°, 91 feuillets

Livre d'Inscription pour examens 1684-1693

AD. D23 In 4°, 101 feuillets

Livre d'Inscription pour examens 1693-1704

AD. D26 In f°, 6 feuillets

Livre du recteur, comprenant la mention des réceptions aux grades de bachelier, licencié et docteur en droit et maître-ès-arts 1561-1562

AD. D27 In f°, 18 feuillets

Réceptions des gradés 1583-1585

AD. D28 In f°, 45 feuillets

Réceptions des gradés 1583-1585

AD. D29 In 4°, 50 feuillets

Réceptions des gradés 1680-1689

AD. D30 In 4°, 70 feuillets

Réceptions des gradés 1689-1700

AD. D31 In 4°, 80 feuillets

Nominations des bacheliers en droit canon 1577-1606

CATHERINOT, N. – *Fori Bituricenti Inscriptio 1675,* Archives départementales du Cher 2F618.

CATHERINOT, Sieur. – *Annales Académiques de Bourges, 13 septembre 1684*, pp. 4, Archives départementales du Cher BR2499.

Archives Municipales de Bourges

Série AA 3° : Correspondance des Souverains, des Gouverneurs et autres Personnages, et des autres villes avec la Commune.

AA. 14 – Correspondance des ducs et duchesses de Berri avec la ville 1499-1786.

Série BB : Délibérations des Conseils de ville

BB4-22 – Registres des délibérations de l'Hôtel de ville

1504-1711.

Série CC 3° : Deniers Communs

CC 302-365 – 1530-1588.

Série DD 3° : Messageries, navigation.

DD. 28 – Postes et messageries.

Procédures et pièces diverses concernant la messagerie de Bourges à Aubigny et d'Aubigny à Gien et à Paris ; droits de l'Université à ce sujet 1576-1781.

GG. 125 Université : établissement, privilèges, organisation.

Rapports avec la ville. 1468-1776

GG. 127 Université : réformation 1504-1533

GG. 128 Université : nominations de professeurs de la Faculté

de Droit. 1533-1764

GG. 129 Université : gages des professeurs de la Faculté de

Droit. 1537-1783

GG. 131 Université : écoliers et suppôts.

Mesures de police concernant les étudiants

Certificats de lectures, signés par les écoliers en faveur des professeurs de droit

Organisation des études

Suppôts : nominations de bedeaux et bibliothécaires 1511-1756

—— *RECUEIL factice de pièces concernant l'Université et le collège de Bourges, 1581-1790,* Bibliothèque municipale de Bourges, By 20391.

II. Sources Imprimées

BEREUX, J. & DESAGE, C. – *Les Archives Municipales de Bourges antérieures à 1790.* Notice historique par J. Béreux, répertoire numérique des séries par C. Desages et J. Béreux. H. Sire, Bourges, 1922, pp. 4-69.

BOYER, H. & SOYER, J. & GANDILHON, A. – *Inventaire sommaire des archives départementales antérieures à 1790,* Cher, T. IV, Série E. H. Sire, Bourges, 1908, pp. XVIII-414.

GANDILHON, A. – *Inventaire sommaire des archives départementales antérieures à 1790*, Cher, Séries G, T, I. Archives départementales du Cher, Bourges, 1931, pp. XX-571.

JONGLEUX, H. – *Archives de la ville de Bourges avant 1790,* H. Sire, Bourges, 2 vols. 1877-1878, pp. VIII-246, 256.

RIBAULT, J-Y. – *Archives départementales du Cher, Série B*. (Cours et juridictions de l'Ancien Régime), Répertoire numérique : B 4339 à B 5120, Archives départementales du Cher, 1970, pp. 1- 123.

III. Généralités

a) Ouvrages

FOURNIER, M. – *Les Statuts et Privilèges des Universités Françaises depuis leur fondation jusqu'en 1789*, éd. Larose et Forcel, Paris, 1892, Vol. 2, pp. 413-439.

—— L'Ancienne Université de Bourges, première partie, XVe siècle, Bourges, 1893, pp. 6-95.

GUENEE, S. – *Bibliographie de l'Histoire des Universités Françaises des Origines à la Révolution*, Tome II : d'Aix-en-Provence à Valence et Académies Protestantes, Paris 1978, pp. 91-106 d'IRSAY, S. – *Histoire des Universités Françaises et Etrangères*, Tome II : « du XVIe siècle à 1860 », Ed. A. Picard, Paris, 1935, pp. VI-451.

RASHDALL, H. – *The Universities of Europe in the Middle Ages*, Oxford University Press, Powicke F. & Emden A Editors, 1895, reprinted 1936, reprinted 1988, vol. II, pp. 205-206.

RAYNAL, L. – *Histoire du Berry, depuis les Temps les plus anciens jusqu'en 1789*, Bourges, Vermeil, 1844, 1845, 1847, 4 vol. Tome III, pp. 349-467.

b) Articles

FOURNIER, M. – « L'Ancienne Université de Bourges 1463-1500 », in *Mémoires de la Société Historique du Cher*, 4e Série, 9e vol., Bourges, 1893, pp. 4-93.

PILLORGET, R. – « Le rôle universitaire de Marguerite de Savoie »*in Culture et Pouvoir au temps de l'Humanisme et de la Renaissance*, Actes du Congrès Marguerite de Savoie, 29 avril-4 mai 1974, pp. 207-222.

—— « L'Université de Bourges au XVIe siècle » *in Ethno-Psychologie,* 32e année, avril-septembre 1977, Actes du Colloque tenu au Centre d'Études Supérieures de la Renaissance, Université de Tours, 20-21-22 mai 1976, pp. 117-133.

RIBAULT, J-Y. – « Le rayonnement européen de l'Université de Bourges (XVIe-XVIIe siècles) », *in L'Europe des Universités* Actes du Colloque organisé par le Conseil Général du Cher les 26, 27, et 28 septembre 1991, à Bourges, s. l, s. d, pp. 23-32.

—— « L'Université de Bourges et son rayonnement (XVIe et XVIIe). Pax Christi », *Exposition à la Grange des Dîmes*, Bourges, Juillet 1961, n. p.

B) LES FACULTÉS

I- Faculté de Droit

1) Généralités

a) Ouvrages

JULIA, D. & REVEL, J. – *Histoire Sociale des Populations Étudiantes, les Universités Européennes du 16e au 18e siècle,* Editions de l'Ecole des Hautes Études en Sciences Sociales, Paris, 1989, Tome II, pp. 404-405.

b) Mémoire

LAVERNE, P. – *L'Université de Bourges. Son école de droit aux XVIIe et XVIIIe siècles,* mémoire de maîtrise sous la direction de R. Pillorget, Université de Tours 1973, pp. I-133.

2) Enseignement du droit

a) Articles

DEVAUX, D. – « La Faculté de Droit de Bourges aux XVIe et XVIIe siècles », *in Cahiers de la Société d'Archéologie et d'Histoire du Berry,* no 104, Décembre 1990, pp. 17-22.

GRANDMAISON-Y-BRUNO, G. F de. – « De la splendeur de l'ancienne Ecole de droit de Bourges et de l'importance de son établissement », Bourges 1829, pp. 60.

RAYNAL, L. – « De l'enseignement du droit dans l'ancienne Université de Bourges », *Discours prononcé pour la rentrée de la Cour royale de la même ville le 4 novembre 1839*, Impr. Jollet-Souchois, Bourges, 1839, pp. 2-32.

STINTZING, R. – « Geschichte des deutschen Rechswissenschaft » Munich and Leipzig, 1880-84, Vol. 1, pp. 367-373.

VENDRAND-VOYER, J. – « Réformation des Coutumes et Droit Romain, Pierre Lizet et la Coutume de Berry » *in Annales de la Faculté de Droit et de la Science Politique*, Fascicule 18, Paris, 1981, pp. 315-381.

b) Thèse

DEVAUX, D. – *Recherches sur les Maîtres et Étudiants en Droit à Bourges aux 16e et 17e siècles,* thèse pour le diplôme d'archiviste-paléographe, Ecole Nationale des Chartes, 7 Vol. 1986.

3) Maîtres à la Faculté de Droit

a) Ouvrages

BAZENERYE, A. – *Cujas et l'Ecole de Bourges*, Imp. E. Pigelet, Bourges, 1876, pp. 2-38.

BERRIAT-SAINT-PRIX. – *Histoire du Droit romain suivie de l'Histoire de Cujas*, Paris, 1821.

DUPLESSIS, G. – *Les Livres à Gravures du 16e Siècle : les Emblèmes d'Alciat*, Paris, 1884, pp. 1-62.

EYSSELL, M. A. P. TH. – « Doneau, sa Vie et ses Œuvres » mémoire couronné par l'Académie des Sciences, Arts et Belles-Lettres de Dijon, traduit du Latin de l'auteur par M. Simonnet, *in Mémoires de l'Académie Impériale des Sciences, Arts et Belles-Lettres de Dijon*, deuxième Série, Tome huitième, année 1860-1861, pp. 1-354.

FLACH, J. – *Cujas, les Glossateurs et les Bartolistes*, Larose et Forcel, Paris, 1883, pp. 6-27.

HIVER de BEAUVOIR, A. – *L'Enseignement d'Alciat et de Duaren à Bourges*, Imprimerie Impériale 1869, pp. 14.

KELLEY, D. R. – *Foundations of Modern Historical Scholarship Language, Law, and History in the French Renaissance*, Columbia University Press, New-York and London, 1970, pp. VI-321, en particulier les pages 87-115 : « The Historical School of Roman Law : Andrea Alciato and His Disciples Discover Legal History » et les pages116-148 : « The Alliance of Law and History ».

MESNARD, P. – *L'Essor de la Philosophie Politique au XVIe Siècle* Boivin & Cie Ed. Paris, 1936, en particulier les pages 327-336 (François Hotman).

VIARD, P. E. – *André Alciat 1492-1550*, Sirey, 1926, pp. VIII-391.

c) Articles

ABBONDAZA, R. – « La Vie et les Œuvres d'André Alciat », *in Pédagogues et Juristes*, pp. 93-106, Congrès du Centre d'Études Supérieures de la Renaissance de Tours : Eté 1960, Paris, 1963, pp 8-272.

—— « Premières Considérations sur la Méthodologie d'Alciat », *in Ibid.*, pp. 107-119.

DARESTE, R. – « Dix ans de la Vie de François Hotman (1563-1573) » *in Bulletin de la Société de l'Histoire du Protestantisme,* T. 25, 1876, pp. 529-544.

FEENSTRA, R. – « Hugues Doneau et les juristes néerlandais du XVIIe siècle : l'influence de son « système » sur l'évolution du droit privé avant le Pandectisme » *in* SCHMIDLIN, B. & DUFOUR, A. Editeurs. – *Jacques GODEFROY (1587-1652) et l'Humanisme Juridique à Genève.* Actes du Colloque Jacques Godefroy, Bâle & Francfort-sur-le-Main 1991, Faculté de Droit de Genève, pp. 231-245.

GIRARD, P. F. – « François Le Douaren (Duarenus), 1509-1559 » pp. 573-621. *in Mélanges P. F. Girard*, Tome Premier, Lib. A. Rousseau, Paris, 1912, pp. II-647.

MAFFEI, D. – « Les Débuts de l'activité de Budé, Alciat et Zase » *in Ibid.*, pp. 23-31.

MESNARD, P. – « François Hotman (1524-1590) et le complexe de Tribonien », *in Bulletin de la Société de l'Histoire du Protestantisme*, T. 101-102, années 55-56, pp. 117-138.

MILLOT, G. – « Francis Balduin d'Arras 1520-1573, Professeur à l'Université de Bourges 1548-1555 »*in Cahiers d'Archéologie et d'Humanisme du Berry*, n° 59, Septembre 79, pp. 69-75.

OMONT, H. – « Inventaire des Manuscrits de la Bibliothèque de Cujas » *in Nouvelle Revue Historique de Droit français étranger*, 1888, t. 12, pp. 632-641.

SMITH, D. B. – « François Hotman », *in Scottish Historical Review,* Vol. 13, Glasgow, 1916, pp. 328-65.

II. Faculté de Médecine

a) Ouvrages

JULIA, D. & REVEL, J. – *Histoire Sociale des Populations Étudiantes, les Universités Européennes du 16e au 18e siècle,* Editions de l'Ecole des Hautes Études en Sciences Sociales, Paris, 1989, Tome II, p. 467.

b) Thèses

LEPRINCE, A. – *La Faculté de Médecine de Bourges 1464-1793* Bourges, 1903, pp. 4-122.

ROMAIN, C. – *Contribution à l'Étude de l'Histoire de la Faculté de Médecine de Bourges*, thèse pour leDoctorat en Médecine, Faculté de Médecine Broussais Hôtel-Dieu, année 1970, pp. 1-30.

III. Faculté des Arts

1) Article

RIBAULT, J-Y. – « Le Séjour de Jacques Amyot à Bourges (1534-1546) » *in Fortunes de Jacques Amyot Actes du Colloque International* (Melun 18-20 avril 1985), présentés par Michel Balard, pp. 105-122.

2) Thèse

AULOTTE, R. – *Amyot et Plutarque, La Tradition des Moralia au XVIe Siècle*, Genève, 1965, pp. 7-405.

IV. Faculté de Théologie

1) Ouvrage

JULIA, D. & REVEL, J. – *Histoire Sociale des Populations Étudiantes, les Universités Européennes du 16e au 18e siècle,* Editions de l'Ecole des Hautes Études en Sciences Sociales, Paris, 1989, Tome II, pp. 440-441.

C) VIE DE L'UNIVERSITÉ

1) Étudiants étrangers

a) Ouvrages

BRACKENHAFFER, E. – *Voyage en France, Elie Brackenhaffer 1643-1644* Ed. Berger-Levrault, 1925.

DOTZAUER, W. – *Deutsche Studenten an der Universität Bourges, Album et Liber Amicorum*, Verlag Anton Hain éditeurs, Maisenheim am Glam, 1971, pp. VI-469.

GANDILHON, R. – *La Nation Germanique de l'Université de Bourges et le « Liber Amicorum » d'Yves Dugué*, Bourges 1936, pp. 2-72.

MATHOREZ, J. – *Histoire de la Formation de la Population Française. Les Etrangers en France sous l'Ancien Régime*, Champion Ed, Paris, 1921, 2T, Tome Second, pp. VI-446.

b) Articles

CASPAR OLEVIAN 1536-1587, Juriste et théologien, originaire de Trèves, étudiant à Bourges et à Orléans, *Exposition dans le cadre du jumelage entre le Studentenwerk de Trèves et le C. R. O. U. S d'Orléans-Tours* 1989/90, Bibliothèque municipale, Bourges, By 10544.

EULENBOURG, G. F. Baron – « Extraits de son Journal de Voyage 1657-1662 » ; Extraits des *Annales de l'Académie de Mâcon*, 3e série, tome XVII, Mâcon, 1912, pp. 57-84.

FRIJHOFF, W. – « Matricule de la Nation Germano-Néerlandaise de Bourges : le Second Registre (1642-1671) retrouvé et de nouveau transcrit », *in LIAS XI*, 1984, pp. 83-116.

GARNIER, N. – « La Nation Allemande à l'Université de Bourges » *in Revue Bourguignonne*, 1908, t. 18, pp. 5-67.

HELK, Vello. – « Danske og slesvig-holstenske Studenter i Bourges » *in Personal-Historisk Tidsskrift Argang 100*, Andet Halvbind, 1980, pp. 217-231.

JENNY, J. – « La turbulence des étudiants de l'ancienne Université de Bourges », *in Bulletin de la Société Historique du Cher*, n° 502, 1962.

—— « Voyage et Séjour à Bourges d'un Étudiant en Droit au XVIe siècle : le poète Jean Second 1532-1533 », *in Bulletin d'Information du Cher*, n° 85, avril 1972, p. 40.

KADEN, E. H. – « Ulrich Fugger et son projet de créer à Genève une « Librairie Publique » », Extrait de *Geneva*, 1959, T. 7, pp. 127-132.

RIBAULT, J-Y. – « Fugger studierten in Bourges. Live-Sendungen vom Rathausplatz in die französische Schwesterstadt », n. l, n. d, Bibliothèque municipale Bourges 9618.

2) Réforme et Université

a) Articles

BONET-MAURY, G. – « Le Protestantisme Français au XVIe Siècle dans les Universités d'Orléans, de Bourges et de Toulouse » *in Bulletin de la Société d'Histoire du Protestantisme Français,* 1889, Tome 38, pp. 322-330.

GROOT, de D. J. – « Melchior Wolmar, ses relations avec les Réformateurs Français et Suisses » *in Bulletin de la Société de l'Histoire du Protestantisme*, T. 83, 1934, pp. 416-439.

PANNIER, J. – « Un Berceau de la Réforme : Bourges », in *La Cause*, 1930 ? , pp. 2-16.

PARKER, C H. – « Bourges to Geneva : Methodoligical Links between Legal Humanists and Calvinist Reformers », pp. 59-70, *in Comitatus, A Journal of Medieval and Renaissance Studies,* Vol. 20, Los Angeles, 1989, pp. 8-109.

INDEX

Abbatia, Bertrand de, 166
Aberdeen, 33, 35, 59, 77, 78, 81, 97, 101, 103, 104, 105, 208, 217, 221, 222, 224, 225, 227, 229, 230, 239, 240, 241, 242, 250, 251, 252, 253, 255, 256, 282, 343, 344, 345, 386
académies protestantes, 12, 274, 275
Accurse, 168, 169, 307
Adamson, Patrick, 40, 67, 69, 225, 226, 246, 247, 248, 252, 253, 255, 259, 260, 264, 316, 346, 347, 383, 384, 386
Aidius, Andreas, 208
Albany, duc d', 78, 118, 132, 135
Albi, 113, 114, 302
Albums Amicorum, 42, 44, 53, 54, 207
Alciat, André, 166, 170, 171, 172, 173, 174, 175, 176, 179, 180, 187, 188, 189, 205, 223, 273, 278, 281, 282, 283, 306, 339, 342, 374, 391
Alençon, duc d', 151, 162
Alexander II, 75
Alexander VI, 103
Alexandre III, 114
Allemands, 31
Amboise, Jacques-Marius d', 232
Amerbach, Boniface, 171, 188
Amyot, Jacques, 217, 218, 219, 266, 267, 268
Ancre, maréchal d', 325, 326, 327
Anderson, Alexander, 343
Angers, 21, 41, 55, 60, 61, 83, 176, 276, 280, 319, 320, 322, 349, 350
Anglais, 31, 32, 55, 83, 115, 117, 120, 137
Angoulême, Marguerite d', 135, 163
Angus, comte d', 67, 70, 247
Anvers, 299, 302, 307
Aquitaine Première, 112, 113
Arande, Michel d', 185
Arbuthnot, Alexander, 67, 69, 208, 217, 224, 225, 229, 246, 248, 252, 255, 260, 264, 269, 276, 279, 284, 343, 344, 345, 351, 383, 384, 386
Aristote, 169, 254, 303, 304
Arpin, Eudes, 113
Arran, comte de, 135, 136, 137, 339
Arras, 176, 177, 190
Asnières, 188
Assemblée Générale, 104, 225, 227, 229, 342, 343, 351
Aubépine, Claude l', 179
Aubigny, 11, 118, 128, 129, 133, 141, 142, 143, 144, 145, 216, 314
Augsbourg,268, 331, 335, 343

Auld Alliance, 75, 119, 139
Autrichiens, 11
Autun, 113
Avaricum, 112, 113
Avignon, 89, 115, 166, 171, 230, 261, 353, 354
Ayquart, Arnaud, 166
Ayton, Sir Robert, 359
Balcie, James, 317
Balde, 342
Bâle, 124, 298, 332, 335, 339, 340, 345
Balfour, Michael, 45, 226, 351, 364
Balfour, Robert, 275
Balliol, John, 75
Bally, James, 317
Barclay, William, 11, 45, 67, 69, 226, 227, 228, 246, 252, 256, 259, 260, 264, 269, 270, 276, 280, 281, 282, 284, 306, 309, 347, 348, 349, 350, 381, 383, 384, 385, 386, 393
Baron, Eguinaire, 50, 168, 174, 175, 176, 177, 180, 268, 277, 278, 281, 310, 332, 339, 375
Bartole, 169, 175, 180, 281, 342
Baugé, 118
Bayne, Alexander, 371
Beaton, David, 137
Beaton, James, 258
Beaujeu, Philibert de, 188
Beaune, Renaud de, 140
Becket, Thomas à, 114
Béguin, Jean, 161
Bengy, Antoine, 195, 196, 197
Bérault Stuart, 141, 142
Bernardini, Ottavio, 292
Bèze, Théodore de, 173, 177, 187, 225, 334, 335, 336
Blackwood, Adam, 276
Bléneau, 118
Bochetel Guillaume & Fernand, 179, 218, 219, 264, 266, 267, 268, 282, 331, 332, 333, 337, 381
Bochetel, Bernardin, 220
Boèce, Hector, 274
Boerius, Nicolas, 165
Bologne, 81, 83, 102, 171, 182
Bordeaux, 76, 114, 115, 123, 124, 275, 291, 319, 355, 356
Bouchier, Pierre, 297, 298
Bauduin, François, 78, 174, 176, 177, 178, 181, 189, 190, 223, 233, 277, 278, 335, 342, 358, 375
Bouguier, Nicolas, 190, 261, 277, 280
Bouquin, Pierre, 266
Boyd, James, 67, 69, 221, 223, 231, 248, 260, 269, 342, 357, 384
Boyd, Mark Alexander, 67, 70, 150, 223, 231, 232, 233, 248, 259, 260, 269, 310, 342, 354, 355, 356, 357, 358, 382, 383, 384, 386

Boyd, Robert, 275
Boyd, Zachary, 275
Brackenhoffer, Elie, 58
Briçonnet, Guillaume, 185
Broé, François, 196
Broé, Jean, 199
Bruce, Peter, 240
Bruni, Domenico, 292
Buchan, George, 275
Buchan, Jean, 78, 118, 227, 381
Buchanan, George, 323, 331, 337, 346, 348, 354
Budé, Guillaume, 168, 170, 171, 172, 175, 341
Bueil, François de, 186
Burnet, Robert, 68, 70, 237, 238
Cadyow, David, 103
Cahors, 113, 166, 181, 197, 355
Caimi, Marc-Antoine, 273
Calvin, Jean, 68, 173, 177, 178, 187, 188, 189, 190, 200, 225, 269, 277, 288, 332, 333, 334, 335, 336, 381
Cambray, Guillaume de, 127
Cambridge, 19, 20, 29, 51, 125
Cameron, John, 274, 275
Canaye, Jacques, 267
Capponi, Horace, 353
Cardross, Lord, 324, 364
Carpenter, John, 132
Carpentras, 230, 275, 283, 352, 353, 354
Castille, 119
Chalons, 177
Charlemagne, 11, 75, 114
Charles Ier, 362
Charles II, 365, 377
Charles VI, 77, 116, 117, 118
Charles VII, 77, 117, 118, 119, 121, 128, 141
Châtelhérault, duc de, 137, 138
Châtre, Claude de, 151, 152, 195
Chenu, Jacques, 199, 200
Chepman, Walter, 96
Chisholm, William, 353
Clément V, 115
Clément VII, 97
Clermont, 9, 113, 196, 375
Cockburn, Patrick, 275
Cœur, Jacques, 120
Coffin, Jean, 297
Colbert (Edit), 22, 23
Coligny, 151, 192
Colin, Jacques, 266
Colladon, Germain, 187, 334
Colladon, Léon, 193
Collège des Écossais, 257
College of Justice, 97, 99, 106, 248, 338, 351, 364, 377
Colloque de Poissy, 333
Cologne, 107, 299, 300, 339, 345
Colville, Alexander, 275
Comte de Mar, 57, 118, 129, 140, 141, 145, 235, 236, 248, 311, 313, 317, 319, 322, 323, 325, 363
Concini, Concino, 325, 326

Concressault, 118, 131
Condé, 151, 168, 198, 199, 288, 325, 328, 333, 335
Connan, François, 173
Connétable de Dundee, fils de, 67, 70
Copenhague, 54
Coquille, Guy, 202
Coras, Jean, 175, 177, 222
Cosne, 118
Coucy, Marie de, 257
Court of Session, 97, 221
Craig, George, 45, 221, 278
Craig, James, 378
Craig, Thomas, 339
Craig, William, 275
Craigie, Robert, 378
Cranston, William, 218
Cravant, 119
Crichton, Georges, 274
Crichton, James, 274
Cujas, Jacques, 24, 58, 78, 172, 174, 177, 178, 179, 180, 181, 182, 183, 190, 195, 196, 197, 198, 205, 223, 224, 228, 229, 230, 231, 232, 261, 270, 278, 279, 280, 281, 282, 283, 305, 353, 376, 391
Cuming, Sir Thomas, 45
Cunningham, John, 371, 378
Curione, Celio, 332
Dalgleish, Nicol, 67, 144, 147, 228, 229, 252, 256, 264, 351, 383, 384
Damman, Sir Adrian, 106
Daniel, François, 188
Danois, 11, 32
Darnley, Jean Stuart de, 118, 119, 128, 141
De La Chapelle, Pierre, 199, 370
Decius, Philippe, 166
Décrétales, 86, 168, 197, 241, 376
Desjardins, Gilles, 195, 196
Dexio, Filippo de, 273
Deyger, Johan Valentin, 221
Die, 63
Dieppe, 76
Domat, Jean, 375
Dominici, Marc-Antoine, 199
Doneau, Hugues, 167, 174, 175, 177, 181, 189, 190, 203, 222, 223, 224, 227, 228, 277, 278, 279, 342
Douai, 270
Douglas baron de Spott, 67
Douglas comte Morton, 67
Douglas, Robert, 40, 44, 68, 90, 351
Douglas, William, 40, 44, 90, 351
Douglassius, 68
Doull, William Daniel, 275
Drayton, Michael, 360
droit canon, 23, 78, 79, 83, 86, 87, 90, 101, 102, 103, 104, 160, 161, 165, 167, 168, 176, 177, 197, 202, 203, 261, 263,

277, 282, 338, 341, 375, 379, 386
droit civil, 60, 78, 79, 81, 85, 86, 87, 101, 102, 103, 104, 105, 160, 161, 165, 166, 167, 168, 169, 176, 177, 178, 182, 196, 197, 203, 204, 221, 224, 230, 232, 261, 262, 263, 273, 275, 277, 282, 335, 338, 341, 347, 349, 358, 369, 372, 374, 376, 378, 379, 386, 393
droit romain, 83, 84, 85, 86, 97, 104, 159, 166, 167, 168, 169, 172, 174, 175, 176, 178, 179, 183, 200, 202, 203, 228, 278, 281, 282, 370, 387, 393
Drummond, William, 11, 40, 153, 166, 176, 183, 234, 235, 259, 265, 269, 270, 287, 288, 289, 290, 291, 292, 293, 294, 295, 296, 297, 298, 299, 300, 302, 303, 304, 305, 306, 308, 309, 310, 311, 359, 360, 361, 362, 363, 384, 386
Dryden, John, 368
Du Moulin, Charles, 176, 202, 230, 352
Dumbarton, 137
Dunaeus, Patricius, 208
Dunbar, William, 141
Duncan, Marc, 275
Dundee, 67, 70, 217, 234, 239, 251, 252, 253, 308
Dunkeld, 75, 78
Edimbourg, 31, 33, 36, 41, 105, 106, 133, 138, 140, 143, 146, 183, 203, 220, 225, 229, 234, 237, 238, 239, 240, 242, 251, 253, 256, 278, 279, 284, 298, 304, 311, 313, 317, 324, 338, 339, 342, 343, 346, 347, 359, 360, 361, 362, 364, 366, 371, 378, 385
Edouard Ier, 76
Education Act.1496, 95
Elphinstone, William, 81, 95, 97, 101, 103, 251, 386
Enghien, duc d', 198
Entragues, Catherine Balsac d', 143
Erasme, 189, 273
Erskine, 47, 48, 50, 57, 126, 129, 140, 145, 205, 235, 236, 237, 246, 248, 259, 264, 265, 269, 270, 271, 311, 313, 317, 318, 319, 320, 322, 323, 326, 347, 363, 364, 382, 384, 392
Estienne, Henri, 124, 125, 170, 291, 301, 304, 332, 334
étudiants écossais, 11, 13, 25, 32, 33, 36, 59, 60, 62, 63, 65, 83, 99, 107, 111, 121, 125, 127, 129, 145, 150, 152, 199, 203, 213, 214, 245, 251, 254, 257, 259, 269, 391
Eugenius IV, 101
Evelyn, John, 368
Faculté de droit de Bourges, 13, 57, 99

Faculté des Arts, 13, 31, 173, 198, 257, 259, 260, 266, 340
facultés de droit, 13, 21, 59, 60, 61, 86, 101, 107, 168, 206, 273, 281
Faculty of Advocates, 97, 99, 237, 238, 248, 364, 365, 372, 373, 376, 378, 379
Fagollez, Richard de, 77
Fail, Noël du, 135, 176, 310
Fait tot, Guy, 11, 12, 47, 48, 54, 55, 205, 237, 238, 264, 328
Ferdinant, Salvatore, 166
Ferrerio, Giovanni., 278
Flemyng, Gilbert, 77
Flodden, 131, 132, 135
Foix-Candale, François de, 275
Fontenay, 355
Forbes, John, 275
Forbes, Lord, 221
Forbes, William, 372
Foreman, Andrew, 129, 131, 132, 133, 186
Fowler, William, 234
Francfort, 53, 178, 217, 309
François Ier, 124, 135, 142, 162, 173, 179, 266
François II, 138
Frédéric III électeur palatin, 310
Frérérick II du Danemark, 146
Fugger, 220, 221, 264, 268, 277, 331, 332, 333, 334, 335, 381
Garde, Jean de la, 321
Garnier, Jean, 298
Gaur, Jéronyme de, 273
Génébrard, Gilbert, 232
Genève, 26, 44, 190, 192, 195, 200, 207, 217, 225, 255, 260, 267, 269, 275, 282, 288, 301, 319, 321, 332, 333, 334, 335, 337, 384, 393
Gesner, Conrad, 309, 310, 374
Gibsone le Jeune, 68, 70
Girard, Charles, 266
Glanvill, 95
Glasgow, 12, 33, 35, 37, 77, 78, 101, 102, 103, 104, 105, 204, 217, 223, 231, 233, 252, 254, 255, 256, 258, 276, 340, 342, 345, 355, 371, 372, 378, 386
Godard, François, 170, 261, 262
Godefroy, Denis, 195
Goth, Bertrand de, 115
Govea, Antoine, 166, 273
Graeme, R, 68
Gratien, 86, 168, 176, 309, 376
Gray, John, 77
Grégoire III, 258
Grégoire IX, 81, 168, 197
Grégoire XIII, 182, 199
Grégoire, Pierre, 347
Grinlow, Guillaume, 77
Guérin, Marc, 298
Guéru, Hugues, 291
Guise, duc de, 136, 143, 151
Guise-Lorraine, Marie de, 136, 140, 219
Hamilton, David, 78

Hart, Andro, 361
Hart, John, 361
Hay, George, 343
Hay, Henry, 40, 50, 52, 68, 230, 238, 248
Hegate, William, 275
Heidelberg, 195, 207, 208, 310, 335
Henri II, 137, 138, 333
Henri III, 143, 149, 151, 233, 354
Henri IV, 325, 326
Henri V, 117, 118, 119
Henri VIII, 133, 136
Henryson, Edward, 11, 40, 67, 69, 105, 128, 220, 221, 246, 247, 248, 252, 255, 256, 259, 260, 264, 266, 268, 276, 277, 278, 281, 284, 337, 338, 339, 340, 383, 384, 385, 386, 393, 394
Heriot, 40, 44, 238, 239, 248
Heriotus, 40, 68, 70
Hollandais, 11, 32
Holyrood, 234, 316, 324
Honorius II, 77
Honorius III, 78
Hope, John, 68
Hotman, François, 78, 174, 177, 178, 179, 180, 191, 192, 223, 227, 270, 279, 282, 342, 374, 375
Humbert maître, 114
Hume de Polwart, Patrick, 41, 68, 237
Huntly, comte de, 135
Huntly, marquis de, 145
Ile de Ré, 355
Inglis, James, 339
Institutes, 161, 165, 166, 167, 176, 177, 181, 198, 241, 280, 281, 336, 341, 358, 378
Irland, Bonanventure, 83, 204, 275
Irland, Robert, 83, 204, 275
Irlandais, 83
Jacques Ier, 77, 95, 117, 119, 146, 360, 361
Jacques II, 133, 135, 136, 146, 258
Jacques IV, 131, 132, 133, 135, 141
Jacques V, 19, 97, 135, 136, 143, 217
Jacques VI, 140, 143, 144, 146, 152, 217, 234, 318, 323, 324, 325, 337, 346, 347, 349, 357, 358
Jacques VII, 146
James, Thomas, 303
Jason, 342
Jean de Berry, duc, 115
Jean Ier Stuart, 142
Jean III Stuart., 142
Jean le Bon, 115
Jésuites, 149, 191, 198, 199, 289, 290, 295, 347, 348
Johnston, Arthur, 275
Jonson, Ben, 360

Jonstonus, Gulielmus, 208
Julius III, 102
Justinien, 166, 167, 168, 169, 177, 180, 217, 309, 331, 332, 341, 358, 369, 376
Kerr, Andrew, 68, 71, 239, 364
King's College, 35, 103, 208, 217, 222, 227, 229, 230, 241, 252, 253, 339, 343, 344, 351, 384
Knox, John, 104, 138, 193, 333
L'Estoile, Pierre de, 69, 173, 178, 224, 225, 279, 289, 290, 299
L'Hospital, Michel de, 177, 178, 179, 180, 181, 278
la Guiche, 47, 48, 50
La Rochelle, 76, 117, 118, 119, 275, 300, 306, 319, 355, 356
Lake, Arthurus, 55
Lauvergat, Jean, 298
Lawder, Edouard de, 78
Le Comte, Valleran, 291
Le Douaren, François, 78, 174, 175, 176, 177, 178, 180, 181, 182, 189, 218, 223, 278, 332, 333, 335
Le Febvre, Mathieu, 290
Le Puy, 113, 123
Leconte, Antoine, 174, 177, 190, 198, 223, 224, 277, 278, 279, 280, 332
Lefèvre d'Étaples, Jacques, 185
Leith, 132, 138, 139, 143, 231, 353
Léon, 176
Léon X, 131, 132
Les Écossais en France, les Français en Écosse, 11, 47, 69, 265
Leslie, James, 378
Lethington, William Maitland de, 137, 338
Levenax, Alan, 40, 67, 69, 128, 203, 204, 215, 216
Levenox, Guillaume de, 103
Levez, Nicolas, 298
Leyde, 9, 29, 207, 369
Liber, 29, 30, 31, 32, 42, 70, 198, 230, 301, 370, 375
Lignières, 188
Ligue la, 143, 151, 354
Limoges, 113, 123, 125
Lindsay, Sir David, 294
Livre de Discipline, 104, 342, 393
Livre de la Nation, 29
Locke, John, 349
Logie, John, 67, 69, 224, 383, 384
Londres, 11, 47, 49, 51, 52, 75, 118, 172, 216, 231, 234, 265, 287, 291, 293, 304, 307, 308, 313, 317, 318, 349, 350, 359, 360, 363, 368
Lords of Session, 106, 377
Louis VII, 75, 113
Louis XI, 111, 117, 121, 131, 133, 141, 142, 146, 159, 216, 257

Louis XII, 131, 162, 163
Louis XIII, 326
Louis XIV, 258
Louvain, 107, 176
Luther, 53, 132, 185, 186, 188
Lyndese, J, 68, 237
Lyon, 112, 116, 121, 124, 125, 150, 182, 183, 230, 231, 233, 275, 283, 298, 301, 302, 305, 306, 307, 308, 313, 318, 319, 333, 335, 339, 340, 345, 351, 352, 353, 354, 355, 363
Mac Ruder, Duncan, 276
MacGill, David, 229, 261, 351
MacGregore, Malcolm, 25, 27, 63, 68, 203, 241, 242, 260, 269, 371, 378, 379, 383, 384
Mackenzie, George, 25, 41, 63, 69, 71, 183, 239, 240, 241, 242, 246, 253, 264, 266, 279, 364, 365, 366, 367, 368, 369, 370, 371, 372, 373, 374, 376, 377, 378, 383, 384, 385, 386, 387, 394
Mair, John, 89, 258, 274
Maitland, John lord Thirlestane, 358
Maitland, Thomas, 279
Maîtres écossais, 221, 224, 228, 274, 275
Malcolm III, 75
Malcolm IV, 75
Malines, 114
Malleviller, Anne de, 347
Mar Brechin de, 67
Marche, Jean de la, 166
Marischal College, 208
Marsilliers, Philippe de, 253
Martin V, 78
Matthew Stuart, 141
Maumont, Anne de, 141
McCrie, Thomas, 226, 228
McGill, James, 226, 264
McGill, James & David, 67, 69, 226
McGill, Sir James, 225
Médicis, Ansovin de, 273
Médicis, Catherine de, 140, 190
Médicis, Marie de, 326
Mélanchton, Philippe, 43, 299
Melvill, James, 226, 229, 346, 347
Melville, Andrew, 231, 253, 275, 343, 344, 346, 347
Mercier, Jean, 195, 261, 280
Mérille, Edmond, 197, 198, 199, 270, 375
Middleton, Lord, 371
Milan, 117, 123, 171, 174, 293, 355
Modène, Marie de, 146
Montauban, 63
Montluc, Jean de, 178
Montluçon, 119
Montpellier, 63, 83, 121, 162, 166
Moray, comte de, 131, 140

Mornay-Duplessis, 269
Morton, Earl of, 40, 41, 104, 247, 249, 264, 318, 319, 320, 321, 363
Munich, 53
Murray, James, 317
Murray, William, 40, 48, 51, 68
Myllar, Andrew, 96
Nantes, 159
Nation allemande, 31, 32, 33
Nation Germanique, 11, 29, 31, 32, 58, 70, 190, 198
naturalité (lettres de), 133, 138
Navarre, Henri de, 152, 178, 354
Newton, Adam, 106
Nicquet, Jean, 198
Nîmes, 63
Nüremberg, 53
Ockham, William, 77
Olevian, Caspar, 310, 335
Orange, 63
Orléans, 19, 21, 29, 31, 60, 79, 81, 83, 85, 103, 107, 112, 113, 119, 124, 125, 150, 160, 161, 162, 173, 176, 177, 178, 180, 187, 190, 200, 232, 233, 256, 260, 310, 313, 318, 319, 333, 335, 363
Orthez, 63
Oxford, 19, 20, 26, 47, 49, 52, 55, 79, 257, 291, 303, 337, 340, 355, 366, 368
Padoue, 83, 180, 220, 225, 313, 318, 331, 333, 335, 363
Parrhasius, Giano, 171
Passerat, Jean, 232
Paul II, 160
Perth, 225, 252, 253
Philibert, Emmanuel, 337
Philippe Auguste, 114
Philippe Ier, 75, 113
Philippe Le Bel, 75
Philippe-Auguste, 75
Pilhote, Marie, 353
Pinsson, François, 196
Pitcur, Lord, 67, 70, 247
Pitmillie, Lord, 67, 70, 247, 269, 316, 320, 321
Plantagenêts, 114
Poitiers, 22, 60, 61, 62, 83, 107, 113, 115, 124, 160, 162, 166, 176, 204, 261, 270, 275, 276, 293, 302
Polonais, 32
Poncher, Etienne, 131
Pont-à-Mousson, 227, 228, 270, 280, 281, 284, 347, 350
Premier Livre de Discipline, 104
Pringle, James, 67, 70
Provinces-Unies, 20
Queille, Jacqueline de la, 142
Ragueau, François, 195
Ray, John, 234
Rebuffe, Pierre de, 166
Réforme la, 30, 59, 76, 97, 101, 103, 104, 105, 132, 136, 137, 184, 185, 187, 188, 189, 190,

192, 223, 224, 227, 251, 254, 258, 321, 338, 386, 393
Registres, 23, 26, 35
registres-matricules, 21, 25
Reid évêque, 105, 278, 338
Reims, 114, 124, 270
Renagou (chanoine), 31
Rennes, 309, 337
Renouard, Jean, 196
Richemont, duc de, 119
Rivail, Aymar du, 176
Roanne, 111, 125
Robert III, 361
Robert Stuart, 141, 142
Rome, 29, 112, 120, 136, 160, 189, 239, 278, 333, 363
Rouen, 135, 297, 299, 300
Rouille, Guillaume, 298
Roxburgh, comte de, 67, 70, 247
Ruffin, Estienne de, 291
Ruthven Raid the, 144, 346
Saint Colomban, 113
Saint-Amand, 118
Saint-Barthélémy, massacre de la, 143, 151, 190, 193, 198, 227
Saint-Brieuc, 175
Saint-Empire Romain Germanique, 11
Saint-Gilles-du-Gard, 123
Saint-Sauveur, 118
Sancerre, 11, 141, 151, 191, 200, 269, 306, 321
Sannazaro, Jacopo, 293
Saumur, 57, 62, 63, 236, 264, 269, 274, 275, 313, 318, 319, 320, 321, 322, 328, 363
Saussure, Françoise de, 336
Savoie, Anne de, 337
Savoie, Marguerite de, 139
Schau, John, 57, 145, 235, 236, 246, 264, 313, 315, 316, 317, 318, 319, 322, 328
Scone, 95
Scot, Alexander, 11, 45, 183, 230, 269, 276, 282, 351, 381, 384
Scrimgeour, Henry, 11, 40, 61, 67, 69, 136, 179, 204, 217, 218, 219, 220, 246, 247, 248, 252, 253, 255, 256, 259, 260, 264, 266, 267, 268, 269, 276, 277, 282, 331, 332, 333, 334, 335, 336, 337, 376, 381, 383, 384, 385, 386, 393
Second, Jean, 114
Sedan, 63, 275
Seton, Alexander, 317
Sharp, Patrick, 355, 357, 358
Simon, Michel, 186
Sinclair, Sir Archibald, 378
Skene, William, 67, 69, 221, 255, 269, 340, 383, 384
Solway Moss, 136
Sorbonne, 77, 140, 348
Soule, Jean de, 75
Spiera, Francesco, 331

Spottiswoode, John, 371
St-Andrews, 30, 33, 35, 36, 40, 59, 60, 75, 76, 77, 78, 101, 102, 104, 105, 132, 133, 137, 217, 222, 223, 224, 225, 227, 228, 240, 251, 252, 253, 254, 255, 256, 277, 339, 340, 341, 343, 345, 346, 347, 386
Sterling, Archibald, 68
Stewart of Traquare, J, 68, 237, 247
Stewart, Adam, 275
Stewart, Alexander, 132
St-Leonard's College, 229, 240, 252, 253, 346
St-Mary's College, 102, 223, 225, 252, 277, 340
Stollius, Johannes Christphorus, 40, 44, 48, 70
Strachan, George, 44, 45, 353
Strasbourg, 178, 189, 207, 335, 345
Strozzi, Leo, 138
St-Salvator's College, 217, 252, 341
Stuart, Arthur, 68, 239, 259
Stuart, Edmé 1er, 141, 142, 144, 145, 146, 392
Stuart, Edmé II, 144
Stuart, Marie, 136, 137, 138, 139, 140, 141, 142, 143, 145, 146, 227, 239, 258
Stutt, Thomas, 127
Sucquet, Charles, 273
Sully, Henry de, 115
Sym, Alexander, 200
Thaumas de laThaumassière, Gaspard, 121, 163, 197, 200, 369, 370
Thirslesdane, John Maitland of, 146
Thott, Tage, 208
Toubeau, Jean, 163, 299
Toulongeon, Jean de, 119
Toulouse, 22, 29, 30, 60, 61, 78, 83, 107, 120, 166, 167, 175, 177, 181, 187, 190, 192, 197, 222, 276, 281, 347, 354, 355, 357
Tournon, 177, 186, 230, 256, 260, 275
Tours, 83, 113, 123, 124, 159, 172, 203, 281, 297, 310, 319, 320, 335
Trèves, 310, 335
Troyes, 117, 197
Tubingue, 207, 267
Tullier, Robert, 370
Turin, 182, 293
Turnbull archevêque, 101, 102, 251, 386
Umfranville, Ingelram d', 75
Université d'Edimbourg, 33, 36, 41, 105, 106, 183, 237, 253, 256, 304, 311, 338, 339, 361, 371
Université de Bourges, 11, 12, 13, 14, 23, 31, 32, 58, 60, 63,

65, 115, 121, 128, 133, 146, 147, 159, 162, 163, 165, 170, 175, 177, 182, 184, 197, 198, 203, 214, 220, 221, 224, 228, 229, 230, 232, 239, 255, 256, 261, 269, 270, 273, 276, 279, 281, 310, 375, 379, 391, 392, 393
Urbain VIII, 198
Valence, 159, 162, 178, 179, 182, 222, 223, 355
Valla, Laurent, 170
Valois, Charles de, 75, 306
Valois, Jeanne de, 163
Valois, Madeleine de, 135
Varus, Cornelius, 354, 357, 358
Vautrel, François de, 291
Veillet, Aubert, 337
Veillet, Catherine de, 337
Venier, Marie, 291
Venise, 267, 299, 303, 313, 318, 331, 333, 339, 340, 345, 363
Verrerie la, 142, 143
Vézelay, 123, 187
Vieille Alliance, 12, 31, 75, 135, 136, 138, 139, 140, 144
Vienne, 255, 333
Villareal, Guillaume, 166, 273
Vitalis, Annet, 166
Vitry, maréchal, 325, 326, 327
Wanloir, Peter, 317
Wardlaw, Gautier, 77
Wardlaw, Henry, 59, 77, 101, 251, 386
Weimar, 53
Wilson, Florence, 54, 275
Winterhop, Thomas, 258
Wolmar, Melchior, 173, 187, 266, 267
Young, Sir Peter, 217
Zasius, Ulrich, 170
Zinzerling,125, 126

TABLE DES MATIÈRES

REMERCIEMENTS....9
PRÉFACE....11

PREMIÈRE PARTIE :
LES SOURCES DOCUMENTAIRES

INTRODUCTION....19
CHAPITRE 1. LES REGISTRES-MATRICULES DES UNIVERSITÉS FRANÇAISES AUX XVIe ET XVIIe SIÈCLES....21
1.1 Remarques : indigence des registres-matricules....21
1.2 Angers....21
1.3 Orléans....21
1.4 Paris....22
1.5 Poitiers....22
1.6 Toulouse....22
1.7 Edit de Colbert....22
1.8 Bourges....23
1.8.1. Matricules des inscriptions....23
1.8.2. Registres de réceptions des gradés....23
1.8.3. Livres-matricules des écoliers gradés....23
1.8.4. Disparition des archives universitaires de Bourges....24
CHAPITRE 2. FIABILITÉ DES REGISTRES UNIVERSITAIRES....25
2.1 Inscriptions des étudiants dans les registres-matricules....25
2.1.1. Modalités d'inscription....25
2.1.2. Omissions par négligence....25
2.2 Non-inscriptions des étudiants dans les registres-matricules....25
2.2.1. Non-inscriptions pour raisons financières....25
2.2.2. Non-inscriptions pour raisons confessionnelles....26
2.3 Registres de gradés....26

CHAPITRE 3. SOURCE UNIVERSITAIRE DE SUBSTITUTION : LE LIVRE DE LA NATION (*LIBER NATIONIS*) 29
3.1 Le Livre de la Nation : définition 29
3.2 La Nation : définition 29
3.2.1. Les Nations dans les universités écossaises 30
3.2.2. Les Écossais et la *Natio Alemania* de l'Université de Paris 30
3.2.3. La Nation écossaise à l'Université d'Orléans 31
3.2.4. Les Nations de l'Université de Bourges 31
3.2.5. La Nation allemande de l'Université de Bourges 31
3.2.6 Les Écossais et la Nation allemande de l'Université de Bourges 32
CHAPITRE 4. SOURCES UNIVERSITAIRES ÉCOSSAISES 35
4.1 Présentation 35
4.2 Archives de l'Université de Glasgow 35
4.3 Archives de l'Université d'Aberdeen 35
4.4 Archives de l'Université de St-Andrews 36
4.5 Archives de l'Université d'Edimbourg 36
4.6 Remarques 36
CHAPITRE 5. SOURCES D'ARCHIVES ÉCOSSAISES NON UNIVERSITAIRES 39
5.1 Organismes consultés 39
5.2 Types de documents recherchés 39
5.3 Difficultés de l'identification nominale 40
5.4 Constat 41
CHAPITRE 6. SOURCE INDIRECTE : LES *ALBUMS AMICORUM* 43
6.1 Définition 43
6.2 Fonctions de l'*Album Amicorum* 43

6.3 Collections d'*Albums Amicorum* 44
6.3.1. Les *Albums Amicorum* du British Museum 44
6.3.2. Les *Albums Amicorum* écossais 44
6.4 Diversité des possesseurs d'*Albums Amicorum* 45

CHAPITRE 7. L'*ALBUM AMICORUM* DE GUY FAIT TOT DIT LAGUICHE

7.1 Description de l'*Album* 47
7.2 Contenu connu de *l'Album* 47
7.3 Remarques 48
7.4 Recherche de l'*Album* 49
7.4.1. Recherche à la Bodleian Library, Oxford 49
7.4.2. Catalogue de la vente du 12 juin 1865 49
7.4.2.1. Recherche des preuves de la vente à l'Hôtel des Ventes Sotheby's de Londres 51
7.4.2.2. Recherche des preuves de l'annulation de la vente dans le *Times* 51
7.4.2.3. Recherche du catalogue de la vente à la bibliothèque de l'Université de Cambridge 51
7.4.2.4. Recherches autres du catalogue 52
7.4.2.4.1. Bibliothèques d'Oxford 52
7.4.2.4.2. *Répertoire des Catalogues de ventes publiques Lugt* 52
7.4.2.4.3. Bibliothèque d'Art et d'Archéologie, Paris 52
7.4.2.4.4. Bibliothèque Nationale, Cabinet des Estampes 53
7.4.2.4.5. Bibliothèques allemandes 53
7.4.2.4.6. Les travaux du Dr. Klose 53
7.4.2.4.7. Les travaux du Dr. Helk 54
7.4.2.4.8. Le Legs Huth 54
7.4.2.4.9. Le Répertoire de Ricci 54
7.4.2.4.10. Recherches en Grande-Bretagne 54
7.4.2.4.11. La Collection Rosenheim 55
7.4.2.5. Bilan 56

CHAPITRE 8. NOMBRE DES ÉTUDIANTS ÉCOSSAIS À BOURGES 57
8.1 Remarques 57
8.2 Un nombre : 45 58
8.2.1. Comparaison avec le nombre d'étudiants de la Nation germanique 58
8.2.2. Comparaison avec l'ensemble des étudiants de la Faculté de Droit de Bourges 58
8.2.3. Comparaison avec le nombre d'étudiants écossais en Écosse 59
8.2.4. Comparaison avec le nombre d'étudiants écossais dans les autres facultés de droit françaises 60
8.2.4.1. Paris et Orléans échappent à la comparaison 60
8.2.4.2. Comparaison avec Toulouse, Angers et Poitiers 61
8.2.5. Remarques 62
8.2.6. Comparaison avec le nombre d'étudiants écossais à l'Académie protestante de Saumur 62
8.2.7. Conclusion 63

CONCLUSION : BILAN DE LA RECHERCHE DOCUMENTAIRE 65

LISTE DES ÉTUDIANTS ÉCOSSAIS À LA FACULTÉ DE DROIT DE BOURGES 67
1) Ordre chronologique 67
2) Références individuelles des sources 68

DEUXIÈME PARTIE :
LES ÉCOSSAIS ET LE DROIT

INTRODUCTION : LA *VIEILLE ALLIANCE* : RAPPEL 75
1) Les traités 75
2) Les échanges 76

CHAPITRE 1. LES ÉCOSSAIS À L'UNIVERSITÉ DE PARIS 77
1.1 1218-1428 77
1.2 La Faculté de Droit de Paris 78
CHAPITRE 2. LES ÉCOSSAIS À L'ÉCOLE DE DROIT D'ORLÉANS 81
2.1 L'École de Droit d'Orléans 81
2.2 La présence écossaise 81
CHAPITRE 3. RENAISSANCE DES ÉTUDES JURIDIQUES EN ITALIE 83
3.1 Bologne et Padoue 83
3.2 La présence écossaise 83
CHAPITRE 4. LE DROIT COMME CHOIX D'ÉTUDE 85
4.1 Le droit civil 85
4.2 Le droit canon 86
4.3 Évolution de la discipline 86
CHAPITRE 5. CARRIÈRES DES UNIVERSITAIRES ÉCOSSAIS AUX XIIIe ET XIVe SIÈCLES 89
5.1 Carrières sur le continent 89
5.2 Carrières laïques 89
5.3 Carrières ecclésiastiques 90
CHAPITRE 6. LA JUSTICE EN ÉCOSSE 93
6.1 Les cours 94
6.2 Les avocats 94
CHAPITRE 7. LE SYSTEME LEGAL ÉCOSSAIS : ÉVOLUTION 95
7.1 Dates clés : 1424, 1455, 1496, 1507 95
7.2 1532 : Le *College of Justice*/la *Faculty of Advocates* 97
7.3 Le concept du juriste écossais 97

CHAPITRE 8. L'ENSEIGNEMENT DU DROIT EN ÉCOSSE 101
8.1 Remarques 101
8.2 Le droit à l'Université de St-Andrews 101
8.3 Le droit à l'Université de Glasgow 102
8.4 Le droit à l'Université d'Aberdeen 103
8.5 Le droit dans les universités après la Réforme 103
8.6 Le droit à l'Université d'Edimbourg 105
CONCLUSION 107

TROISIÈME PARTIE :
CONTEXTE HISTORIQUE

CHAPITRE 1. PRÉSENTATION DE LA VILLE DE BOURGES EN BERRY, DES ORIGINES À 1463, DATE DE LA FONDATION DE L'UNIVERSITÉ 111

INTRODUCTION 111
1.1 Des Celtes aux Romains 111
1.2 Christianisation du Berry : Bourges capitale de l'Aquitaine Première 112
1.3 Débuts de la carrière politique de Bourges 113
1.4 L'archevêque de Bourges, primat d'Aquitaine 114
1.5 Le duc Jean de Berry 115
1.6 Le dauphin Charles, futur Charles VII et la rencontre Berry-Écosse 117
1.7 Jacques Cœur 120
1.8 Conclusion 121
CHAPITRE 2. SITUATION GÉOGRAPHIQUE DE BOURGES 123
2.1 Sur le chemin de pèlerinage 123
2.2 Guides et cartes du voyageur 123

CHAPITRE 3. INSTALLATION D'ÉCOSSAIS SUITE À L'INTERVENTION MILITAIRE DE 1419 127
3.1 Archives 127
3.2 Commentaire 127

CHAPITRE 4. ANDREW FOREMAN, ARCHEVÊQUE DE BOURGES 131
4.1 Circonstances de sa nomination 131
4.2 L'homme et son œuvre 132
4.3 Lettres de naturalité de 1513 133
CHAPITRE 5. CONTEXTE HISTORIQUE FRANCE-ÉCOSSE 135
5.1 Jacques IV et la régence du duc d'Albany 135
5.2 Jacques V 135
5.3 La régence de Marie de Guise-Lorraine 136
5.4 Lettres de naturalité de 1558 138
5.5 Marie Stuart 139
5.6 Jacques VI 140
5.7 Les Stuarts d'Aubigny 141
5.8 Edmé Stuart 143
5.9 Les frères Erskine et leur grand-mère 145
5.10 Commentaire 146
CHAPITRE 6. CONTEXTE ÉVÉNEMENTIEL 149
6.1 Le « Grand Feu » de 1487 149
6.2 Les épidémies de peste 149
6.3 Les guerres de religion 150
6.4 Commentaire 152
6.5 Économie de l'Écosse 1580-1610 152
CONCLUSION 155

QUATRIÈME PARTIE :
CONTEXTE ACADÉMIQUE

CHAPITRE 1. LA FONDATION ET LES DÉBUTS DE L'UNIVERSITÉ 1463-1533 159
1.1 Création de l'Université de Bourges 159
1.2 Réaction hostile des autres universités 160
1.3 Débuts et difficultés de l'Université 161
1.4 Marguerite duchesse de Berry 162

CHAPITRE 2. LA FACULTÉ DE DROIT 165
2.1 Développement de la Faculté au XVIe siècle 165
2.2 Droit civil/Droit romain et Droit canon 166
2.2.1. définitions et enseignement 166
2.2.2. Évolution de la perception du droit romain : d'Accurse à Budé 168
2.3 André Alciat 170
2.3.1. l'homme 170
2.3.2. la méthode d'Alciat 172
2.4 Le corps professoral, d'André Alciat à Jacques Cujas 174
2.4.1. François Le Douaren 175
2.4.2. Eguinaire Baron 176
2.4.3. François Bauduin 176
2.4.4. Hugues Doneau 177
2.4.5. Antoine Leconte 177
2.4.6. François Hotman 178
2.5 Marguerite de Valois et Michel de l'Hospital 179
2.6 Jacques Cujas 181
2.6.1. L'homme 181
2.6.2. La méthode de Cujas 182

CHAPITRE 3. LA RÉFORME À BOURGES 185
3.1 Les débuts de la Réforme 185
3.2 La Réforme à l'Université 187
3.2.1. Introduction : Jean Calvin à l'Université 187
3.2.2. Alciat et les idées réformées 188
3.2.3. Les autres maîtres et les idées réformées 189
3.3 Bourges et le protestantisme 192

CHAPITRE 4. LA FACULTÉ DE DROIT AU XVIIe SIÈCLE 195
4.1 Le recrutement et le corps professoral 195
4.2 Edmond Mérille 197

4.3 Les Jésuites et l'Université 198
4.4 Les années 1650-1700 199
4.5 Attraits de la Faculté de Droit de Bourges pour les Écossais 200
4.6 Tableau comparatif : évolution de la Faculté de Droit et fréquentation écossaise, commentaire 203
4.7 Les Écossais à Heidelberg : essai d'explication 208
4.8 Conclusion 209

CINQUIÈME PARTIE :
De l'ÉCOSSE à BOURGES,
MAÎTRES ÉCOSSAIS à BOURGES

INTRODUCTION 213

CHAPITRE 1. DE L'ÉCOSSE À BOURGES : RECONSTITUTION JUSTIFIÉE DES SÉJOURS ET TEMPS D'ÉTUDES INDIVIDUELS, D'ALAN LEVENAX À MALCOLM MacGREGORE 215

1.1 Introduction 215
1.2 Alan Levenax 215
1.3 Henry Scrimgeour 217
1.4 Edward Henryson/Henry Edouard 220
1.5 William Skene 221
1.6 James Boyd of Trochrig 223
1.7 John Logie 224
1.8 Alexander Arbuthnot 244
1.9 Patrick Adamson 225
1.10 James McGill 226
1.11 William/Guillaume Barclay 226
1.12 Nicol Dalgleish 228
1.13 David MacGill 229
1.14 Alexander Scot 230
1.15 Mark Alexander Boyd 231
1.16 William Drummond of Hawthornden 234

1.17 Alexander Erskine 235
1.18 Henry Erskine 235
1.19 John Schau 235
1.20 Les Écossais de l'*Album* de Fait tot 237
1.21 Arthur Stuart 239
1.22 Andrew Kerr 239
1.23 George Mackenzie of Rosehaugh 239
1.24 Malcolm MacGregore 241

CHAPITRE 2. ÉTUDE PROSOPOGRAPHIQUE 245
2.1 Ages et statuts 245
2.2 Origines 246
2.2.1. Origines sociales 246
2.2.2. Origines professionnelles 247
2.2.3. Liens familiaux, amicaux 248
2.2.4. Esprit de clan 249
2.2.5. Origines géographiques 250
2.3 Antécédents académiques en Écosse 252
2.4 Antécédents académiques en France 255
2.5 Itinéraires 259
2.6 Durée des études à Bourges et diplômes 260
2.6.1. Remarques 260
2.6.2. Le diplôme de David MacGill 261
2.6.3. La remise de diplôme 262
2.7 Intégration sociale 263
2.7.1. Hébergement 263
2.7.2. Moyens de subsistance 264
2.7.3. Activités non académiques 264
2.7.4. Langues 265
2.7.4.1. le français et l'écossais 265
2.7.4.2. le latin 265
2.8 Intégration intellectuelle 266
2.8.1. La Faculté des Arts 266
2.8.2. Jacques Amyot 266

2.8.3. Jacques Amyot et Henry Scrimgeour........................267
2.8.4. Edward Henryson et Henry Scrimgeour....................268
2.9 Intégration spirituelle : quelle religion ?............................268
2.9.1. Écossais catholiques et protestants............................269
2.9.2. Commentaire 269
2.10 Conclusion...270

CHAPITRE 3. MAÎTRES ÉCOSSAIS À BOURGES 273
Introduction : internationalisation du corps professoral, maîtres étrangers à la Faculté de Droit de Bourges 273
3.1 Maîtres écossais dans les collèges et académies protestantes de France 274
3.2 Maîtres écossais dans les autres facultés de droit françaises 275
3.3 Maîtres écossais à la Faculté de Droit de Bourges..............276
3.3.1. Edward Henryson/Henry Edouard 277
3.3.1.1. Temps de professorat......................................277
3.3.1.2. Méthode 278
3.3.2. Alexander Arbuthnot...279
3.3.3. William Barclay...280
3.3.3.1. Temps de professorat......................................280
3.3.3.2. Méthode 281
3.3.4. Henry Scrimgeour..282
3.3.5. Alexander Scot 282
3.4 Commentaire..283

SIXIÈME PARTIE :
TÉMOIGNAGES DIRECTS

CHAPITRE 1. LE THÉÂTRE À BOURGES VU PAR WILLIAM DRUMMOND 287
Introduction...287
1.1 Une manifestation théâtrale à Bourges en 1536..................287
1.2 Le théâtre à Bourges dans les années 1620 288
1.3 Le témoignage de William Drummond 289

1.3.1. Troupes françaises et italiennes ... 290
1.3.1.1. Les acteurs ... 290
1.3.2. Les pièces ... 292
1.3.2.1. Les tragédies ... 292
1.3.2.2. Les pastorales ... 293
1.3.2.3. Les tragi-comédies ... 293
1.3.2.4. Les farces ... 294
1.3.2.5. Le théâtre jésuite ... 295
1.3.3. Conclusion ... 296
CHAPITRE 2. CATALOGUE DES LIVRES DE WILLIAM DRUMMOND ACHETÉS À BOURGES ... 297
Introduction ... 297
2.1 Les libraires-imprimeurs à Bourges : où William Drummond, étudiant à Bourges, acheta-t-il ses livres ? ... 297
2.2 Le prix des livres de William Drummond ... 299
2.3 Les livres que William Drummond acheta à Bourges ... 300
2.3.1. Ouvrages en latin ... 300
2.3.1.1. Théologie ... 300
2.3.1.2. Droit ... 300
2.3.1.3. Prose ... 301
2.3.2. Ouvrages en grec ... 302
2.3.3 Ouvrages en français ... 302
2.3.4. Ouvrages en italien ... 303
2.4 Commentaire ... 303
2.5 Dictionnaires et grammaires de français ... 304
2.6 Testament de Jacques Cujas ... 305
2.7 Ouvrages de la Collection Drummond, liés à l'histoire berruyère ... 306
2.8 Ouvrages de la Collection Drummond liés au séjour de Drummond à l'Université : droit, poésie et prose ... 306
2.8.1. Droit ... 306
2.8.2. Poésie ... 308

2.8.3. Prose 308
2.8.4. Philosophie 309
2.9 Commentaire 309
2.10 Conclusion 310

CHAPITRE 3. LES LETTRES DES FRÈRES ERSKINE ET DE JOHN SCHAU, JUIN 1617-DÉCEMBRE 1618 313
Introduction 313
3.1 Intérêt social et historique de ces lettres 314
3.1.1. Introduction 314
3.1.2. Préoccupations liées à l'argent 316
3.1.3. Nouvelles liées aux déplacements 318
3.1.4. Nouvelles des amis et itinéraires 318
3.1.5. Nouvelles liées à l'état de santé 320
3.1.6. Nouvelles liées aux études 322
3.1.7. Le comte de Mar 323
3.1.8. Nouvelles liées aux événements politico-historiques 325
3.1.8.1. Introduction 325
3.1.8.2. Mort de Concino Concini, maréchal d'Ancre 326
3.1.8.3. L'emprisonnement du Prince de Condé 328
3.2 Conclusion : ce que les lettres ne nous apprennent pas 328

SEPTIÈME PARTIE : APRÈS BOURGES

CHAPITRE 1 : RECONSTITUTION DES BIOGRAPHIES APRÈS BOURGES, D'HENRY SCRIMGEOUR À MALCOLM MacGREGORE 331
1.1 Henry Scrimgeour 331
1.2 Edward Henryson/Henry Edouard 337
1.3 William Skene 340
1.4 James Boyd of Trochrig 342

1.5 Alexander Arbuthnot 343
1.6 Patrick Adamson 346
1.7 William/Guillaume Barclay 347
1.8 Nicol Dalgleish 351
1.9 David MacGill 351
1.10 Alexander Scot 351
1.11 Mark Alexander Boyd 354
1.11.1. Sa vie 354
1.11.2. Ses écrits 356
1.11.2.1. Ses poèmes 356
1.11.2.2. Ses écrits en prose 357
1.12 William Drummond of Hawthornden 359
1.13 Alexander et Henry Erskine, John Schau 363
1.13.1. Alexander Erskine 364
1.13.2. Henry Erskine 364
1.14 Andrew Kerr 364
1.15 Sir George Mackenzie of Rosehaugh 364
1.15.1. Sa vie 364
1.15.2. Ses écrits 366
1.15.3. Mackenzie et la bibliothèque de la *Faculty of Advocates* 373
1.15.3.1. Origines de la bibliothèque 373
1.15.3.2. Contenu de la bibliothèque 374
1.15.3.3. Les donations 376
1.15.3.4. Le rôle de Mackenzie dans le développement de la bibliothèque et de l'enseignement juridique 377
1.16 Malcolm MacGregore 378

CHAPITRE 2. LES CARRIÈRES DES ÉCOSSAIS APRÈS BOURGES 381
2.1 Introduction 381
2.2 Itinéraires après Bourges 381
2.3 Carrières 382

2.3.1. Commentaire 383
2.3.2. Résumé des carrières individuelles par ordre chronologique 384
2.3.3. Commentaire 385
2.3.4. Productions littéraires 386

CONCLUSION GÉNÉRALE 391

ANNEXES 396
Annexe 1 : Notices biographiques 397
Annexe 2 : Evénements historiques France/Écosse, Berry/Écosse 403
Annexe 3 : Dates de fondation des universités mentionnées dans notre étude 405

LISTE DES GRAPHIQUES/TABLEAUX 407

GLOSSAIRE 409

BIBLIOGRAPHIE 413

INDEX 463

TABLE DES MATIÈRES 479

Achevé d'imprimer en 2001
à Genève (Suisse)